6.95

ULTRAMAR BOLSILLO

Arthur Hailey

TRAFICANTES DE DINERO

Ultramar Editores

.lo original inglés: *The moneychangers*
Traducción: Estela Cantó y Francisco Torres Oliver
Primera edición: Junio de 1977

Portada: Carlos Montejo
© 1975 by Arthur Hailey
© Emecé Editores, S. A. Buenos Aires, 1975
© Ultramar Editores, S. A. Madrid, 1975
  Clara del Rey, 24. Tel. 416 13 23

ISBN: 84-7386-085-3
Depósito legal: NA-791-1977
Fotocomposición: Compoprint, Marqués de
Monteagudo, 16. Madrid
Impresión: Gráficas Estella. Estella (Navarra), 1977
Printed in Spain

Si eres rico, eres pobre;
porque, como un asno cuyo lomo se curva bajo los lingotes
llevas las pesadas riquezas sólo durante un viaje,
y la muerte te descarga.

Shakespeare, *Measure for measure* (Medida por medida)

Maloliente mugre enmohece los tesoros ocultos,
pero el oro que es usado más oro engendra.

Shakespeare, *Venus y Adonis*

PRIMERA PARTE

1

Por largo tiempo muchos iban a recordar vivamente y con angustia, aquellos dos días de la primera semana de Octubre.

El martes de aquella semana el viejo Ben Rosselli, presidente del banco First Mercantile American y nieto del fundador del banco, hizo un anuncio —sorprendente y sombrío— que palpitó en todos los rincones del banco y más allá. Y al día siguiente, miércoles, la sucursal «insignia» del banco, en el centro de la ciudad, descubrió la presencia de un ladrón, iniciando una serie de acontecimientos que pocos hubieran podido prever, y que terminaron en naufragio financiero, tragedia humana y muerte.

La convocatoria del presidente del banco ocurrió sin previo anuncio; notablemente, nada se había filtrado de antemano. Ben Rosselli había telefoneado a algunos de los ejecutivos más antiguos por la mañana temprano, había cogido a algunos en su casa, desayunando, a otros poco después de haberse hecho cargo de sus tareas. También había unos pocos que no eran ejecutivos, sino simplemente viejos empleados a quienes Ben consideraba como amigos.

Para cada uno el mensaje fue el mismo: «Por favor, preséntese en la Torre de la Casa Central a las 11. A.M.».

Ahota todos, excepto Ben, estaban reunidos en la sala principal; eran más o menos una veintena y hablaban tranquilamente en grupos, mientras esperaban. Todos estaban de pie; ninguno se atrevió a ser el primero en extraer una silla de las alineadas junto a la reluciente mesa de Dirección, mayor que una mesa de juego, que podía albergar unas cuarenta personas.

Una voz interrumpió penetrante en la charla.

—¿Quién ha autorizado esto?

Las cabezas se volvieron. Roscoe Heyward, vicepresidente ejecutivo y supervisor, se había dirigido a un camarero de chaqueta blanca proveniente del comedor de los ejecutivos. El hombre se había presentado con unas botellas de jerez, que servía en unos vasos.

Heyward, austero, olímpico, era un celoso abstemio. Miró deliberadamente su reloj, en un gesto que decía claramente: ¡no sólo bebida, sino *tan* temprano! Varios que ya habían tendido las manos hacia el jerez, las retiraron.

—Son órdenes del señor Rosselli, señor —dijo el camarero—. Y pidió especialmente el mejor jerez.

Una figura corpulenta, con un traje gris claro a la moda, se adelantó y dijo ligeramente:

—Por temprano que sea no tiene sentido privarse de una cosa tan buena.

Alex Vandervoort, de ojos azules y pelo rubio, con un poco de gris en las sienes, era también vicepresidente ejecutivo. Comunicativo e informal, su manera fácil, su estilo de «estar en el ajo» ocultaban una vigorosa decisión interna. Los dos hombres —Heyward y Vandervoot— representaban el segundo peldaño de la dirección inmediatamente después de la presidencia, y, aunque los dos eran maduros y capaces de cooperación, también eran, en muchas maneras, rivales. Su rivalidad y sus puntos de vista diferentes impregnaban el banco, proporcionando a cada uno una cohorte de partidarios en niveles más bajos.

Alex tomó dos vasos de jerez y pasó uno a Edwina D'Orsey, morena y estatuaria, primera mujer que ocupaba un cargo ejecutivo en el First Mercantile American.

Edwina vio que Heyward miraba hacia ella, desaprobando. Bueno, poco importa, pensó. Roscoe sabía que ella era leal seguidora de Vandervoort.

—Gracias, Alex —dijo, tomando el vaso.

Hubo un momento de tensión, después otros siguieron el ejemplo. La cara de Roscoe Heyward se contrajo, enojada. Pareció que iba a decir algo más, pero después cambió de idea.

En la puerta del salón de reuniones, el vicepresidente encargado de Seguridad. Nolan Wainwright, una figura imponente, semejante a un Otelo y uno de los dos ejecutivos negros presentes, levantó la voz:

—Mrs. D'Orsey, señores... Mr. Rosselli.

El murmullo de la conversación cesó.

Ben Rosselli estaba allí, sonriendo levemente, recorriendo el grupo con la mirada. Como siempre, su apariencia lograba el punto exacto entre la figura de un padre benevolente y la fuerte solidez de alguien a quien miles de ciudadanos confían el dinero para que lo guarde. Parecía ambas cosas y se vestía en consonancia: un oscuro traje de banquero, con el inevitable chaleco cruzado por una fina cadena de oro y reloj. Y era sorprendente como se parecía aquel hombre al primer Rosselli —Giovanni— que había fundado el banco en el sótano de un almacén, hacía un siglo. Era la misma cabeza patricia de Giovanni, con flotante pelo plateado y tupido bigote, que el banco reproducía en los libros de cuentas, y en los cheques de viajero, como símbolo de probidad, y cuyo busto adornaba la Plaza Rosselli, allá abajo.

El Rosselli de ahora tenía el pelo plateado y el bigote, casi igualmente tupido. La moda en todo un siglo había dado un giro total. Pero lo que ninguna reproducción mostraba era el impulso de familia que todos los Rosselli habían poseído y que, con ingenuidad e ilimitada energía había llevado al First Mercantile American a su prominencia actual. Hoy, sin embargo, la habitual vivacidad parecía faltar en Ben Rosselli. Caminaba apoyado en un bastón; ninguno de los presentes le había visto hacer esto.

Hizo un gesto como para sacar uno de los pesados sillones de los directores. Pero Nolan Wainwright que estaba más cerca, se movió con más rapidez. El jefe de Seguridad hizo girar el sillón con alto respaldo hacia la mesa de reunión. Con un murmullo de gracias el presidente se acomodó allí.

Ben Rosselli saludó a los demás con la mano.

—Esto es algo informal. No tardaremos mucho. Si alguno lo desea, puede ocupar las sillas. Ah, gracias... —la última frase fue dirigida al camarero, de quién aceptó un vaso de jerez. El hombre salió, cerrando tras de sí las puertas del salón de reuniones.

Alguien acercó una silla para Edwina D'Orsey, y otros se sentaron, pero la mayoría permaneció de pie.

Fue Alex Vandervoort quien dijo:

—Evidentemente estamos aquí para celebrar... —hizo un gesto con el vaso de jerez—. Pero la cuestión es: ¿qué celebramos?

Nuevamente Ben Rosselli dejó pasar una leve sonrisa.

—Me gustaría que esta fuera una celebración, Alex. Es simplemente una ocasión en la que he pensado que un trago no vendría mal... —hizo una pausa y súbitamente una nueva tensión invadió el cuarto. Era evidente para todos que ésta no era una reunión ordinaria. Las caras reflejaban duda, preocupación.

—Me estoy muriendo —dijo Ben Rosselli—. Los médicos me han dicho que no me queda mucho tiempo. Supuse que todos ustedes debían saberlo... —levantó su vaso, lo contempló y tomó un sorbo de jerez.

Aunque el salón había estado tranquilo antes, el silencio fue ahora intenso. Ninguno se movió ni habló. Los sonidos exteriores llegaban débilmente: el apagado teclear de una máquina de escribir, el zumbido de un acondicionador de aire; afuera, en algún lugar, el chillido de un reactor ascendió sobre la ciudad.

El viejo Ben se inclinó hacia adelante, apoyado en su bastón.

—Vamos, no hay motivo para sentirse incómodos. Somos viejos amigos; por eso les he convocado a ustedes aquí. Ah, sí, para evitar preguntas, diré que lo que he dicho es definitivo; si hubiera creído que existe una posibilidad, que no la hay, habría esperado más tiempo. La otra cosa que quizás les intriga... la enfermedad es cáncer de pulmón, muy avanzado, según me han dicho. Probablemente no llegaré a Navidad... —hizo una pausa y súbitamente toda la fragilidad y fatiga aparecieron. Con más suavidad añadió—: Bueno, ahora ya están ustedes enterados y, cuando quieran, pueden hacer correr la voz.

Edwina D'Orsey pensó: no podía elegirse el momento. En cuanto se vaciara el salón, lo que acababan de oír iba a expandirse por el banco, y más allá, como el fuego en una pradera. Las noticias iban a afectar a muchos, a algunos emocionalmente, a otros de manera prosaica. Pero, sobre todo, ella estaba como atontada y sentía que la reacción de los otros era la misma.

—Mr. Rosselli —uno de los hombres más antiguos se atrevió a hablar. Pop Monroe era un viejo empleado en el departamento de depósitos, y su voz temblaba— Mr. Rosselli, nos ha largado usted una buena. Nadie sabe qué decir.

Hubo un murmullo, casi un gruñido de asentimiento y simpatía.

Por encima, Roscoe Heyward inyectó con suavidad:

—Lo que podemos, y debemos decir... —había una pizca de reprobación en la voz del supervisor, como si los otros hubieran debido esperar que él hablara primero— es que, aunque esta terrible noticia nos ha sacudido y entristecido, podemos estar en un error y confiar en el tiempo. Las opiniones de los médicos, como casi todos sabemos, rara vez son exactas. Y la ciencia médica puede lograr mucho para detener, incluso para curar...

—Roscoe, he dicho que ya he pasado por todo eso —dijo Ben Rosselli, con un primer asomo de impaciencia—. En cuanto a los médicos, he consultado los mejores. ¿Acaso no lo sabían?

—Sí, lo suponíamos —dijo Heyward—. Pero debemos recordar que hay un poder más alto que el de los médicos, y es deber de todos nosotros —miró con deliberación alrededor de la habitación— rogar a Dios que se apiade o que, por lo menos, le conceda más tiempo del que usted cree.

El viejo dijo con ironía.

—Tengo la impresión de que Dios ya se ha decidido.

Alex Vandervoort observó:

—Ben, todos estamos trastornados. Lamento especialmente algo que he dicho antes...

—¿Lo del festejo? ¡No tiene importancia!... Usted no estaba enterado... —el viejo tuvo una risita—. Además, ¿por qué no? He tenido una buena vida; no todo el mundo la tiene y, por lo tanto, hay motivo para celebrar... —palmeó los bolsillos de la chaqueta, después miró alrededor— ¿Alguno tiene un cigarrillo? Los médicos me los han prohibido.

Aparecieron varios paquetes. Roscoe Heyward gimió:

—¿Está seguro de que le conviene hacerlo?

Ben Rosselli le miró sardónicamente y no contestó. No era un secreto que, aunque el viejo respetaba el talento de Heyward como banquero, los dos hombres nunca habían logrado intimar.

Alex Vandervoort encendió el cigarrillo que había tomado el presidente del banco. Los ojos de Alex, como los de otros en la habitación, estaban húmedos.

—En un momento como este hay algunas cosas de las que uno se alegra —dijo Ben—. Que nos den un consejo es una, es la posibilidad de atar cabos perdidos... —el humo del cigarrillo giró a su alrededor—. Naturalmente, por otro lado uno lamenta la forma en que se han producido algunas cosas. Deben ustedes reflexionar y meditar también sobre esto.

Todos sabían qué era lo que más había que lamentar: Ben Rosselli no tenía herederos. Su único hijo había muerto en la Segunda Guerra Mundial; y más recientemente un nieto, que prometía, había muerto en la insensata pérdida de vidas del Vietnam.

Un ataque de tos sacudió al viejo. Nolan Wainwright, que estaba más cerca, se adelantó, tomó el cigarrillo que le tendían con dedos temblorosos, y lo apagó. Se hizo, entonces, evidente hasta qué punto estaba debilitado Ben Rosselli, cuánto le había fatigado el esfuerzo de hoy.

Aunque nadie lo sabía, era la última vez que el presidente iba a acudir al banco.

Se acercaron a Rosselli individualmente, le dieron la mano con suavidad, buscando unas palabras que decir. Cuando llegó el turno a Edwina D'Orsey, ella le besó levemente en la mejilla, y él parpadeó.

14

2

Roscoe Heyward fue uno de los primeros en dejar el salón. El vicepresidente supervisor ejecutivo tenía dos objetivos urgentes, resultado de lo que acababa de saber.

Uno era lograr una suave transición de autoridad, después de la muerte de Ben Rosselli. El segundo objetivo era asegurar que Heyward fuera nombrado presidente y ejecutivo principal.

Heyward era ya un fuerte candidato. También lo era Alex Vandervoort y posiblemente, dentro del mismo banco, Alex tenía más seguidores. Sin embargo, en el cuerpo de directores, donde la cosa tenía más peso, Heyward creía contar con más apoyo.

Versado en la política bancaria y con una mente acerada y disciplinada, Heyward empezó a planear su campaña, incluso cuando la reunión de la mañana no había terminado.

Se dirigió a sus oficinas, unos cuartos con paneles, espesas cortinas beige y una vista de la ciudad, allá abajo, capaz de cortar el aliento. Sentado ante su escritorio llamó a la principal de sus dos secretarias, Mrs. Callaghan, y le dio instrucciones como para un rápido incendio.

La primera era la de telefonear a los directores, con los que Roscoe Heyward iba a hablar, uno por uno. Tenía ante sí, en el escritorio, una lista de los directores. Fuera de las llamadas del teléfono directo, pidió no ser molestado.

Otra instrucción fue la de cerrar la puerta exterior de la oficina cuando la secretaria salió —cosa en sí desusada, ya que los ejecutivos del FMA conservaban una tradición de puertas abiertas iniciada hacia un siglo y estólidamente mantenida por Ben Rosselli. Aquella era una tradición que debía desaparecer. La intimidad, en aquel momento, era esencial.

Heyward había sido rápido en observar que, en la reunión de aquella mañana, sólo dos miembros del cuerpo del First Mercantile American, aparte de los antiguos gerentes, habían estado presentes. Ambos directores eran amigos personales de Ben Rosselli —y era evidentemente por este motivo que habían sido convocados. Pero esto significaba que quince miembros del cuerpo no estaban informados, todavía, de la próxima muerte del presidente. Heyward quería que los quince recibieran las noticias por su boca.

Calculó dos probabilidades: primero, los hechos eran tan súbitos y estremecedores que iba a producirse una alianza instintiva entre quien recibiera la noticia y quien la diera. Segundo: algunos directores iban a resentirse por no haber sido informados de antemano, especialmente porque algunos funcionarios menores del FMA habían escuchado la noticia en el salón de reuniones. Roscoe Heyward pensaba capitalizar este resentimiento.

Se oyó el zumbido de un timbre. Recibió la primera llamada y empezó a hablar. Después siguió otra llamada, y otra más. Varios directores estaban fuera de la ciudad, pero Dora Callaghan, una ayudante leal y experimentada, les seguía los pasos.

Media hora después de empezar a telefonear, Roscoe Heyward informaba con calor al honorable Harold Austin:

—Aquí, en el banco, como es lógico, estamos terriblemente trastornados y emocionados. Lo que Ben nos ha dicho no parece real, o posible.

—¡Dios mío! —la otra voz en el teléfono todavía reflejaba la angustia expresada unos momentos antes— ¡Y tener que decirlo personalmente a la gente! —Harold Austin era uno de los pilares de la ciudad, tercera generación de una vieja familia y, hacía tiempo, había estado una única temporada en el Congreso... de ahí el título de «Honorable», alentado por la costumbre. Ahora poseía la mayor agencia de publicidad del estado y era un veterano director del banco, con fuerte influencia en el consejo.

El comentario acerca del anuncio personal dio a Heyward la apertura que necesitaba.

—Me doy cuenta perfectamente de tus sentimientos sobre la manera de informar, y, la verdad, es que ha sido algo desusado. Lo que más me preocupa es que no se haya avisado primero a los directores. Opino que debía haberse hecho. Pero, ya que no fue así, considero que ha sido mi deber informaros en seguida a ti y a los otros... —la cara aquilina austera de Heyward mostró concentración; detrás de las gafas sin aro sus ojos grises eran fríos.

—Estoy de acuerdo contigo, Roscoe —dijo la voz en el teléfono—. Creo que debimos ser informados, y te agradezco que te hayas ocupado de esto.

—Gracias, Harold. En un momento como éste uno nunca sabe qué es mejor. Lo único cierto es que alguno debe ejercer el mando.

El uso del tuteo era fácil para Heyward. Provenía de una antigua familia, sabía como moverse entre las más poderosas bases del estado, y era miembro, con buena base, de lo que los ingleses llaman un muchacho de «adentro». Sus relaciones personales se extendían más allá de los límites del estado, hasta Washington y otras partes. Heyward estaba orgulloso de su status social y de sus amistades en altas esferas. También le gustaba que la gente recordara su directa descendencia de uno de los firmantes de la Declaración de la Independencia.

Sugirió:

—Otro motivo para tener informados a los miembros del consejo es que estas tristes noticias sobre Ben van a producir un tremendo impacto. Y la cosa correrá rápidamente.

—No cabe duda —corroboró el honorable Harold—. La posibilidad es que mañana se haya enterado la prensa y empiece a hacer preguntas.

Exactamente. Y una publicidad inadecuada puede inquietar a los depositantes, y reducir el precio de nuestros valores.

—Hum...

Roscoe Heyward podía sentir las ruedecillas en la mente de su compañero. El Austin Family Trust, representado por el honorable Harold, tenía gran cantidad de acciones del FMA.

Heyward se apresuró a decir:

—Naturalmente, si el consejo toma una decisión enérgica para asegurar a los accionistas y depositantes, al igual que al público en general, toda esa pérdida será desdeñable.

—Excepto para los amigos de Ben Rosselli —recordó secamente Harold Austin.

—Hablaba fuera del marco de la pérdida personal. Mi pesar, te lo aseguro, es tan hondo como el de cualquiera.

—¿En qué estás pensando, Roscoe?

—En general, Harold... en una continuidad de la autoridad. Concretamente no debe quedar vacante el cargo de ejecutivo principal ni siquiera por un día —prosiguió Heyward—. Con el mayor respeto hacia Ben, y sin tener en cuenta nuestro profundo cariño hacia él, este banco ha sido considerado durante mucho tiempo como una institución de un solo hombre. Lógicamente hace años que la cosa no es así: ningún banco puede figurar entre los veinte principales de la nación y ser dirigido individualmente. Pero, hay gente fuera que lo sigue creyendo. Por eso, por triste que sea este momento, los directores tendrán la oportunidad de disipar esa leyenda.

Heyward sintió que el otro hombre pensaba astutamente antes de contestar. También pudo imaginar a Austin... un hermoso tipo de *playboy* envejecido, vestido de manera llamativa y con estilizado y flotante pelo gris. Probablemente, como de costumbre, fumaba un gran cigarro. Sin embargo, el honorable Harold no se dejaba tomar por tonto por nadie, y tenía reputación de ser un hombre de negocios audaz y brillante. Finalmente declaró:

—Creo que tu punto de vista sobre la continuidad es válido. Y estoy de acuerdo contigo en que el sucesor de Ben Rosselli debe ser elegido y su nombre anunciado antes de la muerte de Ben.

Heyward escuchó intensamente mientras el otro proseguía:

—Opino que tú eres ese hombre, Roscoe. Lo he pensado hace tiempo. Tienes las cualidades, la experiencia, la rudeza... todo. Por lo tanto estoy dispuesto a darte mi apoyo, y hay otros en el consejo a los que puedo convencer para que sigan el mismo camino. Supongo que es eso lo que deseas.

—Realmente estoy muy agradecido...

—Naturalmente, a cambio podré pedirte algún ocasional *quid pro quo*.

—Me parece razonable.

—Bien. Entonces nos hemos entendido.

La conversación, decidió Roscoe Heyward al cortar la comunicación, había sido altamente satisfactoria. Harold Austin era un hombre de lealtad consistente, que cumplía con su palabra.

Las llamadas precedentes habían sido igualmente satisfactorias.

Al hablar poco después con otro director —Philip Johannsen, presidente del Mid Continent Rubber —surgió otra oportunidad. Johannsen reconoció que francamente no se entendía con Alex Vandervoort, cuyas ideas le parecían poco ortodoxas.

—Alex es antiortodoxo —dijo Heyward—. Naturalmente tiene algunos problemas personales. No sé si las dos cosas podrán marchar juntas.

—¿Qué clase de problemas?

—Cosas de mujeres. Pero no me gustaría...

—Es algo importante, Roscoe. Y también confidencial. Habla.

—Bueno, en primer lugar, Alex tiene dificultades matrimoniales. Segundo, tiene relaciones con otra mujer. Tercero, esa mujer es una activista de izquierda, aparece con frecuencia en las noticias, y no precisamente en el tipo de contexto que puede ser útil al banco. A veces me pregunto si tiene mucha influencia sobre Alex. Como he dicho no me gustaría...

—Has hecho bien en decírmelo, Roscoe —dijo Johannsen—. Es algo que los directores deben saber. Izquierdista, ¿eh?

—Sí, se llama Margot Bracken.

—Creo que la he oído nombrar. Y lo que he oído, no me gusta.

Heyward sonrió.

Pero quedó menos contento, sin embargo, dos llamadas después, cuando se comunicó con un director de fuera de la ciudad. Leonard L. Kingswood, presidente del consejo de la Northam Steel.

Kingswood, que había iniciado su vida como fundidor en los hornos de una fábrica de acero, dijo:

—No me vengas con esa mierda, Roscoe —cuando Heyward sugirió que los directores del banco debían ser informados de antemano de la situación de Ben Rosselli—. Ben ha hecho las cosas como las hubiera hecho yo. Decir las cosas primero a las personas que están más cerca, y después a los directores y a otros cuellos almidonados.

En cuanto a la posibilidad de una declinación en los depósitos del First Mercantile American, la reacción de Len Kingswood fue:

—¿Y qué?

—Seguramente —añadió— el FMA bajará un punto o dos en la pizarra cuando se sepan las noticias. Sucederá porque la mayoría de las transacciones de depósitos están en manos de niños de mamá nerviosos, que no saben distinguir la histeria de los hechos. Pero, seguramente, los depósitos volverán a subir en una semana, porque los valores están ahí, el banco es bueno, y todos los que estamos dentro lo sabemos.

Y más adelante, en la conversación:

—Roscoe, este trabajo de antecámara que estás haciendo es tan transparente como una ventana recién lavada, por eso te diré con igual claridad mi posición, para que no perdamos tiempo. Tú eres un supervisor de primera categoría, el mejor hombre para números y dinero que he conocido nunca. Y si algún día tienes ganas de venirte aquí, a la Northam, con un buen cheque como paga y mejor opción en los depósitos, daré vueltas a mi gente y te pondré en lo alto del pilar financiero. Es un ofrecimiento y una promesa. Hablo en serio.

El presidente de la compañía de acero declinó el agradecimiento de Heyward y prosiguió:

—Pero, pese a lo bueno que eres, Roscoe, lo que quiero decir es que... no eres un directivo para todo alcance. Por lo menos, es como yo veo las cosas, y también es lo que diré cuando el consejo decida quién va a sustituir a Ben. Y otra cosa que quiero también decirte es que mi candidato es Vandervoort. Es algo que debes saber.

Heyward contestó sin perder la calma:

—Te agradezco la franqueza, Leonard.

—Bien. Y si piensas alguna vez con seriedad en la oferta que te he hecho, llámame cuando gustes.

Pero Roscoe Heyward no tenía intenciones de trabajar para la Northan Steel. Aunque el dinero era para él importante, su orgullo no se lo hubiera permitido después del mordiente veredicto de Leonard Kingswood, de hacía un instante. Además, todavía seguía confiando en obtener el cargo principal en el FMA.

Nuevamente zumbó el teléfono. Cuando contestó, Dora Callaghan anunció que otro director estaba en la línea.

—Es Mr. Floyd Leberre.

—Floyd —empezó Heyward, con la voz afectada en un tono bajo y serio—, lamento muchísimo tener que ser portador de una noticia trágica y triste.

3

No todos los que habían estado presentes en la grave reunión del consejo salieron tan rápidamente como Roscoe Heyward. Algunos se demoraron fuera, todavía bajo la impresión, conversando en voz baja.

El viejo funcionario del departamento de inversiones, Pop Monroe, dijo con suavidad a Edwina D'Orsey:

—Este es un día triste, muy triste.

Edwina asintió, sin poder hablar. Ben Rosselli había sido importante para ella como amigo y él se había enorgullecido al verla subir y formar parte de las autoridades del banco.

Alex Vandervoort se detuvo junto a Edwina, dirigiéndose después a su oficina, algunas puertas más allá:

—¿Quieres acompañarme un momento?

Ella dijo, agradecida: —Sí, por favor.

Las oficinas de los principales ejecutivos estaban en el mismo piso que la sala de reunión del consejo —el piso treinta y seis, en lo alto de la Torre de la Casa Central del FMA. Las oficinas de Alex Vandervoort, como otras, tenían una zona para conferencias informales y, allí, Edwina sirvió café con una Silex. Vandervoort extrajo una pipa y la encendió. Ella observó que los dedos de él se movían con eficiencia, sin desperdiciar ningún movimiento. Sus manos eran como su cuerpo, corto y ancho, los dedos terminaban repentinamente, en unas uñas cortas pero bien cuidadas.

La camaradería entre los dos databa de largo tiempo. Aunque Edwina que era gerente de la sucursal principal del First Mercantile American en la ciudad, estaba varios niveles por debajo de Alex en la jerarquía del banco, él siempre la había tratado como a una igual, y con frecuencia, en asuntos que afectaban a su sucursal, había tratado con ella directamente, pasando por encima de los peldaños de la organización que los separaban.

—Alex —dijo Edwina— debo decirte que pareces un esqueleto.

Una cálida sonrisa encendió la suave y redonda cara de él.

—Se me nota, ¿eh?

Alex Vandervoort era un conocido gastrónomo, un goloso amante de la comida y el vino. Desgraciadamente aumentaba fácilmente de peso. Periódicamente, como ahora, tenía que seguir alguna dieta.

Por tácito consentimiento ambos evitaron, por el momento, el tema que estaba más próximo a sus mentes.

El preguntó: —¿Cómo andan los negocios este mes en la sucursal?

—Bastante bien. Y soy optimista para el año próximo.

—Hablando del año próximo, ¿cómo ve la cosa Lewis?

Lewis D'Orsey, marido de Edwina, era dueño y editor de un difundido periódico para economistas.

Sombríamente. Prevé un alza temporal en el valor del dólar, luego otra gran caída, como ocurrió con la libra esterlina. También dice Lewis que aquellos que en Washington afirman que la recesión norteamericana ha llegado a su fin son unos ilusos ¡los mismos falsos profetas que en Vietnam veían «la luz del túnel»!

—Estoy de acuerdo con él —murmuró Alex—. Sabes, Edwina, uno de los fallos de los banqueros norteamericanos es que nunca alentamos a nuestros clientes a tener cuentas en moneda extranjera... francos suizos, marcos alemanes, otras monedas... como hacen los banqueros europeos. Oh, aceptamos a las grandes corporaciones, porque saben lo bastante como para insistir; y los bancos norteamericanos ganan para sí generosos beneficios con otras monedas. Aunque rara vez, o nunca, se hace esto por medio de los depositantes menores o de tipo medio. Si hubiéramos promovido las cuentas en moneda extranjera hace diez, o incluso cinco años, algunos de nuestros clientes habrían ganado con la desvalorización del dólar, en lugar de perder.

—¿Y no se opondría a eso la Tesorería de Estados Unidos?

—Probablemente. Pero tendrían que contar con la presión del público. Siempre lo hacen.

Edwina preguntó: —¿Alguna vez has sugerido la idea... de que más gente tenga cuentas en moneda extranjera?

—Una vez lo intenté. Me hicieron callar. Entre nosotros los banqueros norteamericanos, el dólar, por débil que esté, es sagrado. Es un concepto de avestruz que hemos inculcado al público, y que les ha costado dinero. Sólo unos pocos sofisticados tuvieron buen sentido y abrieron cuentas en moneda suiza, antes que empezaran las devaluaciones del dólar.

—Con frecuencia he pensado en eso —dijo Edwina—. Cada vez que ha sucedido, los banqueros han sabido por anticipado que la devaluación es inevitable. Sin embargo no hemos dado a nuestros clientes, exceptuando unos pocos favorecidos, ningún aviso, ninguna sugerencia para que vendieran dólares.

—Se suponía que era poco patriótico. Incluso Ben...

Alex se interrumpió. Permanecieron algunos momentos sin hablar.

Por los ventanales que ocupaban la pared del lado Este de la oficina de Alex, podían ver la robusta ciudad del Midwest, tendida ante ellos. Muy cerca estaban los estrechos callejones de establecimientos del centro, los mayores edificios, sólo un poco más bajos que la torre principal del First Mercantile American. Más allá del distrito del centro, retorcido en forma de doble S, estaba el amplio río lleno de tráfico, con su color —hoy como de costumbre— gris por las poluciones. Un entreverado trabajo de puentes sobre el río, líneas férreas y caminos corrían hacia el exterior como cintas desplegadas hacia complejos industriales y suburbios a lo lejos, los últimos, sentidos más que vistos, en una neblina que lo invadía todo. Pero más cerca que las industrias y los suburbios, aunque más allá del río, estaba el barrio central pobre, un laberinto de casas bajo el nivel medio, considerado por algunos la vergüenza de la ciudad.

En medio de esta última área, un nuevo gran edificio y el andamiaje de acero de otro se destacaban contra el horizonte.

Edwina señaló el edificio y el andamiaje de acero.

—Si estuviera como está ahora Ben —dijo— y quisiera ser recordada por algo, creo que quisiera serlo por el Forum East.

—Eso creo —la mirada de Alex siguió la de Edwina—. Sin él hubiera sido solo una idea, y no mucho más.

El Forum East era un ambicioso desarrollo urbano local, y su objetivo era rehabilitar el corazón de la ciudad. Ben Rosselli había comprometido financieramente al First Mercantile American en el proyecto, y Alex Vandervoort había estado directamente encargado de la inversión del banco. La gran sucursal central, manejada por Edwina, se había encargado de los préstamos para la construcción y detalles de las hipotecas.

—Estaba pensando —dijo Edwina— en los cambios que ocurrirán aquí —iba a añadir: «Después de la muerte de Ben...»

—Habrá cambios, lógicamente... quizás grandes cambios. Espero que ninguno afecte al Forum East.

Ella suspiró. —No ha pasado una hora desde que Ben nos dijo...

—Y estamos discutiendo futuros negocios bancarios antes de que se haya cavado una tumba. Bueno, hay que hacerlo, Edwina. Ben lo espera. Importantes decisiones deben ser tomadas pronto.

—Incluida la de quién sucederá al presidente.

—Esa es una.

—Muchos en el banco esperamos que seas tú.

—Francamente yo también lo espero.

Lo que ninguno de los dos dijo fue que, hasta ese día, Alex Vandervoort había sido visto como el heredero elegido de Ben Rosselli. Pero no tan pronto. Sólo hacía dos años que Alex estaba en el First Mercantile American. Antes había sido funcionario en la Federal Reserve y Ben Rosselli lo había convencido personalmente para que se le uniera, ofreciéndole la perspectiva de un avance eventual hasta la dirección.

—Dentro de unos cinco años, más o menos —había dicho el viejo Ben a Alex en aquella ocasión— quiero delegar el mando en alguien que sepa afrontar con eficiencia los grandes números y que sea capaz de demostrar una beneficiosa línea básica, porque esta es la única manera en que un banquero puede actuar con fuerza. Pero hay que ser algo más que un técnico de categoría. La clase de hombre que yo deseo para dirigir este banco no debe olvidar nunca que los pequeños depositantes, los individuos, han sido siempre muestra base más fuerte. Lo malo con los banqueros hoy en día en que se han vuelto demasiado remotos.

Ben Rosselli señaló claramente que no estaba haciendo ninguna promesa en firme, pero añadió: «Mi impresión, Alex, es que eres la clase de hombre que necesitamos. Trabajemos juntos un tiempo y ya veremos».

Y así Alex entró al banco, trayendo su experiencia y un olfato para la nueva técnica, y, con ambas cosas, pronto se destacó. En cuanto a la filosofía, descubrió que compartía muchos puntos de vista de Ben.

Tiempo atrás, Alex también había ganado intuición bancaria gracias a su padre, un inmigrante holandés convertido en granjero en Minnesota.

Pieter Vandervoort se había cargado con un préstamo bancario y, para pagar los intereses, trabajaba desde antes del alba hasta después del crepúsculo, generalmente siete días a la semana. Finalmente murió por exceso de trabajo, empobrecido, tras lo cual el banco vendió su tierra, recobrando no sólo los intereses sino la inversión original. La experiencia de su padre demostró a Alex —por medio del dolor— que el lugar para estar, era el del otro lado del mostrador de un banco.

Finalmente, el camino al banco para el joven Alex fue una beca en Harvard, y graduarse con honores en ciencias económicas.

—Quizás todo marche todavía —dijo Edwina D'Orsey—. Supongo que el consejo elegirá al presidente.

—Sí —contestó Alex, casi ausente. Había estado pensando en Ben Rosselli y en su padre; el recuerdo de los dos estaba extrañamente mezclado.

—La duración de los servicios prestados no lo es todo.

—Pero cuenta.

Mentalmente Alex pesó las probabilidades. Sabía que poseía el talento y la experiencia para encabezar el First Mercantile American, pero las posibilidades eran que los directores favorecieran a alguien que había estado allí desde hacía más tiempo. Roscoe Heyward, por ejemplo, había trabajado en el banco desde hacía casi veinte años, y pese a su ocasional falta de contacto con Ben Rosselli, Heyward contaba con mucho apoyo en el consejo.

Ayer las posibilidades favorecían a Alex. Hoy, las cosas se daban vueltas.

Se puso de pie y golpeó su pipa.

—Tengo que volver al trabajo.

—Yo también.

Pero Alex, al quedar solo, se sentó en silencio, pensativo.

Edwina tomó un ascensor expreso desde el piso de los directores hasta el vestíbulo del piso principal de FMA, una mezcla arquitectónica del Lincoln Center y de la Capilla Sixtina. El vestíbulo estaba lleno de gente, apresurados empleados bancarios, mensajeros, visitantes, curiosos. Respondió al amistoso saludo de un guardia de seguridad.

Desde el curvado vidrio frontal Edwina podía ver la Plaza Rosselli, con sus árboles, bancos, esculturas en la avenida y burbujeante fuente. En el verano la plaza era lugar de reuniones y los empleados que trabajaban en el centro almorzaban allí, pero ahora parecía siniestra e inhospitalaria. Un crudo viento revolvía las hojas y el polvo en pequeños tornados, y los transeúntes corrían en busca del calor de adentro.

Era la época del año, pensó Edwina, que menos le gustaba. Hablaba de melancolía, del invierno que llegaba, de la muerte.

Involuntariamente se estremeció, después se dirigió hacia el «túnel», alfombrado y suavemente iluminado, que comunicaba las oficinas principales del banco con la sucursal principal del centro, una estructura palaciega, de un solo piso.

Era su dominio.

4

El miércoles se inició normalmente en la principal sucursal de la ciudad.

Edwina D'Orsey era funcionaria de guardia en la sucursal durante la semana, y llegó exactamente a las 8.30, media hora antes que las lentas puertas de bronce del banco se abrieran para el público.

Como gerente de la sucursal «insignia» del FMA, y como vicepresidente corporativo, en realidad no debía cumplir sus funciones de guardia. Pero Edwina prefería cumplir su turno. También esto demostraba que no esperaba privilegios especiales por ser una mujer... cosa que siempre había tenido cuidado de señalar durante sus quince años en el First Mercantile American. Además, la guardia se presentaba sólo cada diez semanas.

Ante la puerta del costado del edificio hurgó en su bolso marrón de Gucci, buscando la llave; la encontró debajo de un montón de lápices de labios, billeteras, tarjetas de crédito, polvos, peine, una lista de cosas para comprar y otras cosas; su cartera estaba siempre inesperadamente desordenada. Después, antes de usar la llave, comprobó la señal de «no emboscada». La señal estaba donde debía estar... una tarjetita amarilla, colocada sin que llamara la atención en una ventana. La tarjeta debía haber sido puesta allí unos minutos antes por un portero cuya tarea era ser el primero en llegar a la gran sucursal todos los días. Si todo estaba dentro en orden, colocaba la señal donde los empleados que llegaban pudieran verla. Pero, si hubieran penetrado asaltantes durante la noche y esperaran para atrapar rehenes —el portero en primer término— no habría ninguna señal, y, de este modo, la ausencia se convertiría en un aviso. Los empleados que llegaran más tarde, no sólo no iban a entrar, sino que instantáneamente pedirían ayuda.

Debido a los crecientes asaltos de todo tipo, la mayoría de los bancos utilizaban la señal de «no emboscada», y el tipo y la colocación cambiaban con frecuencia.

Al entrar, Edwina fue inmediatamente hacia un panel móvil en la pared y lo abrió de golpe. A la vista quedó un timbre que oprimió en clave: dos llamadas largas, tres breves, una larga. En la habitación de Seguridad Central, en la Torre principal, quedaban ahora enterados que la puerta de alarma que la entrada de Edwina había puesto en movimiento hacía un momento, podía ser ignorada y que un funcionario autorizado estaba en el banco. El portero, al entrar, también debía haber trasmitido su propia clave.

El cuarto de guardia, al recibir señales similares desde otras sucursales del FMA, ponía en marcha el sistema de alarma del edificio, desde «alerta» hasta «quietos».

Si Edwina como funcionario de seguridad o el portero no hubieran dado la clave correctamente, la habitación de guardia hubiera informado a la policía. Unos minutos después la sucursal del banco hubiera sido rodeada.

Como con otros sistemas, las claves cambiaban con frecuencia.

Los bancos en todas partes encontraban la Seguridad en señales positivas cuando todo andaba bien, en ausencia de señales cuando estallaban las dificultades. De aquella manera si un empleado era retenido como rehén, podía dar la alarma sin hacer nada.

Otros funcionarios y algunos empleados estaban entrando, controlados por el portero correctamente uniformado que vigilaba la puerta del costado.

—Buenos días, Mrs. D'Orsey —dijo un empleado veterano, de pelo blanco, de nombre Tottenhoe, uniéndose a Edwina. Era contador y estaba encargado de los empleados y de la rutina que reinaba en la sucursal, y su cara larga y lúgubre le hacía parecerse a un viejo canguro. Su normal mal humor y su pesimismo había aumentado cuando se imponía el retiro forzoso; sentía su edad y parecía culpar a los demás de tenerla. Edwina y Tottenhoe caminaron juntos por la planta baja del banco, después se dirigieron por una amplia y alfombrada escalera hacia la cámara acorazada del tesoro. Supervisar la apertura y el cierre del recinto de las cajas fuertes era responsabilidad del funcionario encargado de la Seguridad.

Mientras esperaban junto a la puerta de la cámara para que abriera el reloj minutero, Tottenhoe dijo sombríamente:

—Corren rumores de que Mr. Rosselli se está muriendo. ¿Es verdad?

—Mucho me lo temo —y le contó brevemente la reunión del día anterior.

La noche anterior, en su casa, Edwina apenas había pensado en otra cosa, pero esta mañana estaba decidida a concentrarse en los asuntos del banco. Era lo que Ben habría deseado.

Tottenhoe murmuró algo desalentador, que ella no entendió.

Edwina miró el reloj: 8.40. Unos segundos después un débil clic en la maciza puerta de acero cromado anunció que el reloj minutero nocturno, puesto antes que el banco se cerrara la noche antes, se había apagado por sí mismo. Ahora las cerraduras de combinación de la cámara podían ser usadas. Hasta ese momento no hubiera podido hacerse.

Usando otro timbre oculto, Edwina señaló a la habitación de Seguridad Central que la cámara estaba a punto de ser abierta —una apertura normal, no bajo presión.

De pie al lado de la puerta, Edwina y Tottenhoe giraron combinaciones separadas. Uno no sabía el juego de combinación del otro; de este modo ninguno podía abrir la cámara a solas.

Un funcionario ayudante del contador. Miles Eastin, había llegado ya. Era un hombre joven, hermoso, bien parecido e invariablemente alegre —en agradable contraste con la segura tristeza de Tottenhoe. Edwina simpatizaba con Eastin. Con él estaba un contador antiguo de la cámara del tesoro que supervisaba la transferencia del dinero, cuando entraba y salía de la cámara, durante el resto del día. Sólo en dinero al contado, cerca de un millón de dólares en billetes y monedas, iban a estar bajo su control en las próximas seis horas de operación.

Los cheques que pasaban por la gran sucursal del banco durante el mismo período representaban otros veinte millones.

Cuando Edwina retrocedió, el antiguo contador y Miles Eastin abrieron juntos la enorme puerta de la cámara, hecha con ingeniería de precisión. Iba a permanecer abierta hasta esa noche, cuando se cerraron los negocios.

—Acabo de recibir un mensaje telefónico —informó Eastin al funcionario de operaciones—. Faltan hoy dos nuevos cajeros.

La expresión de melancolía de Tottenhoe se acrecentó.

—¿Es la gripe? —preguntó Edwina.

Una epidemia castigaba la ciudad en los últimos diez días, dejando al banco sin empleados, especialmente entre los cajeros.

—Sí, así es —contestó Miles Eastin.

Tottenhoe se quejó.

—Si yo pudiera cogerla podría irme a casa, acostarme y dejar a otro para que se ocupe de los pagos... —se volvió hacia Edwina.

—¿Insiste en que abramos hoy?

—Creo que es lo que se espera de nosotros.

—Entonces vaciaremos una o dos sillas de otros funcionarios. Usted es el primer elegido —dijo a Miles Eastin— así que saque una caja y prepárese a enfrentarse con el público. ¿Recuerda cómo se cuenta?

—Hasta veinte —dijo Eastin—. Siempre que pueda trabajar sin medias.

Edwina sonrió. No le inspiraba temores el joven Eastin: todo lo que tocaba lo hacía bien. Cuando Tottenhoe se jubilara el año siguiente seguramente Miles Eastin iba a ser escogido por ella como contador principal.

El le devolvió la sonrisa.

—No se preocupe, Mrs. D'Orsey. Aunque de fuera, no soy malo en esto. Además, anoche jugué a la pelota y me las arreglé para mantener el tanteo.

—¿Pero ganó?

—¿Cuando mantuve el tanteo? ¡Claro!

Edwina estaba enterada, lógicamente, del otro *hobby* de Eastin, que había resultado útil al banco: el estudio y coleccionamiento de billetes y monedas. Era Miles Eastin quien daba charlas de orientación a los nuevos empleados de la sucursal, y le gustaba revolver preciosidades históricas, como el hecho de que el papel moneda y la inflación habían sido inventados en China. El primer caso recordado de inflación, explicaba, tuvo lugar en el siglo XIII, cuando el emperador mongol Kublai Kan no pudo pagar a sus soldados en monedas, y, por esto, usó un trozo de madera impreso para producir moneda militar. Desgraciadamente se imprimió tanto, que pronto la moneda perdió valor. «Alguna gente —añadía el joven Eastin— cree que el dólar se está mogolizando en este momento». Debido a sus estudios, Eastin se había convertido también en experto permanente en dinero falsificado, y los billetes dudosos que aparecían eran sometidos a su opinión.

Los tres —Edwina, Eastin, Tottenhoe— subieron las escaleras desde el sótano del tesoro hasta la planta baja.

Bolsas de lona conteniendo dinero eran descargadas afuera desde un camión blindado, y el dinero iba escoltado por dos guardias armados.

El dinero al coantado en grandes cantidades siempre llegaba temprano por la mañana, y había sido transferido todavía más temprano desde la Federal Reserve hasta la cámara central del tesoro del First Mercantile American. Desde allí era distribuido en las sucursales del sistema del FMA. Los motivos para que la distribución se hiciera en el mismo día eran simples. El exceso de dinero en efectivo en las cámaras no producía por supuesto, ganancias; también había peligro de pérdidas o robos.

El ideal, para cualquier gerente de sucursal, era no quedarse nunca sin dinero en efectivo, pero tampoco tener demasiado.

Una gran sucursal de banco, como la central del FMA mantenía un flotante en efectivo de medio millón de dólares. El dinero que llegaba ahora —otro cuarto de millón— era la diferencia requerida en un día normal de banco.

Tottenhoe gruñó a los guardias que entregaban el dinero:

—Espero que nos hayan traído dinero más limpio del que hemos recibido últimamente.

—Ya les he hablado a los tipos de la Caja Central sobre su protesta, Mr. Tottenhoe —dijo un guardia. Era joven, con largo pelo oscuro que desbordaba su gorra y su cuello de uniforme. Edwina miró hacia abajo, preguntándose si llevaba zapatos. Los llevaba.

—Dicen también que usted ha telefoneado —añadió el guardia—. Por mí, yo tomaría dinero, limpio o sucio.

—Desgraciadamente —contestó el contador— algunos de nuestros clientes no son de su opinión.

Los billetes nuevos, recién llegados de la oficina de impresión y grabados por intermedio de la Federal Reserve, eran ávidamente disputados en los bancos. Un número sorprendente de clientes, denominados «los que van y vienen» rechazaban los billetes sucios y pedían que les dieran nuevos o, por lo menos, algunos bastante limpios, que los banqueros llamaban «apropiados». Por suerte había otros a quienes la cosa no les importaba y los cajeros tenían intrucciones de pasar la moneda sucia cuando pudieran, conservando los billetes frescos, crujientes, para quienes los solicitaran.

—Oiga, hay una gran cantidad de dinero falso de primera calidad. Tal vez podamos darle un paquete... —el segundo guardia guiñó el ojo a su compañero.

Edwina le dijo:

—Para eso no necesitamos su ayuda. Ya hemos recibido de esos billetes falsos en cantidad.

No hacía más de una semana que el banco había descubierto casi mil dólares en billetes falsos —dinero depositado, aunque la fuente era desconocida. Era más que probable que hubiera llegado a través de distintos depositantes —algunos que habían sido defraudados y pasaban su pérdida al banco; otros que no tenían idea que los billetes fueran falsos, cosa no sorprendente, ya que la calidad era notablemente elevada.

Agentes del Servicio Secreto de los Estados Unidos, que habían discutido el problema con Edwina y Miles Eastin, estaban francamente preocupados.

—Los billetes falsos que tenemos delante nunca han sido tan buenos, y nunca ha habido tantos en circulación —reconoció uno—. Un cálculo restringido era que treinta millones de dólares falsos se habían producido el año anterior—. Y muchos más no han sido descubiertos.

Inglaterra y Canadá eran las principales fuentes de moneda falsa de los Estados Unidos. Los agentes también informaron que una increíble cantidad circulaba en Europa—. No se descubre allí tan fácilmente, de manera que prevenga a los amigos que vayan a Europa para que nunca acepten billetes norteamericanos. Hay muchas posibilidades de que no valgan nada.

El primer guardia armado echó las bolsas sobre sus hombros.

—A no preocuparse, amigos. ¡Estos son buenos de verdad, con el lomito verde! ¡Todo parte del servicio!

Ambos guardias bajaron las escaleras en dirección a la cámara del tesoro.

Edwina se dirigió a su escritorio en la plataforma. En todo el banco la actividad crecía. Las puertas principales estaban abiertas, los primeros clientes se precipitaban.

La plataforma donde, por tradición, trabajaban los funcionarios mayores, estaba un poco por encima del nivel de la planta baja y tenía una alfombra roja. El escritorio de Edwina, el mayor y más importante, estaba flanqueado por dos banderas —detrás de ella y a la derecha, la bandera de franjas y estrellas, la insignia de los Estados Unidos y, a la izquierda, la bandera de la ciudad. Algunas veces, allí sentada, se sentía como ante la televisión, lista para hacer algún anuncio solemne, mientras la enfocaban las cámaras.

La gran sucursal del centro era moderna. Reconstruida hacía uno o dos años, cuando se erigieron las colaterales de la Torre principal, la estructura había sido diseñada expertamente y se había gastado en ella una fortuna. El resultado, donde predominaban el rojo y la caoba, con un adecuado toque de oro, era una combinación de comodidad para el cliente, excelentes condiciones de trabajo y simple opulencia. A veces, como la misma Edwina reconocía, la opulencia parecía tener sentido.

Al sentarse, su alta y esbelta figura se deslizó familiarmente en el sillón giratorio de respaldo elevado, y se salisó el corto pelo, innecesariamente, ya que, como de costumbre, estaba impecablemente peinada.

Edwina buscó un grupo de carpetas que contenían pedidos de préstamos por cantidades mayores de las que otros funcionarios en la sucursal tenían derecho a autorizar.

Su autorización para prestar dinero se extendía a un millón de dólares en cualquier caso personal, siempre que estuvieran de acuerdo dos funcionarios de la sucursal. Invariablemente lo estaban. Las cantidades mayores eran trasladadas a la unidad de política de créditos en la Oficina Central.

En el First Mercantile American, como en cualquier sistema bancario, un símbolo del status reconocido era la cantidad del préstamo que un funcionario del banco tenía poder para sancionar. También determinaba la situación del funcionario o la funcionaria en el polo «totem» de la organización, y se hablaba de esto como de «la calidad de la inicial» porque la inicial de un individuo suponía la aprobación final en cualquier propuesta de préstamo.

Como gerente, la calidad de la inicial de Edwina era desusadamente alta, aunque reflejaba su responsabilidad al dirigir la importante sucursal del centro del FMA. El gerente de una sucursal menor podía aprobar préstamos desde diez mil hasta medio millón de dólares, y esto dependía de la habilidad y antigüedad del gerente. Edwina simpre se sentía divertida de que la calidad de una inicial apoyara un sistema de castas, con gente que se pavoneaba y tenía privilegios. En la unidad de créditos de la Casa Central, un inspector ayudante de préstamos, cuya autoridad estaba limitada a unos meros cincuenta mil dólares, trabajaba ante un escritorio poco importante, junto con otros en una gran oficina abierta. Venía después, en el orden, un inspector de préstamos cuya inicial valía por un cuarto de millón de dólares y que disponía de un escritorio más grande y de un cubículo con paneles de vidrio.

Una oficina sencilla, con puerta y ventana, era el recinto de un supervisor ayudante de préstamos, cuya inicial valía más, hasta medio millón de dólares. Este funcionario disponía de un amplio escritorio, de un cuadro al óleo en la pared y del memorándum impreso con su nombre; recibía además un ejemplar gratis del «Wall Street Journal» y un lustrado de zapatos complementario todas las mañanas. Compartía una secretaria con otro supervisor ayudante.

Finalmente un funcionario vicepresidente de préstamos, cuya inicial valía un millón de dólares, trabajaba en una oficina en un rincón, con *dos* ventanas, *dos* cuadros al óleo, y una secretaria para él solo. El nombre estaba *grabado* en el memorándum. También disfrutaba de una limpieza gratis de zapatos y del periódico, además de revistas y diarios, del uso de un coche de la compañía cuando los negocios lo requerían y tenía acceso al comedor de los funcionarios principales para almorzar.

Edwina disfrutaba de casi todas las atribuciones de los importantes. Pero nunca había utilizado la limpieza de zapatos.

Esa mañana estudió dos pedidos de préstamos, aprobó uno y puso con lápiz algunos interrogantes en el otro. Un tercer pedido la interrumpió de golpe.

Sorprendida, y consciente de una rara coincidencia tras la experiencia de ayer, leyó otra vez completamente el informe.

El funcionario de préstamos que había preparado el informa contestó el zumbido del teléfono interno de Edwina.

—Habla Castleman.

—Cliff, venga, Por favor.

—En seguida —el funcionario de préstamos, a la distancia de sólo una docena de escritorios, miró directamente a Edwina—. Y me parece que adivino para qué me necesita.

Unos momentos después, sentado junto a ella, contemplaba la carpeta abierta.

—No me equivocaba. Tenemos algunos chiflados, ¿verdad?

Cliff Castleman era pequeño, preciso, con una redonda carita rosada y una sonrisa suave. Los que pedían préstamos simpatizaban con él, porque sabía escuchar, y era comprensivo. Pero también era un maduro funcionario en la rama de préstamos, con un juicio certero.

—Esperaba —dijo Edwina— que este pedido fuera una especie de broma de locos, aunque sea una broma siniestra.

—«Cadáverica» sería más apropiado, Mrs. D'Orsey. Y, aunque todo el asunto parezca loco, le aseguro que es real —Castleman hizo un gesto hacia la carpeta—. He incluido todos los hechos porque sé que usted quiere conocerlos. Evidentemente usted ha leído el informe. Y mi recomendación.

—¿Seriamente considera usted que se preste tanto dinero con *ese* propósito?

—He sido mortalmente serio —el funcionario de préstamos se detuvo bruscamente—. Perdón. No he querido hacer chistes funerarios. Pero creí que usted iba a aprobar el préstamo.

Todo estaba allí, en la carpeta. Un vendedor de productos de farmacia de cuarenta y tres años, llamado Gosburne, con un empleo local, pedía un préstamo de veinticinco mil dólares. Estaba casado —un primer matrimonio que duraba desde hacía diecisiete años, y los Gosburne eran propietarios de su casa en los suburbios, gravada por una pequeña hipoteca. Tenían una cuenta conjunta en el FMA desde hacía ocho años... sin problemas. Un primer préstamo, aunque más pequeño, había sido pagado. El informe de los empleados de Gosburne y otros detalles financieros eran buenos.

El propósito del nuevo préstamo era comprar una gran cápsula de acero inoxidable, para colocar allí el cuerpo de la hija muerta de Gosburne, Andrea. Había muerto hacía seis días, a los quince años, de una enfermedad al riñón. Por el momento el cuerpo de Andrea estaba en la funeraria, guardado en hielo seco. Le habían sacado la sangre inmediatamente despues de morir y la habían reemplazado con una solución similar «anticongelable», llamada dimetisulfóxida.

La cápsula de acero estaba especialmente diseñada para contener nitrógeno líquido a temperatura bajo cero. El cuerpo, envuelto en una tela de aluminio, iba a ser sumergido en esa solución.

Una cápsula del tipo requerido —en verdad una botella gigante, conocida como «crio-cripto»— podía obtenerse en Los Angeles y la enviarían desde allí si el banco aprobaba el préstamo. Una tercera parte del préstamo era para pagar el almacenamiento de la cápsula en una cámara y para reemplazar el nitrógeno cada cuatro meses.

Cliff Castleman preguntó, con una voz que significaba mucho interés, a Edwina:

—¿Ha oído hablar de las sociedades criónicas?

—Vagamente. Es pseudo científico. No tiene muy buena reputación.

—No mucha. Es pseudo realmente. Pero la verdad es que los grupos criónicos tienen muchos seguidores, y han convencido a Gosburne y a su mujer de que, cuando la ciencia médica haya adelantado más —digamos, de aquí a cincuenta o cien años— Andrea será descongelada, volverá a la vida y se curará. A propósito, los grupos criónicos tienen un lema: «Congelar —esperar— reanimar».

—Horrible —dijo Edwina.

El funcionario de préstamos estuvo de acuerdo.

—En principio le doy a usted la razón. Pero veamos la cosa como la ven ellos. Creen. Además son gente adulta, razonablemente inteligente, profundamente religiosa. ¿Y quiénes somos nosotros, como banqueros, para ser juez y parte? Tal como yo lo veo, el único problema es: ¿puede pagar Gosburne el préstamo? He hecho cálculos y creo que puede, y que lo hará. Es posible que el tipo sea un imbécil. Pero el informe muestra que es un imbécil que paga sus cuentas.

De mala gana Edwina estudió la renta y las cifras de gastos.

—Será un esfuerzo financiero terrible.

—El tipo lo sabe, pero insiste. Trabajará en el tiempo libre. Y su mujer está buscando trabajo.

Edwina dijo:

—Tienen cuatro hijos menores.

—Sí.

—¿Alguien le ha indicado que los otros chicos... los vivos... pronto necesitarán dinero para los estudios, para otras cosas y que esos veinticinco mil dólares estarían mejor empleados en ellos?

—Lo he hecho —dijo Castleman—. He tenido dos largas entrevistas con Gosburne. Pero, según dice, toda la familia ha analizado el asunto y han tomado una decisión. Creen que los sacrificios que deberán hacer valen la posibilidad de que Andrea vuelva algún día a vivir. Los chicos también afirman que, cuando sean mayores, se harán responsables del cuerpo.

—Dios mío —nuevamente los pensamientos de Edwina volvieron al día anterior. La muerte de Ben Rosselli, viniera cuando viniera, iba a ser digna. Esto convertía la muerte en algo feo, en una burla. ¿Acaso el dinero del banco, en parte dinero de Ben, podía usarse con aquel fin?

—Mrs. D'Orsey —dijo el funcionario de préstamos—, durante dos días he tenido eso en mi escritorio. Mi primer sentimiento fue el mismo de usted... todo me parecía asqueante. Pero, he pensado la cosa y me he convencido. En mi opinión es un riesgo que debe aceptarse.

Riesgo aceptable. Básicamente, comprendió Edwina, Cliff Castleman tenía razón, porque los riesgos aceptables eran del área propia del banco. También tenía razón al afirmar que en los asuntos personales el banco no podía ser juez y parte.

Naturalmente que este riesgo podía no dar resultado, pero, aunque fracasara, no se podía echar la culpa a Castleman. Su carrera era buena, sus «ganancias» mucho mayores que sus pérdidas. Lo cierto es que una carrera de «ganancias» totales era mal vista, un ocupado funcionario de préstamos menores estaba casi obligado a tener algunos préstamos en su contra o se esperaba que los tuviera. Si no era así, podía tener dificultades si una computadora avisaba que se exponía a perder negocios por precaución excesiva.

—Bien —dijo Edwina—, la idea me aterra, pero apoyo su informe.

Garabateó una inicial. Castleman volvió a su escritorio.

Y así, aparte de un préstamo para una hija congelada, el día se inició como cualquier otro.

Y siguió así hasta principios de la tarde.

En los días en que almorzaba sola, Edwina acudía a la cafetería del sótano de la Casa Central del FMA. La cafetería era ruidosa, la comida más o menos, pero el servicio era rápido y ella podía ir y volver en quince minutos.

Hoy había invitado a un cliente e iba a ejercer su privilegio de vicepresidente llevándolo al comedor privado de los funcionarios principales, en lo alto de la torre de los ejecutivos. Era el tesorero de la mayor tienda de la ciudad y necesitaba tres millones de dólares y préstamos a corto plazo para cubrir un déficit de caja resultado de ligeras caídas en las ventas además de adquirir mercaderías para Navidad, más costosas que de costumbre.

—Esta maldita inflación —se quejó el tesorero, paladeando un *souflé* de espinacas a la crema. Después, lamiéndose los labios, añadió—: Pero recobraremos el dinero dentro de dos meses, y algo más. Santa Claus siempre es bueno con nosotros.

La cuenta de la tienda era importante; de todos modos Edwina realizó un acuerdo cerrado, en términos favorables para el banco. Tras algunos reniegos del cliente, se pusieron de acuerdo cuando llegaban al postre de Melba de Duraznos. Los tres millones excedían la autoridad personal de Edwina, aunque no suponía que hubiera dificultades de aprobación en la Casa Central. Si era necesario, para apresurar la cosa, iba a hablar con Alex Vandervoort, que siempre la había apoyado en el pasado.

Fue durante el café cuando la camarera trajo un mensaje a la mesa.

—Mrs. D'Orsey —dijo la muchacha—, Mr. Tottenhoe la llama por teléfono. Dice que es urgente.

Edwina se disculpó y fue al teléfono, en un anexo.

La voz del contador de la sucursal sonó quejosa.

—He estado intentado localizarla.

—Ya lo ha hecho. ¿Qué pasa?

—Tenemos una seria diferencia en la caja —siguió explicando. Una cajera había informado la pérdida hacía media hora. Desde entonces habían estado repasando. Edwina sintió el pánico y algo sombrío en la voz, y preguntó de cuánto dinero se trataba.

Lo oyó atragantarse.

—Seis mil dólares.

—Iré inmediatamente.

En menos de un minuto, tras pedir disculpas a su invitado, estaba en el ascensor expreso, camino a la planta baja.

5

—Dentro de lo que puedo ver —dijo Tottenhoe malhumorado— lo único que todos sabemos con certeza es que seis mil dólares en efectivo no están donde deberían estar.

El contador era una de las cuatro personas sentadas alrededor del escritorio de Edwina D'Orsey. Los otros eran, Edwina, el joven Miles Eastin, ayudante de Tottenhoe y una cajera llamada Juanita Núñez.

Era del cajón de Juanita Núñez de donde faltaba el dinero.

Había pasado media hora desde el regreso de Edwina a la sucursal principal. Ahora, mientras los otros la miraban desde el otro lado del escritorio, Edwina contestó a Tottenhoe.

—Lo que usted dice puede ser verdad, pero hay que hacer algo. Quiero que volvamos nuevamente sobre las cosas, lentamente y con cuidado.

Eran poco más de las 3 de la tarde. Los clientes en su totalidad se habían retirado. Las puertas exteriores estaban cerradas.

La actividad, como siempre, continuaba en la sucursal, aunque Edwina era consciente de miradas solapadas hacia la plataforma, miradas de otros empleados, que se habían dado cuenta de que algo andaba mal.

Se recordó a sí misma que era esencial conservar la calma, ser analítica, considerar cada fragmento de la información. Quería escuchar con cuidado los tonos de voz y las actitudes de cada uno, especialmente los de Mrs. Núñez.

Edwina también era consciente de que muy pronto debería notificar a la Casa Central la aparente fuerte pérdida de caja, tras lo cual intervendría el servicio de Seguridad y probablemente el FBI. Pero, mientras hubiera la más mínima posibilidad de encontrar una solución tranquila, antes de que llegara la artillería pesada, ella iba a intentarlo.

Esa era su manera inteligente de actuar.

—Si quiere, Mrs. D'Orsey —dijo Miles Eastin— yo empezaré, porque soy el primero a quién informó Juanita —hablaba sin su habitual ligereza.

Edwina asintió aprobando.

La posibilidad de que faltara dinero en la caja, informó Eastin al grupo, le había llamado la atención unos minutos antes de las 2. En aquel momento Mrs. Núñez se le había acercado y le había expresado su creencia de que faltaban seis mil dólares del cajón de su escritorio.

Miles Eastin había trabajado también como cajero casi todo el día, dada la escasez de cajeros. De hecho Eastin había estado apostado a sólo dos lugares de donde estaba Juanita Núñez, y ella le informó allí mismo, cerrando el cajón de su caja antes de hacerlo.

Eastin entonces había cerrado el cajón de su propio escritorio y se había dirigido a Tottenhoe.

Más sombrío que de costumbre, Tottenhoe escuchó la historia.

Inmediatamente había ido hacia la muchacha y había hablado con ella. Al principio no había podido creer que faltara una cantidad tan alta como seis mil dólares, porque, incluso en el caso de que ella sospechara que *algún* dinero había desaparecido, era virtualmente imposible en aquel punto saber cuánto.

El funcionario de operaciones señaló: Juanita Núñez había estado trabajando todo el día, había comenzado con poco más que diez mil dólares sacados de la cámara esa mañana, y había estado tomando y pagando dinero desde las 9 de la mañana, cuando se abrió el banco. Esto quería decir que ella había estado trabajando por lo menos cinco horas, exceptuados los cuarenta y cinco minutos del almuerzo, y en ese tiempo el banco estaba repleto, con todos los cajeros ocupados. Además, los depósitos de caja habían sido hoy más grandes que de costumbre; de manera que la cantidad de dinero que ella tenía en el cajón —sin incluir los cheques— podía haber aumentado a unos veinte o veinticinco mil dólares. Entonces, razonaba Tottenhoe: ¿cómo era posible que Mrs. Núñez supiera con tanta certeza, no sólo que faltaba el dinero, sino con tanta precisión la cantidad que faltaba?

Edwina asintió. La misma pregunta ya se le había ocurrido.

Sin demostrarlo, Edwina estudió a la joven. Era pequeña, delgada, morena, no realmente bonita, sino provocativa, a la manera de un elfo. Parecía portorriqueña, cosa que era, y tenía un acento pronunciado. Hasta el momento había dicho muy poco, y contestaba brevemente cuando la interrogaban.

Era difícil saber con certeza cuál era la actitud de Juanita Núñez. En verdad no se mostraba cooperativa, por lo menos abiertamente, pensó Edwina, y la muchacha no había dado otra información fuera de su primera declaración. Desde que empezaron, la expresión de la cara de la cajera había sido enfurruñada u hostil. A veces su atención vagaba, como si estuviera aburrida y consideraba aquellos procedimientos como una pérdida de tiempo. Pero también estaba nerviosa, y lo revelaba en sus manos apretadas y en la manera en que continuamente daba vueltas a su delgado anillo matrimonial de oro.

Edwina D'Orsey sabía, porque había echado una mirada a un informe de empleados sobre su escritorio, que Juanita Núñez tenía veinticinco años, que estaba casada y separada de su marido, que tenía una criatura de tres años. Hacía casi dos años que trabajaba para el First Mercantile American, siempre en su actual cargo. Lo que no figuraba en el informe, pero Edwina recordaba de oídas, era que la Núñez mantenía sola a su hijo, y había estado, quizás todavía estaba, en dificultades financieras a causa de deudas dejadas por un marido que la había abandonado.

Pese a las dudas que había tenido, prosiguió Tottenhoe, de que Mrs. Núñez pudiera saber cuánto dinero faltaba, la había retirado inmediatamente de sus tareas que habitualmente realizaba ante el mostrador, tras lo cual había sido inmediatamente «encerrada con su caja».

Estar «encerrado» era en realidad una protección para el empleado en cuestión y era también el procedimiento acostumbrado en un problema de este tipo. Simplemente quería decir que el cajero era colocado solo en una pequeña oficina cerrada, junto con la caja y una calculadora, y se le decía que hiciera el balance de todas las transacciones del día.

Tottenhoe había esperado fuera.

Poco después Mrs. Núñez había llamado al funcionario de operaciones. El balance de la caja no marchaba, informó. Faltaban seis mil dólares.

Tottenhoe llamó a Miles Eastin y juntos repasaron de nuevo, mientras Juanita Núñez observaba. El informe de ella era correcto. Sin duda faltaba dinero, y precisamente la suma que ella había afirmado desde el principio.

Entonces Tottenhoe había telefoneado a Edwina.

—Esto vuelve a llevarnos —dijo Edwina— al punto de partida. ¿Alguien tiene alguna idea?

Miles Eastin se adelantó:

—Quisiera hacer algunas preguntas a Juanita, si ella no lo toma a mal.

Edwina asintió.

—Piénselo bien, Juanita —dijo Eastin—. ¿En algún momento durante el día no hizo usted algún TX con otro?

Como todos sabían, un TX era un intercambio entre cajones. Alguno muy atareado podía quedar por un momento sin billetes o monedas de algún tipo y, si sucedía en circunstancias de mucho agobio, en lugar de ir a la cámara, los pagadores se ayudaban entre sí, «comprando» o «vendiendo» dinero. Se usaba un formulario TX para el control. Pero ocasionalmente, por apresuramiento o descuido, se cometían errores, de manera que, al terminar el día, a un cajero le faltaba dinero, y a otro le sobraba. Pero era difícil creer que tal diferencia pudiera llegar a los seis mil dólares.

—No —dijo la pagadora—, no hubo cambios. Por lo menos hoy.

Miles Eastin insistió:

—¿No recuerda usted a ningún otro empleado, en cualquier momento, que haya podido estar cerca de su cajón y sacar dinero?

—No.

—Cuando usted vino primero a verme, Juanita —dijo Eastin—, y me dijo que creía que faltaba algún dinero, ¿cuánto tiempo hacía que estaba enterada?

—Unos minutos.

Edwina intervino:

—¿Cuánto tiempo había pasado después de que usted volviera de almorzar, Mrs. Núñez?

La muchacha vaciló, pareciendo menos segura.

—Quizás unos veinte minutos.

—Hablemos de *antes* que fuera usted a almorzar —dijo Edwina—. ¿Cree que entonces ya faltaba el dinero?

Juanita Núñez meneó la cabeza negativamente.

—¿Cómo puede estar segura?

—Lo sé.

Las respuestas poco aclaradoras, monosilábicas, empezaban a irritar a Edwina. Y la terca hostilidad que había notado antes le pareció más pronunciada.

Tottenhoe repitió la pregunta crucial:

—Después de almorzar, ¿por qué estaba usted segura, no sólo de que faltaba dinero, sino de la cantidad?

La carita de la muchacha se contrajo, desafiante.

—Lo sé.

Hubo un silencio de duda.

—¿No cree usted que, en algún momento durante el día, puede haber pagado por error seis mil dólares a algún cliente?

—No.

Miles Eastin preguntó:

—Cuando dejó usted su puesto de cajera antes de ir a almorzar, Juanita, llevó usted el cajón con el dinero a la cámara del tesoro, cerró la combinación y lo dejó allí, ¿no es así?

—Sí.

—¿Está segura de haber cerrado?

La muchacha asintió positivamente.

—¿Estaba cerrada la caja del contador?

—No, estaba abierta.

Aquello, también era normal. Una vez que la combinación del contador había sido «abierta» por la mañana, era costumbre dejarla así por el resto del día.

—¿Y cuando usted volvió de almorzar, su cajón seguía en la cámara, siempre cerrada?

—Sí.

—¿Alguien más estaba enterado de su combinación? ¿Alguna vez la ha dado a alguien?

—No.

Por un momento se interrumpieron las preguntas. Los otros que rodeaban la mesa, sospechó Edwina, analizaban mentalmente los procedimientos de la cámara del tesoro de la sucursal.

El cajón al que Miles Eastin se había referido era, en verdad, una caja fuerte portátil, sobre un pupitre elevado, con ruedas, bastante ligero como para ser empujado con facilidad. Algunos bancos lo apodaban el camión-caja. Cada pagador tenía asignado uno, y la misma caja fuerte o camión, conspicuamente numerado, era usado normalmente por el mismo individuo. Algunos restantes eran utilizados para usos especiales. Miles Eastin había usado uno hoy.

Todas las cajas fuertes-camiones de los pagadores eran controladas al entrar y salir de la cámara del tesoro, por un contador superior del tesoro, que mantenía el informe de la salida y de la vuelta. Era imposible sacar o meter una unidad sin el escrutinio del contador del tesoro, o sacar la caja de otro, deliberadamente o por error. Durante las noches y el fin de semana la maciza cámara quedaba cerrada, más firmemente que la tumba de un faraón.

Cada caja-camión tenía dos combinaciones de cierres a prueba. Una era maniobrada por el pagador personalmente, la otra por el contador o asistente. Así, cuando se abría una caja cada mañana, era ante dos personas... el cajero y el contador.

Se decía a los pagadores que debían recordar de memoria sus combinaciones y no comunicarlas a nadie, aunque una combinación podía ser cambiada en cuanto un cajero lo solicitara. El único informe escrito de la combinación de un pagador estaba en un sobre sellado y doblemente firmado, guardado con otros —nuevamente bajo doble custodia— en el depósito de una caja fuerte. El sello del sobre sólo se rompía en caso de muerte del pagador, en caso de enfermedad, o porque dejaba el empleo.

Debido a todos estos medios, sólo el usuario activo de cualquier caja conocía la combinación que la abría y los pagadores, al igual que el banco, estaban protegidos contra robos.

Otro rasgo del sofisticado camión-caja era un sistema de alarma. Cuando lo llevaban, siguiendo la posición del pagador detrás del mostrador, una conexión eléctrica unía cada caja con una red de intercomunicaciones bancarias. Un resorte de prevención estaba oculto dentro del cajón, debajo de una inocua pila de billetes, conocida como «moneda anzuelo».

Los pagadores tenían órdenes de no usar nunca el dinero anzuelo para transacciones normales, pero, en caso de que hubiera un asalto, tenían que entregar primero ese dinero. Simplemente mover los billetes liberaba un resorte silencioso. Este, a su vez, alertaba a los empleados de seguridad del banco y a la policía, que generalmente llegaba en unos minutos; también ponía en acción unas cámaras escondidas que había en lo alto. Las series de números del dinero anzuelo estaban anotadas, para ser usadas luego como prueba.

Edwina preguntó a Tottenhoe:

—¿Estaba el «dinero anzuelo» entre los seis mil dólares que faltan?

—No —dijo el contador—. El dinero anzuelo estaba intacto. Lo he comprobado.

Ella reflexionó: no había manera de averiguar nada de este modo.

Una vez más Miles Eastin se dirigió a la muchacha:

—Juanita, ¿no se le ocurre que alguien, *cualquiera que sea,* puede haber sacado el dinero de su caja?

—No —dijo Juanita Núñez.

Examinando atentamente a la muchacha cuando contestó, Edwina creyó descubrir miedo. Bueno, si así era, tenía sus motivos, porque ningún banco iba a ceder fácilmente cuando se trataba de una pérdida de esta magnitud.

Edwina ya no dudaba de lo que había pasado con el dinero. La Núñez lo había robado. No había otra explicación posible. La dificultad era descubrir: ...¿cómo?

Una manera posible era que Juanita Núñez hubiera pasado el dinero a un cómplice, sobre el mostrador. Nadie se habría dado cuenta. En un día normalmente ocupado hubiera parecido como una operación normal de pago. También la muchacha podía haber ocultado el dinero y haberlo sacado del banco durante el almuerzo, pero, en este caso, el riesgo habría sido mayor.

La muchacha debía estar enterada que esto iba a costarle el empleo, se probara o no que había robado el dinero. Es verdad que a los pagadores bancarios se les permitían ocasionales diferencias de caja; tales errores eran normales y esperados. En el curso de un año, ocho «por encima» o «por debajo» era normal en la mayoría de los pagadores, y, siempre que el error no fuera mayor de veinticinco dólares, no se decía nada. Pero nadie que tuviera una falta mayor de dinero podía conservar el empleo, y los cajeros lo sabían.

Naturalmente, Juanita Núñez podía haber tenido esto es cuenta, y podía haber decidido que seis mil dólares inmediatamente valían la pérdida del empleo, aunque tuviera luego dificultades para conseguir otro. De cualquier modo, Edwina sentía pena por la muchacha. Evidentemente había estado desesperada. Tal vez la desesperación tuviera algo que ver con la criatura.

—No creo que podamos hacer mucho más por ahora —dijo Edwina al grupo—. Tendré que informar a los superiores. Ellos se encargarán de la investigación.

Cuando los tres se pusieron de pie, añadió:

—Mrs. Núñez, quédese, por favor... —la muchacha volvió a su asiento.

Cuando los otros ya no podían oírlas, Edwina dijo, con deliberada informalidad:

—Juanita, creo que éste es el momento de que hablemos francamente entre nosotras, como amigas... —Edwina había borrado su impaciencia primera. Era consciente de los oscuros ojos de la joven, clavados intensamente en los suyos.

—Estoy segura de que ya se le han ocurrido dos cosas. Primero: habrá sobre esto una investigación a fondo y el FBI va a intervenir, porque somos un banco federalmente asegurado. Segundo: no hay manera de que las sospechas no recaigan sobre usted... —Edwina hizo una pausa—. Le estoy hablando con sinceridad. ¿Me entiende?

—Entiendo. Pero yo no he sustraído el dinero.

Edwina observó que la muchacha seguía haciendo girar nerviosamente su anillo de bodas.

Y eligió las palabras con cuidado convencida de que debía evitar una acusación directa, que pudiera provocar más adelante inconvenientes legales para el banco.

—Por larga que sea la investigación, Juanita, es casi seguro que la verdad saldrá a la luz; generalmente es así. Las investigaciones se hacen a fondo. Y los investigadores son gente experimentada. No cejan.

La muchacha repitió, casi enfáticamente:

—No he sustraído el dinero.

—No he dicho que lo hiciera. Quiero decir que, si por alguna casualidad sabe algo más de lo que ha dicho, ahora es el momento de hablar, decírmelo a mí, aquí, charlando tranquilamente. Después no habrá otra oportunidad. Será demasiado tarde.

Juanita Núñez pareció a punto de hablar. Edwina levantó la mano.

—Escuche. Le prometo una cosa. Si el dinero es devuelto al banco, digamos mañana a más tardar, no habrá acción legal, ni juicio. Con sinceridad debo decirle que, quien haya sacado el dinero, no puede seguir trabajando aquí. Pero no pasará nada más. Se lo garantizo. Juanita: ¿tiene algo que decirme?

—No, no, no, ¡*Se lo juro por mi hija!* —los ojos de la muchacha ardían, la cara estaba llena de furia—. Le repito que no he cogido dinero, ni ahora ni nunca.

Edwina suspiró.

—Bueno eso es todo por ahora. Pero, por favor, no se vaya del banco sin verme antes.

Juanita Núñez pareció al borde de otra respuesta calenturienta. Pero, en lugar de esto, con un leve encogimiento de hombros, se levantó y dio media vuelta.

Desde su elevado escritorio, Edwina supervisó la actividad a su alrededor; era su pequeño mundo, su responsabilidad personal. Las transacciones del día de la sucursal seguían siendo contadas y anotadas, aunque un control previo había mostrado que ningún cajero —como se había esperado originariamente— tenía seis mil dólares de más.

Los sonidos eran mudos en el moderno edificio: en tono bajo las voces zumbaban, los papeles crujían, las monedas tintineaban, las máquinas de calcular cliqueaban. Ella lo miró todo brevemente, recordando que, por dos motivos, esta era una semana que iba a recordar. Después, comprendiendo lo que había que hacer, levantó un teléfono y marcó un número interno.

Contestó una voz de mujer:

—Departamento de Seguridad.

—Comuníqueme con Mr. Wainwright por favor —dijo Edwina.

6

A Nolan Wainwright le había resultado difícil, desde ayer, concentrarse en el trabajo normal del banco.

El jefe de Seguridad estaba profundamente afectado tras la reunión del martes por la mañana en el cuarto de sesiones, porque la verdad era que, en una década, él y Ben Rosselli habían conseguido tenerse amistad y mutuo respeto.

No siempre había sido así. Ayer, al volver de la torre de los ejecutivos a su oficina más modesta, que daba a un tragaluz, Wainwright dijo a su secretaria que no le molestara por un rato. Después se sentó ante el escritorio, triste, pensativo, recordando la primera vez que había chocado con la voluntad de Ben Rosselli.

Hacía diez años. Nolan Wainwright era nuevo jefe de policía en un pueblecito de las afueras. Antes había sido teniente de detectives en una gran fuerza ciudadana, con una ficha notable. Tenía capacidad para ser jefe y, dado el clima de los tiempos, probablemente había ayudado a su candidatura el hecho de que fuera negro.

Poco después del nombramiento del nuevo jefe, Ben Rosselli salió en auto por las afueras del pueblito y sobrepasó la velocidad de 80 kilómetros permitida. Un patrullero de la policía local le extendió una citación ante el tribunal de tráfico.

Tal vez porque su vida era conservadora en otros sentidos, a Ben Rosselli siempre le habían gustado los coches rápidos, y los conducía como los habían planeado los diseñadores... con el pie derecho casi tocando el suelo.

Una citación por exceso de velocidad era cosa de rutina. De vuelta al First Mercantile American, envió la citación, como de costumbre, al departamento de Seguridad del banco, con instrucciones de arreglar la cosa. Para el hombre más poderoso del estado en cuestión de dinero, muchas cosas podían arreglarse, y se arreglaban.

La citación fue despachada por correo al día siguiente, al gerente de la sucursal del FMA de la ciudad donde había sido enviada. Sucedió que el gerente era también consejero municipal y había influido en el nombramiento de Nolan Wainwright como jefe de policía.

El consejero sacó a luz su condición de banquero y recordó al jefe de policía que él, personalmente, había recomendado al First Mercantile table.

Con menos amabilidad, el consejero manifestó a Wainwright que él era nuevo en la comunidad, que necesitaba amigos y que la falta de cooperación no era manera para conseguirlos. Wainwright se negó a hacer nada en favor de la citación.

El consejero sacó a luz su condición de banquero y recordó al jefe de policía que él, personalmente, había recomendado al First Mercantile American una hipoteca privada, destinada a permitir que Wainwright trajera a la ciudad a su mujer y a su familia. Mr. Rosselli, añadió de manera un poco innecesaria el gerente, era presidente del FMA.

Nolan Wainwright dijo que no veía relación entre una solicitud de préstamo y una citación de tráfico.

A su debido tiempo Mr. Rosselli, que fue llamado ante los tribunales, sufrió una pesada multa por conducir indebidamente y recibió tres puntos en contra, que iban a anotarse en su libreta de conductor. Quedó terriblemente enojado.

También, a su debido tiempo, la solicitud de hipoteca de Nolan Wainwright fue rechazada por el First Mercantile American.

No había pasado una semana cuando Wainwright se presentó en la oficina de Rosselli, en el piso treinta y seis de la Torre del FMA, aprovechando una facilidad de ingreso que enorgullecía al mismo presidente.

Al enterarse de quién era su visitante, Ben Rosselli se sorprendió de que fuera negro. Nadie se lo había mencionado. No era que esto importase para la todavía temblorosa ira del banquero ante la ignominiosa anotación en su libreta de conductor... la primera en su vida.

Wainwright habló con frialdad. Ben Rosselli no sabía nada del préstamo hipotecario pedido por el jefe de policía y del rechazo consiguiente; tales asuntos se habían llevado a cabo en un nivel más bajo que el del presidente. Pero olió la injusticia y pidió que le trajeran el fichero del préstamo, que examinó mientras Nolan Wainwright esperaba.

—Por simple curiosidad —dijo Ben Rosselli al terminar de leer— si no le otorgamos este préstamo. ¿Qué piensa hacer?

La respuesta de Wainwright fue ahora helada.

—Luchar. Contrataré a un abogado e iremos a la Comisión de Derechos Civiles en primer término. Si no tenemos allí éxito, haremos cualquier cosa que pueda hacerse para molestarles a ustedes.

Era evidente que hablaba en serio, y el banquero exclamó:

—No me mueven las amenazas.

—No estoy amenazando. Usted me ha hecho una pregunta y se la contesto.

Ben Rosselli vaciló, después garabateó una firma en el fichero y dijo, sin sonreír:

—La solicitud está concedida.

Antes que Wainwright se fuera, el banquero preguntó:

—¿Qué pasará ahora si me cogen a toda velocidad en su pueblo?

—Le detendremos. Si se trata de otra acusación de velocidad, probablemente irá a la cárcel.

Al ver irse al policía, Ben Rosselli, tuvo una idea, que confió años después a Wainwright: *Ah, tipo recto. Algún día te cogeré.*

Nunca lo hizo... en ese sentido. Pero lo hizo, en otro.

Dos años más tarde, cuando el banco buscaba a un ejecutivo para el Departamento de Seguridad que fuera —como decía el personal— «tenazmente fuerte y totalmente incorruptible», Rosselli dijo:

—Yo conozco a ese hombre.

Poco después se hizo una oferta a Nolan Wainwright, se firmó un contrato, y Wainwright entró a trabajar en el FMA.

Desde entonces Ben Rosselli y Wainwright nunca habían tenido un choque. El nuevo jefe de Seguridad cumplía con su tarea eficientemente y procuraba compenetrarse más siguiendo cursos nocturnos de teoría bancaria. Rosselli, por su parte, nunca pidió a Wainwright que quebrara su rígido código de ética y el banquero hizo que le arreglaran en otra parte las citaciones por velocidad, en lugar de hacerlo por intermedio de su oficina de Seguridad, en la creencia de que Wainwright no estaba enterado de la cosa, aunque generalmente lo estaba. De todos modos la amistad entre los dos hombres creció, hasta que, tras la muerte de la mujer de Ben Rosselli, Wainwright empezó a comer frecuentemente con el viejo y después jugaban al ajedrez hasta altas horas de la noche.

En cierto modo había sido un consuelo para Wainwright también, porque su matrimonio había terminado en divorcio, poco después de entrar a trabajar para el FMA. Sus nuevas responsabilidades y las sesiones con el viejo Ben ayudaban a colmar el vacío.

Hablaban en esas ocasiones sobre las creencias personales, y se influían el uno al otro de una manera que ambos comprendían, y también en otras, de las que ninguno de los dos era consciente. Fue Wainwright —aunque los dos fueron los únicos en saberlo— quien convenció al presidente del banco para que usara su prestigio personal y el dinero del FMA para contribuir al desarrollo del Forum East en la olvidada zona de la ciudad, donde Wainwright había nacido y pasado sus años de adolescente.

Así, como muchos otros en el banco, Nolan Wainwright tenía sus recuerdos privados de Ben Rosselli, y su propio dolor.

Hoy, su estado depresivo persistía, y, tras una mañana en la cual casi no se había movido de su escritorio, evitando ver a gente que no necesitaba ver, Wainwright se dirigió solo a almorzar. Fue a un pequeño café en el otro lado de la ciudad, donde acudía a veces cuando quería sentirse por unos momentos libre del FMA y de sus negocios. Volvió a tiempo para una cita con Vandervoort.

El lugar del encuentro era la División de Tarjetas Clave de Crédito del banco, situada en la Torre Principal.

En el sistema de tarjetas de crédito, el FMA había sido uno de los pioneros y ahora operaba en conjunto con un fuerte grupo de otros bancos en los Estados Unidos, Canadá y en ultramar. Las Tarjetas Clave venían inmediatamente después del sistema del Bankamericard y del Cargo Máximo. Alex Vandervoort tenía, dentro del FMA, toda la responsabilidad por esta división.

Vandervoort llegó temprano y, cuando Nolan Wainwright se presentó, ya estaba en el centro de autorización de las Tarjetas de Crédito, observando las operaciones. El jefe de Seguridad del banco se le unió.

—Siempre me gusta ver esto —dijo Alex—, es el mejor espectáculo gratuito de la ciudad.

En una habitación enorme, como un auditorio, indistintamente iluminada y con paredes acústicas y techos que ahogaban el sonido, unos cincuenta operadores —en su mayoría mujeres— estaban sentados ante una batería de consolas. Cada consola comprendía un tubo de rayos catódicos, similar a una pantalla de televisión, con un tablero detrás.

Era aquí donde se daba o se negaba el crédito a los portadores de tarjetas clave.

Cuando una Tarjeta de Crédito era presentada en cualquier parte en pago por mercancías o servicios, el lugar donde se hacía el negocio podía aceptar la tarjeta sin cuestionarla, siempre que la suma involucrada estuviera por debajo de un límite convenido. El límite variaba, pero era generalmente entre veinticinco y cincuenta dólares. Para una compra mayor se necesitaba una autorización, que sólo se demoraba unos segundos en conseguir.

Las llamadas inundaban el centro de autorización durante las veinticuatro horas del día, los siete días de la semana. Provenían de todos los estados del país y de las provincias canadienses, en tanto que una fila de ruidosas máquinas Telex traían preguntas de treinta naciones extranjeras, incluidas algunas en la órbita comunista rusa. Al igual que los creadores del Imperio Británico, que alguna vez aclamaron con orgullo los «colores rojo, blanco y azul», los creadores del imperio económico de la Tarjeta de Crédito proclamaban con igual fervor «el azul, verde y oro», colores internacionales de la Tarjeta Clave.

Los procedimientos aprobatorios se movían con la velocidad de un reactor.

Estuvieran donde estuvieran, los comerciantes y demás marcaban directamente por intermedio de las líneas WATS hasta el centro mismo del sistema de Tarjetas Clave en la Torre Principal del FMA. Automáticamente cada llamada se dirigía a un operador libre, cuyas primeras palabras eran: «¿Cuál es su número de comercio?»

Al oír la respuesta, el operador escribía a máquina las cifras, que aparecían simultáneamente en la pantalla de rayos catódicos. Después seguía el número de la tarjeta y la cantidad de crédito que se solicitaba, esto también escrito y reflejado en la pantalla.

El operador apretaba un botón dando la información a una computadora, que instantáneamente señalaba «ACEPTADO» o «REHUSADO». Lo primero significaba que el crédito era bueno y que la compra había sido aprobada, lo segundo que el poseedor de la tarjeta era un delincuente y que debía cortarse el crédito. Como las reglas del crédito eran benévolas, y los bancos del sistema querían prestar dinero, las aceptaciones sobrepasaban con mucho a las denegaciones. El operador informaba al comerciante y, entre tanto, la computadora anotaba la transacción. En un día normal se recibían quince mil llamadas.

Tanto Alex Vandervoort como Nolan Wainwright habían aceptado auriculares, para poder escuchar los intercambios entre los que llamaban y los operadores.

El jefe de Seguridad tocó el brazo de Alex y señaló, y después cambió las clavijas de los auriculares para ambos. La consola que Wainwright señalaba mostraba un deslumbrante mensaje de la computadora: «TARJETA ROBADA».

El operador, hablando con tranquilidad y como si estuviera entrenado, contestó:

—La tarjeta que le han presentado ha sido robada. Si es posible detenga a la persona que la ha presentado y llame a la policía local. Guarde la tarjeta. La división de Tarjetas Clave le pagará treinta dólares por devolverla.

Pudieron oír un coloquio murmurado, después una voz anunció:

—El hijo de puta que acaba de salir corriendo de mi tienda. Pero me he apoderado de la tarjeta de plástico. La mandaré.

El tendero parecía contento ante la perspectiva de ganar tan fácilmente treinta dólares. Para el sistema de Tarjetas Clave también era un buen negocio, ya que la tarjeta, si quedaba en circulación, podía ser usada fraudulentamente para sumas mucho mayores.

Wainwright se quitó los auriculares; lo mismo hizo Alex Vandervoort.

—Da resultado —dijo Wainwright— cuando recibimos la información y podemos programar la computadora. Desgraciadamente la mayoría de los fraudes ocurren antes de que se informe que ha desaparecido una tarjeta.

—Pero siempre nos previenen cuando hay una compra excesiva, ¿no?

—Así es. Diez compras en el día y la computadora nos da la voz de alarma.

Pocos dueños de tarjetas, como sabían muy bien los dos hombres, realizaban más de seis u ocho compras en un solo día. Así una tarjeta podía ser catalogada como «PROBABLEMENTE FRAUDULENTA», aunque el verdadero dueño no se hubiera enterado de que la había perdido.

Pese a todos los sistemas de alarma, sin embargo, una tarjeta perdida o robada, si era usada con astucia, podía valer unos veinte mil dólares de compras fraudulentas más o menos en una semana, tiempo que se tardaba en informar sobre la mayoría de las tarjetas robadas. Los billetes de avión para vuelos a larga distancia eran una de las compras favoritas de los ladrones de tarjetas de crédito; lo mismo pasaba con los cajones de bebidas. Ambos eran revendidos luego a precios de ocasión. Otra treta era alquilar un coche —preferiblemente un coche caro— usando una tarjeta de crédito robada o falsificada. El coche era llevado a otra ciudad donde recibía nueva placa de numeración y papeles de registro falsificados y después era vendido o exportardo. La agencia de alquiler de coches nunca volvía a ver al cliente o al vehículo. Otra argucia era comprar joyas en Europa con una tarjeta de crédito fraudulenta apoyada por un falso pasaporte, y después contrabandear las joyas en los Estados Unidos para volver a venderlas. En todos estos casos la compañía de tarjetas de crédito se encargaba de las pérdidas eventuales.

Tanto Vandervoort como Wainwright sabían que había señales usadas por los criminales para decidir si una tarjeta de crédito podía ser usada de nuevo o si estaba «quemada». Una treta favorita era por ejemplo, pagar a un jefe de camareros 25 dólares para que controlara una tarjeta. El hombre podía obtener fácilmente la respuesta consultando una «lista confidencial de alerta», que era otorgada semanalmente por la compañía de tarjetas de crédito a los comerciantes y restaurantes. Si la tarjeta no estaba «quemada» era usada para otra tanda de compras.

—Hemos perdido bastante dinero últimamente con los fraudes —dijo Nolan Wainwright—. Mucho más que de costumbre. Es uno de los motivos por los que quería hablarle.

Se trasladaron a la oficina de Seguridad de la división, que Wainwright había decidido usar esa tarde. Cerró la puerta. Los dos hombres contrastaban mucho físicamente: Vandervoort rubio, grueso, poco atlético, algo flojo; Wainwright negro, alto, esbelto, duro y musculoso. Sus personalidades también diferían, aunque sus relaciones eran buenas.

—Este es un concurso sin premio —dijo Nolan Wainwright al vicepresidente ejecutivo. Colocó sobre el escritorio ocho tarjetas de crédito de material plástico, echándolas como un jugador de poker, una tras otra.

—Cuatro de estas tarjetas son falsificadas —anunció el jefe de Seguridad—. ¿Puede usted darse cuenta cuáles son las buenas y cuáles las malas?

—Naturalmente. Es fácil. Los falsificadores siempren usan diferentes tipos para el nombre del poseedor y... —Vandervoort se interrumpió, mirando el grupo de tarjetas—. ¡Dios mío! ¡Con estas no es así! El tipo es el mismo en cada tarjeta.

—Casi el mismo. Si se sabe buscar, pueden apreciarse leves diferencias. Con una lupa... —Wainwright sacó una. Dividiendo las tarjetas en dos grupos, señaló diversas variante en el repujado de las cuatro tarjetas auténticas y las otras.

Vandervoort dijo:

—Veo la diferencia, pero no la hubiera percibido a simple vista. ¿Qué aspecto tienen las tarjetas falsificadas bajo los rayos ultravioleta?

—Exactamente el mismo que las verdaderas.

—Malo.

Varios meses antes, siguiendo un ejemplo establecido por el American Express, había sido impresa una insignia oculta en la cara de todas las tarjetas clave de crédito. Sólo era visible bajo los rayos ultravioleta. La intención había sido proporcionar un rápido y sencillo control sobre la autenticidad de cualquier tarjeta. Ahora también esa garantía había sido anulada.

—Malo, no cabe duda —asintió Nolan Wainwright—. Y estos no son más que ejemplos. Tengo cuatro docenas más, interceptadas *después* de haber sido utilizadas con éxito en comercios minoristas, restaurantes, pasajes de avión, bebidas y otras cosas. Y todas son las mejor falsificadas que he visto en mi vida.

—¿Ha habido detenciones?

—Hasta ahora no. Cuando la gente presiente que una tarjeta fraudulenta es sospechosa, se van del comercio, se alejan del mostrador de la compañía aérea, o de donde sea, como acaba de pasar hace unos minutos —señaló hacia el recinto de autorizaciones—. Además, aunque detengamos a algunos portadores, esto no significa que estemos cerca de la fuente de las tarjetas; generalmente son vendidas y revendidas con mucho cuidado, para cubrir la pista.

Alex Vandervoort tomó una de las falsas tarjetas azul, verde y oro y le dio la vuelta.

—El plástico parece también exacto.

—Están hechas con auténticas bandas de plástico que ha sido robado. Así tiene que ser, para que sean tan buenas —prosiguió el jefe de Seguridad—. Pero creo que hemos descubierto la fuente de las tarjetas mismas. Hace unos cuatro meses uno de nuestros proveedores fue asaltado. Los ladrones entraron en el cuarto de almacenaje, donde estaban las sábanas de plástico. Se llevaron trescientas sábanas.

Vandervoort silbó suavemente. Una sola sábana de plástico producía sesenta y seis tarjetas de crédito. Aquello significaba, potencialmente, casi veinte mil tarjetas falsas.

Wainwright dijo:

—Yo también he hecho el cálculo —señaló las tarjetas falsas sobre el escritorio—. Esta es la punta del iceberg. Bueno, las tarjetas falsas que conocemos, o que creemos conocer, pueden representar diez millones de dólares de pérdida antes de que las quitemos de circulación. Pero, ¿qué pasará con otras, que no hemos descubierto? Puede haber diez veces más.

—Veo el cuadro.

Alex Vandervoort dio unos pasos por el pequeño despacho, mientras sus ideas adquirían forma.

Reflexionó: desde que las tarjetas de crédito bancario habían sido introducidas, todos los bancos que las habían otorgado habían tenido la plaga de fuertes pérdidas debido a los fraudes. Al principio bolsas enteras de tarjetas habían sido robadas y el contenido usado por los ladrones para juergas costosas... a costa del banco. Algunos embarques de tarjetas habían sido secuestrados y devueltos tras un rescate. Los bancos habían pagado el dinero del rescate, porque sabían que iba a costarles mucho más si las tarjetas eran distribuidas entre los malhechores y utilizadas. Irónicamente, en 1974, Pan American Airways fue castigada por la prensa y el público cuando reconoció haber pagado dinero a unos criminales para que devolvieran grandes cantidades de billetes robados. El objetivo de la compañía aérea había sido impedir enormes pérdidas por el mal uso de los pasajes. Sin embargo, sin que los críticos de la Pan Am lo supieran, algunos de los bancos más importantes de la nación, habían estado haciendo lo mismo en secreto, desde hacía años.

Eventualmente el robo de tarjetas de crédito enviadas por correo se redujo, pero, ya entonces los criminales habían recurrido a otras tretas, más ingeniosas. La falsificación era una de ellas. Las primeras tarjetas falsas eran toscas y fácilmente reconocibles, pero la calidad había seguido mejorando —como había demostrado Wainwright— y se necesitaba ser un experto para descubrir la diferencia.

En cuanto se inventaba alguna medida de seguridad para las tarjetas la habilidad criminal la esquivaba o atacaba algún otro punto vulnerable. Como ejemplo, un nuevo tipo de tarjeta de crédito ahora en el mercado llevaba una foto «mezclada» del propietario. Para los ojos ordinarios la foto era una mancha indistinguible, pero, colocada bajo una máquina adecuada, podía verse claramente y el propietario de la tarjeta podía ser identificado. Por el momento el plan parecía prometedor, pero a Alex no le cabía duda que el crimen organizado iba a encontrar pronto la manera de duplicar las fotos mezcladas.

Periódicamente se realizaban detenciones y condenas de personas que usaban tarjetas falsas o robadas, pero representaban una pequeña porción del tráfico total. El problema principal, en lo que a los bancos se refería, era la carencia de investigadores y de personal represivo. Simplemente no eran bastantes.

Alex dejó de pasearse.

—En estas últimas falsificaciones —preguntó— ¿es posible que haya una especie de «círculo» detrás?

—No sólo es posible, es una certeza. Para que el producto final sea tan bueno, debe haber una organización. Y hay dinero detrás, máquinas, especialistas para hacer las cosas, un sistema de distribución. Además, hay otras cosas que lo indican.

—¿Por ejemplo?

—Como usted sabe —dijo Wainwright— estoy en contacto con las agencias legales. Recientemente ha habido un gran aumento en todo el Midwest de dinero falsificado, cheques de viajero, tarjetas de crédito... otras tarjetas además de las nuestras. También hay mucho más tráfico que de costumbre en los valores robados y falsificados, en los cheques forjados y robados.

—¿Y usted cree que todo eso y nuestras pérdidas por las tarjetas clave fraguadas, tienen relación?

—Digamos que es probable.

—¿Y qué hace para remediar esto el Departamento de Seguridad?

—Hacemos todo lo que podemos. Cada tarjeta clave que falta o se pierde está controlada y, cuando es posible, se busca su origen. Las tarjetas recobradas y los juicios por fraude han aumentado todos los meses de este año; las cifras están en los informes. Pero algo como esto requiere una investigación en gran escala, y no tengo ni personal ni presupuesto para hacerla.

Alex Vandervoort sonrió tristemente.

—Creo que lo del presupuesto puede arreglarse.

Presintió lo que venía después. Sabía los problemas bajo los que trabajaba Nolan Wainwright.

Wainwright, como vicepresidente del First Mercantile American, estaba encargado de todo lo referente a la seguridad en la Torre Principal y en las sucursales. La sección de tarjetas de crédito era sólo una de sus responsabilidades. En años recientes el status de Seguridad dentro del banco había avanzado, los fondos para operaciones habían aumentado, aunque la cantidad otorgada seguía siendo inadecuada. Todos los que estaban en la dirección lo sabían. Pero, como la Seguridad no daba ganancias, su posición en la lista de prioridades para fondos adicionales era baja.

—Supongo que tiene usted propuestas y cifras. Usted siempre las tiene, Nolan.

Wainwright sacó una agenda de cuero, que había traído consigo.

—Todo está aquí. Lo más urgente son dos investigadores más, para trabajar permanentemente en la sección de tarjetas de crédito. También necesito fondos para un agente encubierto, cuya tarea será localizar la fuente de las tarjetas falsificadas, y también descubrir dónde se produce la merma dentro del banco.

Vandervoort lo miró sorprendido.

—¿Cree usted poder conseguir a alguien?

Esta vez Wainwright sonrió.

—Bueno, no se puede empezar poniendo un aviso en la columna de empleos vacantes. Pero estoy dispuesto a intentarlo.

—Examinaré con cuidado lo que usted sugiere y haré todo lo que pueda. Es todo lo que puedo prometerle. ¿Puedo quedarme con estas tarjetas?

El jefe de Seguridad asintió.

—¿Alguna otra cosa?

—Sólo esto: no creo que ninguno aquí, incluido usted, Alex, tome muy en serio el problema de las tarjetas de crédito falsas. Bien, nos felicitamos de haber mantenido las pérdidas en tres cuartos del uno por ciento del total de los negocios, pero los negocios han crecido enormemente, y el porcentaje ha permanecido quieto, incluso ha aumentado. Según entiendo, el volumen de tarjetas clave de crédito para el año próximo será, según se espera, de tres mil millones de dólares.

—Eso esperamos.

—Entonces... con el mismo porcentaje... las pérdidas por fraude serán de más de veintidós millones.

Vandervoort dijo secamente:

—Es preferible hablar de porcentajes. De ese modo no parece tanto, y los directores no se alarmarán.

—Me parece bastante cínico.

—Sí, eso creo.

Y sin embargo, razonó Alex, era una actitud que los bancos, todos los bancos, tomaban. Aceptaban, deliberadamente, el crimen en las tarjetas de crédito, y también las pérdidas, a costa de hacer negocios. Si cualquier otro departamento del banco mostraba una pérdida de siete millones y medio de dólares en un año, el escándalo estallaba en la Dirección. Pero, en lo referente a las tarjetas de crédito «tres cuartos del uno por ciento» en la criminalidad era aceptado, o convenientemente ignorado. Las alternativas —una lucha de frente contra el crimen— serían mucho más costosas. Podía decirse, naturalmente, que la actitud de los banqueros era indefendible, porque al fin eran los clientes —los dueños de las tarjetas de crédito— los que pagaban el fraude con aumento de los costos. Pero, desde el punto de vista financiero, la actitud era consecuente para los negocios.

—Hay veces —dijo Alex— en las que el sistema de tarjetas de crédito se me atraganta, o por lo menos, en parte. Pero vivo dentro de los límites de lo que creo poder realizar en cuanto a un cambio, y sé lo que no puedo hacer. Lo mismo ocurre con las prioridades del presupuesto.

Tocó la agenda de cuero que Wainwright había puesto en el escritorio.

—Déjeme intentarlo. Ya he prometido hacer lo que pueda.

—Si no tengo noticias iré a golpear a su escritorio.

Alex Vandervoort se fue, pero Nolan Wainwright fue demorado por un mensaje. Pedían al jefe de Seguridad que se pusiera en contacto con Mrs. D'Orsey, gerente de la sucursal principal, inmediatamente.

7

—He hablado con el FBI —informó Nolan Wainwright a Edwina D'Orsey. —Enviarán mañana dos agentes especiales.

—¿Por qué no hoy?

El hizo una mueca.

—No tenemos el cuerpo del delito; ni siquiera ha habido tiroteo. Además, tienen sus problemas. Carecen de personal.

—¿Acaso no nos pasa a todos lo mismo?

—Entonces, ¿puedo dejar que los empleados vuelvan a sus casas?— preguntó Miles Eastin.

Wainwright contestó:

—Todos menos la muchacha. Quiero hablar otra vez con ella.

Empezaba a anochecer y hacía dos horas que Wainwright había respondido a la convocatoria de Edwina y se había encargado de la investigación por la pérdida de caja. Entretanto había recorrido el mismo camino recorrido antes por los funcionarios de la sucursal, interrogando a la pagadora, Juanita Núñez, Edwina D'Orsey, al contador Tottenhoe y al joven Miles Eastin, contador ayudante.

También había hablado con otros cajeros, que trabajaban cerca de la muchacha Núñez.

No queriendo llamar la atención en la plataforma, Wainwright había elegido una sala de conferencias en la parte trasera del banco. Estaba allí ahora con Edwina D'Orsey y Miles Eastin.

Nada nuevo había surgido, fuera de la presunción de robo; por lo tanto, de acuerdo con la ley federal, había que llamar al FBI. La ley, en tales ocasiones, no siempre se aplicaba estrictamente, como Wainwright sabía muy bien. El First Mercantile American y otros bancos con frecuencia calificaban los robos de dinero como «desapariciones misteriosas» y, de este modo, tales incidentes podían manejarse internamente, evitando los juicios legales y la publicidad. De este modo si algún empleado del banco era sospechoso de robo, era únicamente despedido, ostensiblemente por algún otro motivo. Y como los culpables no estaban inclinados a hablar, un sorprendente número de robos quedaba en secreto, incluso dentro del mismo banco.

Pero la pérdida presente —suponiendo que fuera un robo— era demasiado grande y flagrante para que pudiera quedar oculta.

Tampoco era buena idea aguardar, esperando nuevas informaciones. Wainwright sabía que el FBI iba a enojarse si lo llamaban varios días después del hecho, para investigar en una huella fría. Hasta que llegaran los agentes del FBI, él iba a hacer todo lo que pudiera hacer.

Cuando Edwina y Miles Eastin dejaron la pequeña oficina, el ayudante contador dijo, para cooperar:

—Mandaré a Mrs. Núñez.

Un momento después la figura pequeña, delgada de Juanita Núñez apareció en la puerta de la oficina.

—Adelante —dijo Nolan Wainwright, y ordenó—: Cierre la puerta. Siéntese.

Su tono era oficial y directo. El instinto le decía que una amistad fingida no iba a engañar a la muchacha.

—Quiero oír de nuevo toda la historia. Vayamos paso a paso.

Juanita Núñez parecía enfurruñada y desafiante, como había estado antes, aunque ahora había en ella huellas de fatiga. Con un súbito relámpago de ira, objetó sin embargo:

—Por tres veces he hecho esto. Lo he dicho todo.

—Tal vez haya olvidado algo las otras veces.

—No he olvidado nada.

—Entonces esta vez será la cuarta y, cuando llegue el FBI será la quinta, y tal vez haya una sexta —siguió mirándola a los ojos y mantuvo la autoridad en la voz, pero no la levantó. Si yo fuera un funcionario policial, pensó Wainwright, tendría que prevenirle de cuáles son sus derechos. Pero no lo era, y no iba a hacerlo. A veces en una situación como ésta, las fuerzas de Seguridad privadas tenían ventajas de las que no disponía la policía.

—Ya sé lo que piensa —dijo la muchacha—. Usted cree que voy a decir algo diferente, para poder probar que estoy mintiendo.

—¿Y *está* mintiendo?

—No.

—¿Entonces por qué se preocupa?

La voz de ella tembló.

—Porque estoy cansada. Quisiera irme.

—Yo también quisiera. Y si no fuera porque faltan seis mil dólares... que usted reconoce haber tenido antes en su poder... terminaría hoy el trabajo y me iría a casa. Pero el dinero *falta* y queremos encontrarlo. Por eso debe contarme otra vez lo que pasó esta tarde... cuando vio por primera vez que algo andaba mal.

—Es como le he dicho... sucedió veinte minutos después del almuerzo.

El leyó el desprecio en los ojos de ella. Más temprano, al empezar a interrogarla, había sentido que la actitud de la muchacha era más dócil hacia él que hacia los otros. Sin duda porque él era negro y ella era portorriqueña y, por esto, suponía que podían ser aliados o, quizás que él sería más blando. Pero ella no sabía que, cuando se trataba de una investigación, él era ciego para los colores. Tampoco le importaban los problemas personales que la muchacha pudiera tener. Edwina D'Orsey los había mencionado, pero ninguna circunstancia personal, ante los ojos de Wainwright, justificaba jamás el robo o la deshonestidad.

Naturalmente, la muchacha Núñez no se había equivocado al pensar que él quería cogerla en alguna variante de la historia. Y podía suceder, pese a su obvia precaución. Se había quejado de estar cansada. Como investigador experimentado, Wainwright sabía que la gente culpable cuando estaba cansada, solía cometer errores en el interrogatorio, un pequeño error primero, después otro y otro, hasta quedar atrapados en una red de mentiras e inconsistencias.

Preguntándose si esto iba a pasar ahora, apremió.

Pasaron tres cuartos de hora en los cuales la versión de los hechos dada por Juanita Núñez siguió siendo idéntica a la que había dado antes. Aunque quedó desilusionado por no haber descubierto nada nuevo, Wainwright no se impresionó abiertamente con la coherencia de la muchacha. Su origen policial le hizo comprender que tal exactitud sólo podía tener dos interpretaciones: o bien ella decía la verdad, o bien había ensayado tan cuidadosamente el relato que lo repetía a la perfección. Lo último parecía más probable, porque la gente inocente generalmente cometía alguna leve variación entre uno y otro relato. Era un síntoma que los detectives habían aprendido a buscar.

Al fin Wainwright dijo:

—Bien, por ahora esto es todo. Mañana haremos la prueba con un detector de mentiras. El banco se ocupará de arreglarlo.

Lo dijo casualmente, aunque esperaba una reacción. Pero no había esperado que fuera tan brusca y feroz.

La carita morena de la muchacha se puso colorada. Se irguió en la silla.

—No lo haré. No acepto esa prueba.

—¿Por qué no?

—Porque es un insulto.

—No es un insulto. Mucha gente se somete a esa prueba. Si usted es inocente la máquina lo probará.

—No confío en esa máquina. Ni en usted. *¡Basta con mi palabra!*

El ignoró el castellano, sospechando que podía ser insultante.

—No tiene usted motivo para no confiar en mí. Lo único que me importa es conocer la verdad.

—¡Ya ha oído la verdad! ¡Y no la reconoce! Usted, igual que los otros, cree que yo he cogido el dinero. Es inútil decirle que no lo he hecho.

Wainwright se puso de pie y abrió la puerta del pequeño despacho para hacer pasar a la muchacha.

—Entre hoy y mañana —aconsejó— le sugiero que reconsidere su actitud acerca de la prueba. Si rehusa hacerla, las cosas se presentarán mal para usted.

Ella le miró directamente a la cara.

—No estoy obligada a someterme a esa prueba, ¿verdad?

—No.

—Entonces no lo haré.

Se alejó del despacho con pasitos breves y cortos. Un momento después, sin prisa, Wainwright la siguió.

En la zona de trabajo del banco, aunque algunas personas estaban todavía ante sus escritorios, la mayoría de los empleados se había ido, y las luces de arriba eran menos intensas. Afuera la oscuridad había descendido sobre el crudo día de otoño.

Juanita Núñez se dirigió al vestuario para buscar su ropa de calle, después volvió. Ignoró la presencia de Wainwright. Miles Eastin, que había estado esperando con una llave, la hizo salir a la calle por la puerta principal.

52

—Juanita —dijo Eastin—, ¿puedo ayudarla en algo? ¿Quiere que la lleve a su casa?

Ella meneó la cabeza sin hablar y salió.

Nolan Wainwright, que miraba desde la ventana, la vio cruzar para tomar un autobús al otro lado de la calle. Si contara con más cantidad de empleados de Seguridad, se dijo, la habría hecho seguir, aunque dudaba que la cosa diera resultado. Mrs. Núñez era inteligente y no iba a comprometerse dando el dinero a otra persona en público o guardándolo en algún lugar predecible.

Además estaba convencido que la muchacha no llevaba el dinero encima. Era demasiado astuta para correr el riesgo; por otra parte, la cantidad era demasiado voluminosa para que pudiera ocultarla. La había observado atentamente cuando hablaron y después, y había notado que las ropas se ajustaban a su cuerpecito, y que no había bultos sospechosos. La cartera que llevaba al salir del banco era pequeña, y no llevaba paquetes.

Wainwright tenía la certeza de que había un cómplice.

Le quedaban escasas dudas, si es que le quedaba alguna, de que Juanita Núñez era culpable. La negativa a someterse a un detector de mentiras, junto con otros hechos e indicaciones, le habían convencido. Al recordar el estallido emocional de hacía unos minutos, sospechó que había sido planeado, quizás ensayado. Los empleados bancarios estaban enterados de que, en caso de sospecha de robo, se usaba un detector de mentiras; probablemente la muchacha Núñez también lo sabía. Por lo tanto sabía que la cosa iba a surgir y había estado lista para enfrentarla.

Al recordar el desprecio con que lo había mirado y, antes de eso, su tácita presunción de una alianza entre ellos, Wainwright sintió una oleada de furia. Con desusada intensidad deseó que mañana el FBI le hiciera pasar un mal momento y que le hiciera perder el control. Pero no iba a ser fácil. Era dura.

Miles Eastin había vuelto a cerrar la puerta principal y volvía ahora.

—Bueno —dijo con alegría—, se vienen todos los aguaceros.

El jefe de Seguridad asintió.

—Ha sido un día bravo.

Eastin pareció a punto de decir algo, después aparentemente decidió otra cosa.

Wainwright preguntó:

—¿Pasa algo?

Nuevamente Eastin vaciló, después reconoció:

—Bueno, sí, hay algo. Es algo que no he mencionado a nadie porque puede ser una trampa brava.

—¿Tiene algo que ver con el dinero que falta?

—Podría ser.

Wainwright dijo con firmeza:

—Entonces, esté seguro o no, tiene que decírmelo.

El contador ayudante asintió.

—Bien.

Wainwright esperó.

—Creo que ya le dijeron a usted... se lo dijo Mrs. D'Orsey... que Juanita Núñez es casada. Su marido la ha abandonado. La dejó con una hija.

—Recuerdo.

—Cuando Juanita vivía con su marido, él acostumbraba a venir aquí a veces. Para buscarla, supongo. He hablado con él una o dos veces. Estoy casi seguro que se llama Carlos.

—¿Y que hay con él?

—Creo que hoy estuvo en el banco.

Wainwright preguntó bruscamente:

—¿Está seguro?

—Casi seguro, aunque no como para jurarlo ante un tribunal. Vi a alguien, creí que era él, después lo olvidé. Estaba ocupado. No tenía motivo para pensar en eso... por lo menos no lo tuve hasta mucho tiempo después.

—¿A qué hora cree haberlo visto?

—A mitad de la mañana.

—Ese hombre que usted creyó era el marido de la muchacha Núñez... ¿lo vio acercarse al mostrador cuando ella estaba trabajando?

—No, no lo vi —la hermosa cara de Eastin estaba turbada—. Como he dicho, la cosa no me llamó la atención. Lo único es que, si lo vi, no puede haber estado muy lejos de Juanita.

—¿Y eso es todo?

—Así es —y Miles Eastin añadió, como excusa—. Lamento que no sea más.

—Ha hecho bien en decírmelo. Puede ser importante.

Si Eastin no estaba equivocado, pensó Wainwright, la presencia del marido encajaba con su teoría de un cómplice de afuera. Probablemente la muchacha y su marido habían vuelto a juntarse, o habían llegado a algún acuerdo. Tal vez ella le había pasado el dinero en el mostrador, y él lo había sacado del banco, para dividirlo con ella más tarde. La posibilidad era en verdad algo que haría trabajar al FBI.

—Fuera del dinero que falta —dijo Eastin— todo el mundo en el banco está hablando de Mr. Rosselli... nos enteramos ayer del anuncio de su enfermedad. Todos estamos muy tristes.

Fue un brusco y doloroso recuerdo, que llegó cuando Wainwright miraba al joven, generalmente tan lleno de bromas y de jovialidad. En aquel momento el jefe de Seguridad vio que había inquietud en los ojos de Eastin.

Wainwright comprendió que la investigación había borrado en su mente toda idea sobre Ben Rosselli. Ahora, al recordarlo sintió nuevamente rabia de que el robo hubiera dejado su fea marca en un momento como este.

Murmuró un agradecimiento, dio las buenas noches a Eastin, y atravesó el túnel de la sucursal, usando su propia llave de paso para volver a entrar a la Torre Principal del FMA.

8

Al otro lado de la calle, Juanita Núñez —una figura diminuta contra el encumbrado complejo ciudadano del First Mercantile American y la Plaza Rosselli— seguía esperando el autobús.

Había visto la cara del funcionario de Seguridad espiándola desde una de las ventanas del banco, y tuvo una sensación de alivio cuando la cara desapareció, aunque el sentido común le dijo que el alivio era sólo momentáneo, y que la desdicha del día de hoy iba a continuar y que sería tan mala, o peor, mañana.

Un viento frío cortante entre las calles del centro, penetraba el delgado sobretodo que llevaba, y temblaba mientras esperaba. El autobús que cogía siempre ya había pasado. Esperaba que llegara pronto otro.

El temblor, comprendió Juanita, se debía en parte al miedo, porque en aquel momento, estaba más asustada, más aterrada de lo que nunca había estado en su vida.

Aterrada y perpleja.

Perpleja porque no tenía idea de cómo había desaparecido el dinero.

Juanita sabía que ella no había robado el dinero, que no lo había dado por error en el mostrador, que no había dispuesto de él de una u otra manera.

Lo malo era que nadie iba a creerle.

En otras circunstancias, comprendió, ella no lo hubiera creído.

¿Cómo podían haber desaparecido seis mil dólares? Era imposible, *imposible*. Y sin embargo, había pasado.

Una y otra vez había recordado esa tarde cada momento del día, en busca de alguna explicación. No la había. Había recordado las transacciones de caja en el mostrador durante la mañana y a principios de la tarde, usando la notable memoria que sabía poseía, pero no encontró ninguna solución. Ni siquiera la más audaz posibilidad tenía sentido.

Estaba también segura de que había cerrado su caja fuerte antes de llevarla a la cámara, cuando salió a almorzar y seguía cerrada cuando ella había vuelto. En cuanto a la combinación, que Juanita había elegido y establecido ella misma nunca la había comentado con nadie, ni siquiera la había escrito, confiando, como de costumbre, en su memoria.

En cierto modo era su memoria la que añadía cosas a su angustia.

Juanita sabía que no le habían creído, ni Mrs. D'Orsey, ni Mr. Tottenhoe, ni Miles —que por lo menos había sido más amistoso que los otros— cuando ella había afirmado saber, a las 2 de la tarde, la exacta cantidad de dinero que faltaba. Dijeron que era imposible que pudiera saberlo.

Pero lo *había* sabido. Del mismo modo que *siempre* sabía cuánto dinero en efectivo tenía cuando actuaba como pagadora, aunque le era imposible explicar a los otros cómo o por qué lo sabía.

Ni siquiera estaba segura ella misma de cómo llevaba la cuenta en la cabeza. Simplemente estaba allí. Sucedía sin esfuerzo, de manera que ella era apenas consciente de la aritmética que suponía. Desde que podía recordar, sumar, restar, multiplicar y dividir había sido para ella tan fácil como respirar, e igualmente natural.

Lo hacía automáticamente en el mostrador del banco cuando recibía el dinero de los clientes, o cuando pagaba. Y había aprendido a echar una mirada a su cajón y controlar la cantidad que tenía en mano, para saber si era la que correspondía, para ver si las diversas denominaciones de billetes estaban en orden y eran en número suficiente. Incluso con las monedas, aunque no supiera con tanta precisión el total, podía calcular la cantidad de manera bastante aproximada, en cualquier momento.

Ocasionalmente, al terminar un día ocupado, cuando contaba la caja, la cifra mental demostraba haberse equivocado en algunos dólares pero no más.

¿De dónde provenía esta habilidad? Ella no tenía idea.

Nunca se había destacado en la escuela. Durante su breve estancia en el colegio secundario en Nueva York, rara vez obtuvo más que un promedio normal en la mayoría de las materias. Incluso en matemáticas no captaba realmente los principios, sólo poseía una habilidad para calcular con la velocidad de un rayo, y también para llevar cifras en la cabeza.

Finalmente llegó el autobús con un rugido desequilibrado y olor a diesel. Con otros que esperaban, Juanita subió. No había asientos libres y los que iban de pie estaban apretados. Se las arregló para apoderarse de una manija y siguió pensando, esforzándose en recordar mientras el autobús se balanceaba por las calles de la ciudad.

¿Qué pasaría mañana? Miles le había dicho que vendrían los del FBI. La idea la llenó nuevamente de pánico y su cara se puso tensa en una angustia de ansiedad, la misma expresión que Edwina D'Orsey y Nolan Wainwright habían confundido con hostilidad.

Iba a decir lo menos posible, como había hecho hoy, cuando descubrió que no le creían.

En cuanto a la máquina, el detector de mentiras, iba a negarse a someterse a ella. Ignoraba cómo trabajaba esa máquina, pero, si nadie quería entender, creer, o ayudarla, ¿por qué una máquina —una máquina del banco— iba a ser diferente?

Tenía que caminar tres manzanas desde la parada del autobús hasta el jardín de infancia donde había dejado aquella mañana a Estela, al ir a trabajar. Juanita se apresuró, porque se había retrasado.

La chiquilla corrió hacia ella cuando penetró en el cuarto de juegos del pequeño jardín de infancia, en el sótano de una casa privada. La casa, como otras en el barrio, era vieja y ruinosa, pero los cuartos de la escuela eran limpios y alegres, aunque el costo era elevado y un sacrificio pagarlo.

Estela estaba excitada, tan alegre como siempre.

—¡Mamá, mamá... mira lo que he pintado! Este es el purgón. Hay un *hombre* dentro.

Era una niña pequeña, parecía de menos de tres años, era morena como Juanita, con grandes ojos líquidos que reflejaban su maravilla ante cada nuevo interés y ante los nuevos descubrimientos que realizaba cada día.

Juanita la estrechó y la corrigió con dulzura.

—*Furgón,* amorcito.

Era evidente, por el silencio, que los otros niños ya se habían ido.

Miss Ferroe, propietaria y directora del jardín de infancia, se presentó muy correcta, con el ceño fruncido. Miró deliberadamente el reloj.

—Mrs. Núñez, como un favor especial he consentido en que Estela se quede después de los otros, pero hoy es realmente demasiado tarde...

—Le pido que me disculpe, Miss Ferroe. Ha ocurrido algo en el banco.

—Yo también tengo mis responsabilidades privadas. Y otros padres cumplen con la hora de cierre de la escuela.

—No volverá a pasar. Se lo prometo.

—Bien. Pero, ya que está usted aquí, Mrs. Núñez, quisiera recordarle que todavía no me ha pagado el mes pasado.

—Le pagaré el viernes. Ese día me pagarán a mí.

—Usted comprende que lamento tener que recordárselo. Estela es una chiquita adorable y nos encanta tenerla. Pero tengo cuentas que pagar y...

—Entiendo. Seguramente le pagaré el viernes. Se lo prometo.

—Ya son dos promesas. Mrs. Núñez.

—Sí, ya lo sé.

—Buenas noches, entonces. Buenas noches, Estela querida.

Pese a ser tan acartonada, La Ferroe dirigía magníficamente el jardín de infancia y Estela era feliz allí. Juanita decidió que el dinero que debía en la escuela tendría que salir de su paga esta semana, tal como había dicho y que, de alguna manera tendría que arreglárselas hasta el otro día de pago. Pero ya no estaba tan segura. Su sueldo de cajera era de 98 dólares semanales; pagados los impuestos y las deducciones para Seguridad Social, su paga se reducía a 83 dólares. Con esto tenía que comprar comida para las dos, y tenía que pagar la guardería de Estela, además del alquiler del pequeño apartamento en la planta baja donde vivían, en el Forum East; también la compañía de créditos iba a pedirle que pagara, porque no había podido hacer el último pago.

Antes de que Carlos la dejara, yéndose sencillamente y desapareciendo hacía un año, Juanita había sido lo bastante ingenua como para firmar papeles financieros juntamente con su marido. El había comprado trajes, un coche usado, un aparato de televisión en colores, cosas que se había llevado consigo. Y ahora Juanita seguía pagando las mensualidades, que parecían extenderse en un futuro sin límites.

Tendría que ir a la compañía de créditos, pensó, para proponerles pagar menos mensualidad. Seguramente iban a ponerse groseros, como ya lo habían hecho, pero tendría que soportarlo.

En el camino a casa, Estela patinaba alegremente, con su mano en la mano de Juanita. En la otra, Juanita llevaba la pintura de Estela, cuidadosamente enrollada. Dentro de un rato en el apartamento, comerían y después generalmente· jugaban y reían juntas. Pero a Juanita le resultaba difícil reír esta noche.

El terror se intensificaba a medida que consideraba, por primera vez, lo que podía pasar si perdía el empleo. Las posibilidades, comprendió, eran grandes.

También supo que iba a ser difícil encontrar otro empleo. Ningún otro banco la contrataría, y otros patronos querrían saber donde había trabajado antes, después descubrirían la historia del dinero y la rechazarían.

Sin trabajo: ¿qué iba a hacer? ¿Cómo mantener a Estela?

Bruscamente Juanita se detuvo en la calle, se agachó y estrechó contra sí a su hija.

Rogó que alguien la creyera mañana, que alguien reconociera la verdad. Alguien, *alguien*.

Pero... ¿quién?

9

Alex Vandervoort también estaba perdido en la ciudad.

A primera hora de la tarde, de regreso de la reunión con Nolan Wainwright, Alex había recorrido paseando sus oficinas, procurando ver los recientes acontecimientos en su verdadera perspectiva.

El anuncio hecho ayer por Ben Rosselli era causa mayor para reflexionar. Y también lo era la situación resultante en el banco. Y también los acontecimientos de los meses recientes, en la vida personal de Alex.

Marchaba de arriba abajo, doce pasos para un lado, doce para otro, según una antigua costumbre, ya establecida. Una o dos veces se detuvo, volvió a examinar las tarjetas de crédito falsificadas, que el jefe de Seguridad le había permitido llevar. El crédito y las tarjetas de crédito eran parte adicional de sus preocupaciones... no sólo las tarjetas falsas sino también las legítimas.

La variedad genuina estaba representada por una serie de pruebas de anuncios, también sobre el escritorio, y ahora extendidas. Habían sido preparadas por la Agencia de Publicidad Austin, y el propósito era alentar a los poseedores de tarjetas de crédito a usar el crédito y las tarjetas cada vez más.

Un anuncio decía:

¿PARA QUE PREOCUPARSE POR EL DINERO?
USE SU TARJETA CLAVE DE CREDITO
Y DEJE QUE NOSOTROS NOS PREOCUPEMOS POR USTED

Otro proclamaba:

LAS CUENTAS NO SON DOLOROSAS
CUANDO USTED DICE:
«PONGALO EN MI TARJETA DE CREDITO»

Un tercero anunciaba:

¿PARA QUE ESPERAR?
HOY **PUEDE** PERMITIRSE EL SUEÑO DE MAÑANA.
USE **AHORA** SU TARJETA CLAVE

Había otra media docena en términos similares.

Alex Vandervoort se sentía inquieto con todo aquello.

Pero su inquietud no iba a traducirse en acción. Los anuncios, ya aprobados por la división de Tarjetas Clave, habían sido enviadas a Alex simplemente para información general. Igualmente, el amplio margen de aproximación había sido decidido hacia varias semanas por la dirección del banco, como medio para aumentar los beneficios del sistema de

Tarjetas Clave, que — como todos los programas de tarjetas de crédito— había dado pérdidas en los años iniciales de lanzamiento.

Pero Alex se preguntaba: ¿había calculado la Dirección una campaña promocional tan groseramente agresiva?

Reunió las pruebas de anuncios y volvió a colocarlas en las carpetas en la que habían llegado. Esta noche, en su casa, volvería a considerarlas, y oiría una segunda opinión, pensó —probablemente una opinión bastante fuerte— de parte de Margot.

Margot.

La idea de ella se mezcló al recuerdo de la revelación hecha ayer por Ben Rosselli. Lo que había sido dicho entonces había recordado a Alex la fragilidad de la vida, la brevedad del tiempo que nos queda, la inevitabilidad de los finales, había sino una señal hacia lo inesperado, siempre tan cercano. Se había sentido conmovido y entristecido por lo de Ben; pero nuevamente, sin quererlo, el viejo había renovado un continuo interrogante: ¿debía Alex iniciar una nueva vida para él y para Margot? ¿O debía esperar? ¿Y esperar qué?

¿Esperar a Celia?

Esta pregunta también se la había hecho miles de veces.

Alex miró hacia la ciudad, hacia el lugar donde sabía que estaba Celia. Se preguntó qué estaría haciendo, cómo estaría.

Había una manera sencilla de averiguarlo.

Volvió a su escritorio y marcó un número que sabía de memoria.

Una voz de mujer contestó:

—Remedial Center.

El se identificó y dijo:

—Quisiera hablar con el doctor MacCartney.

Tras unos momentos una voz de hombre, tranquilamente firme, preguntó:

—¿Dónde está, Alex?

—En mi oficina. Quería saber cómo anda mi mujer.

—Se lo pregunto porque pensaba telefonearle hoy y sugerirle que visitara a Celia.

—La última vez que hablamos usted dijo que no quería que lo hiciera.

El psiquiatra le corrigió con suavidad.

—Dije que las visitas no me parecían aconsejables por un tiempo. Como recordará las anteriores inquietaron a su mujer, en lugar de ayudarla.

—Recuerdo... —Alex vaciló, después preguntó—: ¿Ha habido algún cambio?

—Sí, ha habido un cambio. Me gustaría que fuera para bien.

Había habido tantos cambios que Alex se había inmunizado contra ellos.

—¿Qué clase de cambio?

—Su mujer se está alineando todavía más. Su huida de la realidad es casi total. Por eso creo que una visita suya podría hacerle bien —el psiquiatra se corrigió—. Por lo menos no le hará daño.

—Bien. Iré esta noche.

—En cualquier momento, Alex; y no deje de pasar a verme. Como sabe no tenemos aquí horas de visita y hay un mínimo de reglas.

—Sí, ya lo sé.

La carencia de formalidad, reflexionó, al dejar el teléfono, era el motivo por el que había elegido el Remedial Center cuando tuvo que afrontar la desesperada decisión con Celia, hacía casi cuatro años. La atmósfera era deliberadamente no institucional. Las enfermeras no usaban uniforme. Dentro de lo conveniente, los pacientes tenían libertad de movimientos y eran alentados para tomar decisiones por su cuenta. Con ocasionales excepciones, amigos y parientes eran bienvenidos en cualquier momento. Incluso el nombre de «Remedial Center» había sido elegido intencionalmente, de preferencia al más desagradable de «hospital psiquiátrico». Otro motivo era que el doctor Timothy McCartney, joven, brillante e innovador, encabezaba un grupo de especialistas que habían logrado la curación de enfermedades mentales en casos en lo que habían fallado tratamientos más convencionales.

El Center era pequeño. Los pacientes nunca sobrepasaban los ciento cincuenta, aunque en comparación, había mucho personal. En cierto modo era como una escuela con pequeñas aulas donde los estudiantes recibían la atención personal que no hubieran podido tener en otra parte.

El edificio moderno y los jardines espaciosos eran tan agradables como podían crearlos la imaginación y el dinero.

La clínica era privada. También era atrozmente cara, pero Alex había estado decidido, y seguía estándolo, a que, pasara lo que pasara, Celia iba a recibir la mejor atención. Era, pensaba, lo menos que podía hacer.

El resto de la tarde se ocupó de los negocios del banco. Poco después de las 6 dejó la Torre del FMA, dio a su chófer la dirección del Remedial Center y se puso a leer el periódico vespertino mientras se deslizaban entre el tráfico. Una *limousine* y un chófer, disponibles en cualquier momento entre los coches del banco, eran prerrogativas de la tarea de vicepresidente y Alex disfrutaba de ellas.

Típicamente, el Remedial Center tenía la fachada de una gran casa privada, sin nada aparte del número de la calle, que pudiera identificarlo.

Una simpática muchacha rubia, con un alegre vestido estampado, le hizo pasar. Se dio cuenta de que era una enfermera por una pequeña insignia clavada en el hombro izquierdo. Era la única distinción en el vestuario que se autorizaba entre el personal y los enfermos.

—El doctor nos ha anunciado su llegada, Mr. Vandervoort. Le llevaré a ver a su esposa.

Caminó con ella por un alegre corredor. Predominaban los amarillos y los verdes. Flores frescas ocupaban nichos a lo largo de las paredes.

—Me han informado —dijo él— que mi mujer no ha mejorado.

—De verdad que no, mucho me temo— la enfermera le lanzó una mirada de soslayo; él percibió piedad en sus ojos. Pero, ¿por quién? Como siempre cuando venía aquí, sintió que su entusiasmo natural le abandonaba.

Estaban en un ala, una de las tres que partían de la zona de recepción central. La enfermera se detuvo ante una puerta.

—Su esposa está en su cuarto, Mr. Vandervoort. Hoy ha tenido un mal día. Procure recordarlo si ella... —dejó sin terminar la frase, le tocó levemente el brazo y después se le adelantó.

El Remedial Center colocaba a los enfermos en cuartos compartidos o solos, según el efecto que la compañía de otros podía producir. Cuando Celia llegó había ocupado un cuarto doble, pero la cosa no había dado resultado; ahora estaba en una habitación privada. Aunque pequeño, el cuarto de Celia era amablemente cómodo y personal. Contenía un diván de tipo estudio, un profundo sillón y una otomana, una mesa de juegos y una estantería con libros. Reproducciones impresionistas adornaban las paredes.

—Mrs. Vandervoort —dijo amablemente la enfermera—, su marido ha venido a visitarla.

No hubo ningún reconocimiento, ni movimiento, ni respuesta hablada de parte de la figura que estaba en el cuarto.

Hacía mes y medio que Alex había visto a Celia y, aunque había esperado verla algo desmejorada, su apariencia actual le dejó helado.

Ella estaba sentada —si es que podía decirse eso de su postura— en el diván. Se había puesto de lado, apartando la cara de la puerta exterior. Tenía los hombros agobiados, la cabeza baja, los brazos cruzados sobre el pecho y cada mano se aferraba al hombro opuesto. El cuerpo también se había curvado sobre sí mismo y tenía las piernas dobladas, con las rodillas juntas. Estaba absolutamente quieta.

El se le acercó y le puso suavemente la mano en el hombro.

—Hola, Celia... soy yo... Alex. He estado pensando en tí y, por eso, decidí venir a verte.

Ella dijo en voz baja, sin expresión:

—Sí, —pero no se movió.

El aumentó la presión del hombro.

—¿No quieres volverte para verme? Podríamos sentarnos juntos y charlar.

La única respuesta fue una rigidez perceptible, y la posición en la que Celia se había acurrucado se hizo más tensa.

El cutis, notó Alex, estaba manchado y el pelo rubio estaba despeinado. Pero incluso ahora su belleza gentil, frágil, no se había desvanecido del todo, aunque era evidente que no iba a durar mucho tiempo.

—¿Hace mucho que está así? —preguntó Alex a la enfermera, en voz baja.

—Todo el día de hoy y parte del de ayer; también ha estado así otros días— y la muchacha añadió directamente—: Se siente más cómoda de esta manera. Es mejor que no le preste atención, siéntese, háblele.

Alex asintió. Cuando se acomodó en el único sillón y se sumergió en él, la enfermera se alejó de puntillas, cerrando la puerta suavemente.

—La semana pasada estuve en el ballet, Celia —dijo Alex—. Daban *Coppelia*. Natalia Makarova tenía el papel principal con Ivan Nagy Frantz. Estuvieron todos magníficos y, naturalmente, la música es maravillosa. Recordé cuánto te gusta *Coppelia*, que es uno de tus ballets favoritos. ¿Recuerdas aquella noche, poco después de casarnos, cuanto tú y yo...?

Podía traer claramente a la memoria, incluso ahora, cómo había estado Celia aquella noche... con un vestido largo de gasa verde pálido, y unos zapatitos que brillaban con el reflejo de la luz. Como siempre, había mostrado una belleza etérea, esbelta, impalpable, como si la brisa pudiera llevársela si él la descuidaba. En aquellos días rara vez lo hacía. Llevaban seis meses de casados y ella todavía tenía timidez ante los amigos de Alex, de modo que, a veces, en un grupo, se aferraba y se pegaba a su brazo. Como ella era diez años menor, a él la cosa no le había importado. La timidez de Celia, al comienzo, había sido uno de los motivos de que se enamorara de ella, y estaba orgulloso de que se apoyara tanto en él. Sólo mucho después, cuando ella siguió siendo apocada e insegura —tontamente, según le pareció a él— su impaciencia afloró a la superficie y finalmente se enojó.

¡Qué poco, qué trágicamente poco había comprendido! Con una mayor percepción podría haberse dado cuenta de que el origen de Celia antes de que se conocieran, era totalmente diferente al suyo y que nada la preparaba para la activa vida social y doméstica que él aceptaba como cosa corriente. Todo era nuevo y sorprendente para Celia, alarmante a veces. Era hija única de unos padres muy recluidos, de medios modestos, había sido educada en un convento, nunca había conocido la promiscua licencia de la vida universitaria. Antes de conocer a Alex, Celia no había tenido responsabilidades, su experiencia social era nula. El matrimonio aumentó su nerviosismo natural; al mismo tiempo las dudas sobre sí misma y las tensiones crecieron hasta que, finalmente —como explicaban los psiquiatras— el peso de la responsabilidad ante el fracaso soltó algo en su mente. Con intuición, Alex se culpó a sí mismo. Hubiera podido, según creyó después, ayudar muy fácilmente a Celia hubiera podido aconsejarla, aflorar las tensiones, darle seguridad. Pero, cuando más había importado, no lo había hecho. Había sido descuidado, ambicioso... había estado muy ocupado... muy distraído.

Por eso la representación de la semana pasada, Celia, me hizo lamentar que no la viéramos juntos...

Lo cierto es que había visto Coppelia *con Margot, a quien hacía ya un año y medio que conocía, que llenaba celosamente en su vida el hueco tanto tiempo vacío. Margot o alguna otra era necesaria para él —un hombre de carne y hueso— no se convirtiera también en un enfermo mental, se había dicho Alex a veces ¿O era acaso una mentira de mala fe, para atenuar convenientemente la culpa?*

De todos modos, este no era ni el momento ni el lugar para introducir el nombre de Margot.

—Ah, ¿sabes, Celia? Hace poco vi a los Harrington. ¿Te acuerdas de John y Elise? Me dicen que han estado en Escandinavia, para visitar a los padres de Elise.

—Sí —dijo Celia, sin tono.

No se había movido de la posición acurrucada, pero evidentemente escuchaba, y él siguió hablando, usando sólo la mitad de la mente, mientras la otra mitad preguntaba: «¿Cómo pudo suceder? ¿Por qué?»

—Ultimamente hemos tenido mucho trabajo en el banco, Celia...

Uno de los motivos, suponía, había sido su preocupación por el trabajo, las largas horas en las cuales —a medida que se deterioraba el matrimonio— había dejado sola a Celia. Esto había sucedido, ahora lo sabía, cuando ella más lo había necesitado. Tal como estaban las cosas, Celia había aceptado sus ausencias sin quejarse, pero se había vuelto más reservada y tímida, sumergiéndose en los libros, o mirando interminablemente las plantas y las flores, como si pudiera verlas crecer, aunque, ocasionalmente —como contraste y sin motivo aparente— se ponía animada, hablaba incesantemente y a veces con incoherencia. En aquellos períodos Celia parecía tener una energía excepcional. Luego, con igual brusquedad, la energía desaparecía, y se quedaba nuevamente deprimida y decaída. Y mientras tanto, su compañerismo disminuía.

Fue durante todo ese tiempo —la idea le avergonzaba ahora— cuando sugirió que se divorciaran. Celia había parecido trastornada y él había dejado caer la sugerencia, esperando que las cosas mejoraran, pero no mejoraron.

Sólo al fin, cuando se le ocurrió casualmente que Celia podía necesitar un psiquiatra, y cuando lo había buscado, se reveló la verdad de la enfermedad. Por un momento la angustia y la preocupación reavivaron su amor. Pero, para entonces, era demasiado tarde.

A veces reflexionaba: tal vez siempre había sido tarde. Quizás ni una mayor bondad, ni la comprensión hubieran servido. Pero nunca iba a saberlo. Nunca podría albergar la convicción de haber hecho todo lo posible y, a causa de esto, nunca podría librarse de la culpa que le perseguía.

—Todo el mundo parece pensar sólo en el dinero... en gastarlo, pedir prestado, prestarlo a su vez, aunque me parece que no es tan raro y que los bancos están para eso. Con todo ayer pasó algo triste. Ben Rosselli, nuestro presidente, nos dijo que se está muriendo. Convocó a una reunión y...

Alex prosiguió describiendo la escena en la sala del Directorio y las reacciones posteriores. Después se interrumpió de golpe.

Celia había empezado a temblar. Su cuerpo se bamboleaba a un lado y a otro. Un lamento, casi un gemido, escapó de ella.

¡Acaso la mención del banco le había hecho daño?... *El banco, al que había consagrado sus energías, ampliando el abismo entre ellos. Entonces había sido otro banco, el Federal Reserve, pero, para Celia, todos los bancos eran iguales. ¿O acaso era su referencia a la muerte de Ben Rosselli?*

Ben Rosselli iba a morir pronto. ¿Cuántos años faltarían para que muriera Celia? Muchos, quizás.

Alex pensó: fácilmente podía sobrevivirlo, seguir viviendo así.

¡*Parecía un animal!*

Su piedad se evaporó. La rabia se apoderó de él; la impaciencia furiosa que había echado a perder su matrimonio.

—¡Por el amor de Dios, Celia, domínate!

Los temblores y los gemidos continuaron.

La odiaba. Ya no era un ser humano y, sin embargo, seguía siendo el estorbo para que él pudiera llevar una vida plena.

Poniéndose de pie, Alex apretó salvajemente un timbre en la pared, pidiendo ayuda. En el mismo movimiento dio una zancada hacia la puerta para irse.

Y se volvió a mirar. A Celia, su mujer, a la que antes había amado, a lo que se había convertido; al abismo entre ellos, que nunca podría zanjarse. Se detuvo y lloró.

Lloró por piedad, tristeza, culpa; y apaciguándose su ira momentánea, el odio se desvaneció.

Volvió al diván y, poniéndose de rodillas ante ella, suplicó:

—Celia, perdóname, oh, por Dios, perdóname...

Sintió una mano que se apoyaba suavemente en su hombro, oyó la voz de la enfermera.

—Mr. Vandervoort, creo que es mejor que se vaya.

—¿Agua o soda, Alex?

—Soda.

El doctor McCartney sacó una botella de una pequeña nevera en su sala de consultas y usó un destapador para abrirla. La vertió en un vaso que ya contenía una generosa cantidad de whisky, y añadió hielo. Llevó el vaso a Alex, después sirvió el resto de la soda, sin whisky, para él.

Para ser un hombre tan grande —Tim McCartney tenía un metro ochenta y cinco, el pecho y los hombros de un jugador de rugby, y unas manos enormes— sus movimientos eran notablemente hábiles. Aunque el director era joven, a mitad de la treintena, calculaba Alex, su voz y sus maneras parecían de una persona de más edad, y su pelo castaño peinado hacia atrás empezaba a ponerse gris en las sienes. Probablemente debido a muchas sesiones como esta, pensó Alex. Sorbió agradecido el whisky.

El cuarto de paneles estaba suavemente iluminado, los tonos de color eran más apagados que en los corredores y otras habitaciones. Estanterías de libros y cremalleras para diarios llenaban la pared, donde se destacaban las obras de Freud, Adler, Jung y Rogers.

Alex estaba todavía trastornado como resultado de su encuentro con Celia y, sin embargo, de alguna manera, el horror de haberla visto en esa forma parecía irreal.

El doctor McCartney volvió a la silla junto a su escritorio y la hizo girar para ponerse de cara al sofá donde Alex estaba sentado.

—Primero debo decirle que el diagnóstico general de su mujer sigue siendo el mismo... esquizofrenia de tipo catatónico. Recordará que hemos discutido ya el caso.

—Recuerdo toda la palabrería, así es.

—Procuraré ahorrársela ahora.

Alex hizo girar el hielo en su vaso y bebió de nuevo; el whisky le animó.

—Hábleme de la actual condición de Celia.

—Le resultará difícil aceptarlo, pero su mujer, pese a lo que parece, es relativamente feliz.

—Sí —dijo Alex—, me resulta difícil creerlo.

El psiquiatra insistió con paciencia:

—La felicidad es relativa para todos nosotros. Lo que Celia tiene es una seguridad de cierto tipo, una total ausencia de responsabilidad o de la necesidad de relacionarse con otros. Puede sumergirse en sí misma en la medida que quiera, o necesite. La postura física que ha estado tomando últimamente, y que usted ha visto, es la clásica posición fetal. La consuela asumirla, aunque, para su bien físico, procuramos disuadirla de que lo haga, cuando podemos.

—Que se consuele o no —dijo Alex— la verdad es que, después de haber tenido durante cuatro años el mejor tratamiento posible, la condición de mi mujer sigue empeorando —miró directamente al otro— ¿Tengo o no tengo razón?

—Desgraciadamente la tiene.

—¿Hay alguna posibilidad razonable de que se cure, alguna vez, para que pueda llevar una vida normal... o casi normal?

—En la medicina siempre hay posibilidades.

—He dicho una *posibilidad razonable...*

El doctor McCartney suspiró y meneó la cabeza.

—No.

—Gracias por una respuesta tan directa... —Alex hizo una pausa, después prosiguió—: Tal como lo entiendo Celia se ha vuelto... creo que la palabra es «institucionalizada». Se ha apartado de la raza humana. Ni conoce ni le importa nada fuera de sí misma.

—Tiene razón en eso de que está «institucionalizada» —dijo el psiquiatra— pero se equivoca en cuanto al resto. Su mujer no se ha alienado del todo, por lo menos por el momento. Todavía se da un poco cuenta de lo que pasa a su alrededor. También sabe que tiene un marido, y hemos hablado de usted. Pero cree que usted es perfectamente capaz de arreglárselas sin ayuda de ella.

—Entonces: ¿no se preocupa por mí?

—En general, no.

—¿Qué sentiría si supiera que su marido se ha divorciado y se ha vuelto a casar?

El doctor McCartney vaciló, después dijo:

—Representaría un derrumbamiento total del escaso contacto exterior que todavía conserva. Puede llevarla al borde de un estado totalmente demente.

En el silencio que siguió Alex se inclinó hacia adelante, cubriéndose la cara con las manos. Después las retiró. Levantó la cabeza. Con una huella de agustia, dijo:

—Si pide una respuesta directa, se la daré.

El psiquiatra asintió, con expresión grave.

—Le hago un elogio, Alex, al suponer que habla usted en serio. No sería tan sincero con otra persona. También, debo añadir, puedo estar equivocado.

—Tim: *¿qué recurso me queda?*

—¿Es retórica o una pregunta?

—Es una pregunta. Puede anotarla en mi cuenta.

—No habrá cuenta esta noche —el joven médico sonrió brevemente, después meditó—. Me ha preguntado: *¿qué recurso le queda a un hombre en una circunstancia como la suya?* Bueno, primero debe hacer todo lo que pueda... como usted lo ha hecho. Después debe tomar decisiones basadas en lo que considera justo y mejor para todos, incluso para sí mismo. Pero, para decidirse, debe recordar dos cosas: una es que, si es un hombre decente, sus propios sentimientos de culpa estarán probablemente exagerados a causa de una conciencia bien desarrollada, que tiene la costumbre de castigarse a sí misma más de lo que es necesario. La otra es que pocas personas pueden llegar a la santidad; la mayoría de nosotros no ha nacido equipado para ello.

Alex preguntó:

—¿No quiere ir más lejos? ¿No quiere ser más explícito?

El doctor McCartney meneó la cabeza.

—La decisión sólo usted puede tomarla. Tras dar unos pasos, los dos debemos marchar solos.

El psiquiatra miró su reloj y se levantó de la silla. Unos momentos después se dieron la mano y se desearon las buenas noches.

Fuera del Remedial Center la *limousine* y el chófer de Alex —el motor del coche estaba en marcha, el interior era caliente y cómodo— esperaban.

10

—No cabe duda —declaró Margot Bracken— que todo es una colección de sucias argucias y malditas mentiras.

Miraba, con los codos hacia afuera, las manos en su delgada cintura, la cabeza pequeña y resuelta echada hacia atrás. Era provocativa físicamente, pensó Alex Vandervoort, «una pequeña preciosidad», con agradables rasgos agudos, un mentón saliente y agresivo, labios delgados, aunque la boca fuera totalmente sensual. Los ojos de Margot eran su mejor rasgo: eran grandes, verdes, moteados de oro, con pestañas largas y tupidas. En ese momento los ojos llameaban. Su rabia y su decisión lo conmovieron sensualmente.

El motivo de la censura de Margot eran las pruebas de anuncios para las tarjetas claves de crédito, que Alex había traído a casa desde el FMA, y que estaban extendidas ahora sobre la alfombra de la sala del apartamento. La presencia y la vitalidad de Margot eran también un contraste necesario para lo que Alex había soportado hacia unas horas.

Le dijo:

—Se me ocurre, Braken, que no te gusta el tema de los anuncios.

—¿Que no me gusta? ¡*Los desprecio!*

—¿Por qué?

Ella echó hacia atrás su largo pelo castaño en un gesto familiar aunque inconsciente. Hacía una hora Margot había tirado lejos los zapatos y ahora estaba, en toda su estatura de un metro cincuenta y ocho, calzaba sólo con medias.

—Está bien, mira eso... —señaló el anuncio que decía: ¿PARA QUE ESPERAR? HOY PUEDE PAGARSE EL SUEÑO DE MAÑANA... No es más que una indecente porquería... una agresiva, intensa manera de vender deudas... hecha para atrapar a los incautos. El sueño de mañana, para todos, será sin duda costoso. Por eso es un sueño. Y *nadie* puede pagárselo a menos que tenga ahora el dinero... o la certeza de tenerlo rápidamente.

—¿No te parece que es la gente quien debe decidir eso por sí misma?

—¡No!... No la gente en la que vais a influir con una propaganda pervertida, la gente en la que tratáis de influir. Es la gente no sofisticada, esa que se convence fácilmente, los que creen que es verdad lo que ven impreso. Yo sé. Tengo muchos clientes como esos en mi trabajo de abogada. En el trabajo que no cobro.

—Tal vez no sea ésa la clase de gente que tiene nuestras tarjetas clave.

—¡Caramba, Alex, sabes que no dices la verdad! La gente más increíble tiene ahora tarjetas de crédito, porque vosotros la habéis empujado a ello. Lo único que no habéis hecho es distribuir tarjetas en las esquinas, y no me sorprendería que empezárais pronto.

Alex hizo una mueca. Disfrutaba de aquellos debates con Margot, y atizaba el fuego.

—Le diré a nuestra gente que piense el asunto, Bracken.

—Lo que me gustaría que pensara la gente es en ese tímido dieciocho por ciento de interés que cobran todas las tarjetas de crédito bancario.

—Ya hemos discutido eso.

—Sí, ya lo sé. Y nunca me has dado una explicación satisfactoria.

El replicó con agudeza:

—Tal vez no has escuchado... —que la discusión fuera divertida o no, Margot sabía cómo metérsele bajo la piel. A veces las discusiones terminaban en peleas.

—Te he dicho que las tarjetas de crédito son mercancía de consumo empaquetada, que ofrecen un amplio margen de servicios —insistió Alex con vehemencia—. Si sumas atentamente todos esos servicios, nuestro promedio de interés no te parecerá sin duda demasiado excesivo.

—¡Al diablo si es excesivo para quien tiene que pagarlo!

—Nadie *tiene* que pagar. Porque nadie *tiene* que pedir prestado.

—Te oigo. No necesitas gritar.

—Bien.

Tomó aliento, decidido a que la discusión no se le escapara de las manos. Además, al discutir con Margot algunos puntos de vista sobre economía, política y demás, aunque las ideas de ella estaban fuera de centro, él descubría que su propio pensamiento era ayudado por la rectitud de ella y su nítida mente de abogado. El trabajo de Margot también le proporcionaba contactos de los que él carecía directamente... entre los pobres y no privilegiados de la ciudad, para quienes realizaba ella la mayoría de sus trabajos legales.

Preguntó:

—¿Otro coñac?

Ella contestó:

—Sí, por favor.

Era cerca de medianoche. Un fuego de leña, que había ardido antes, se consumía ahora en brasas en la chimenea del cómodo cuarto del pequeño y suntuoso apartamento de soltero.

Hacía una hora y media habían comido ahí, tarde, unas viandas servidas por un restaurante de la planta baja del edificio. Un Burdeos excelente— elegido por Alex, un *Château Gruaud Larose '66*— había acompañado la comida.

Fuera de la zona en la que había sido desplegados los anuncios de las tarjetas de crédito, las luces del apartamento estaban bajas.

Cuando volvió a llenar las copas de coñac, Alex reanudó la discusión.

—Cuando la gente paga al recibir la cuenta de las tarjetas de crédito *no* se les cobra interés.

—Quieres decir si pagan todo de una vez.

—Así es.

—Pero ¿cuántos lo hacen? La mayoría de los usuarios de las tarjetas de crédito paga ese «balance mínimo» conveniente, que se muestra en los informes, ¿no?

—Muchos pagan ese mínimo, es verdad.

—Y lo demás les queda como deuda... que es lo que realmente vosotros, los banqueros, queréis que suceda. ¿Es verdad o no?

Alex concedió:

—Sí, es verdad. Pero los bancos tienen que obtener beneficios de alguna manera.

—A veces me paso las noches en vela —dijo Margot— preocupada con la idea de que los bancos no ganan lo suficiente.

El rió y ella siguió, seriamente:

—Oye, Alex, millares de personas que no deberían tenerlas están apilando deudas a largo plazo por el uso de las tarjetas de crédito. A veces es para pagar trivialidades... cosas de almacén, discos, juegos de porcelana, libros, comidas, otras cosas menores; en parte lo hacen por desconocimiento y, en parte, porque el crédito en pequeñas cantidades es ridículamente fácil de obtener. Y esas pequeñas cantidades, que deberían pagarse al contado, se suman y estropean las deudas, cargando a la gente imprudente durante años y años.

Alex ahuecó las manos en la copa de coñac para calentarlo, bebió, después se levantó y echó un nuevo leño en el fuego. Protestó:

—Te preocupas demasiado y el problema no es tan grave.

Sin embargo, tuvo que reconocer que algo de lo que Margot decía tenía sentido. En el pasado —como decía una vieja canción— los mineros «debían su alma al almacén de la compañía», y, ahora, una nueva forma de deuda crónica había surgido, la que hipotecaba ingenuamente la vida futura y la renta «a un amistoso banco de la vecindad». Uno de los motivos era que las tarjetas de crédito habían reemplazado, en buena medida, a los pequeños préstamos. Antes los individuos eran disuadidos de pedir un préstamo excesivo, pero ahora decidían por sí mismos... con frecuencia poco sabiamente. Algunos observadores, sabía Alex, creían que el sistema había degradado la moral norteamericana.

Lógicamente, el sistema de tarjetas de crédito era mucho más barato para un banco; también un pequeño cliente de préstamos, que pedía por medio de las tarjetas de crédito, pagaba más interés sustancial que en un préstamo convencional. El total del interés que el banco recibía era con frecuencia del 24 %, ya que los comerciantes que aceptaban las tarjetas de crédito pagaban adicionalmente entre el 2 % y el 6 %. Por estos motivos, bancos como el FMA confiaban en las tarjetas de crédito para aumentar sus beneficios, e iban a seguir haciéndolo en el futuro. Es verdad que las pérdidas iniciales en todos los planes del sistema de tarjetas de crédito habían sido sustanciales; como decían los banqueros, «nos dieron un baño». Pero los mismos banqueros estaban convencidos de que se acercaba la bonanza, y que esta sobrepasaría en beneficios a la mayor parte de los negocios bancarios.

Otra cosa que los banqueros habían comprendido es que las tarjetas de crédito eran una estación necesaria en el camino para el Sistema Electrónico de Transferencia de Fondos, el SETF, que, dentro de una década y media, iba a reemplazar la presente avalancha de papel moneda y convertir los cheques existentes y las libretas de banco en algo tan pasado de modo como un Ford modelo T.

—Basta ya —dijo Margot—, empezamos a parecernos a dos accionistas en una reunión... —se le acercó y le besó profundamente en los labios.

El calor de la discusión unos momentos antes ya le había excitado, como sucedía siempre cuando discutía con Margot. Su primer encuentro se había iniciado de esa manera. A veces parecía que, cuanto más enojados se ponían, más crecía la pasión física del uno por el otro. Después de un rato murmuró:

—Declaro levantada la reunión de accionistas.

—Bueno... —Margot se apartó y lo miró con travesura—. La verdad es que *hay* un asunto sin terminar, querido... ese asunto de los anuncios. ¿Realmente vas a dejar que lleguen al público tal como están?

—No —dijo él—, creo que no lo haré.

La publicidad de las tarjetas clave era fuerte... demasiado fuerte, y él iba a usar su autoridad de veto a la mañana siguiente. Comprendió que, de todos modos, ya lo había decidido. Margot no había hecho más que confirmar su opinión de la tarde.

El nuevo tronco que había añadido al fuego se encendió y empezó a crepitar. Se sentaron en la alfombra ante la chimenea, saboreando su calor, viendo surgir las lenguas de las llamas.

Margot apoyó la cabeza en el hombro de Alex. Dijo con dulzura:

—Para ser un aburrido traficante de oro no estás tan mal.

El la rodeó con el brazo.

—Te quiero, Alex.

—Yo también te quiero, Bracken.

—¿En serio? ¿De verdad? ¿Por tu honor de banquero?

—Lo juro por la tasa preferencial.

—Entonces ámame ahora —empezó a desvestirse.

El murmuró divertido:

—¿Aquí?

—¿Por qué no?

Alex suspiró dichoso. Realmente, ¿por qué no?

Después experimentó un sentimiento de alivio y dicha, en contraste con la angustia del día.

Y, todavía más tarde, quedaron abrazados, compartiendo el calor de sus cuerpos y del fuego. Finalmente Margot se movió.

—Lo he dicho antes y lo repito: eres un amante delicioso.

—Y tú estás muy bien, Bracken... —después preguntó—: ¿Vas a quedarte esta noche?

Lo hacía con frecuencia, y Alex también se quedaba en el apartamento de Margot. A veces parecía tonto mantener las dos casa, pero él demoraba el momento de unirlas, porque primero quería casarse con Margot, si era posible.

—Me quedaré un rato —dijo ella— pero no toda la noche. Mañana tengo que ir temprano al tribunal.

Las apariciones de Margot ante los tribunales eran frecuentes y, tras uno de estos casos, se habían conocido, hacía año y medio. Poco después de su primer encuentro, Margot había defendido a media docena de manifestantes que habían chocado con la policía durante una protesta en favor de la total amnistía para los desertores de la guerra del Vietnam. Su animosa defensa, no sólo de los manifestantes sino de su causa, llamó mucho la atención. Y también su triunfo... con retiro de todos los cargos... al terminar el juicio.

Pocos días después, en un mezclado cocktail dado por Edwina D'Orsey y su marido, Lewis, Margot había sido rodeada por admiradores y críticos. Había ido sola a la fiesta. Lo mismo le había pasado a Alex, que había oído hablar de Margot, aunque sólo más tarde se enteró de que era prima hermana de Edwina. Mientras bebían el excelente *Schramsberg* de los D'Orsey, él la había escuchado un rato, después había unido sus fuerzas a las de los críticos. Luego otros se apartaron, dejando la discusión en manos de Alex y de Margot, preparados como gladiadores verbales.

En un momento Margot había preguntado:

—¿Y quién demonios es usted?

—Un norteamericano corriente, que cree que, en las cosas militares, la disciplina es necesaria.

—¿Incluso en una guerra inmoral como la del Vietnam?

—Un soldado no puede decidir moralmente. Opera bajo órdenes. La alternativa es el caos.

—Sea usted quien sea, está hablando como un nazi. Después de la Segunda Guerra Mundial hemos ejecutado a alemanes que defendían eso.

—La situación era totalmente diferente.

—No hay nada diferente. En los juicios de Nuremberg los aliados insistieron en que los alemanes debían haber actuado a conciencia y haberse negado a cumplir las órdenes. Es exactamente lo que los desertores del Vietnam están haciendo.

—El ejército norteamericano no está exterminando judíos.

—No, nada más que aldeanos. En My Lai y en todas partes.

—Ninguna guerra es limpia.

—Pero la del Vietnam es más sucia que la mayoría. Del comandante en jefe para abajo. Y por esto tantos jóvenes norteamericanos, que tienen un coraje especial, han obedecido a sus conciencias y han rehusado participar en ella.

—No conseguirán la amnistía incondicional.

—La conseguirán y, cuando gane la decencia, la tendrán.

Seguían discutiendo ferozmente cuando Edwina los separó e hizo las presentaciones. Después ellos continuaron discutiendo, y no habían terminado cuando Alex llevó a Margot en su coche, hasta su apartamento. Allí, en un momento, casi se dieron de golpes, pero, de pronto, descubrieron que el deseo físico anulaba todo lo demás e hicieron el amor excitadamente, con pasión, hasta quedar agotados, sabiendo ya que algo nuevo y vital acababa de penetrar en las vidas de ambos.

Como consecuencia, Alex cambió sus ideas, en un momento tan fuertes. Meses después vio, del mismo modo que otros moderados desilusionados, la hueca burla de la «paz con honor» de Nixon. Y todavía más adelante, cuando empezó a descubrirse lo de Watergate y otras infamias, se hizo claro que los que estaban en los más altos niveles del gobierno, y que habían decretado «No hay amnistía», eran culpables, de lejos, de más villanías que los desertores del Vietnam.

Y había habido otras ocasiones, a partir de la primera, en la que los argumentos de Margot habían cambiado o ampliado sus ideas.

Ahora, en el único dormitorio del apartamento, ella eligió un camisón en un cajón que Alex había dejado para su uso exclusivo. Tras ponérselo, Margot apagó las luces.

Quedaron echados en silencio, en cómoda compañía, en el cuarto oscuro. Después Margot dijo:

—Hoy has visto a Celia, ¿verdad?

Sorprendido, él se volvió hacia ella.

—¿Cómo lo sabes?

—Se te nota. Es duro para ti... —preguntó—: ¿Quieres hablar de eso?

—Sí —dijo él—, creo que sí.

—Sigues echándote la culpa, ¿verdad?

—Sí —le contó la entrevista con Celia, la conversación con el doctor McCartney y la opinión del psiquiatra sobre el probable efecto que tendría para Celia el divorcio y su nuevo matrimonio.

Margot dijo con énfasis:

—Entonces no debes divorciarte de ella.

—Si no lo hago —dijo Alex— no podrá haber nada permanente entre tú y yo.

—¡Claro que lo habrá! Te he dicho hace tiempo que puede ser tan permanente como nos dé la gana a los dos. El matrimonio ya no es permanente. ¿Quién cree realmente hoy en día en el matrimonio, excepto algunos viejos obispos?

—Yo creo —dijo Alex—. Por eso lo quiero para nosotros.

—Entonces hagámoslo... a nuestra manera. Lo que no necesito, querido, es un pedazo de papel legal diciendo que estoy casada, porque estoy demasiado acostumbrada a los papales legales para que me impresionen mucho. Ya he dicho que viviré contigo... contenta y amorosamente. Pero no quiero tener sobre la conciencia, y no quiero que tú tampoco cargues con arrojar el poco juicio que le queda a Celia a un pozo sin fondo.

—Ya lo sé, ya lo sé. Todo lo que dices tiene sentido... —pero su respuesta carecía de convicción.

Ella le aseguró, con suavidad:

—Soy más feliz con lo que tenemos de lo que nunca he sido en toda mi vida. Eres tú, no yo, quien desea más.

Alex suspiró y, poco después, quedó dormido.

Cuando tuvo la certeza de que él dormía profundamente, Margot se vistió, besó ligeramente a Alex, y salió del apartamento.

11

Alex Vendervoort durmió sólo parte de la noche, pero Roscoe Heyward durmió enteramente solo.

Aunque todavía no.

Heyward estaba en su casa, en su serpenteante propiedad de tres pisos en las afueras de Shaker Heights. Estaba sentado ante el escritorio con cubierta de cuero, con unos papeles tendidos ante él, en el pequeño y apaciblemente amueblado cuarto que le servía de despacho.

Su mujer, Beatrice, había subido a acostarse hacía casi dos horas, cerrando la puerta de su dormitorio como siempre desde hacía doce años, cuando, por consentimiento mutuo, decidieron dormir en cuartos separados.

El hecho de que Beatrice pasara el cerrojo de la puerta, aunque fuera característicamente imperioso, nunca había ofendido a Heyward. Mucho antes del acuerdo de separación sus ejercicios sexuales se habían vuelto más y más escasos, hasta terminar casi en nada.

En gran parte, suponía Heyward, cuando pensaba en ello, la terminación del contacto sexual entre ellos había sido elección de Beatrice. Incluso en los primeros años de matrimonio ella había establecido claramente su desagrado mental por los tanteos y resoplidos de él, aunque su cuerpo los pidiera a veces. Tarde o temprano, había insinuado ella, su poderosa mente iba a dominar aquella necesidad más bien asqueante, y finalmente lo había logrado.

Una o dos veces, en momentos de capricho, se le había ocurrido a Heyward que su único hijo, Elmer, reflejaba la actitud de Beatrice hacia su concepción y nacimiento: había sido una ofensiva, no querida invasión de la intimidad de su cuerpo. Elmer, que casi tenía ahora treinta años y era contador público irradiaba desaprobación casi contra todo, marchaba por la vida como si llevara el pulgar y el índice tapándose la nariz, para defenderla del mal olor. Incluso Roscoe Heyward encontraba que, a veces, Elmer se pasaba.

En cuanto a Heyward, había aceptado sin quejas la privación sexual, en parte porque, hacía doce años, estaba en un punto en el cual el sexo era algo que podía tomar o dejar y, en parte, porque por entonces, su ambición en el banco se había convertido en la principal fuerza que le impulsaba. Así, como una máquina que cae en desuso, sus urgencias sexuales se desvanecieron. Hoy en día revivían sólo raramente —e incluso con mucha suavidad—, para recordarle con cierta tristeza una parte de su vida sobre la que el telón había caído demasiado pronto.

Pero en otros sentidos, reconocía Heyward, Beatrice había sido muy conveniente para él. Descendía de una impecable familia de Boston, y, en su juventud, había sido «presentada» adecuadamente en sociedad. Había sido en el baile de presentación, al que el joven Roscoe había asistido con frac y guantes blancos, y donde había permanecido tieso como un palo, donde habían sido formalmente presentados. Después tuvieron citas acompañados por algún *chaperon,* al que siguió un conveniente período de compromiso, y se casaron a los dos años de conocerse. A la boda, que todavía Heyward recordaba con orgullo, había asistido lo «mejor de lo mejor» de la sociedad de Boston.

Entonces, como ahora, Beatrice había compartido las opiniones de Roscoe sobre la importancia de la posición social y la respetabilidad. Había cumplido con ambas cosas sirviendo largo tiempo a la Asociación de Hijas de la Revolución Norteamericana, donde era ahora secretaria general de actas. Roscoe estaba orgulloso de esto, y se deleitaba con los prestigiosos contactos sociales que acarreaba. Sólo había una cosa de la que había carecido Beatrice y su ilustre familia: dinero. En aquel momento, como muchas veces antes, Roscoe Heyward hubiera deseado fervientemente.que su mujer fuera una heredera.

El mayor problema de Roscoe y Beatrice había sido siempre arreglárselas para vivir con su salario del banco.

Este año, como lo demostraban las cifras en las que había trabajado esta noche, los gastos de los Heyward sustancialmente excedían sus entradas. El próximo abril tendría que pedir prestado para pagar el impuesto sobre la renta, como se había visto forzado a hacerlo el año pasado y el anterior. También había pasado lo mismo otros años, aunque en algunos había tenido suerte con las inversiones.

Mucha gente con rentas más pequeñas hubiera puesto cara de desconfianza ante la idea de que un vicepresidente ejecutivo, con 65.000 dólares anuales de salario, no tuviera bastante para vivir, e incluso para ahorrar. Pero, con los Heyward, no sucedía eso.

Para empezar, el impuesto sobre la renta cortaba más de un tercio de la gran cantidad. Después, una primera y segunda hipoteca de la casa requerían pagos de 16.000 dólares anuales, en tanto que los impuestos municipales consumían 2.500 dólares. Esto dejaba 23.000 dólares, o sea en términos generales unos 450 dólares semanales, para todos los gastos, incluidos las reparaciones, los seguros, la comida, el vestido, un coche para Beatrice (el banco suministraba a Roscoe un coche con chófer cuando lo necesitaba), una cocinera-ama de llaves, donaciones de caridad, y un increíble despliegue de pequeños detalles que se añadían a una suma depresivamente grande.

La casa, según comprendía siempre Heyward en momentos como este, era una seria extravagancia. Desde el principio había demostrado ser mucho más grande de lo que necesitaban, incluso cuando Elmer estaba allí, cosa que no sucedía ahora. Vandervoort, que tenía el mismo salario, era de lejos mucho más sabio al vivir en un apartamento y pagar alquiler, pero Beatrice, que amaba la casa por su tamaño y prestigio, no quería oír hablar de esto, ni Roscoe iba a pretenderlo.

Como resultado tenían que encogerse por algún lado, proceso que, a veces, Beatrice se negaba a reconocer, considerando que ella *debía* tener dinero y que, por lo tanto, preocuparse por esto, era un caso de *lése majesté.* Su actitud se reflejaba de innumerables maneras en la casa. Nunca usaba dos veces una servilleta de hilo; sucia o no, debía ser lavada después de cada servicio. Lo mismo sucedía con las toallas, de manera que las cuentas de lavandería y planchado eran altas. Hacía de cuando en cuando llamadas a larga distancia, y rara vez se dignaba apagar las luces. Unos momentos antes Heyward había ido a la cocina a buscar un vaso de leche y, aunque hacía dos horas que Beatrice estaba acostada, todas las luces de la escalera estaban encendidas. Las apagó irritado.

Sin embargo, pese a todas las actitudes de Beatrice, los hechos eran los hechos, y había cosas que, sencillamente, no podían permitirse. Un ejemplo eran las vacaciones: hacía dos años que los Heyward no las tomaban. El verano pasado Roscoe había dicho a sus colegas del banco: «Estábamos planeando un crucero por el Mediterráneo, pero decidimos, finalmente, que era mejor quedarse en casa».

Otra realidad incómoda era que virtualmente carecían de ahorros —sólo algunas acciones del FMA—, que probablemente tendrían que ser vendidas muy pronto, aunque el producto no bastara para colmar el déficit del último año.

Esta noche la única conclusión a la que había llegado Heyward era que, después de pedir prestado, debían mantener inmóvil la línea de gastos, dentro de lo que se pudiera, esperando una mejora financiera dentro de poco tiempo.

—Y habría una —satisfactoriamente amplia— si se convertía en presidente del FMA.

En el First Mercantile American, como en la mayoría de los bancos, existía una amplia diferencia en el salario entre la presidencia y los funcionarios inmediatos. Como presidente, Ben Rosselli había estado cobrando 130.000 dólares anuales. Era casi una certidumbre que su sucesor iba a recibir la misma cantidad.

Si esto sucedía para Roscoe Heyward, la cosa significaba doblar *inmediatamente* su salario actual. Incluso con impuestos más elevados, lo que iba a quedarle eliminaría todos los problemas presentes.

Dejando a un lado los papeles empezó a soñar en esto, un sueño que se prolongó toda la noche.

12

Viernes por la mañana.

En su *pent-house* en el elegante Cayman Manor, un barrio alto residencial, situado a uno o dos kilómetros de la ciudad, Edwina y Lewis D'Orsey desayunaban.

Habían pasado tres días desde el dramático anuncio de Ben Rosselli sobre su próxima muerte, y dos días desde el descubrimiento de una fuerte pérdida en la sucursal principal del First Mercantile American. De los dos hechos, la pérdida del dinero –por lo menos en ese momento— era el que preocupaba más a Edwina.

Desde el miércoles por la tarde no se había descubierto nada nuevo. Todo el día de ayer, con precisión matemática, dos agentes especiales habían interrogado intensamente a los empleados de la sucursal pero sin resultado tangible. Se sospechaba de la cajera directamente involucrada, Juanita Núñez; aunque no había reconocido nada, seguía insistiendo en que era inocente y rehusaba someterse a un detector de mentiras.

La negativa había aumentado las sospechas generales de culpabilidad, pero, como dijo uno de los hombres del FBI a Edwina: «Podemos sospechar todo lo que queremos de ella, y sospechamos, pero no tenemos ni la punta de un alfiler como prueba. En cuanto al dinero, incluso en el caso de que esté escondido en casa de ella, necesitaríamos alguna evidencia sólida antes de poder conseguir un permiso de registro. Y no tenemos prueba alguna. Naturalmente, seguiremos vigilándola, pero no es el tipo de caso en que el FBI puede mantener una vigilancia total».

Los agentes del FBI iban a estar hoy nuevamente en la sucursal, aunque daba la impresión de que no podían hacer mucho.

Pero lo que el banco podía e iba a hacer era terminar con el empleo de Juanita. Edwina sabía que hoy debía despedir a la muchacha.

Aunque era un final decepcionante, poco satisfactorio.

Edwina prestó atención al desayuno: huevos ligeramente revueltos y *muffins* ingleses, tostados, que había servido la criada unos momentos antes.

Al otro lado de la mesa, Lewis, oculto detrás del «Wall Street Journal» gruñía como de costumbre sobre las últimas locuras de Washington, donde un subsecretario del Tesoro había declarado ante un comité del Senado que Estados Unidos nunca más volvería al patrón oro. El secretario había hecho una cita keynesiana al describir el oro como «esa bárbara reliquia amarilla». El oro, afirmaba, estaba terminado como medio de intercambio internacional.

—¡Dios mío! ¡Qué leproso ignorante! —lanzando chispas sobre sus gafas de media luna y aro de acero, Lewis D'Orsey tiró el diario al suelo, para que se uniera al «New York Times», al «Chicago Tribune» y al «Financial Times» de Londres del día anterior, que ya había recorrido totalmente. Estaba enfurecido con el funcionario del Tesoro:

—Cinco siglos después de que los tarados como él se hayan convertido en polvo, el oro seguirá siendo la única base sólida para el mundo del dinero y del valor. Con los imbéciles que tenemos en el poder no hay esperanza para nosotros, absolutamente ninguna.

Lewis tomó una taza de café, la levantó hasta su flaca y torva cara y la vació de golpe, después se limpió los labios con una servilleta de tela.

Edwina que había estado hojeando el «Christian Science Monitor», levantó la vista.

—Lástima que dentro de cinco siglos no puedas estar ahí para decir: «Ya lo había dicho yo».

Lewis era un hombre pequeño con un cuerpo como una rama, que le daba una apariencia frágil y de muerto de hambre, aunque no era ninguna de las dos cosas. Su cara estaba de acuerdo con su cuerpo y era flaca, casi cadavérica. Sus movimientos eran rápidos, su voz con frecuencia impaciente. A veces Lewis bromeaba sobre su físico insignificante. Golpeándose la frente, afirmaba:

—Lo que la naturaleza omitió en el cuerpo lo ha puesto aquí...

Y era verdad: incluso aquellos que le detestaban reconocían que tenía un cerebro notablemente ágil, particularmente cuando se aplicaba al dinero o a las finanzas.

Sus ataques matutinos rara vez preocupaban a Edwina. En primer lugar, tras catorce años de matrimonio, ella sabía que los ataques rara vez iban dirigidos contra ella; en segundo, sabía que Lewis se estaba preparando para una sesión matinal ante la máquina de escribir, donde iba a rugir como un Jeremías enfurecido y justiciero de acuerdo con el deseo de los lectores de su periódico quincenal financiero.

El periódico, altamente costoso y que daba el consejo financiero de Lewis D'Orsey para inversiones, tenía una lista exclusiva de suscriptores internacionales, y proporcionaba al editor a la vez un rico medio de vida y una lanza personal con la que aguijoneaba a los gobiernos, presidentes, primeros ministros y políticos cuando alguna de las acciones fiscales le desagradaban. Casi siempre era así.

Muchos financieros adheridos a las teorías modernas, incluidos algunos del First Mercantile American, detestaban el periódico noticioso de Lewis D'Orsey, tan independiente, ácido, mordiente, ultraconservador. Pero, en general, la mayoría de los entusiastas suscriptores de Lewis lo consideraban una combinación de Moisés y de Midas, en una generación de imbéciles financieros.

Y con buenos motivos, reconocía Edwina. Si hacer dinero era el objetivo principal de una vida, Lewis era un hombre seguro, a quien había que seguir. Lo había demostrado muchas veces, de manera casi mágica, con consejos que habían dado muy buenos resultados para los que los habían seguido.

El oro era un ejemplo. Mucho antes de que sucediera, y mientras otros se burlaban, Lewis D'Orsey había predicho un dramático aumento en el precio del mercado libre. También había urgido grandes compras de acciones de las minas de oro sudafricanas, en aquel momento a bajo precio. Desde entonces varios suscriptores del «D'Orsey Newsletter» habían escrito diciendo que eran millonarios, nada más que como resultado de haber seguido sus consejos.

Con igual premonición había previsto la serie de devaluaciones del dólar, y había aconsejado a sus lectores que pusieran todo el dinero en efectivo que tuvieran en otras monedas, principalmente en francos suizos y marcos alemanes, cosa que muchos hicieron... con grandes beneficios.

En el último número del «D'Orsey Newsletter», había escrito:

«El dólar norteamericano, que fuera una vez una moneda orgullosa y honrada, está moribundo, como la nación que representa. Financieramente, Norteamérica ha pasado el punto del que no vuelve. Gracias a una loca política fiscal, mal concebida por políticos incompetentes y corrompidos, que sólo piensan en sí mismos y en la reelección, vivimos en medio del desastre financiero, que sólo puede empeorar.

Como nuestros dirigentes son canallas e imbéciles y el dócil público permanece vacuamente indiferente, hay que decir que ya es hora de usar los botes salvavidas financieros: "Sálvese quien pueda".

Si tienen ustedes dólares, guárdenlos sólo para pagar un taxi, la comida y los sellos. Que sean suficientes nada más que para comprar un pasaje aéreo a alguna tierra más feliz.

Porque el inversor sabio será aquel que abandone los Estados Unidos, el que viva en el extranjero y deje la ciudadanía norteamericana. Oficialmente, el Código de Renta Interna, sección 877, dice que, si los ciudadanos norteamericanos renuncian a su nacionalidad para evitar los impuestos a la renta, y esto puede probarse, el deber de pagar el impuesto continúa. Pero, para los que saben, hay maneras de engañar al Código de la Renta. (Ver el "D'Orsey Newsletter" de julio del año pasado, sobre cómo hay que dejar de ser ciudadano norteamericano. *Hay ejemplares disponibles por 16 dólares o 40 francos suizos cada uno.*)

Motivo para cambio de nacionalidad y escenario: el valor del dólar norteamericano continuará descendiendo, junto con la libertad fiscal norteamericana.

E incluso si usted no puede irse, mande su dinero a ultramar. Convierta sus dólares mientras pueda hacerlo (¡puede que no sea por mucho tiempo!), póngalos en marcos alemanes, francos suizos, guldens holandeses, chelines austríacos, krugerrands.

Después colóquelos fuera del alcance de los burócratas de Estados Unidos, en un banco europeo, preferiblemente uno suizo...»

Lewis D'Orsey había proclamado con trompeta variaciones sobre este tema desde hacía años. Su último editorial continuaba en el mismo tono y terminaba con un consejo concreto sobre inversiones recomendadas. Naturalmente ninguna estaba en moneda norteamericana. Otro tema que provocó la ira de Lewis había sido la venta de oro de la Tesorería de los Estados Unidos. Escribió: «En una generación más, cuando los norteamericanos despierten y comprendan que su patrimonio nacional fue vendido a precio de mercancía quemada para halagar la vanidad escolar de los teóricos de Washington, los responsables serán marcados como traidores y maldecidos por la historia».

Las observaciones de Lewis fueron ampliamente comentadas en Europa, pero ignoradas por Washington y la prensa norteamericana.

Ahora, en la mesa del desayuno, Edwina seguía leyendo el «Monitor». Había un informe de la cámara de diputados sobre una ley proponiendo cambios en los impuestos, lo que reduciría los descuentos depreciatorios a la propiedad. Aquello afectaría los préstamos hipotecarios en el banco, y Edwina preguntó a Lewis si creía posible que aquel proyecto se convirtiera en ley.

El contestó crispado:

—Ninguna. Aunque lo aprueben los diputados, nunca pasará en el Senado. Ayer telefonée a un par de senadores. No la toman en serio.

Lewis tenía un extraordinario margen de amigos y de contactos —y este era uno de los varios motivos de su éxito. Se mantenía también informado sobre todo lo referente a los impuestos, y aconsejaba a los lectores de su periódico sobre las situaciones que podían explotar ventajosamente.

Lewis mismo sólo pagaba una cantidad irrisoria de impuesto a la renta cada año, no más de unos pocos cientos de dólares, según se vanagloriaba, aunque su verdadera renta tenía siete cifras. Lograba esto utilizando cubre impuestos de todo tipo: inversiones petrolíferas, propiedades, explotación de la madera, granjas, sociedades limitadas y bonos de libre impuesto. Tales tretas le permitían gastar libremente, vivir espléndidamente y —sobre el papel— presentar cada año pérdidas personales.

Sin embargo todas estas tretas para los impuestos eran totalmente legales. «Sólo un tonto oculta sus rentas, o engaña en los impuestos de otra manera» Edwina le había oído declarar con frecuencia. «¿Para qué arriesgarse cuando hay más maneras legales de escapar a los impuestos que agujeros en un queso suizo? Todo lo que se necesita es trabajo para entender e impulso para utilizarlas».

Hasta ese momento Lewis no había seguido su propio consejo de vivir en el exterior y dejar la ciudadanía norteamericana. De todos modos detestaba Nueva York, donde había vivido una vez y donde había trabajado y la llamaba «una guardia de bandoleros decadentes, complacientes, arruinados, que existen en solipsismos y tienen mal aliento». También era, afirmaba, una ilusión, «mantenida por los arrogantes neoyorquinos, la idea de que los mejores cerebros se encuentran en esa ciudad. No es así». Prefería el Midwest, donde se había trasladado y donde había conocido a Edwina hacía quince años.

Pese al ejemplo de su marido para evitar los impuestos, Edwina seguía su propio camino en el asunto, llenaba su ficha individual y pagaba mucho más que Lewis, aunque su renta era más modesta. Pero era Lewis quien se encargaba de las cuentas... quien pagaba el *pent house,* el servicio, los dos coches Mercedes gemelos y otros lujos.

Edwina reconocía sinceramente ante sí misma que el elevado estilo de vida que le gustaba había sido un factor en su decisión de casarse con Lewis, y su adaptación al matrimonio. Y el acuerdo, al igual que la mutua independencia y las dos carreras, marchaba bien.

—Desearía —dijo— que tu intuición pudiera decirme dónde fue a parar el dinero que faltó el miércoles.

Lewis levantó la cabeza de los platos del desayuno, que había atacado ferozmente, como si los huevos fueran enemigos.

—¿Todavía falta ese dinero en el banco? ¿No ha descubierto nada tampoco el matón de puños duros del FBI?

—Eso podría decirse... —le habló del punto muerto al que habían llegado y de la decisión que había tomado de despedir hoy mismo a la cajera.

—Y después nadie más le dará empleo, supongo.

—Lógicamente no podrá trabajar en otro banco.

—Creo que me dijiste que tiene una hija.

—Desgraciadamente, sí:

Lewis dijo sombríamente:

—Dos nuevos reclutas para la carga de Desempleo, ya tan hinchada.

—¡Oh, por favor! ¡Guárdate esa propaganda para tus reaccionarios!

La cara del marido se arrugó en una de sus raras sonrisas.

—Perdona. No estoy acostumbrado a que me pidas consejo. No sueles hacerlo con frecuencia.

Era un elogio, comprendió, Edwina. Una de las cosas que apreciaba en su matrimonio era que Lewis la trataba, siempre la había tratado, intelectualmente como una igual. Y, aunque él nunca se lo había dicho directamente, ella sabía que él estaba orgulloso de su status de ejecutiva importante en el FMA... cargo desusado incluso hoy en día para una mujer, en el mundo machista de los bancos.

—Naturalmente, no puedo decirte adónde ha ido a parar el dinero —dijo Lewis; pareció meditar—. Pero te daré un consejo que me ha dado resultado en situaciones complicadas.

—Sí, sigue.

—Nada más que esto: desconfía de lo obvio.

Edwina quedó desilusionada. Lógicamente, supuso, había esperado una especie de solución milagrosa. En lugar de esto Lewis había largado vetusto y viejo bromuro.

Miró su reloj. Eran casi las ocho.

—Gracias —dijo—. Tengo que irme.

—A propósito —dijo él—, salgo esta noche para Europa. Volveré el miércoles.

—Que tengas buen viaje —Edwina le besó al salir. El súbito anuncio no la había sorprendido. Lewis tenía oficinas en Zurich y en Londres, y sus idas y venidas eran casuales.

Se dirigió al ascensor privado que comunicaba su *pent-house* con las cocheras internas.

Mientras se dirigía al banco, y pese a haber rechazado el consejo de Lewis, las palabras *desconfía de lo obvio* permanecían en su mente, molestas, persistentes.

La discusión, a media mañana, con los dos agentes del FBI fue breve y no se llegó a nada.

La reunión tuvo lugar en la sala de conferencias detrás del banco, donde durante dos días, los hombres del FBI habían interrogado a los empleados. Edwina estaba presente. Y también Nolan Wainwright.

El principal de los dos agentes, llamado Innes, que hablaba con un acento de New England, dijo a Edwina y al jefe de Seguridad del banco:

—Hemos ido lo más lejos posible con la investigación aquí. El caso quedará abierto y nos mantendremos en contacto por si salen a luz nuevos hechos. Lógicamente, si algo nuevo surge, informarán ustedes en seguida al FBI.

—Naturalmente —dijo Edwina.

—Hay un nuevo punto negativo —el hombre del FBI consultó una libreta—. Se trata de Carlos... el marido de la muchacha Núñez. Uno de los empleados cree haberle visto en el banco el día que faltó el dinero.

Wainwright dijo:

—Miles Eastin. Me lo informó a mí. Yo pasé la información.

—Sí, hemos interrogado a Eastin sobre el asunto; reconoce que puede haber estado equivocado. Hemos buscado a Carlos Núñez. Está en Phoenix, Arizona; trabaja como mecánico de motores. Nuestros agentes de Phoenix lo han interrogado. Pudieron comprobar que Núñez acudió al trabajo el miércoles y todos los días de la semana, lo cual lo borra como posible cómplice.

Nolan Wainwright acompañó a los agentes del FBI cuando se fueron. Edwina volvió a su escritorio de la plataforma. Había informado sobre la pérdida de caja —como debía hacerlo— a su superior inmediato en la Administración Principal y la cosa, según parecía, se había filtrado hasta Alex Vandervoort. Ayer, ya tarde, Alex había telefoneado, comprensivo, y había preguntado si podía ayudar en algo. Ella le había dado las gracias, pero había rehusado, comprendiendo que ella era la responsable y que sólo ella tenía que hacer cualquier cosa que correspondiera hacer.

Por la mañana nada había cambiado.

Poco antes de mediodía Edwina dio instrucciones a Tottenhoe para que comunicara al Departamento de Personal que el empleo de Juanita Núñez cesaba al terminar el día, y para que le mandaran el cheque con el pago de la muchacha a la sucursal. El cheque traído por un mensajero estaba sobre el escritorio de Edwina cuando ella volvió de almorzar.

Inquieta, vacilando, Edwina hizo girar el cheque entre las manos.

En este momento Juanita Núñez trabajaba todavía. La decisión tomada ayer por Edwina había provocado refunfuños y objecciones de Tottenhoe, quien protestó: «Cuanto más pronto nos libremos de ella más seguros estaremos de que la cosa no volverá a repetirse». Incluso Miles

Eastin, que había vuelto a su escritorio de ayudante de contador, había levantado las cejas, pero decidió no tomarlos en cuenta.

Se preguntó por qué motivo especial estaba tan preocupada, cuando obviamente había llegado el momento de zanjar el incidente y de olvidarlo.

Obviamente olvidarlo. La solución *obvia*. Nuevamente la frase de Lewis se le presentó: *Desconfía de lo obvio*. ¿Pero cómo? ¿De qué manera?

Edwina se dijo: Piensa una vez más. Vuelve al principio.

¿Cuáles eran las facetas *obvias* del incidente cuando ocurrió? La primera cosa obvia era que faltaba el dinero. *Aquí no había discusión*. La segunda cosa obvia era la cantidad de seis mil dólares. Cuatro personas habían estado en esto de acuerdo: Juanita Núñez, Tottenhoe, Miles Eastin y finalmente, el contador de la cámara del tesoro. *No podía discutirse*. El tercer rasgo obvio concernía a la afirmación de la muchacha Núñez de que había sabido la cantidad exacta que faltaba de su caja a la 1,50 de la tarde, casi después de cinco horas de atareadas transacciones en el mostrador, y *antes* de haber contado el dinero todos los demás que estaban en la sucursal y conocían la pérdida, incluida Edwina, estuvieron de acuerdo en que aquello era obviamente imposible. Desde el principio, ese conocimiento había sido una piedra de toque en la creencia conjunta de que Juanita Núñez era la ladrona.

Conocimiento... conocimiento *obvio*... *obviamente* imposible.

Y sin embargo: ¿era imposible? Una idea se le ocurrió a Edwina.

Un reloj de pared marcaba las 2,10. Notó que el contador estaba en su escritorio cercano. Edwina se levantó:

—Mr. Tottenhoe, ¿quiere venir conmigo?

Seguida por Tottenhoe que se arrastraba gruñendo, Edwina atravesó el recinto, saludando brevemente a algunos clientes de paso. La sucursal estaba repleta y atareada, como generalmente a la hora de cerrar los negocios antes del fin de semana. Juanita Núñez estaba recibiendo un depósito.

Edwina dijo tranquilamente:

—Mrs. Núñez, cuando haya terminado con ese cliente coloque el cartel «Ventanilla Cerrada» y cierre su caja fuerte.

Juanita Núñez no contestó, y tampoco habló cuando terminó la transacción, ni cuando llevó al mostrador una pequeña placa de metal, como le habían ordenado. Cuando se volvió para cerrar la caja fuerte, Edwina comprendió por qué. La muchacha lloraba en silencio, y las lágrimas corrían por su mejillas.

El motivo no era difícil de adivinar. Había esperado ser despedida hoy y la súbita aparición de Edwina confirmaba la creencia.

Edwina ignoró las lágrimas.

—Mr. Tottenhoe —dijo—, creo que Mrs. Núñez ha estado trabajando en la caja desde esta mañana. ¿Es correcto?

El reconoció:

—Sí.

El período de tiempo era en términos generales el mismo que el miércoles, pensó Edwina, aunque la sucursal había tenido hoy más tarea.

Señaló la caja fuerte.

—Mrs. Núñez, usted ha insistido en que siempre sabe la cantidad de dinero que tiene. ¿Sabe cuánto hay aquí en este momento?

La muchacha vaciló. Después asintió, todavía incapaz de hablar entre lágrimas.

Edwina tomó un pedazo de papel del mostrador y se lo tendió.

—Escriba ahí la cantidad.

Nuevamente hubo una vacilación visible. Después Juanita Núñez cogió un lápiz y escribió *23.765* dólares.

Edwina tendió el papel a Tottenhoe.

—Vaya con Mrs. Núñez y quédese con ella cuando se haga hoy el balance de caja. Compruebe el resultado. Compárelo con esta cifra.

Tottenhoe miró escéptico el papel.

—Estoy atareado y si tengo que ocuparme de cada cajero...

—Nada más que de éste —dijo Edwina. Atravesó otra vez el salón y volvió a su escritorio.

Tres cuartos de hora después reapareció Tottenhoe.

Parecía nervioso. Edwina vio que la mano le temblaba. Tenía la hoja de papel y la puso sobre el escritorio. La cifra que Juanita Núñez había escrito tenía al lado un solo tilde con lápiz.

—Si no lo hubiera visto personalmente —dijo el contador— no lo hubiese creído... —por una vez su aire sombrío dejaba paso a la sorpresa.

—¿La cifra es correcta?

—*Exactamente* correcta.

Edwina permaneció sentada, muy tensa, controlando sus pensamientos. Repentina y dramáticamente, todo lo referente a la investigación había cambiado. Hasta ese momento todas las presunciones se habían basado en la incapacidad de que Juanita Núñez pudiera hacer lo que acababa de demostrar concluyentemente que podía hacer.

—Mientras venía para aquí recordé algo —dijo Tottenhoe—. Una vez conocí a alguien así: era en una pequeña sucursal del interior... debe hacer veinte o más años... era alguien que tenía la capacidad de retener el total de caja en la memoria. Y recuerdo que he oído decir que hay otras personas capaces de hacerlo. Es como si tuvieran una máquina de calcular dentro de la cabeza.

Edwina interrumpió:

—Me gustaría que su memoria hubiera sido tan buena el miércoles.

Cuando Tottenhoe volvió a su escritorio, Edwina tomó un anotador y escribió un resumen de sus pensamientos.

La Núñez todavía no ha probado su inocencia, pero lo que dice es creíble.

Si la Núñez no lo hizo, ¿quién lo hizo?

¿Alguien dentro del personal? ¿Algún empleado interno?

Pero, ¿cómo?

«*Cómo*» *más adelante. Ahora hay que encontrar primero el motivo, después a la persona.*

¿Motivo? ¿Alguien que necesita mucho el dinero?

Repitió en mayúsculas, NECESITA EL DINERO. Y añadió:

Examinar todas las cuentas de ahorro y cuentas corrientes de todo el personal de la sucursal... ¡*ESTA NOCHE!*

Edwina empezó a hojear rápidamente una guía telefónica de la Casa Central del FMA, buscando «Jefe del Servicio de Auditores».

13

Las tardes del viernes todas las sucursales del First Mercantile American trabajan tres horas más.

Así, ese viernes, en la sucursal principal del centro, las partes exteriores a la calle habían sido cerradas con llave por una guardia de seguridad a las 6 de la tarde. Algunos clientes, que todavía estaban en el banco a la hora de cerrar, eran autorizados a salir por la misma guardia, uno a uno, por una única puerta de vidrio.

A las 6,05 exactamente una serie de agudos y perentorios golpes resonaron en la parte exterior de la puerta de vidrio. Cuando el guardia volvió la cabeza para contestar, observó una joven figura masculina, vestida con un sobretodo oscuro y aire de funcionario, llevando una pequeña maleta. Para llamar la atención adentro, la figura había golpeado con una moneda de cincuenta centavos, envuelta en un pañuelo.

Cuando el guardia se acercó el hombre de la maleta puso contra el vidrio un documento de identidad. El guardia lo inspeccionó, abrió la puerta, y el joven entró.

Después, antes de que el guardia pudiera cerrar la puerta, ocurrió una serie de hechos tan inesperada y notable como la treta de un mago. En lugar de un individuo con una maleta y credencial, aparecieron seis, con otra falange detrás. Rápidamente, como una inundación, se precipitaron en el banco.

Un hombre, mayor que los otros y que emanaba autoridad, anunció brevemente:

—Auditores de la Casa Central.

—Sí, señor —dijo el guardia; era un veterano en el banco y había visto esto antes, así que siguió controlando las demás credenciales. Había veinte, casi todos hombres, cuatro mujeres. Todos se dirigieron inmediatamente a diferentes puntos del banco.

El hombre más viejo, que había hecho el anuncio, se dirigió por la plataforma hacia el escritorio de Edwina. Al levantarse para saludarlo, ella contempló la continua afluencia al banco, con sorpresa que no ocultó.

—Mr. Burnside, ¿están aquí todos los auditores?

—Así es, Mrs. D'Orsey —el jefe del departamento de auditores se quitó el sobretodo y lo colgó cerca de la plataforma.

En otras partes del banco los empleados tenían una expresión desconcertada, algunos rezongaban y hacían comentarios malhumorados.

Uno de ellos comentó:

—Caramba... ¡Precisamente ocurrírseles un viernes!... ¡Mierda, yo tenía una cena!... ¡Y hay quien dice que los auditores son humanos!

La mayoría comprendía lo que representaba una visita del grupo de auditores de la Casa Central. Los pagadores comprendieron que iba a haber un balance extra de sus cajas antes de que se fueran esa noche, y las reservas del tesoro también serían controladas. Los contadores deberían quedarse hasta que sus informes estuvieran listos y revisados. Los empleados principales tendrían suerte si podían quedar libres para la medianoche.

Los recién llegados, cortés y rápidamente, se habían apoderado de todas las agendas. A partir de ese momento todas las sumas o cambios iban a estar bajo su escrutinio:

Edwina dijo:

—Al pedir un examen de las cuentas de los empleados, no me esperaba *esto*.

Normalmente el control de auditores en una sucursal se hacía cada dieciocho meses o dos años, y hoy la cosa era doblemente inesperada, ya que una auditoría total en la sucursal principal había ocurrido sólo hacía ocho meses.

—*Nosotros* decidimos cómo, dónde y cuándo hay que hacerlo, Mrs. D'Orsey... —como siempre, Hal Burnside mantenía una fría lejanía, la marca de fábrica de un examinador bancario. Dentro de cada banco importante el departamento de auditores era independiente, era una unidad vigilante, con autoridad y prerrogativas, como la Inspección General en el ejército. Sus miembros nunca se intimidaban ante el rango, e incluso los gerentes principales podían ser candidatos a reprobación por irregularidades reveladas en una inspección profunda... y siempre había algunas.

—Estoy enterada de eso —reconoció Edwina—. Estoy sólo sorprendida de que haya podido arreglar esto tan rápidamente.

El jefe de auditores sonrió, con un poco de vanidad:

—Tenemos nuestros métodos y recursos.

Lo que no reveló es que había sido planeada una visita sorpresa de auditores para otra sucursal del FMA para esa noche. Tras la llamada de Edwina, hacía tres horas, el plan primitivo fue cancelado, se revisaron rápidamente los arreglos y empleados adicionales participaron en la presente expedición.

Estas tácticas de capa y puñal no eran desusadas. Parte esencial de la función de auditoría era caer, irregularmente y sin prevenir, en cualquiera de las sucursales del banco. Se tomaban complicadas precauciones para conservar el secreto y cualquier miembro de la auditoría que las violara podía tener dificultades serias. Pero pocos lo hacían, ni siquiera por descuido.

Para la maniobra de hoy el grupo de auditores se había reunido hacía una hora en un hotel de la ciudad, aunque ni siquiera ese destino había sido revelado hasta último momento. Les dieron instrucciones, les comunicaron sus deberes y después, separadamente, en grupos de dos y de tres, habían marchado hacia la principal sucursal del FMA. Hasta el momento crucial habían esperado en los vestíbulos de edificios cercanos, habían caminado casualmente o se habían detenido a mirar escaparates. Después, tradicionalmente, el miembro más joven del grupo había llamado a la puerta del banco pidiendo que le abrieran. En cuanto lo logró, los otros, como un regimiento que se junta, se precipitaron tras él.

Ahora, dentro del banco, el grupo de auditores ocupaba posiciones claves.

Un estafador de banco convicto en 1970, que había logrado con éxito ocultar sus desfalcos durante veinte años, observó, cuando finalmente lo llevaban a la cárcel: «Los auditores venían y no hacían más que sacudir el aire durante cuarenta minutos. Si me hubieran dado la mitad de ese tiempo habría podido taparlo todo».

El departamento de auditores del FMA y de otros tres grandes bancos norteamericanos, no procedía así. No habían pasado cinco minutos desde la inesperada llegada de los auditores, cuando ya todos estaban en posiciones asignadas de antemano, observándolo todo.

Resignados, los empleados regulares de la sucursal prosiguieron con su trabajo del día, dispuestos a ayudar a los auditores si era necesario.

Una vez iniciado el proceso iba a prolongarse la semana siguiente, y parte de la próxima. Pero el momento más crítico del examen tendría lugar en las próximas horas.

—Pongámonos a trabajar, Mrs. D'Orsey —dijo Burnside—. Empezaremos con las cuentas de depósitos, el tiempo que tienen y cómo se hizo la solicitud —e inmediatamente abrió su maleta y la vació sobre el escritorio de Edwina.

A las 8 de la noche la sorpresa por la llegada del grupo de auditores se había amortiguado, se había realizado una notable cantidad de trabajo, y las filas de los empleados regulares empezaban a clarear. Todos los cajeros se habían ido; y también algunos contadores. El dinero había sido contado, la inspección de otros informes estaba muy avanzada. Los visitantes habían sido corteses y, en algunos casos, habían ayudado a señalar leves errores, lo que, si no amables, formaba parte, con frecuencia, de su tarea.

Entre los empleados principales que todavía quedaban estaban Edwina, Tottenhoe y Miles Eastin. Los dos hombres habían estado ocupados localizando informaciones y respondiendo a las preguntas. Ahora, de todos modos, Tottenhoe parecía cansado. Pero el joven Eastin, que había respondido alegre y servicialmente hasta ese momento a todas las demandas, estaba tan fresco y enérgico como cuando se había iniciado la noche. Fue Miles Eastin quien arregló para que trajeran emparedados y café para los auditores y los empleados.

De las varias fuerzas de trabajo de los auditores, un pequeño grupo se había concentrado en los ahorros y las cuentas corrientes y, de vez en cuando, alguno de ellos traía una nota escrita para el auditor principal, en el escritorio de Edwina. En todos los casos él echaba una mirada a la información, asentía, y añadía la nota a los otros papeles de su maleta.

A las 9 menos diez recibió lo que parecía una nota más larga, sujeta a otros varios papeles. Burnside los estudió cuidadosamente, después anunció:

—Creo, Mrs. D'Orsey, que usted y yo podemos tomarnos un descanso. Saldremos para cenar y tomar café.

Unos minutos después escoltó a Edwina hacia la puerta de la calle por la que los auditores habían entrado, hacía casi tres horas.

Ya fuera del edificio, el jefe de auditores se disculpó:

—Le pido perdón, pero ha habido un poco de teatro en esta salida. Mucho me temo que la cena, si es que llegamos a hacerla, tendrá que esperar.

Como Edwina pareció intrigada, él añadió:

—Usted y yo vamos a una reunión, pero no quería que se supiera.

Burnside dirigió la marcha y doblaron a la derecha, caminaron media manzana desde el banco, todavía brillantemente iluminado, después siguieron por la acera para volver a la Plaza Rosselli y la Torre del FMA. La noche era fría y Edwina se arrebujaba en su abrigo, mientras pensaba que ir por el túnel hubiera sido más breve y más caliente. ¿Por qué todo este misterio?

Dentro del edificio principal del banco, Hal Burnside firmó un libro de visitantes nocturnos, tras lo cual un guardia le acompañó en un ascensor hasta el piso once. Un cartel y una flecha indicaban: «Departamento de Seguridad». Nolan Wainwright y los dos hombres del FBI que habían participado en el caso de la pérdida de caja, les esperaban.

Casi inmediatamente se les unió otro miembro del grupo de auditores, alguien que evidentemente había seguido a Edwina y a Burnside desde el banco.

Las presentaciones fueron rápidas. El último en llegar fue un joven llamado Gayne, con ojos fríos y alerta detrás de unas gafas de aro pesado, que le daban aire severo. Era Gayne quien había enviado las diversas notas y documentos a Burnside cuando estaba en el escritorio de Edwina.

Por sugerencia de Nolan Wainwright pasaron a una sala de conferencias y se sentaron alrededor de una mesa circular.

Hal Burnside dijo a los agentes del FBI:

—Espero que lo que hemos descubierto justifique haberles llamado, señores, a esta hora de la noche.

La reunión, comprendió Edwina, había sido planeada hacía horas. Preguntó:

—¿Entonces, *han* descubierto algo?

—Desgraciadamente mucho más de lo esperado, Mrs. D'Orsey.

Tras una señal de asentimiento de Burnside, el auditor asistente, Gayne, empezó a tender los papeles.

—Como resultado de su sugerencia —dijo Burnside con tono de conferenciante— se ha realizado un examen de las cuentas personales del banco; ahorros y cuentas corrientes; me refiero a las cuentas de todos los empleados de la sucursal principal. Lo que buscábamos era la prueba de alguna dificultad financiera personal importante. La hemos encontrado de manera concluyente.

Parece un profesor pomposo, pensó Edwina. Pero siguió escuchando con atención.

—Tal vez deba explicar —dijo el auditor jefe a los dos hombres del FBI— que la mayoría de los empleados del banco tienen sus cuentas en la sucursal en la que trabajan. En primer lugar porque las cuentas son «libres»... es decir, sin cargos de servicio. Otro motivo... el más importante... es que los empleados reciben una pequeña ventaja en el interés de los préstamos, generalmente uno por ciento por debajo de la prima.

Innes, el agente más importante del FBI, asintió.

—Sí, sí, ya lo sabemos.

—Comprenderá usted también que una empleada o empleado que haya aprovechado este crédito especial bancario... que haya pedido prestado hasta el límite, de hecho... y después pide otras sumas de otra fuente, por ejemplo, a alguna compañía financiera, donde los intereses son notablemente altos, se ha colocado en una difícil situación financiera.

Innes, con muestras de impaciencia, dijo:

—Naturalmente.

—Y parece que tenemos un empleado de banco a quien ha sucedido exactamente eso... —hizo un gesto hacia el asistente Gayne, que entregó varios cheques cancelados que, hasta ahora, había tenido boca abajo.

—Como observarán ustedes, estos cheques son para tres compañías financieras. Casualmente hemos estado ya en contacto con dos de las compañías y, pese a los pagos que pueden ustedes ver, ambas cuentas están seriamente en falta. Es razonable pensar que, mañana, la tercera compañía nos contará la misma historia.

Gayne interrumpió:

—Y estos cheques son sólo para este mes. Mañana examinaremos los microfilms de varios meses atrás.

—Hay otro factor importante —prosiguió el auditor jefe—. El individuo en cuestión no podía haber hecho esos pagos —hizo un gesto hacia los cheques cancelados— tomando como base el salario de un banco, cuya cantidad conocemos. Por consiguiente en las últimas horas hemos buscado evidencia de robo en el banco, y la hemos encontrado.

Nuevamente el ayudante, Gayne, empezó a colocar papeles sobre la mesa de conferencias.

...*evidencia de robo en el banco... y la hemos encontrado.* Edwina que ya apenas escuchaba, tenía los ojos clavados en la firma de cada uno de los cheques cancelados... una firma que veía todos los días, que le era conocida, audaz y clara. El verla aquí, en este momento y circunstancia, la dejaba atónita y la entristecía.

Era la firma de Eastin, del joven Miles, con quien ella simpatizaba tanto, que era tan eficiente como contador ayudante, tan útil y tan incansable, incluso esta noche, y a quien justamente esta semana ella había decidido ascender cuando Tottenhoe se retirara.

El jefe de auditores se acercó ahora.

—Lo que nuestro sigiloso ladrón ha estado haciendo es ordeñar cuentas dormidas. En cuanto descubrimos un patrón fraudulento esta noche, fue fácil descubrir los otros.

Siempre con sus aires de conferenciante, y para beneficio de los hombres del FBI, definió una cuenta dormida. Era una cuenta —ahorros o cuenta corriente, explicó Burnside— que tenía poca o ninguna actividad. Todos los bancos tienen clientes que, por diversos motivos dejan sin tocar las cuentas por largos períodos, a veces años enteros, con sumas sorprendentemente grandes en ellas. Un interés modesto se acumulaba en las cuentas de ahorros, naturalmente, y mucha gente sin duda había pensado en esto, aunque otros —increíble pero verdad— abandonaban sus cuentas enteramente.

Cuando se observaba que una cuenta corriente estaba inactiva, sin depósitos ni retiros, los bancos cesaban de enviar por correo el estado de cuenta mensual y lo sustituían por uno anual. Incluso estos informes eran devueltos a veces con el sello: «Se ha mudado... dirección desconocida».

Se tomaban precauciones nomales para impedir el uso fraudulento de cuentas dormidas, prosiguió el auditor jefe. Los informes de la cuenta eran separados; entonces, si súbitamente ocurría alguna transacción, era analizada por el contador, para asegurarse de que fuera legítima. Normalmente tales precauciones eran efectivas. *Como ayudante de contador Miles Eastin tenía autoridad para examinar y aprobar las transacciones con cuentas dormidas. Había usado esta autoridad para cubrir su deshonestidad... el hecho era que había estado robando de esas cuentas.*

—Eastin ha sido bastante hábil, y ha seleccionado las cuentas menos aptas para provocar trastornos. Tenemos aquí una serie de retiros de depósitos falsificados, aunque no tan bien como parece, porque hay obvias huellas de su letra, tras lo cual las cantidades fueron transferidas a lo que parece ser una cuenta suya fingida, bajo un nombre falso. También aquí la caligrafía es similar, aunque naturalmente se necesita que la examinen expertos para que sea una evidencia.

Uno a uno examinaron los papeles de retiro de dinero, comparando la escritura con la de los cheques que habían visto antes. Aunque había habido tentativa de disfraz, el parecido era indudable.

El segundo agente del FBI, Dalrymple, había estado escribiendo notas cuidadosas. Levantando la vista preguntó:

—¿Hay una cifra total del dinero involucrado?

Gayne contestó:

—Hasta ahora hemos andado cerca de los ocho mil dólares. Pero mañana tendremos acceso a informes más antiguos, por medio del microfilm y la computadora, lo que puede revelar más.

Burnside añadió:

—Cuando nos encaremos con Eastin con lo que ya sabemos, tal vez él decida facilitar las cosas reconociendo el resto. Suele ser común cuando se coge a los estafadores.

Está disfrutando con esto, pensó Edwina; realmente disfruta. Sintió un irracional deseo de defender a Miles Eastin, después preguntó:

—¿Tiene usted idea de cuánto tiempo hace que está ocurriendo esto?

—Por lo que hemos descubierto hasta ahora —informó Gayne— se diría que un año, quizás más.

Edwina se volvió y se encaró con Hal Burnside.

—Entonces a usted se le escapó totalmente en la última inspección. ¿El examen de cuentas dormidas no forma parte de su trabajo? —lo dijo con voz serena pero enérgica.

Fue como pinchar una burbuja. El jefe de auditores se puso colorado al reconocer:

—Sí, así es. Pero incluso a nosotros se nos escapan a veces las cosas, cuando el ladrón ha sabido cubrir bien las huellas.

—Evidentemente. Aunque, usted ha dicho hace un momento que la escritura lo delataba.

Burnside dijo, con tono agrio:

—Bueno, le hemos descubierto ahora.

Ella recordó:

—Después de llamarles yo.

Innes, el agentel del FBI, quebró el silencio que se había producido.

—Nada de esto nos hace adelantar mucho en lo que se refiere al dinero que faltó el viernes.

—Fuera del hecho de que convierte a Eastin en el primer sospechoso —dijo Burnside. Pareció aliviado de volver a dirigir la conversación—. Y quizás también lo confiese.

—No lo hará —gruñó Nolan Wainwright—. Ese gato es demasiado hábil.

Además, ¿por qué va a hacerlo? Todavía ignoramos cómo lo hizo.

Hasta ese momento el jefe de Seguridad del banco había dicho muy poco, aunque había mostrado sorpresa; después su cara se había endurecido a medida que los auditores sacaban la serie de documentos como prueba de culpabilidad. Edwina se preguntó si Wainwright recordaba cómo ambos habían presionado a la cajera, Juanita Núñez, sin creer en la inocencia que proclamaba la muchacha. Incluso ahora, pensó Edwina, existía la posibilidad de que la Núñez estuviera confabulada con Eastin, pero parecía poco probable.

Hal Burnside se puso de pie y cerró su portafolio.

—Ha llegado el momento de que se retiren los auditores y la ley se encargue del asunto.

—Necesitamos esos papeles y una declaración firmada —dijo Innes.

—Mr. Gayne quedará aquí, a la disposición de ustedes.

—Otra pregunta. ¿Cree usted que Eastin tiene idea de que ha sido descubierto?

—Lo dudo —Burnside miró hacia su ayudante, que meneó la cabeza.

—Estoy seguro de que no lo sabe. Tuvimos cuidado de no mostrar lo que estábamos buscando y, para protegernos, preguntamos por muchas cosas que no necesitábamos.

—Yo tampoco lo creo —dijo Edwina. Recordó con tristeza cuán atareado y alegre había parecido Miles Eastin poco antes de que ella dejara la sucursal con Burnside. *¿Por qué lo había hecho? ¿Por qué, por qué?*

Innes asintió, aprobando.

—Entonces dejemos las cosas así. Interrogaremos a Eastin en cuanto hayamos terminado aquí, pero no hay que prevenirle. ¿Está todavía en el banco?

—Sí —dijo Edwina—. Se quedará por lo menos hasta que regresemos; normalmente es uno de los últimos en irse.

Nolan Wainwright interrumpió, con voz desusadamente dura:

—*Corrija* esas instrucciones. Que se demore aquí hasta lo más tarde que sea posible. Después dejen que vuelva a su casa, en la creencia de que no ha sido descubierto.

Los otros miraron al jefe de Seguridad del banco, intrigados y sorprendidos. Especialmente los ojos de los dos hombres del FBI buscaron la cara de Wainwright. Un mensaje pareció cruzarse entre ellos.

Innes vaciló, después concedió:

—Bien. Hagámoslo de ese modo.

Unos minutos después Edwina y Burnside tomaban el ascensor.

Innes, después de que los demás se hubieran ido, dijo cortésmente al auditor que se había quedado:

—Antes de recibir su declaración le agradecería que nos dejara solos unos momentos.

—¡Cómo no! —y Gayne salió de la sala de conferencias.

El segundo agente del FBI cerró su libreta y guardó el lápiz.

Innes miró a Wainwright.

—¿Tiene usted alguna idea?

—La tengo... —Wainwright vaciló, luchando mentalmente entre lo que debía elegir y su conciencia. La experiencia le decía que en la acusación contra Eastin había fallos que debían ser llenados. Sin embargo, para llenarlos, la ley tendría que doblarse de una manera que iba contra sus propias convicciones. Preguntó al hombre del FBI:

—¿Está seguro de que quiere saber?

Los dos se miraron. Hacía años que se conocían y se tenían mutuo respeto.

—Conseguir pruebas hoy en día es una cosa delicada —dijo Innes—. No podemos tomarnos algunas de las libertades que nos tomábamos y, si lo hacemos, la cosa puede volverse contra nosotros.

Hubo un silencio, después el segundo agente dijo:

—Diga sólo lo que usted cree que debe decirnos.

Wainwright cruzó los dedos y miró atentamente a los dos. Su cuerpo transmitía tensión, al igual que su voz un poco antes.

—Bueno, tenemos bastante como para clavar a Eastin con una acusación de robo. Digamos que la suma robada es más o menos de ocho mil dólares. ¿Cuánto creen ustedes que le impondrá un juez?

—Como primer delito tendrá una sentencia en suspenso —dijo Innes—. El tribunal no se preocupará por el dinero perdido. Suponen que el banco tiene cantidades y que, de todos modos, está asegurado.

—¡Basta! —los dedos de Wainwright se apretaron visiblemente—. Pero si podemos demostrar que se apoderó del otro dinero... de los seis mil dólares que faltaron el miércoles; si demostramos que procuró echar la culpa a la muchacha, y que casi lo logró...

Innes gruñó, comprendiendo.

—Si usted puede probar eso cualquier juez razonable lo mandará directamente a la cárcel. Pero, ¿puede probarlo?

—Lo intentaré. Personalmente quiero que ese hijo de puta esté entre rejas.

—Comprendo lo que usted quiere decir —dijo pensativo el hombre del FBI—, a mí también me gustaría.

—En ese caso hagan lo que yo digo. No busquen a Eastin esta noche. Denme tiempo hasta mañana.

—No estoy seguro —murmuró Innes—, no estoy seguro de poder hacerlo.

Los tres esperaron, conscientes del conocimiento, del deber, de un tironeo y retortijón dentro de sí mismos. Los otros dos adivinaban en términos generales lo que Wainwright tenía en la mente. Pero: ¿cuándo y en qué medida el fin justificaba los medios? Y también estaba la cuestión: ¿cuánta libertad puede permitirse hoy en día un funcionario de la ley y seguir adelante?

Sin embargo, los hombres del FBI trabajaban en el caso y compartían el punto de vista de Wainwright en cuanto a los objetivos.

—Si esperamos hasta mañana —dijo con cautela el segundo agente— no quiero que Eastin se escape. Eso podría acarrear molestias para todos.

—Y yo tampoco quiero una patata machacada —dijo Innes.

—No escapará. No lo machacaremos. Lo garantizo.

Innes miró hacia su colega, que se encogió de hombros.

—Bien entonces —dijo Innes—. Hasta mañana. Pero comprenda una cosa, Nolan... esta conversación... no existe —se dirigió a la puerta de la sala de conferencias y la abrió—. Puede usted venir, Mr. Gayne. Mr. Wainwright ya se retira y nosotros recibiremos su declaración.

14

Una lista de los funcionarios del banco, conservada en el departamento de Seguridad para usos de emergencia, reveló la dirección de la casa de Miles Eastin y su número de teléfono. Nolan Wainwright copió ambas cosas.

Conocía la dirección. Una zona residencial pequeño-burguesa, a unas dos millas del centro. La información incluía el número del apartamento: «2G».

El jefe de Seguridad dejó la Casa Central del FMA y se dirigió a la Plaza Rosselli, a un teléfono público, donde marcó el número y oyó llamar incensantemente, sin que nadie contestara. Sabía que Miles Eastin era soltero. Wainwright esperaba también que viviera solo.

En caso de contestar a la llamada, Wainwright hubiéra dicho que se trataba de un número equivocado y hubiera cambiado sus planes. Pero, tal como estaban las cosas, se dirigió a su coche, guardado en las cocheras del sótano.

Antes de dejar el garaje abrió la maleta de su coche y sacó una delgada cartera de cuero, que colocó en el bolsillo interior. Después cogió el coche y atravesó la ciudad.

Caminó casualmente hacia la casa de apartamentos, aunque miraba todos los detalles. Una construcción de tres pisos, probablemente edificada hacía cuarenta años y con señales de abandono. Adivinó que había unas dos docenas de apartamentos. No había portero a la vista. En el vestíbulo Nolan Wainwright pudo ver una fila de buzones para cartas y timbres de llamada. Dobles puertas de cristal comunicaban la calle con el vestíbulo; más allá había una puerta más sólida, sin duda con el cerrojo pasado.

Eran las 10,30. Había escaso tráfico en la calle. No había otros transeúntes cerca de la casa de apartamentos. Avanzó.

Junto a los buzones había tres filas de timbres y un microteléfono interno. Wainwright vio el nombre «Eastin» y apretó el botón correspondiente. Tal como esperaba, no hubo respuesta.

Adivinando que «2G» significaba el segundo piso, eligió al azar un timbre con la marca «3» y lo apretó. Una voz en el portero eléctrico rezongó:

—Sí... ¿Quién es?

El nombre junto a la puerta era Appleby.

—Western Union —dijo Wainwright—. Telegrama para Appleby.

—Bien, suba.

Detrás de la pesada puerta interior zumbó un timbre y una cerradura se abrió. Wainwright empujó la puerta y penetró rápidamente.

Al frente había un ascensor, que ignoró. Vio una escalera a la derecha y subió los peldaños de dos en dos, hasta el segundo piso.

En el camino Wainwright meditó sobre la sorprendente inocencia de la gente en general. Esperaba que Appleby, fuera quien fuera, no aguardase demasiado tiempo su telegrama. Esta noche Mr. Appleby no iba a tener más inconvenientes que una intriga menor, quizás una frustración, aunque hubiera podido irle mucho peor. Los habitantes de los apartamentos en todas partes, pese a repetidos avisos, continuaban haciendo exactamente lo mismo. Naturalmente, Appleby podía desconfiar algo y alertar a la policía, aunque Wainwright lo dudaba. De todos modos, dentro de unos minutos, la cosa ya no tendría importancia.

El apartamento «2G» estaba al final del corredor del segundo piso, y la cerradura demostró no ser complicada. Wainwright probó una serie de finas hojas que sacó de la delgada cartera de cuero que había traído en el bolsillo y, a la cuarta tentativa, el cilindro de la cerradura giró. La puerta se abrió de golpe y él entró, cerrando la puerta tras de sí.

Esperó, dejando que sus ojos se acostumbraran a la oscuridad, después se acercó a una ventana y corrió las cortinas. Encontró un interruptor de la luz y lo apretó.

El apartamento era pequeño, destinado a ser usado por una sola persona; era un solo ambiente dividido en zonas. El espacio que hacía de sala comedor tenía un sofá, un sillón, una TV portátil y una mesa. Una cama estaba colocada detrás de una partición: la *kitchenette* tenía puertas de persiana que se doblaban. Las otras dos puertas que Wainwright inspeccionó revelaron un cuarto de baño y un armario. El lugar era ordenado y limpio. Algunos estantes de libros y algunos grabados enmarcados le daban personalidad.

Sin perder tiempo Wainwright inició una búsqueda total, sistemática.

Procuró reprimir, mientras trabajaba, la mordiente crítica contra sí mismo por la acción ilegal que realizaba esta noche. No lo lograba del todo. Nolan Wainwright comprendía que todo lo que estaba haciendo era el reverso de su código moral, una negación a su creencia en la ley y el orden. Sin embargo, la ira lo impulsaba. La ira y, dentro de sí mismo el reconocimiento del fracaso, hacía cuatro días.

Recordaba con pasmosa claridad, incluso ahora, la muda súplica en los ojos de la muchacha portorriqueña, Juanita Núñez, cuando la había visto por primera vez el miércoles pasado y había iniciado el interrogatorio. Era una súplica que decía sin lugar a dudas: *Usted y yo... usted es negro yo soy parda. Por eso usted, entre todos, tendría que comprender que estoy sola, en inferioridad de condiciones, y que desesperadamente necesito ayuda y justicia.* Pero, aunque había reconocido la súplica, él la había echado a un lado brutalmente, de manera que después sólo lo sustituyó el desprecio, y recordaba haber visto también ese desprecio en los ojos de la muchacha.

El recuerdo, unido a la pena de haber sido engañado por Miles Eastin, había decidido a Wainwright a derrotar a Eastin en su juego, aunque hubiera que torcer la ley para lograrlo.

Por lo tanto, metódicamente, como le había enseñado su entrenamiento policial, Wainwright siguió buscando, decidido a encontrar una prueba, si es que la había.

Media hora después comprendió que quedaban pocos sitios donde esconder algo. Había examinado los armarios, los cajones y su contenido, había revisado los muebles, abierto maletas, inspeccionado los cuadros en las paredes y retirado la parte de atrás del televisor. También había examinado los libros, notando que todo un estante estaba dedicado a lo que alguien consideraba el *hobby* de Eastin: el estudio del dinero a través de las épocas. Junto con los libros un portafolio contenía diseños y fotografías de antiguas monedas y billetes. Pero no había huella de nada criminal. Finalmente amontonó los muebles en un rincón y enrolló la alfombra. Después, con una linterna, recorrió cada pulgada del piso de madera.

Sin la linterna se le hubiera escapado la tabla cuidadosamente aserrada, pero dos líneas, de color más claro que la madera del resto, traicionaban el lugar donde habían sido hechos los tajos. Suavemente tironeó los treinta centímetros aproximados de tabla entre las líneas y descubrió, en el espacio de abajo, una pequeña agenda negra y dinero en billetes de veinte dólares.

Rápidamente volvió a colocar la tabla, la alfombra, los muebles.

Contó el dinero: era un total de seis mil dólares. Después contempló brevemente la pequeña carpeta negra, se dio cuenta que era una carpeta de apuestas y silbó suavemente ante la cantidad y el número de las sumas involucradas.

Dejó después el libro —podía ser examinado más adelante con detalle— en una ocasional mesa ante el sofá, con el dinero al lado.

Le había sorprendido encontrar el dinero. No le cabía duda de que eran los seis mil dólares que habían faltado el miércoles del banco, pero suponía que Eastin ya debía haberlos cambiado, o depositado en otra parte. El trabajo en la policía le había enseñado que los criminales hacen cosas tontas e inesperadas, y esta era una de ellas.

Pero todavía había que averiguar cómo Eastin había cogido el dinero y lo había traído a su casa.

Wainwright miró alrededor del apartamento, y después apagó las luces. Volvió a abrir las cortinas y, sentado cómodamente en el sofá, esperó.

En la semioscuridad, en el pequeño apartamento iluminado sólo por las luces de la calle, sus pensamientos volaban. Pensó de nuevo en Juanita Núñez y deseó, de alguna manera, arreglar la cosa. Recordó el informe del FBI sobre su desaparecido marido, descubierto en Phoenix, Arizona, y se le ocurrió que la información podía ser útil para ayudar a la muchacha.

Lógicamente la historia de Miles Eastin de haber visto a Carlos Núñez en el banco el mismo día de la pérdida de caja, era una falsedad destinada a lanzar más sospechas sobre Juanita.

¡Despreciable hijo de puta! ¿Qué clase de hombre era, primero al dirigir la culpa hacia la muchacha, después al querer aumentarla? El jefe de Seguridad sintió que se le cerraban los puños, pero recordó que no debía dejarse llevar por sus sentimientos.

El aviso era necesario, y él sabía bien por qué. Era una causa de un incidente hacía tiempo enterrado en su mente, y que raras veces desenterraba. Sin quererlo realmente, empezó a recordar.

Nolan Wainwright, que ahora tenía casi cuarenta años, se había criado en los suburbios de la ciudad, y desde el nacimiento había descubierto que las posibilidades de la vida estaban en su contra. Creció con la supervivencia como una provocación diaria y con el crimen —minúsculo y del otro— como norma que lo rodeaba. En la adolescencia había formado parte de un grupo del ghetto, para quienes los choques con la ley eran prueba de virilidad.

Como otros, antes y después, y con el mismo origen de barrio, era movido por la urgencia de ser alguien, ser notado de alguna manera, la necesidad de liberar una ira interna contra la oscuridad. No tenía experiencia ni filosofía para pesar las alternativas y, por eso, la participación en el crimen callejero parecía el único camino inevitable. Parecía muy posible que se graduara, como muchos de sus contemporáneos, para un prontuario policial y la cárcel.

Que no lo hiciera se debió, en parte, a la suerte; en parte a Bufflehead Kelly.

Bufflehead era un policía viejo, no muy vivo, siempre amable, que había aprendido que la supervivencia de un policía en el ghetto se prolongaba cuando hábilmente uno se encontraba en otra parte del lugar en el que se iniciaba la trifulca, y actuaba sólo cuando un problema se le presentaba directamente entre las narices. Los superiores se quejaban de que su récord de detenciones era el menor de la comisaría, pero en contra de esto —desde el punto de vista de Bufflehead— su retiro y su jubilación avanzaban satisfactoriamente año tras año.

Pero el adolescente Nolan Wainwright *había* caído bajo las narices de Bufflehead, la noche de una intentona de atraco de la banda a un almacén de mercancías, que el policía había turbado sin querer, de modo que todos tuvieron que huir, escaparon, excepto Nolan Wainwright, que tropezó y cayó a los pies de Bufflehead.

—Ah, mono imbécil —se quejó Bufflehead—. Esta noche me vas a traer toda clase de líos, papeles, tribunales...

Kelly detestaba los papeleos y las comparecencias ante el tribunal, que cortaban terriblemente el tiempo libre de un policía.

Al final hizo un compromiso. En lugar de detener y acusar a Wainwright, lo llevó, esa misma noche, al gimnasio policial y allí, según sus propias palabras, «le sacó el alma» en el cuadrilátero de boxeo.

Nolan Wainwright, moreteado, herido, y con un ojo muy hinchado —aunque todavía sin haber sido detenido— reaccionó con odio. En cuanto pudiera iba a hacer trizas a Bufflehead Kelly, objetivo que volvió a llevarle al gimnasio policial... y a Bufflehead... para que le enseñara cómo hacer la cosa. Según comprendió Wainwright más adelante, aquella había sido la escapada necesaria para su ira contenida. Aprendió rápido. Cuando llegó el momento de convertir a aquel policía medio idiota y haragán en una castigada bolsa de boxeo, descubrió que el deseo de hacerlo se había evaporado. En lugar de esto había tomado afecto al viejo, emoción que sorprendió profundamente al mismo muchacho.

Pasó un año en el cual Wainwright continuó boxeando, siguió en el colegio y se las arregló para no meterse en líos. Después, una noche, cuando estaba de guardia, por casualidad, Bufflehead interrumpió un asalto en un almacén. Indudablemente el policía había quedado más sorprendido que los dos vagabundos en cuestión, y ciertamente no hubiera interrumpido, tanto más estando ambos armados. Como lo demostró después la investigación, Bufflehead ni siquiera intentó sacar el revólver.

Pero uno de los ladrones, sorprendido, se asustó y, antes de huir, disparó una ráfaga de tiros, a quemarropa, en el vientre del viejo policía Bufflehead Kelly.

La noticia del tiroteo corrió rápidamente y se reunió la gente. Nolan Wainwright estaba entre los curiosos.

Siempre iba a recordar —como recordaba ahora—la vista y el ruido del indefenso y perezoso Bufflehead, consciente, retorciéndose, gimiendo, chillando en loca agonía mientras la sangre y las entrañas se derramaban por la espaciosa herida mortal.

La ambulancia tardó mucho en llegar. Momentos antes de que llegara, Bufflehead, aullando sin cesar, murió.

El incidente dejó para siempre una marca en Nolan Wainwright, aunque no había sido la muerte de Bufflehead lo que más lo había afectado. Y tampoco le trastornó demasiado la detención y ejecución del ladrón que había disparado y de su compañero, cosa que le pareció fuera de lugar.

Lo que le había chocado e influido por encima de todas las cosas había sido el desperdicio aterrador, sin sentido. El crimen original era mezquino, tonto, condenado al fracaso, y, sin embargo, en su fracaso, la devastación que producía era vergonzosamente inmensa. En la mente del joven Wainwright aquel simple pensamiento, aquel razonamiento, persistió. Fue una catarsis a través de la cual llegó a ver todo crimen como igualmente negativo, igualmente destructivo... y, más tarde, como un mal que había que combatir. Tal vez, desde el principio, una huella de puritanismo había existido en él, siempre latente, profunda. En todo caso, salió a la superficie.

Pasó de la juventud a la edad madura como un individuo sin reglas de compromiso y, quizás por esto, se convirtió en una especie de solitario, entre sus amigos y eventualmente cuando se hizo policía. Pero era un policía eficiente que aprendió y subió con rapidez, y que era incorruptible, como supieron alguna vez Ben Rosselli y sus ayudantes.

Y más tarde aún, cuando ya estaba en el First Mercantile American, los fuertes sentimientos de Wainwright persistían.

Es posible que el jefe de Seguridad se hubiera amodorrado, pero una llave en la cerradura del apartamento le alertó. Con cautela se incorporó. El reloj luminoso de su muñeca le mostró que era poco después de medianoche.

Entró una figura, en sombras, un rayo de la luz exterior reveló que era Eastin. Luego la puerta se cerró y Wainwright supo que Eastin buscaba la luz. La luz se encendió.

Eastin vio en seguida a Wainwright, y su sorpresa fue total. Se quedó con la boca abierta, y la sangre abandonó totalmente su cara. Procuró hablar pero se atragantó y no se presentaron las palabras.

Wainwright permaneció allí mirando furioso. Su voz fue cortante como un cuchillo.

—¿Cuánto ha robado hoy?

Antes que Eastin pudiera contestar o recobrarse Wainwright lo agarró por las solapas, le dio la vuelta y lo empujó. El otro cayó despatarrado en el sofá.

A medida que la sorpresa se convertía en indignación, el joven estalló:

—¿Cómo ha entrado aquí? ¿Qué diablos...? —sus ojos vieron el dinero, la pequeña carpeta negra y se interrumpió.

—Así es —dijo con dureza Wainwright—, he venido a buscar el dinero del banco, o lo poco que quede... —hizo un gesto hacia los billetes amontonados en la mesa—. Sabemos que esto es lo que usted robó el miércoles. Y en caso de que dude, debo decirle que hemos descubierto el ordeñar de las cuentas y lo demás.

Miles Eastin miraba fijamente, con expresión helada, atónito. Un temblor convulsivo lo atravesó. En una nueva sacudida su cabeza se abatió, sus manos cubrieron su cara.

—¡Basta de comedia! —Wainwright se acercó, quitó las manos de la cara de Eastin y le echó hacia atrás la cabeza, pero sin rudeza, recordando lo que había prometido al hombre del FBI. Nada de patata machacada.

Añadió:

—Usted tiene algo que decir. Empecemos.

—Eh, un poco de tiempo ¿eh? —suplicó Eastin—. Deme un minuto para pensar.

—¡Ni lo sueñe! —lo que menos quería Wainwright era dar a Eastin tiempo para reflexionar. Era un joven inteligente y capaz de razonar, correctamente, que el silencio era lo que más le convenía. El jefe de Seguridad sabía que en este momento contaba con dos ventajas. Una era de haber hecho perder el equilibrio a Miles Eastin; la otra no estar restringido por reglas.

Si los agentes del FBI estuvieran aquí, tendrían que informar a Eastin de sus derechos legales —el derecho a no contestar preguntas, y a tener presente un abogado. Pero Wainwright, que ya no era policía, no tenía esa obligación.

Lo que el jefe de Seguridad necesitaba era una clara prueba sobre el robo de los seis mil dólares. Una confesión firmada bastaría.

Se sentó frente a Eastin; sus ojos tenían clavado en la picota al joven.

—Podemos hacer esto de una manera dura y difícil, o bien podemos avanzar rápido.

Como no hubo respuesta, Wainwright tomó la pequeña carpeta negra y la abrió.

—Empecemos con esto —puso el dedo en la lista de sumas y fechas; al lado de cada entrada había otras cifras, en código—. Estas son apuestas, ¿correcto?

En medio de una confusa pesadez, Eastin asintió.

—Explíqueme ésta.

Era una apuesta de doscientos cincuenta dólares, murmuró Miles Eastin sobre el resultado de un partido de fútbol entre Texas y Notre Dame. Explicó los detalles. Había apostado por Notre Dame. Texas había ganado.

—¿Y ésta?

Otra respuesta entre dientes: otro partido de fútbol. Otra pérdida.

—Siga —persistió Wainwright, manteniendo el dedo en la página, sin cejar la presión.

Las respuestas fueron lentas. Algunas de las entradas eran para partidos de baloncesto. Algunas apuestas estaban del lado ganador, aunque las pérdidas eran mucho mayores. La apuesta mínima era de cien dólares, la mayor de trescientos.

—¿Apostaba usted solo o con un grupo?

—Un grupo.

—¿Quiénes forman parte de ese grupo?

—Otros cuatro muchachos. Trabajan. Como yo.

—¿Trabajan en el banco?

Eastin negó con la cabeza.

—En otros lugares.

—¿Y también perdieron?

—A veces. Pero su promedio de ganancias era mejor que el mío.

—¿Cómo se llaman esos cuatro?

No hubo respuesta. Wainwright lo dejó pasar.

—No ha hecho apuestas sobre caballos. ¿Por qué?

—Nos habíamos juntado. Todos saben que en las carreras hay trampa, que están arregladas. El fútbol y el baloncesto son potables. Inventamos un sistema. Con juegos limpios, calculamos que podíamos vencer las malas posibilidades.

El total de pérdidas demostraba hasta qué punto el cálculo había sido equivocado.

—¿Apostaba usted con un tomador de apuestas o con más?

—Con uno.

—¿Su nombre?

Eastin siguió mudo.

—El resto del dinero que ha estado robando del banco... ¿dónde está?

El joven torció la boca. Contestó miserablemente.

—Lo he gastado.

—¿Y alguno más, supongo?

Un movimiento de cabeza abatido, afirmativo.

—Después nos ocuparemos de eso. Ahora hablemos de *este* dinero —Wainwright tocó los seis mil dólares que estaban entre ellos—. Sabemos que los robó usted el miércoles. ¿Cómo lo hizo?

Eastin vaciló, se encogió de hombros.

—Tanto da que lo sepa...

Wainwright dijo con agudeza:

—Adivina usted correctamente, pero está perdiendo tiempo.

—El miércoles pasado —dijo Eastin— había gente con gripe. Yo reemplacé a un cajero.

—Ya lo sé. Diga lo que pasó.

—Antes de que se abriera el banco fui a la cámara del tesoro para sacar una caja fuerte... una de las que estaban libres. Juanita Núñez estaba presente. Ella abrió su camión-caja. Yo estaba al lado. Sin que ella lo notara, vi la combinación.

—¿Y?

—La recordé de memoria. En cuanto pude la anoté.

Ante la urgencia de Wainwright los condenados hechos se multiplicaban.

La cámara del tesoro en la sucursal era muy grande. Durante el día un contador del tesoro trabajaba en un recinto como una jaula, allí dentro, cerca de la pasada puerta de control mecánico. El contador del tesoro estaba invariablemente ocupado, contando los billetes, entregando paquetes de dinero o recibiéndolos, controlando a los pagadores y a los camiones-caja que entraban y salían. Aunque nadie podía pasar frente al cajero del tesoro sin ser visto, una vez que estaba dentro, él apenas les prestaba atención.

Aquella mañana, aunque ostensiblemente estaba muy contento, Miles Eastin necesitaba dinero desesperadamente. Había sufrido pérdidas en las apuestas la semana anterior, y le exigían el pago de deudas acumuladas.

Wainwright interrumpió:

—Usted ya había pedido un préstamo como empleado del banco. Debía dinero a compañías financieras. También al tomador de apuestas. ¿Correcto?

—Correcto.

—¿Debía algo más a alguien?

Eastin asintió, afirmativamente.

—¿A algún prestamista?

El joven vaciló, después asintió:

—Sí.

—¿Y ese prestamista le estaba amenazando?

Miles Eastin se mojó los labios.

—Sí, y también el tomador de apuestas. Los dos me amenazan todavía...— su mirada se dirigió a los seis mil dólares.

El rompecabezas empezaba a unirse. Wainwright señaló el dinero.

—¿Usted había prometido al prestamista y al tomador de apuestas pagarles eso?

—Sí.

—¿Cuánto a cada uno?

—Tres mil.

—¿Cuándo?

—Mañana —Eastin miró nerviosamente el reloj de pared y se corrigió—. Hoy.

Wainwright interrumpió:

—Volvamos al miércoles. Así que usted sabía la combinación de la caja de Juanita Núñez. ¿Cómo la usó?

A medida que Miles Eastin revelaba los detalles, la cosa parecía increíblemente sencilla. Tras trabajar toda la mañana, había salido a almorzar al mismo tiempo que Juanita Núñez. Antes de salir ambos llevaron sus camiones-caja a la cámara. Las dos cajas quedaron una junto a otra, ambas cerradas.

Eastin volvió del almuerzo más temprano y se dirigió a la cámara. El cajero del tesoro controló su entrada, y siguió trabajando. No había nadie más en la cámara.

Miles Eastin fue directamente al camión-caja de Juanita Núñez y la abrió, usando la combinación que había escrito. Sólo tardó unos segundos en retirar tres paquetes de billetes por un total de seis mil dólares, después cerró y volvió a cerrar con la combinación. Se metió los paquetes de dinero en los bolsillos interiores; el bulto apenas se notaba. Después sacó su propio camión-caja de la cámara y volvió al trabajo.

Hubo un silencio, después Wainwright dijo:

—Así que, cuando se hacían los interrogatorios el miércoles por la tarde... algunos hechos por usted mismo, y cuando usted y yo hablamos más tarde ese mismo día... todo ese tiempo: ¿tenía usted el dinero encima?

—Sí —dijo Miles Eastin. Al recordar cuán fácil había sido, una leve sonrisa cruzó su cara.

Wainwright vio la sonrisa. Sin vacilar, en un solo movimiento, se inclinó y abofeteó con fuerza a Eastin a los dos lados de la cara. Usó la palma para el primer golpe, el dorso de la mano para el segundo. El doble golpe fue tan fuerte que la mano de Wainwright quedó ardiendo. En la cara de Miles Eastin aparecieron dos manchas brillantes. Se echó hacia atrás en el sofá y parpadeó, mientras los ojos se le llenaban de lágrimas.

El jefe de Seguridad, dijo torvamente:

—Esto es para que sepa que no veo nada gracioso en lo que usted ha hecho al banco o a Mrs. Núñez. Nada gracioso... —otra cosa que acababa de darse cuenta era que Miles Eastin tenía miedo a la violencia física.

Se dio cuenta que era la una de la noche.

—La próxima orden —anunció Nolan Wainwright— es una declaración firmada. Con su propia letra y donde dirá todo lo que acaba de contarme.

—¡No! ¡No puedo hacer eso! —Eastin estaba ahora lleno de cautela.

Wainwright se encogió de hombros.

—En ese caso no tiene interés que me quede más tiempo —recogió los seis mil dólares y empezó a meterlos en los bolsillos.

—¡Usted no puede hacer eso!

—¿No puedo? Procure impedírmelo. Los llevaré de vuelta al banco... a los depósitos nocturnos.

—Oiga... usted no puede probar... —el joven vaciló. Estaba pensando ahora, demasiado tarde, que el número de la serie de billetes no había sido registrado.

—Tal vez pueda probar que es el mismo dinero que fue robado el miércoles, y tal vez no pueda probarlo. Si no es así, siempre podrá poner un pleito al banco para que se lo devuelvan.

Eastin suplicó:

—Lo necesito ahora... hoy...

—Ah, claro, parte para el tomador de apuestas y parte para el otro tiburón. O para los matones que ellos manden. Bueno, procure explicarles cómo lo perdió, aunque dudo que le escuchen... —por primera vez el jefe de Seguridad miró a Eastin son sorna divertida—. Realmente *está* usted en dificultades. Tal vez vengan ambos a la vez, y uno le rompa un brazo y otro una pierna. Son capaces de hacer cosas de ese tipo. ¿No lo sabía?

Miedo, verdadero miedo apareció en los ojos de Eastin.

—Sí, lo sé. ¡Ayúdeme, por favor!

Desde la puerta del apartamento, Wainwright dijo con frialdad.

—Lo pensaré. *Después* que haya escrito la declaración.

El jefe de Seguridad del banco dictó y Eastin escribió obediente las palabras:

Yo, Miles Eastin, hago voluntariamente esta declración. No he sido forzado a hacerla. No se han empleado contra mí ni violencias ni amenazas.

Confieso haber robado del First Mercantile American la suma de seis mil dólares en efectivo aproximadamente a la 1.30 de la tarde, el miércoles, octubre...

Obtuve y oculté el dinero de la siguiente manera...

Un cuarto de hora antes bajo la amenaza de Wainwright de irse, Miles Eastin se había venido enteramente abajo, había quedado anonadado y cooperaba.

Y, mientras Eastin continuaba escribiendo su confesión, Wainwright telefoneó a Innes, el hombre del FBI, a su casa.

15

En la primera semana de noviembre la condición física de Ben Rosselli empeoró. Desde que el presidente del banco había revelado su enfermedad mortal, cuatro semanas antes, su fuerza se escapaba, su cuerpo se agotaba a medida que nuevas e invasoras células cancerosas oprimían lo que aún le quedaba de vida.

Los que habían visitado al viejo Ben en su casa —incluidos Roscoe Heyward, Alex Vandervoort, Edwina D'Orsey, Nolan Wainwright y otros directores del banco— quedaron atónitos ante la extensión y la velocidad de su deterioro. Era obvio que le quedaba muy poco tiempo de vida.

Después, a mediados de noviembre, cuando una tormenta salvaje con viento y granizo azotaba la ciudad, Ben Rosselli fue llevado en una ambulancia al pabellón privado del Mount Adams Hospital, viaje breve que iba a ser el último de su vida. Estaba ahora casi continuamente bajo sedantes, de manera que sus momentos de conciencia y de coherencia eran menores día a día.

Los últimos vestigios del control del First Mercantile American habían escapado de sus manos, y un grupo de los principales directores del banco, reunidos en privado, se pusieron de acuerdo en que había que convocar a todos los miembros de la Dirección y nombrar sucesor para la presidencia.

La decisiva reunión se fijó para el 4 de diciembre.

Los directores empezaron a llegar poco antes de las 10 de la mañana. Se saludaron cordialmente entre sí, cada uno con fácil confianza... la pátina de un brillante hombre de negocios en medio de sus pares.

La cordialidad era levemente más restringida que de costumbre en deferencia al moribundo Ben Rosselli, que todavía se aferraba débilmente a la vida a una milla de distancia. Pero los directores ahora reunidos eran almirantes y mariscales del comercio, como lo había sido Ben, quien sabía que, fuera cual fuera la obstrucción, los negocios, que mantenían lubricada la sociedad debían continuar. El tono parecía querer decir: *El motivo de las decisiones que debemos tomar hoy es lamentable, pero nuestro solemne deber hacia el sistema debe cumplirse.*

Avanzaron con decisión hacia la sala con paneles de nogal, donde colgaban cuadros y fotografías de predecesores seleccionados, alguna vez importantes, que ya no existían.

Una reunión de directores de cualquier corporación mayor parece un club exclusivo. Fuera de tres o cuatro dirigentes ejecutivos de máxima categoría, que trabajan todo el tiempo, la Dirección comprende una cantidad de notables hombres de negocios —con frecuencia ellos mismos presidentes o consejeros— en otros campos diversos.

Generalmente los dirigentes externos son invitados a unirse al consejo rector por una o varias razones —sus propios logros en otra parte, el prestigio de la institución que representan, o una fuerte conexión generalmente financiera— con la compañía de cuya Dirección forman parte.

Entre los hombres de negocios se considera un alto honor ser director de compañía, y cuanto más prestigiosa es la compañía, mayor es la gloria. Por eso algunos individuos coleccionan direcciones como coleccionaban los indios cueros cabelludos. Otro motivo es que los directores son tratados con una diferencia que satisface al yo, y también generosamente retribuidos— las compañías más importantes pagan a cada director entre mil y dos mil dólares por cada reunión a la que asisten, normalmente diez por año.

Particularmente prestigioso es ser director de algún banco importante. Para un hombre de negocios ser invitado a servir en el alto consejo Director de un banco es en términos generales equivalente a ser nombrado caballero por la reina de Inglaterra; por lo tanto la incorporación es ampliamente buscada. El First Mercantile American, como correspondía a un banco que figuraba entre los veinte mayores de la nación, poseía un grupo de directores particularmente impresionante.

O eso creían ellos.

Alex Vandervoort, al contemplar a los otros directores cuando ocupaban sus asientos alrededor de la larga y ovalada mesa de reuniones, decidió que había un buen porcentaje de leña seca. También había conflictos de intereses, ya que algunos directores, o sus compañías, eran grandes deudores de dinero al banco. Uno de los objetivos a largo plazo que había planeado, si llegaba a ser presidente, era que la Dirección del FMA fuera más representativa y se parecería menos a un cómodo club.

¿Pero iban a elegirle a él como presidente? ¿O elegirían a Heyward?

Ambos eran hoy candidatos. Ambos, dentro de un rato, como cualquier buscador de empleo, iban a exponer sus puntos de vista. Jerome Patterton, viceconsejero de la Dirección, que iba a presidir la reunión de hoy, se había acercado dos días antes a Alex.

—Usted sabe tan bien como todos que debemos decidir entre usted y Roscoe. Ambos son buenos; no es fácil elegir. Ayúdenos. Hable de sus sentimientos hacia el FMA, como le dé la gana; cómo y por qué, queda a su cargo.

Roscoe Heyward, comprendió Alex, había sido abordado de la misma manera.

Heyward, típicamente, llevaba un texto preparado. Sentado directamente frente a Alex, lo estudiaba ahora, con su rostro aguileño concentrado en una expresión grave, los ojos grises detrás de los anteojos sin aro clavados sin vacilar en las palabras escritas a máquina. Entre las capacidades de Heyward estaba la de una intensa concentración mental, el poder ser como un bisturí, especialmente para las cifras. Un colega había observado una vez: «Roscoe es capaz de leer el informe de una pérdida o de una ganancia como un director de orquesta lee el pentagrama... percibiendo los tonos, las notas falsas, los pasajes incompletos, los crescendos y las potencialidades que otros no ven». Sin duda las cifras iban a estar incluidas en lo que Heyward iba a decir hoy.

Alex no estaba seguro si debía usar números o no en su exposición. Si lo hacía, tenía que ser de memoria, ya que no había traído anotaciones. Había deliberado largamente la noche anterior y después había decidido eventualmente esperar a que llegara el momento y hablar entonces instintivamente, como le pareciera más apropiado, dejando que los pensamientos y las palabras se ordenaran por sí solos.

Recordó que, en esta misma habitación, no hacía mucho tiempo, Ben había anunciado: *«Me estoy muriendo. Los médicos me dicen que no me queda mucho tiempo».* Las palabras habían sido, todavía lo eran, una afirmación de que la vida era finita. Eran una burla para la ambición... la de él, la de Roscoe, la de los otros.

Pero, que la ambición fuera en última instancia fútil o no, deseaba mucho la presidencia del banco. Ansiaba una oportunidad —como la había ansiado Ben en su momento— para determinar las direcciones, decidir la filosofía, conceder prioridades y, en medio de la suma de todas las decisiones, dejar detrás de sí una contribución digna. Y el hecho de que, visto en un amplio margen de años, lo realizado contara poco o mucho, el celo puesto en la tarea sería en sí una recompensa... el hacer, dirigir, competir, luchar, aquí y ahora.

Al otro lado de la mesa de reuniones, a la derecha, el Honorable Harold Austin se había dejado caer en su sitio acostumbrado. Llevaba un traje a cuadros de Cerruti, con clásica camisa abotonada, una corbata puntiaguda estampada, y parecía un modelo vivo de las páginas de *Playboy.* Tenía en la mano un grueso cigarro, listo para encender. Alex vio a Austin y saludó. El saludo fue devuelto, pero con notable frialdad.

Hacía una semana el Honorable Harold se había presentado para protestar por el veto de Alex a la propaganda de las tarjetas de crédito preparada por la agencia Austin. «La expansión en el mercado de las tarjetas de crédito fue aprobada por el consejo rector», había objetado el Honorable Harold. «Lo que es más, los jefes del departamento de tarjetas clave ya habían aprobado esa campaña especial antes de que llegara a usted. No sé realmente si no debería llamar la atención del consejo sobre su acción, tomada desde arriba».

Alex había sido cortante: «En primer lugar yo sé exactamente lo que los directores decidieron sobre las tarjetas de crédito, porque estaba allí presente. *No estuvieron* de acuerdo en que la expansión en el mercado se hiciera con una propaganda que es solapada, engañosa, semimentirosa y que puede desacreditar al banco. Ustedes pueden hacer algo mejor que eso, Harold. La verdad es que ya lo ha hecho. He visto y aprobado las versiones revisadas. En cuanto a actuar «desde arriba», he tomado una decisión de ejecutivo dentro de mi autoridad y, en cualquier momento que sea necesario, volveré a hacerlo. Si quiere que le dé mi opinión, no van a agradecérselo... es más probable que me den a mí las gracias».

Harold Austin se había enfurecido, pero, aparentemente, había dejado caer el tema, quizás sabiamente, porque la Publicidad Austin iba a ganar igualmente con la campaña revisada de las tarjetas de crédito. Alex sabía que se había creado un enemigo. Pero dudaba que eso tuviera hoy alguna importancia, ya que el Honorable Harold prefería evidentemente a Roscoe Heyward, y probablemente iba a apoyarlo de todos modos.

Uno de sus fuertes sostenedores, sabía Alex, era Leonard L. Kingswood, el franco y enérgico consejero de la Northam Steel, sentado ahora cerca de la cabecera y conversando animadamente con su vecino. Era Len Kingswood quien había telefoneado a Alex hacía algunas semanas para comunicarle que Roscoe Heyward estaba activamente trabajando a los directores para que apoyaran su candidatura a la presidencia.

—No digo que debas hacer lo mismo, Alex. Eres tú quien debe decidir. Pero te prevengo que lo que hace Roscoe puede ser efectivo. A mí él no me engaña. No tiene capacidad para ser jefe y se lo he dicho. Pero tiene una manera persuasiva y ese es un anzuelo que muchos pueden tragarse.

Alex había agradecido a Len Kingswood la información, pero no había intentado copiar las tácticas de Heyward. La solicitud podía ayudar en algunos casos, pero podía poner en contra a otros a quienes no agradara la presión personal en estos asuntos. Además, Alex sentía aversión por hacer una campaña efectiva por el puesto de Ben, cuando el viejo todavía estaba vivo.

Pero Alex había aceptado la necesidad de la reunión de hoy y de las decisiones que debían tomarse.

El murmullo de la conversación se apaciguó. Dos últimos recién llegados se acomodaban. Jerome Patterton, a la cabecera, golpeó ligeramente con un martillo y anunció:

—Señores, el consejo está en sesión.

Patterton, llevado hoy a la preeminencia, tendía normalmente a borrarse y, en la escala de la dirección del banco, era como un comodín. Estaba ahora en la sesentena y cerca de retirarse, había actuado en la unión de varios bancos menores hacía años; a partir de entonces sus responsabilidades habían disminuido, se habían apaciguado, por mutuo consentimiento. En general se ocupaba de las cuestiones de depósitos y de jugar al golf con los clientes. El golf era una prioridad, al punto de que, en cualquier día de trabajo, Jerome Patterton rara vez estaba en su despacho después de las 2,30 de la tarde. Su título de viceconsejero del consejo rector era en gran parte honorario.

Tenía la apariencia de un hidalgo de campaña. Casi calvo, aparte el halo de pelo blanco, tenía una cabeza puntiaguda y rosada, como la punta de un huevo. Paradójicamente sus cejas eran revueltas y ferozmente brotadas; los ojos que estaban debajo eran grises, prominentes y empezaban a apagarse. Para añadir algo más a la impresión de granjero, se vestía deportivamente. Alex Vandervoort suponía que el viceconsejero tenía un cerebro excelente, usado al mínimo en los últimos tiempos, como un motor que no se utiliza.

Como era de esperar, Jerome Patterton empezó pagando tributo a Ben Rosselli, tras lo cual leyó el último boletín del hospital, que informaba sobre «pérdida de fuerza y conciencia vacilante». Entre los directores algunos contrajeron los labios, otros menearon la cabeza.

—Pero la vida de nuestra comunidad prosigue —el viceconsejero enumeró los motivos de la reunión presente, especialmente la necesidad de nombrar, rápidamente, un nuevo jefe ejecutivo para el First Mercantile American.

—La mayoría de ustedes, señores, conocen los procedimientos sobre los que nos hemos puesto de acuerdo —después anunció lo que todos sabían: que Roscoe Heyward y Alex Vandervoort iban a hablar a la Dirección, tras lo cual embos dejarían la reunión mientras se discutían sus candidaturas.

—En cuanto al orden de la exposición, emplearemos esa vieja prioridad bajo la cual todos hemos nacido: el orden alfabético... —los ojos de Jerome Patterton se volvieron hacia Alex—. A veces he tenido que pagar por ser «P». Espero que esa «V» suya no haya sido tan penosa.

—Es verdad, señor consejero —dijo Alex—. A veces me ha concedido la última palabra.

Algunas risas, las primeras en el día, recorrieron la mesa. Roscoe Heyward las compartió, aunque su sonrisa parecía forzada.

—Roscoe —sugirió Jerome Patterton—, puede empezar cuando quiera.

—Gracias, señor consejero —Heyward se puso de pie, echó hacia atrás la silla y tranquilamente miró a los diecinueve hombres que rodeaban la mesa. Tomó un sorbo de agua de un vaso que tenía delante, se aclaró la garganta como es debido, y empezó a hablar con voz precisa y nivelada.

—Señores, como ésta es una reunión privada y cerrada, que no será comentada en la prensa ni conocida por otros accionistas, creo tener hoy razón al recalcar que considero como primera responsabilidad, y de la Dirección, el problema de los beneficios para el First Mercantile American —repitió con énfasis—: Los beneficios, señores, nuestra prioridad número uno.

Heyward lanzó una rápida mirada a su texto.

—En mi opinión, muchas decisiones bancarias y en los negocios en general están excesivamente influidas hoy en día por los problemas sociales y las controversias de nuestro tiempo. Como banquero considero que esto está mal. Quiero recalcar que en modo alguno disminuyo la importancia de la conciencia social del individuo; la mía, espero, está bien desarrollada. Acepto también que cada uno de nosotros debe reexaminar sus valores personales de vez en cuando, haciendo ajustes a la luz de nuevas ideas y ofreciendo las contribuciones privadas que pueda. Pero la política corporativa es otra cosa. No debe estar sujera a cualquier viento o capricho social. Si así fuera, si este tipo de pensamiento pudiera dirigir nuestras acciones comerciales, sería peligroso para la empresa libre norteamericana y desastroso para este banco el hacerle perder fuerza, retardar el crecimiento y reducir las ganancias. En una palabra, como otras instituciones, nuevamente debemos mantenernos apartados del panorama social político, que no nos interesa, fuera de la forma en que este escenario afecte los negocios financieros de nuestros clientes.

El orador dejó deslizar una débil sonrisa en medio de su gravedad.

—Concedo que, si estas palabras fueran dichas públicamente, serían poco diplomáticas e impopulares. Iré más lejos y reconoceré que nunca las había pronunciado en un lugar público. Pero aquí entre nosotros, donde se hace la política y se toman las verdaderas decisiones, las considero totalmente realistas.

Varios directores aprobaron con la cabeza. Uno, entusiasmado, golpeó la mesa con el puño. Otros, incluido el hombre del acero, Leonard Kingswood, permanecieron impertérritos.

Alex Vandervoort reflexionó: Roscoe Heyward había decidido un enfrentamiento directo, un choque de puntos de vista. Como Heyward evidentemente sabía, todo lo que acababa de decir estaba en contra de las convicciones de Alex, al igual que las de Ben Rosselli, demostradas con la creciente liberalidad que Ben había otorgado al banco en los últimos años. Era Ben quien había metido al FMA en asuntos cívicos, tanto en la ciudad como en el estado, incluido proyectos como el Forum East. Pero Alex no se engañaba. Una parte substancial de la Dirección había estado inquieta, a la que desagradaba a veces con la política de Ben y daría la bienvenida a la línea dura y totalmente consagrada a los negocios de Heyward. La cuestión era: ¿qué fuerza tenía ese sector?

Con una declaración hecha por Roscoe Heyward, Alex estuvo totalmente de acuerdo. Heyward había expresado: *Esta reunión es privada y cerrada... aquí se toman las verdaderas decisiones y se hace política.*

La palabra operativa era lo «real».

Los accionistas y el público recibían una versión soporífera y azucarada de la política del banco en informes anuales elaboradamente preparados y por otros medios, pero aquí, detrás de las puertas cerradas de la sala de conferencias, se decidían los verdaderos objetivos en términos no comprometidos. Por este motivo la discreción y cierto silencio eran requisitos para cualquier director de compañía.

—Hay un paralelo bastante cercano —explicaba Heyward— entre lo que he dicho y lo que ha pasado en la iglesia, a la que pertenezco y para la que he hecho algunas contribuciones sociales, a título personal.

«En el sesenta y tantos nuestra iglesia gastó dinero, tiempo y esfuerzos en causas sociales, particularmente la del avance de los negros. En parte se debió a presiones externas; y también algunos miembros de nuestra congregación consideraron que era "lo que había que hacer". De muchas maneras nuestra iglesia se convirtió en un agente social. Pero más recientemente algunos hemos recobrado el control, y hemos decidido que tal activismo es inapropiado, y volveremos a las bases de la adoración religiosa. Por lo tanto hemos aumentado las ceremonias religiosas... lo que consideramos, tal como lo vemos, la primera función de nuestra iglesia, y dejamos el activismo social para el gobierno y otros agentes, a los cuales corresponde esa misión, en opinión nuestra.

Alex se preguntó si a otros directores, al igual que a él, les resultaría difícil pensar que las causas sociales no «correspondían» a una iglesia.

—He hablado de la ganancia como de nuestro principal objetivo —prosiguió Roscoe Heyward—. Sé que hay algunos que pondrán objeción a esto. Dirán que la búsqueda predominante de las ganancias es una tarea crasa, miope, egoísta, fea y sin valor social que la redima... —el orador sonrió con tolerancia—. Ustedes, señores, ya han oído argumentos de este tipo.

»Bueno, como banquero estoy profundamente en desacuerdo. La búsqueda del beneficio no es una cosa miope. Y, en lo que a este banco o a cualquier otro se refiere, el valor social de las ganancias es alto.

»Permítanme extenderme sobre esto.

»Todos los bancos miden las ganancias en términos de beneficios por participación. Tales ganancias, que son de conocimiento público, son ampliamente estudiadas por los accionistas, los depositantes, los inversores y la comunidad de negocios, nacional e internacionalmente. Un aumento o caída en las ganancias de un banco se considera como muestra de fuerza o de debilidad.

»Cuando las ganancias son fuertes, la confianza en el banco es elevada. Pero, si algunos grandes bancos demuestran disminución en las ganancias y participación, ¿qué pasará? Una desconfianza general, que rápidamente se convertirá en alarma... una situación en la cual los depositantes retirarán los fondos y los accionistas las inversiones, de manera que caerán las reservas bancarias y los bancos mismos estarán en peligro. En una palabra: una crisis pública de las más graves.

Roscoe Heyward se quitó los lentes y los limpió con un pañuelo de hilo blanco.

—Que ninguno diga: esto no puede suceder. Ha sucedido antes, en la depresión que se inició en 1929; hoy en día, que los bancos son mucho más grandes, el efecto sería un cataclismo.

»Por eso un banco como el nuestro debe estar alerta en su deber de hacer dinero para sí mismo y para sus accionistas.

Nuevamente se oyeron murmullos aprobatorios alrededor de la sala. Heyward pasó a otra página de su texto.

—¿De qué manera, como banco, alcanzamos el máximo de beneficios? Primero les diré cómo *no* los conseguimos.

»No los conseguimos si nos metemos en proyectos que, aunque sean admirables por la intención, no son financieramente seguros o atan los fondos bancarios a intereses bajos, durante muchos años. Me refiero, naturalmente, a las fundaciones de casas de renta de bajo alquiler. No debemos, en ningún caso, colocar más que una mínima porción de los fondos del banco en las hipotecas bancarias de cualquier tipo, que son notorias por el bajo rendimiento que proporcionan.

»Otra manera de no obtener beneficios es hacer concesiones y disminuir el tipo de interés, por ejemplo, con los llamados préstamos menores para negocios. Esta es una área hoy en día en la que los bancos están sometidos a enormes presiones y debemos resistirlas, no por motivos sociales, sino por agudeza de hombres de negocios. Lógicamente haremos los préstamos menores cuando sea posible, pero que los términos y las reglas sean tan estrictas en este como en cualquier otro caso.

»Tampoco como banco, debemos preocuparnos indebidamente con vagos asuntos ambientales. No es asunto *nuestro* juzgar la manera en que nuestros clientes llevan *sus* asuntos *vis-á-vis* con la ecología; lo único que les pedimos es que estén en buena salud financiera.

»En una palabra, *no* obtenemos beneficios siendo el guardián de nuestro hermano, como quien dice... o su juez, o su carcelero.

»A veces tendremos que levantar la voz para apoyar algunos objetivos públicos: viviendas a bajo costo, mejora ambiental, conservación y otros puntos que puedan surgir. Después de todo este banco tiene una influencia y un prestigio que podemos prestar sin pérdidas financieras. Incluso podremos contribuir con sumas monetarias, y tenemos un departamento de relaciones públicas que se encarga de hacer conocer nuestras contribuciones... incluso... —tuvo una risita— se encarga de "exagerarlas" en ocasiones. Pero, para los beneficios reales, debemos poner nuestro mayor impulso en otra parte.

Alex Vandervoort pensó: sean cuales fueren las críticas que se hicieran a Heyward, nadie podía quejarse de que no hubiera expuesto claramente sus-puntos de vista. En cierto modo sus afirmaciones eran una declaración sincera. También la cosa estaba calculada con audacia, incluso con cinismo.

Muchos dirigentes en los negocios y en las finanzas —incluida una buena proporción de los directores presentes en el salón— protestaban ante las restricciones de la libertad para hacer dinero. También se sentían molestos ante la necesidad de ser circunspectos en las declaraciones públicas, para no irritar a los grupos consumidores o a otros críticos de negocios. Por lo tanto sentían alivio al oír sus convicciones internas proclamadas en voz alta y sin equívocos.

Evidentememtre Roscoe Heyward había tomado esto en cuenta. También, Alex estaba seguro, había contado las cabezas alrededor de la mesa de conferencias, calculando quién podía votar de aquella manera, antes de comprometerse.

Pero Alex había hecho sus propios cálculos. Creía todavía que existía un grupo medio de directores, suficientemente fuerte como para hacer girar el eje de la reunión desde Heyward hacia él. Pero tenía que convencerles.

—Concretamente —declaró Heyward— este banco debe depender, como lo ha hecho por tradición, de sus negocios con la industria norteamericana. Con esto me refiero al tipo de industria con un informe probado de elevadas ganancias que, a su vez, comprenderá las nuestras.

»Expresado en otras palabras, estoy convencido de que el First Mercantile American, tiene, por el momento, una proporción insuficiente de fondos a disposición de grandes préstamos para la industria, y debemos lanzarnos inmediatamente con un programa para acrecentar tales préstamos...

Era un proyecto conocido que Roscoe Heyward, Alex Vandervoort y Ben Rosselli habían discutido con frecuencia en el pasado. Los argumentos que Heyward daba ahora no eran nuevos, aunque los presentara de manera convincente, usando cifras y cuadros. Alex sintió que los directores estaban impresionados.

Heyward siguió hablando otros treinta minutos sobre el tema de la expansión industrial y una contracción en los compromisos con la comunidad. Terminó con lo que, según calificó, era «una llamada a la razón».

—Lo que más se necesita hoy en día en un banco es una dirección pragmática. La clase de dirección que no se dejará conmover ante las emociones o las presiones para hacer usos "blandos" del dinero debido al clamor público. Como banqueros debemos insistir en que hay que decir "no" cuando nuestro punto de vista fiscal es negativo, "sí" cuando presentimos un beneficio. Nunca debemos comprar una popularidad fácil a costa de los accionistas. En lugar de esto debemos prestar nuestro dinero y el de nuestros depositantes sólo en base al mejor beneficio y si, como resultado de esa política, se nos describe como "banqueros duros", que así sea. Personalmente me alegraré de figurar en ese número.»

Heyward se sentó, en medio de aplausos.

—Señor consejero —el hombre del acero, Leonard Kingswood, había levantado la mano—. Tengo algunas preguntas que hacer y no estoy de acuerdo en varias cosas.

Desde el extremo de la mesa el Honorable Harold Austin contestó:

—En lo que se refiere a este informe, señor consejero, yo *no* tengo ninguna pregunta que hacer y estoy totalmente de *acuerdo,* hasta ahora.

Estallaron las risas y una nueva voz, la de Philip Johannsen, presidente del MidContinent Rubber, añadió:

—Estoy contigo, Harold. Me parece que ha llegado el momento de seguir una línea más dura —algunos añadieron:

—Yo también.

—Señores, señores —Jerome Patterton golpeó ligeramente con el martillo—. Sólo parte de la tarea está realizada. Las preguntas vendrán después; en cuanto a los desacuerdos, sugiero que los dejemos para la discusión posterior, cuando Roscoe y Alex se hayan retirado. Primero oigamos a Alex.

—La mayoría de ustedes me conocen bien como hombre y como banquero —empezó Alex. Se había puesto de pie casualmente ante la mesa de conferencias, inclinándose por momentos para ver a los directores de la derecha y de la izquierda, al igual que a los que tenía enfrente. Dejó que su tono fuera el de una conversación.

»Ustedes también saben, o deberían saber, que, como banquero, soy recio o duro si alguno prefiere esta palabra. La prueba de esto existe en las finanzas que he dirigido por el FMA, todas beneficiosas, en las que no hay involucrada ninguna pérdida. Obviamente en los negocios bancarios, como en los otros, cuando se trata de beneficios, se trata de fuerza. Esto se aplica también a la persona de los banqueros.

»Pero estoy contento de que Roscoe haya presentado el tema,

porque me da oportunidad para proclamar mis creencias con respecto a los beneficios. *Ditto* por la libertad, la democracia, el amor y la maternidad.

Algunos tuvieron unas risitas. Alex respondió con una fácil sonrisa. Echó hacia atrás la silla para poder dar unos pasos si necesitaba moverse.

»Otra cosa acerca de los beneficios aquí, en el FMA, es que deben ser drásticamente mejorados. Pero de esto hablaremos después. Por el momento me limitaré a las creencias.

»Una creeencia mía es que la civilización de esta década está cambiando con más sentido y más rápidamente que en ningún otro momento desde la Revolución Industrial. Lo que estamos viendo y compartiendo es una revolución social de conciencia y de comportamiento.

»A algunos esta revolución no les gusta; personalmente me gusta. Pero, guste o no, ahí está, existe, no dará media vuelta y no se irá.

»Porque la fuerza impulsora detrás de lo que está ocurriendo es la determinación de la mayoría de la gente de mejorar las condiciones de vida, detener las expoliaciones en nuestro medio y preservar lo que queda de recursos de todas clases. Para esto se requieren nuevos standards en la industria y en los negocios, de modo que el juego se llama ahora "responsabilidad social corporativa". Lo que es más, se *están* alcanzando elevados standards de responsabilidades, sin pérdida significativa de beneficios.

Alex se movió inquieto en el espacio limitado detrás de la mesa de conferencias. Se preguntó si debía afrontar directamente otra de las provocaciones de Heyward, y decidió que sí.

—En el asunto de la responsabilidad y el estar involucrado, Roscoe presentó el ejemplo de su iglesia. Nos ha dicho que aquellos que, como él dice, "han tomado nuevamente el control" han optado y están favoreciendo una política aislacionista. Bueno, en mi opinión, Roscoe y sus compañeros de iglesia están marchando decididamente hacia atrás.

Heyward intervino en seguida. Protestó:

—Esa es una mala interpretación y desagradablemente personal.

Alex dijo con calma:

—Creo que no es ninguna de las dos cosas.

Harold Austin golpeó agudamente con los nudillos.

—Señor consejero: protesto; Alex ha descendido a asuntos personales.

—Roscoe ha sacado a colación su iglesia —argumentó Alex—. Yo estoy simplemente comentando.

—Quizás sea mejor que no lo haga —la voz de Philip Johannsen, presidente de la MidContinent Rubber, interrumpió cortante, desagradable, desde el otro lado de la mesa—. De otro modo podríamos juzgarles a ambos por la gente que frecuentan, lo que pondría en posición muy ventajosa a Roscoe y a su iglesia.

Alex se puso colorado.

—¿Puedo saber exactamente qué quiere usted decir?

Johannsen se encogió de hombros.

—Según he oído, su más íntima amiga, en ausencia de su mujer, es una activista de izquierda. Tal vez por eso le agrade a usted tanto el compromiso.

Jerome Patterton golpeó con el martillo, esta vez con fuerza.

—Basta, señores. La presidencia ordena que no se hagan más referencias de este tipo, en ningún sentido.

Johannsen sonreía. Pese a las reglas había establecido su punto de vista.

Alex Vandervoort, hirviendo de rabia, pensó hacer una declaración firme de que su vida privada era asunto suyo, después rechazó la idea. Podía ser necesario en otro momento. No ahora. Comprendió que había cometido un error al refutar la analogía de la iglesia de Heyward.

—Quiero volver —dijo— a mi pregunta original: ¿en qué manera, como banqueros, podemos permitirnos ignorar este cambio de escenario? Hacerlo es como permanecer en medio de una tempestad, fingiendo que no existe el viento.

»En el terreno financiero y pragmático no podemos optar. Como lo saben por experiencia personal los que están alrededor de esta mesa, el éxito en los negocios no se consigue nunca ignorando los cambios, sino anticipándose y adaptándose a ellos. Como custodios del dinero, sensibles al clima de cambio de la inversión, nos conviene escuchar, prestar atención y adaptarnos.

Sintió que, fuera del tropiezo que había tenido unos momentos antes, su apertura, con su énfasis práctico, llamaba la atención. Casi todos los miembros externos de la Dirección habían tenido experiencias con la legislación que afectaba el control de la contaminación, la protección del consumidor, la sinceridad en la propaganda, el empleo de menores o la igualdad de derechos para la mujer. Con frecuencia estas leyes habían sido promulgadas bajo furiosa oposición de las compañías encabezadas por los directores de banco. Pero, una vez aprobada la ley, las mismas compañías aprendían a vivir de acuerdo a las nuevas reglas, y orgullosamente proclamaban su contribución al bienestar público. Algunos, como Leonard Kingswood, habían llegado a la conclusión de que la responsabilidad corporativa era buena para los negocios y la apoyaban con fuerza.

—Hay catorce mil bancos en los Estados Unidos —recordó Alex a los directores del FMA— con enorme poder fiscal para otorgar préstamos. Naturalmente, cuando los préstamos son para la industria y los negocios, ese poder debe implicar también responsabilidad de nuestra parte. Seguramente entre los criterios para otorgar préstamos deben figurar las reglas de conducta pública de los que solicitan los préstamos. Si una fábrica va a ser financiada no puede estar contaminando. Cuando un nuevo producto va a ser lanzado, tiene que ser un producto seguro. ¿Hasta qué punto puede confiarse en la publicidad de una compañía? Entre una compañía A y otra B, a una de las cuales debemos prestar fondos, ¿cuál tiene mejor informe de no discriminación?

Se inclinó hacia adelante, y miró alrededor de la mesa ovalada, mirando a los ojos de cada uno de los directores, por turno.

—Es verdad que no siempre se hacen estas preguntas, o se actúa sobre ellas, en la actualidad. Pero los bancos principales empiezan a hacérselas como motivo para hacer buenos negocios... ejemplo que el FMA hará bien en imitar. Porque, de la misma manera que la dirección en cualquier empresa puede producir fuertes dividendos, la dirección de un banco también puede recompensar.

»Igualmente importante: es mejor hacer ahora esto libremente que tener que hacerlo forzados por alguna ley posterior.

Alex hizo una pausa, dio un paso alejándose de la mesa, se dio la vuelta de pronto y preguntó:

—¿En qué otras áreas debe este banco aceptar la responsabilidad corporativa?

»Creo, como Ben Rosselli, que debemos participar en el mejoramiento de la vida en esta ciudad y en este estado. Un medio inmediato es financiar las viviendas a bajo costo, compromiso que ya esta Dirección ha aceptado en los comienzos del Forum East. Tal como están los tiempos, considero que nuestra contribución debería ser mayor.

Lanzó una mirada hacia Roscoe Heyward.

—Naturalmente estoy de acuerdo en que las hipotecas de viviendas no son notablemente beneficiosas. Pero hay maneras de alcanzar excelentes beneficios también en esa inversión.

»Uno de los medios —explicó a los atentos directores— es una expansión decidida y en gran escala del departamento de ahorros del banco.

»Tradicionalmente los fondos para las hipotecas de viviendas se canalizan por los depósitos de ahorros, porque las hipotecas son inversiones a largo plazo, y los ahorros son también estables y a largo tiempo. El beneficio que ganaríamos con el aumento de volumen... sería mucho mayor que nuestro volumen actual de ahorros. De este modo alcanzaríamos tres objetivos: el beneficio, la estabilidad fiscal y una mayor contribución social.

»Hace unos años, los grandes bancos comerciales, como nosotros, desdeñaban los negocios del consumidor, incluidos los pequeños ahorros, como cosas de poca importancia. Después, mientras nosotros dormíamos, las asociaciones de ahorro y préstamo aprovecharon astutamente la oportunidad que habíamos ignorado y se nos adelantaron, de manera que ahora son un competidor importante. Pero todavía, en los ahorros personales, hay oportunidades gigantescas. Es posible que, dentro de una década, los negocios del consumidor hayan excedido los depósitos comerciales en todas partes y que se conviertan en la fuerza monetaria más importante entre las existentes.

Los ahorros —afirmó Alex— eran sólo una de las diversas áreas donde los intereses del FMA podrían progresar de manera sorprendente.

Sin dejar de moverse inquieto mientras hablaba, se refirió a otros departamentos bancarios, describiendo los cambios que proponía. La mayoría de estos cambios figuraban en un informe preparado por Alex

Vandervoort, a petición de Ben Rosselli, algunas semanas antes de que el presidente del banco anunciara su próxima muerte. Bajo el peso de los acontecimientos el informe, dentro de lo que Alex sabía, había quedado sin ser leído.

Una recomendación era abrir nuevas sucursales en zonas suburbanas, en todo el estado. Otra eran drásticos cambios en la organización del FMA. Alex proponía contratar a una firma especialista para que aconsejara sobre los cambios necesarios y orientara a la Dirección.

—Nuestra eficacia es menor de lo que debería ser. La máquina está chirriando.

Cerca del fin volvió al tema original:

—Nuestra relación bancaria con la industria debe seguir siendo íntima. Los préstamos industriales y los negocios financieros seguirán siendo pilares de nuestra actividad. Pero no deben ser los únicos pilares. Ni tampoco deben ser abrumadoramente los más grandes. Y no debemos estar preocupados con los grandes negocios hasta el punto de que la importancia de las cuentas pequeñas, incluidas las de los individuos, sufra disminución en nuestras mentes.

»El fundador de este banco lo creó para servir a personas de medios modestos a los cuales les habían sido negadas otras facilidades bancarias. Inevitablemente el propósito del banco y las operaciones se han ampliado en un siglo, pero ni el fundador ni su nieto perdieron nunca de vista sus orígenes, o ignoraron el precepto de que la pequeñez multiplicada puede representar la mayor fuerza de todas.

»Un crecimiento masivo e inmediato en los pequeños ahorros, que pido al banco lo establezca como objetivo, hará honor a esos orígenes, afirmará nuestra fuerza fiscal y... dado el clima de los tiempos, contribuirá al beneficio público, que es también el nuestro.

Como habían hecho con Heyward, algunos miembros del Directorio aplaudieron cuando Alex se sentó. Algunos aplausos fueron de simple cortesía, comprendió Alex; pero tal vez la mitad de los directores había mostrado más entusiasmo. Comprendió que la elección entre él y Heyward todavía podía tomar para cualquier lado.

—Gracias, Alex —Jerome Patterton miró alrededor de la mesa—. ¿Alguna pregunta, señores?

Las preguntas ocuparon otra media hora, tras lo cual Roscoe Heyward y Alex Vandervoort dejaron juntos la sala. Cada uno volvió a su despacho a esperar la decisión del consejo.

Los directores discutieron el resto de la mañana, pero no lograron ponerse de acuerdo. Después se retiraron a un comedor privado para almorzar, y la discusión continuó durante la comida. El resultado de la reunión no se había decidido todavía cuando un camarero del comedor se acercó silenciosamente a Jerome Patterton, trayendo una bandejita de plata. En la bandeja había un único papel doblado.

El viceconsejero aceptó el papel, lo desdobló y lo leyó. Tras una pausa se puso de pie y esperó a que se acallara la conversación alrededor de la mesa.

—Señores —la voz de Patterton temblaba— lamento tener que informarles que nuestro querido presidente, Ben Rosselli, ha muerto hace diez minutos.

Poco después, por consentimiento mutuo y sin más discusiones, la sala de reuniones fue abandonada.

16

La muerte de Ben Rosselli se publicó internacionalmente en primera plana y algunos periodistas, incipientes, en busca del lugar común más cercano, la calificaron de «fin de una era».

Que lo fuera o no, la desaparición de Rosselli significaba que el último banco importante norteamericano identificado con un solo hombre, había pasado a la tendencia de mediados del siglo XX, que tendía a formar un comité y a tener un control de gerencia contratado. En cuanto a quien iba a encabezar esa dirección contratada, la decisión fue postergada hasta después del entierro de Rosselli, cuando la Dirección del banco iba a reunirse de nuevo.

El entierro tuvo lugar un miércoles, en la segunda semana de diciembre.

Tanto el entierro como el velatorio que lo precedió estuvieron adornados con todos los ritos y el brillo de la Iglesia Católica, adecuada al caballero papal y gran benefactor que fuera Ben Rosselli.

El velatorio de dos días se realizó en la Catedral de San Mateo, muy adecuada ya que Mateo —que había sido un cobrador de impuestos levítico— es considerado como el santo patrón de los bancarios.

Unas dos mil personas, incluido un representante del presidente, el gobernador del estado, embajadores, dirigentes cívicos, empleados bancarios y muchas almas más humildes, desfilaron ante el catafalco y el ataúd abierto.

La mañana del entierro —para no descuidar nada— un arzobispo, un obispo y un monseñor celebraron una misa solemne. Un coro entonó *Dies Irae* y salmodió respuestas a las plegarias con tranquilizador volumen. Dentro de la catedral, que estaba repleta, se había reservado una sección cerca del altar para los parientes y amigos de Rosselli. Inmediatamente detrás estaban los directores y los principales funcionarios del First Mercantile American.

Roscoe Heyward, vestido sombríamente de negro, estaba en la primera fila de los deudos, acompañado por su mujer, Beatrice, una dama imperiosa, recia, y su hijo, Elmer. Heyward, que pertenecía a la Iglesia Episcopal, había estudiado de antemano el ceremonial católico, e hizo unas genuflexiones elegantes, antes de sentarse y antes de partir... el hacerlo la última vez fue una especie de meticulosidad que muchos católicos ignoraron.

Los Heyward también conocían las respuestas de la misa, de manera que sus voces dominaban a las otras, a las de quienes no las conocían.

Alex Vandervoort, con un traje gris pizarra estaba sentado dos filas detrás de los Heyward, y se contaba entre los que no contestaban. Como agnóstico se sentía fuera de lugar en aquel ambiente. Se preguntaba qué habría pensado Ben, que era un hombre esencialmente sencillo de aquella ornamentada ceremonia.

Junto a Alex, Margot Bracken miraba alrededor con curiosidad.

Originariamente Margot había planeado asistir a la misa con un grupo del Forum East, pero la noche anterior se había quedado en el apartamento de Alex, y él la había convencido para que le acompañara. La delegación del Forum East —muy numerosa— estaba en alguna parte detrás de ellos en la iglesia.

Junto a Margot estaban Edwina y Lewis D'Orsey, y Lewis parecía, como de costumbre, consumido, flaco, francamente aburrido. Probablemente, pensó Alex, Lewis estaba preparando mentalmente el próximo número de su revista de inversiones. Los D'Orsey habían venido aquí con Margot y Alex —los cuatro solían reunirse con frecuencia, no sólo porque Margot y Edwina eran primas, sino porque les agradaba la mutua compañía—. Tras la misa solemne, irían juntos al cementerio.

En la fila de delante de Alex estaba Jerome Patterton el viceconsejero y su mujer.

Pese a que no seguía la liturgia, Alex descubrió que tenía los ojos llenos de lágrimas cuando levantaron la caja y lo sacaron de la iglesia. Su sentimiento por Ben, lo había comprendido en los últimos días, era muy cercano al amor. En muchos sentidos el viejo había sido una figura paternal; su muerte dejaba en la vida de Alex un vacío que no iba a colmarse.

Margot buscó con suavidad su mano y se la apretó.

A medida que pasaban los deudos, vio a Roscoe y Beatrice Heyward lanzando miradas hacia ellos. Alex saludó con la cabeza y el saludo fue devuelto. La cara de Heyward se suavizó en un reconocimiento de mutuo pesar, y el antagonismo entre ambos —en reconocimiento de su propia mortalidad y la de Ben— fue, por un momento, dejado de lado.

Fuera de la catedral, el tráfico regular había sido dirigido hacia otro lado. El ataúd era ya un túmulo de flores. Los parientes y los funcionarios del banco subían a unas *limousine*, traídas bajo dirección policial. Una escolta policial en motocicletas, con las máquinas rugiendo ruidosamente, precedía el cortejo.

El día era gris y frío, con remolinos de viento y torbellinos de polvo en las calles. Allá en lo alto amenazaban las torres de la catedral, con su fachada inmensa ya ennegrecida por la mugre de los años. Se había anunciado nieve, pero, hasta el momento, la nieve no había aparecido.

Mientras Alex hacía señas al coche que le habían destinado, Lewis D'Orsey miraba por encima de sus lentes de media luna a los cámaras de televisión y a los fotógrafos, que retrataban a los deudos a medida que emergían. Observó:

—Si yo encuentro esto deprimente, y lo encuentro, las noticias deprimirán mañana todavía más los valores del FMA.

Alex murmuró un inquieto asentimiento. Al igual que Lewis, él sabía que las acciones del First Mercantile American, anotadas en la bolsa de Nueva York, habían caído cinco puntos y medio desde el anuncio de la enfermedad de Ben. La muerte del último Rosselli —nombre que por generaciones había sido sinónimo del banco— unida a la incertidumbre sobre el curso que seguiría la nueva dirección, había provocado la caída más reciente. Ahora, aunque fuera ilógico, la publicidad acerca del funeral iba a deprimir todavía más el mercado.

—Nuestras acciones volverán a subir —dijo Alex—. Las ganancias son buenas y realmente nada ha cambiado.

—Oh, ya lo sé —contestó Lewis—. Por eso aconsejaré mañana por la tarde la posición de venta en descubierto.

Edwina pareció sorprendida.

—¿Vender al descubierto con el FMA?

—Claro que sí. Y aconsejaré a algunos clientes que también lo hagan. Hasta ahora hay un limpio beneficio.

Ella protestó:

—Tú y yo sabemos que nunca discuto nada confidencial contigo, Lewis. Pero otros no lo saben. Debido a mi conexión con el banco se te podría acusar de meterte en maniobras internas.

Alex meneó la cabeza.

—No en este caso, Edwina. La enfermedad de Ben era de público conocimiento.

—Cuando derrotemos por fin al sistema capitalista —dijo Margot— vender en descubierto será una de las primeras cosas que habrá que liquidar.

Lewis levantó las cejas.

—¿Por qué?

—Porque es *totalmente* negativo. El vender en descubierto es una especulación que requiere que otro pierda. Es algo vampiresco y no contribuye. No crea nada.

—Crea una ganancia capital útil y a mano —Lewis sonrió ampliamente; en muchas ocasiones había discutido antes con Margot—. Y esto no es tan fácil hoy en día, al menos con las inversiones norteamericanas.

—De todos modos no me gusta que lo hagas con los valores del FMA —dijo Edwina—. Está demasiado cerca.

Lewis D'Orsey miró gravemente a su mujer.

—En ese caso, querida, mañana, después de la venta en descubierto, no volveré a traficar con el FMA.

Margot le lanzó una aguda mirada.

—Sabes que habla en serio —dijo Alex.

Alex a veces había pensado en la relación entre Edwina y su marido. Exteriormente parecían una pareja desigual, Edwina elegantemente atractiva y dueña de sí; Lewis huesudo, poco impresionante físicamente, un introvertido, salvo con las personas que conocía bien, aunque la reticencia personal nunca aparecía en su ruidoso periódico financiero. Pero el matrimonio parecía marchar bien, y cada uno sentía cariño y respeto hacia el otro, como lo mostraba ahora Lewis. Tal vez, pensó Alex, aquello demostraba que los opuestos se atraían y que tendían también a permanecer casados.

El Cadillac de Alex, uno de los coches de la reserva del banco, se alineó frente a la catedral, y los cuatro marcharon hacia él.

—Sería una promesa más civilizada —dijo Margot— si Lewis hubiera estado de acuerdo en no vender *nada* en descubierto.

—Alex —dijo Lewis—, ¿qué tienes tú en común con esta charlatana socialista?

—Nos entendemos en lo fundamental —dijo Margot—. ¿No basta con eso?

Alex dijo:

—Y quiero casarme pronto con ella.

Edwina contestó con calor:

—Entonces espero que lo hagas —ella y Margot eran amigas desde niñas, pese a ocasionales choques por diferencia de temperamento y puntos de vista. Algo que las dos tenían en común era que, en ambas ramas de sus familias, las mujeres eran fuertes, con tradición de estar inmersas en la vida pública. Edwina preguntó en voz baja a Alex:

—¿Hay algo nuevo con Celia?

El meneó la cabeza.

—Nada ha cambiado. Si es posible, Celia está peor.

Habían llegado al coche. Alex hizo una seña al chófer para que siguiera sentado, abrió para los otros la portezuela de atrás y los siguió. Adentro, el panel del cristal que separaba al conductor de los asientos de pasajeros, estaba corrido. Se acomodaron mientras el cortejo, que seguía formándose, se adelantaba.

Para Alex, el recordar a Celia agudizó la tristeza del momento; también le hizo recordar, con sensación de culpa, que tenía que visitarla pronto. Desde la visita al Remedial Center a principios de octubre, que tanto le había deprimido, había hecho otra visita pero Celia había estado todavía más apartada, no había dado la menor señal de reconocerlo y había llorado en silencio todo el tiempo. El había permanecido abrumado por varios días y temía que la cosa volviera a repetirse.

Se le ocurrió en este momento que Ben Rosselli, en su ataúd, estaba mejor que Celia, ya que su vida había terminada definitivamente. *Si Celia muriera...* Alex sofocó, avergonzado, el pensamiento.

Tampoco había surgido nada nuevo entre él y Margot, que seguía oponiéndose tenazmente a un divorcio, por lo menos hasta que quedara en claro que la cosa no iba a afectar a Celia. Margot parecía dispuesta a seguir indefinidamente tal como estaban. Alex estaba menos resignado.

Lewis se dirigió a Edwina.

—Había olvidado preguntar las últimas noticias sobre ese joven contador tuyo. El que atraparon con las manos en la caja. ¿Cómo se llamaba?

—Miles Eastin —contestó Edwina—. Comparecerá ante el tribunal criminal la próxima semana y tengo que ser testigo. La cosa no me atrae mucho.

—Por lo menos la culpa está donde debe estar —dijo Alex. Había leído el informe del auditor jefe sobre la estafa y el robo de caja; también había leído el informe de Nolan Wainwright—. ¿Y qué pasó con la cajera que había sido acusada, Mrs. Núñez? ¿Está bien?

—Así parece. Le hicimos pasar un mal rato. Injustamente, como se demostró.

Margot que sólo escuchaba a medias, agudizó la atención.

—Conozco a Juanita Núñez. Una muchacha muy simpática, que vive en el Forum East. Creo que el marido la ha abandonado. Tiene una hija.

—Debe ser nuestra Mrs. Núñez —dijo Edwina—. Sí, ahora recuerdo. Vive en el Forum East.

Aunque Margot sentía curiosidad, comprendió que no era el momento de hacer más preguntas.

Quedaron en silencio unos momentos, y Edwina siguió con sus pensamientos. Los dos acontecimientos recientes —la muerte de Ben Rosselli y la forma en que Miles Eastin había estropeado estúpidamente su vida— habían llegado casi al mismo tiempo. Ambas cosas concernían a personas que ella había querido, y la cosa la entristecía.

Pensó que hubiera debido importarle más Ben; le debía casi todo. Su propio y rápido ascenso dentro del banco se había debido a su habilidad; sin embargo, Ben nunca había vacilado —como muchos otros jefes— en dar a una mujer las mismas oportunidades que a un hombre. Edwina estaba contra los gritos de cotorra del movimiento de liberación femenina. Tal como veía la cosa, las mujeres en negocios se veían favorecidas a *causa* de su sexo, que les daba una ventaja que Edwina nunca había buscado o necesitado. De todos modos, a lo largo de los años que había conocido a Ben, la presencia del viejo había sido una garantía de trato igualitario.

Al igual que Alex, Edwina casi había llorado en la catedral cuando el cuerpo de Ben fue sacado para su último viaje.

Sus pensamientos volvieron a Miles. Era bastante joven, supuso, como para iniciar otra vida, aunque no iba a serle fácil. Ningún banco volvería a emplearlo; ni nadie para cargos de confianza. Pese a lo que Eastin había hecho, esperaba que no lo mandaran a la cárcel.

En voz alta Edwina dijo:

—Siempre tengo un sentimiento de culpa ante las conversaciones corrientes en un funeral.

—Pues no hay motivo —dijo Lewis—. Personalmente me gustaría que en el mío se dijera algo serio, que no hubiera simplemente charlas.

—Podrías asegurarte eso —sugirió Margot— publicando un número de despedida del «D'Orsey Newsletter». Los de la funeraria podrían regalar algunos ejemplares.

La cara de Lewis brilló.

—No es mala idea.

El cortejo avanzaba de manera más decidida. Delante la escolta de motocicletas se había puesto en marcha y atronaba, dos motocicletas se adelantaban para cortar el tráfico en las esquinas. Los vehículos que seguían aumentaron la velocidad y en pocos momentos la procesión dejaba atrás la catedral y recorría las calles de la ciudad.

La nieve anunciada había empezado a caer levemente.

—Me gusta esa idea de Margot —murmuró Lewis—. Un boletín *Bon Voyage*. Y tengo el titular. *Entierren conmigo al dólar norteamericano. Tanto da: está listo y liquidado*. Después, en el artículo, pediré la creación de una nueva moneda para reemplazar al dólar... el «D'Orsey» norteamericano. Basado, por supuesto, en el oro. Luego, cuando la cosa ocurra, el resto del mundo, espero, tendrá el buen sentido de seguirnos.

—Entonces serás un monumento a lo retrógrado —dijo Margot— y cualquier retrato tuyo tendrá que estar cabeza abajo. Con un patrón oro, incluso menos gente que ahora poseerá la riqueza del mundo, y el resto de la humanidad se quedará desnuda.

Lewis hizo una mueca.

—Una perspectiva desagradable... por lo menos la última. Pero incluso a ese precio valdría la pena un sistema monetario estable.

—¿Por qué?

Lewis respondió a Margot:

—Porque cuando se derrumban los sistemas monetarios, como está ocurriendo ahora, siempre son los pobres quienes más sufren.

Alex, que ocupaba un asiento pequeño frente a los otros tres, casi se volvió para unirse a la conversación.

—Lewis, procuro ser objetivo y, a veces, tus negros pronósticos sobre el dólar y el sistema monetario tienen sentido. Pero no puedo compartir tu total pesimismo. Creo que el dólar puede recuperarse. No puedo creer que nada monetario se esté desintegrando.

—Eso es porque no quieres creerlo —devolvió Lewis—. Eres un banquero. Si el sistema monetario se viene abajo, tú y tu banco no tendréis nada que hacer. Lo único que podrías hacer sería vender el papel moneda para empapelar, o para papel higiénico.

Margot dijo:

—Oh, *vamos...*

Edwina suspiró.

—Sabes que siempre pasa esto si lo provocas, ¿para qué hacerlo, pues?

—No, no —insistió Lewis—. Con todo el respecto, querida, quiero que me tomen en serio. No necesito ni quiero tolerancia.

Margot preguntó:

—¿*Qué* buscas?

—Quiero que se acepte la verdad de que los Estados Unidos ha arruinado su sistema monetario y el sistema monetario de todo el mundo a causa de la política, la avidez y las deudas. Quiero que se entienda que la bancarrota es algo que puede ocurrirle a las naciones, al igual que a los individuos o las corporaciones. Quiero que se comprenda que los Estados Unidos *están* cerca de la bancarrota, porque, Dios, lo sabe, hay bastantes precedentes en la historia para mostrarnos por qué y cómo pasará la cosa. Mira la ciudad de Nueva York. Está en bancarrota, quebrada, remendada con hilo y tela adhesiva, con la anarquía esperando entre bastidores. Y esto es sólo el comienzo. Lo que está pasando en Nueva York pasará en el orden nacional.

Lewis continuó: —El colapso de las monedas no es algo nuevo. Nuestro siglo está cargado de ejemplos, y todos parecen referirse a la misma causa... un gobierno que inicia la sífilis de la inflación imprimiendo moneda sin respaldo oro, o de cualquier otro valor. En los últimos quince años los Estados Unidos han hecho precisamente eso.

—Hay en circulación más dólares de los que debería haber —reconoció Alex—. Nadie que tenga sentido puede dudarlo.

Lewis asintió, torvo.

—También hay más deudas de las que nunca se podrán pagar; y la deuda se expande, como una burbuja gigantesca. Los gobiernos norteamericanos han gastado salvajemente millones, han pedido prestado de manera loca, amontonando deudas más allá de lo creíble, y después han usado la imprenta para crear más papel moneda y más inflación. Y la gente, los individuos han seguido ese ejemplo —Lewis hizo un gesto hacia la carroza fúnebre—. Los banqueros como Ben Rosselli han contribuido a apilar deudas sobre deudas. Tú también, Alex, haces lo mismo con las cómodas tarjetas de crédito y los préstamos facilitados. ¿Cuándo aprenderá la gente la lección de que *no hay* deudas fáciles? Repito, como nación y como individuos, los norteamericanos han perdido lo que alguna vez tuvieron: cordura financiera.

—Por si te interesa, Margot —dijo Edwina—, debo comunicarte que Lewis y yo rara vez discutimos de asuntos bancarios. Estamos más tranquilos en casa de esa manera.

Margot sonrió:

—Lewis, hablas exactamente como tu periódico.

—Es —dijo él— como el batir en un cuarto vacío, donde nadie escucha.

Edwina dijo bruscamente:

—Será un entierro blanco.

Se inclinó hacia adelante, y miró por las ventanillas empañadas del coche hacia la nieve de afuera, que ahora caía pesadamente. Las calles suburbanas estaban resbaladizas por la nieve recién caída, el cortejo disminuyó la marcha y la patrulla de motocicletas moderó también la velocidad, por motivos de seguridad.

Alex comprendió que el cementerio estaba apenas a media milla.

Lewis D'Orsey añadía una postdata:

—Para la mayoría de la gente, toda esperanza ha desaparecido, el juego del dinero ha terminado. Los ahorros, las pensiones y las inversiones a interés fijo están empezando a carecer de valor; hace cinco horas que el reloj marcó la medianoche. A partir de ahora será un sálvese quien pueda, habrá un tiempo en el que se podrá sobrevivir, y los individuos se revolverán buscando salvavidas financieros. Y hay maneras de beneficiarse con la desdicha general. En caso de que te interese, Margot, encontrarás descripciones en mi último libro, *Depresiones y Desastres: cómo aprovecharlos para hacer Dinero.* A propósito: se está vendiendo muy bien.

—Si no te molesta —dijo Margot— declino el ofrecimiento. Me parece que una cosa así es como monopolizar la vacuna en una epidemia de peste bubónica.

Alex había vuelto la espalda a los demás y espiaba por el parabrisas. A veces, pensaba, Lewis se ponía teatral e iba demasiado lejos. Pero, generalmente, una corriente subterránea de buen sentido y solidez impregnaba todo lo que decía. Así había sucedido hoy. Y Lewis *podía*

125

tener razón en cuanto a una futura crisis financiera. Si ocurría, iba a ser la más desastrosa de la historia.

Y no era Lewis D'Orsey el único que la presentía. Algunos eruditos financieros compartían sus puntos de vista, aunque era gente poco popular y de quien se burlaban con frecuencia, quizás porque nadie quería creer en un apocalipsis de condenación... los banqueros menos que nadie.

Pero era casual que los pensamientos de Alex tendieran últimamente a seguir dos de los consejos de Lewis. Uno era la necesidad de mayor parquedad y de ahorro... motivo por el cual Alex había urgido poner el énfasis en los depósitos de ahorro en su disertación ante la Dirección hacía una semana. El segundo era la inquietud sobre las crecientes deudas individuales resultado del crédito proliferado, incluido, especialmente, el de las tarjetas plásticas.

Se volvió otra vez y miró a Lewis:

—Si creyeras lo que crees... es decir, que se prepara pronto una crisis... y suponiendo que fueras un depositante o ahorrista común en dólares norteamericanos: ¿en qué clase de banco te gustaría tener tu dinero?

Lewis contestó sin vacilar:

—En un gran banco. Cuando llega una crisis, los bancos pequeños son los primeros que fallan. Sucedió en el veintitantos, cuando los bancos pequeños cayeron como moscas, y sucederá de nuevo, porque los bancos pequeños no tienen bastante dinero en efectivo para sobrevivir al pánico y a la fuga de moneda. A propósito: ¡olvídate del seguro federal para los depósitos! El dinero disponible es menos del uno por ciento de todos los depósitos bancarios, ni remotamente suficiente como para cubrir una cadena nacional de quiebras bancarias.

Lewis meditó un momento y prosiguió.

—Pero los bancos pequeños no serán los únicos que quebrarán esta vez. Algunos de los grandes también se vendrán abajo... los que tengan muchos millones clavados en grandes préstamos industriales; junto a una proporción elevada de depósitos internacionales... dinero caliente, que puede desaparecer de la noche a la mañana; habrá muy poca liquidez, cuando los depositantes asustados quieran dinero en efectivo. Así que, si yo fuera tu depositante mítico, Alex, estudiaría las páginas de balance de los grandes bancos, después elegiría uno con un promedio de préstamos y depósitos bajos y una amplia base de depositantes domésticos.

—Muy bien —dijo Edwina—. Sucede que el FMA reúne todas esas condiciones.

Alex asintió.

—Por el momento.

Pero el cuadro podía cambiar; pensó, si los planes de Roscoe Heyward de nuevos y masivos préstamos para la industria eran aceptados por la Dirección.

El pensamiento le recordó que los directores del banco debían volver a reunirse, dentro de dos días, para continuar la reunión interrumpida hacía una semana.

Ahora el coche disminuyó la marcha y avanzó. Habían llegado al cementerio y marchaban por sus caminos.

Las puertas de los otros coches se abrían, emergían las figuras, bajo paraguas, arrebujadas en los cuellos, inclinadas contra la fría nieve que seguía cayendo. Sacaron el ataúd del coche fúnebre. Pronto quedó también cubierto de nieve.

Margot agarró el brazo de Alex, con los D'Orsey, se unió a los otros, en la tranquila procesión que siguió a Ben Rosselli a su tumba.

Por acuerdo previo Roscoe Heyward y Alex Vandervoort no asistieron a la nueva reunión de la Dirección. Ambos esperaron ser convocados en sus despachos.

La convocatoria llegó poco antes del mediodía, dos horas después de iniciada la discusión de la Dirección. También fue llamado a la sala de conferencias el vicepresidente de relaciones públicas, Dick French, encargado de dar a la prensa el anuncio del nombramiento del nuevo presidente del FMA.

El jefe de publicidad ya tenía preparadas dos noticias con las fotografías que las acompañaban:

Los respectivos titulares eran:

ROSCOE D. HEYWARD
PRESIDENTE DEL FIRST MERCANTILE AMERICAN
ALEXANDER VANDERVOORT
PRESIDENTE DEL FIRST MERCANTILE AMERICAN

Los sobres estaban dirigidos. Los mensajeros habían sido alertados. Los primeros ejemplares de una u otra resolución iban a ser entregados esta tarde a los servicios telegráficos, los diarios locales, las estaciones de radio y de televisión. Muchas más saldrían por correo expreso esa misma noche.

Heyward y Alex llegaron juntos a la sala de reunión. Se deslizaron en sus asientos habituales, vacantes en ese momento, junto a la gran mesa ovalada.

El vicepresidente de relaciones públicas quedó detrás del jefe de la reunión, Jerome Patterton.

Fue el director más antiguo del servicio, el honorable Harold Austin, quien anunció la decisión de la Dirección.

Dijo que, Jerome Patterton, hasta ese momento viceconsejero, pasaba a ser de inmediato presidente del First Mercantile American.

Mientras se hacía el anuncio, el mismo nombrado pareció un poco apabullado.

El vicepresidente de relaciones públicas dijo, sin ser oído:

—¡Ah, mierda!

Más tarde, aquel mismo día, Jerome Patterton tuvo dos conversaciones por separado con Heyward y Vandervoort.

—Soy un Papa interino —informó a cada uno—. Como ustedes saben no he buscado esta tarea. Ustedes saben, y también lo saben los directores, que sólo me faltan trece meses para jubilarme. Pero el consejo rector había llegado a un punto muerto con ustedes dos y, al elegirme, ha ganado tiempo antes de tener que decidirse. Lo que sucederá entonces, lo sé yo tanto como ustedes. Entretanto, sin embargo, espero hacer lo mejor y necesito la ayuda de ambos. Sé que la obtendré, porque será ventajoso para cada uno de ustedes. Fuera de esto, lo único que prometo es un año interesante.

Incluso antes que se iniciaran las excavaciones, Margot Bracken estaba relacionada con el Forum East. En primer lugar era consejera legal de un grupo de ciudadanos que hizo una campaña para poner en marcha el proyecto, y más adelante, desempeñó el mismo papel en la Asociación de Inquilinos. También dio ayuda legal a algunas familias durante el desarrollo, y lo hizo mediante un pago pequeño o ningún pago. Margot iba con frecuencia al Forum East y, al hacerlo, llegó a conocer a muchos de los que allí vivían, incluida Juanita Núñez.

Tres días después del entierro de Rosselli —un sábado por la mañana— Margot encontró a Juanita en el almacén, que formaba parte del mercado de compras del Forum East.

El complejo del Forum East había sido planeado como una comunidad homogénea con bajos costos de alquiler, apartamentos atractivos, casitas y viejos edificios remodelados. Había canchas deportivas, un cine, un auditorio, al igual que tiendas y cafés. Los edificios ya terminados estaban unidos por tres alamedas y pasos elevados —muchas ideas habían sido tomadas del Golden Gateway de San Francisco y del Barbican de Londres—. Otras partes del proyecto estaban aún en construcción, con nuevas adiciones planeadas, que esperaban financiación.

—¿Qué tal, Mrs. Núñez? —dijo Margot—. ¿Quiere que tomemos café?

En una terraza cerca del almacén bebieron un express y charlaron... sobre Juanita, su hija Estela, que esa mañana había ido a una clase de ballet de las que costeaba la comunidad, y que se desarrollaba en el Forum East. Juanita y su marido Carlos habían estado entre los primeros inquilinos de la construcción, y ocupaban un pequeño apartamento en uno de los viejos edificios rehabilitados, y había sido poco después de mudarse allí cuando Carlos había partido con destino desconocido. Hasta el momento Juanita no se había movido.

Pero arreglarse era muy difícil, confesó.

—Todos aquí tenemos el mismo problema. Cada mes el dinero compra menos. ¡Qué inflación! ¿Dónde va a terminar?

Según Lewis D'Orsey, reflexionó Margot, todo iba a terminar en desastre y anarquía. Guardó para sí la idea, aunque recordó la conversación de tres días atrás, entre Lewis, Edwina y Alex.

—He oído —dijo— que tuvo usted un problema en el banco donde trabaja.

La cara de Juanita se ensombreció. Por un momento pareció a punto de llorar y Margot dijo, apurada:

—Perdón, tal vez no debí preguntarle.

—No, no... es que... recordar de pronto... de todos modos la cosa ha pasado. Pero, si quiere se lo contaré.

—Una cosa que debería usted saber sobre nosotros los abogados —dijo Margot— es que siempre metemos la nariz en todas partes.

Juanita sonrió, pero se puso seria al describir la pérdida de los seis mil dólares y la pesadilla de cuarenta y ocho horas, hecha de sospechas e interrogatorios. Mientras Margot escuchaba, su rabia, nunca muy lejos de la superficie, afloró.

—El banco no tenía derecho a presionarla sin que tuviera usted un abogado que la defendiera. ¿Por qué no me llamó?

—No se me ocurrió— dijo Juanita.

—Eso es lo malo. La mayoría de la gente inocente no lo hace... —Margot meditó unos momentos, y añadió—: Edwina D'Orsey es mi prima. Hablaré con ella de esto.

Juanita quedó atónita.

—No lo sabía. Pero no lo haga, por favor. Después de todo fue Mrs. D'Orsey quien descubrió la verdad.

—Bien —concedió Margot—, si no quiere que lo haga, no lo haré. Pero hablaré con otra persona que usted no conoce. Y recuerde esto: si alguna vez vuelve a estar en dificultades, sobre *cualquier* cosa, llámame. Estaré allí para ayudarla.

—Gracias —dijo Juanita—, si sucede, lo haré. De verdad lo haré.

—Si el banco hubiera despedido a Juanita Núñez —dijo esa noche Margot a Alex Vandervoort— le hubiera aconsejado que os llevara a juicio, y hubiera cobrado... bastante.

—Podías muy bien haberlo hecho —concedió Alex. Iban a bailar y a cenar y él conducía el Volkswagen de Margot—. Especialmente cuando saliera la verdad sobre el ladrón de Eastin, como iba a surgir finalmente. Por fortuna, los instintos femeninos de Edwina actuaron, salvándonos de los tuyos.

—Eres un petulante.

El tono de él cambió.

—Tienes razón y no debería serlo. El hecho es que nos hemos portado suciamente con la chica Núñez y todos los que han estado en ello lo saben. Yo lo sé porque he leído todo lo referente al caso. También lo ha hecho Edwina. Y Nolan Wainwright. Pero, por suerte, no pasó nada malo. Mrs. Núñez sigue en·su empleo, y el banco ha aprendido algo que le ayudará a portarse mejor en el futuro.

—Eso me parece mejor —dijo Margot.

Dejaron allí la cosa, lo que, dada la natural tendencia de ambos a la discusión, era todo un logro.

En la semana antes de Navidad, Miles Eastin compareció ante los tribunales acusado de robo en cinco cuentas separadas. Cuatro de las acusaciones suponían transacciones fraudulentas en el banco, de las que se había beneficiado; formaban un total de trece mil dólares. La quinta acusación se refería al robo de caja de seis mil dólares.

El juicio era ante el honorable juez Winslow Underwood, acompañado de un jurado.

Por consejo del abogado —un joven bien intencionado pero sin experiencia, nombrado por el tribunal cuando se demostró que los recursos personales de Eastin eran nulos— se inició una defensa basada en la no culpabilidad. Pero el consejo resultó ser malo. Un abogado de más experiencia, ante la cantidad de pruebas, hubiera reconocido la culpa, y tal vez hubiera llegado a un acuerdo con el acusador, antes de permitir que ciertos detalles —principalmente la tentativa de Eastin de acusar a Juanita Núñez— fueran revelados ante el tribunal.

Pero, tal como estaban las cosas, todo salió a la luz.

Edwina D'Orsey testimonio, al igual que Tottenhoe, Gayne de la auditoría central, y otro colega auditor. El agente especial del FBI, Innes, presentó como prueba el reconocimiento de culpa firmado por Miles Eastin en lo referente al robo de caja, hecho en el cuartel general local del FBI después de la confesión que Nolan Wainwright le había arrancado en su apartamento.

Dos semanas antes del juicio, al descubrirse los procedimientos, el abogado defensor objetó el documento del FBI, e hizo una moción para que fuera retirado de la evidencia. La moción fue negada. El juez Underwood señaló que, antes de que Eastin hiciera la declaración, había sido adecuadamente alertado sobre sus derechos legales, en presencia de testigos.

La primera confesión obtenida por Nolan Wainwright, cuya legalidad hubiera podido ser rechazada más efectivamente, no era necesaria y, por lo tanto, no fue presentada.

Ver a Miles Eastin ante el tribunal deprimió a Edwina. Estaba pálido y consumido, con ojeras oscuras bordeándole los ojos. Su acostumbrada alegría había desaparecido y, en contraste con la meticulosidad inmaculada que ella recordaba, tenía el traje arrugado y el pelo revuelto. Parecía haber envejecido desde la noche de la visita de los auditores.

El testimonio de Edwina fue breve y circunstancial y lo dijo directamente. Mientras era suavemente interrogada por el abogado defensor, ella había mirado varias veces hacia Miles Eastin, pero él tenía la cabeza baja y evitó su mirada.

También testigo de la acusación —aunque de mala gana— fue Juanita Núñez. Estaba nerviosa y al tribunal le costó trabajo oírla. En dos ocasiones intervino el juez para pedir a Juanita que levantara la voz, aunque lo hizo de manera afable y gentil ya que, para entonces, su inocencia en todo el asunto había quedado demostrada.

Juanita no mostró rencor hacia Eastin al testimoniar, y sus respuestas fueron breves, de manera que el acusador tuvo que presionarla constantemente para que las ampliara. Era evidente que lo único que ella deseaba era terminar cuanto antes.

El defensor, con una sabia decisión tardía, rechazó el derecho a interrogarla.

Fue inmediatamente después de la declaración de Juanita cuando el defensor, tras consultar entre dientes con su cliente, pidió autorización para acercarse a la tribuna. El permiso fue otorgado. El acusador, el juez y el defensor se entregaron entonces a un coloquio en voz baja, durante el cual el último pidió autorización para cambiar la defensa original de Miles Eastin de «no culpable» por la de «culpable».

El juez Underwood, un patriarca de voz apacible, pero hecho de un acero que no estaba muy lejos de la superficie, examinó a ambos abogados y habló también en voz baja, de manera que el jurado no pudiera oír.

—Está bién, se reconocerá el cargo de «culpable» si el acusado así lo desea. Pero debo comunicar al abogado defensor que, al punto que hemos llegado, ese reconocimiento representa poca o ninguna diferencia.

Haciendo que el jurado evacuara el tribunal, el juez interrogó a Eastin, confirmó que el acusado deseaba cambiar la defensa y que comprendía las consecuencias. A todas las preguntas el prisionero contestó pesadamente:

—Sí, excelencia.

El juez volvió a llamar al jurado a la sala y lo despidió.

Tras un ardiente discurso del joven abogado defensor, pidiendo clemencia, donde incluso recordó que su cliente no tenía antecedentes criminales, Miles Eastin fue entregado a la custodia para ser sentenciado la semana siguiente.

Nolan Wainwright, aunque no había sido llamado a testimoniar, había estado presente en todas las actuaciones del tribunal. Cuando el ujier convocó para el caso siguiente y el contingente de testigos del banco salió del salón, el jefe de Seguridad se puso junto a Juanita.

—Mrs. Núñez: ¿podría hablar unos minutos con usted?

Ella le miró con una mezcla de hostilidad e indiferencia, después meneó la cabeza.

—Todo ha terminado. Además, tengo que volver al trabajo.

Cuando salieron del edificio del Tribunal Federal, situado sólo a unas manzanas de la Torre Central del FMA y de la sucursal, él insistió:

—¿Va usted caminando hasta el banco? ¿En seguida?

Ella asintió.

—Por favor: me gustaría caminar con usted.

Juanita se encogió de hombros.

—Si quiere...

Wainwright observó que Edwina D'Orsey, Tottenhoe y los dos auditores, que también se dirigían al banco, cruzaban una esquina. Deliberadamente se demoró, dejando pasar una luz verde que daba paso a los transeúntes, para que los otros siguieran adelante.

—Mire —dijo Wainwright—, si hay algo que siempre me ha sido difícil es pedir perdón.

Juanita dijo con sequedad:

—¿Por qué se preocupa? Es sólo una palabra, que no significa mucho.

—Porque quiero decirla. Y le pido perdón... a usted. Perdón. Por las molestias que le causé, por no creer que usted decía la verdad cuando la decía y necesitaba que alguien la ayudara.

—¿Y ahora se siente mejor? ¿Ya se ha tragado la aspirina? ¿Se le pasó el dolor?

—Usted no facilita las cosas.

Ella se detuvo.

—¿Acaso las facilitó usted?— La carita de elfo estaba levantada, sus oscuros ojos enfrentaron los de él, y por primera vez, él sintió por debajo de ella una corriente de fuerza y de independencia. También, sorprendido, sintió que era consciente de ella sexualmente, y con fuerza.

—No, no las facilité. Por eso quiero ayudarla ahora, si es que puedo.

—¿Ayudarme en qué?

—Para que consiga que su marido le pase alimentos y dinero para mantener a su hija —le habló de las averiguaciones del FBI respecto a su marido ausente, Carlos, y de cómo le habían encontrado en Phooenix, Arizona.

—Trabaja allí como mecánico en motores y evidentemente está ganando dinero.

—Entonces me alegro por Carlos.

—Lo que estaba pensando —dijo Wainwright— es que debería usted consultar a uno de los abogados del banco. Yo podría arreglar eso. El abogado le aconsejará sin duda que inicie juicio a su marido y después yo me encargo de que no le cobren a usted los honorarios.

—¿Y por qué va a hacer eso?

—Es algo que le debemos.

Ella meneó la cabeza.

—No.

El se preguntó si ella había entendido bien.

—Eso significa —dijo Wainwright— que habría una orden del tribunal y que su marido le mandaría dinero para el mantenimiento de su hijita.

—¿Y acaso eso podrá convertir a Carlos en un hombre?

—¿Y eso importa?

—importa que no lo obliguen. El sabe que yo estoy aquí y que Estela está conmigo. Si Carlos quisiera mandarnos dinero, lo mandaría. *Si no, ¿para qué?* —añadió suavemente.

Era como un combate de esgrima entre las sombras. El dijo exasperado:

—Nunca la podré entender.

Inesperadamente Juanita sonrió.

—No es necesario que me entienda.

Caminaron la escasa distancia hasta el banco en silencio, mientras Wainwright calmaba su frustración. Hubiera deseado que ella le diera las gracias por su oferta; en caso de haberlo hecho la cosa hubiera significado, por lo menos, que la había tomado en serio. Procuró entender los razonamientos de ella y los valores en los que se basaba. Después de eso imaginó que ella aceptaba la vida tal como se presentaba, con suerte o con desgracia, con esperanzas que surgían o anhelos hechos trizas. En cierto modo la envidiaba y, por este motivo y por la atracción sexual que había experimentado hacía unos momentos, tuvo ganas de conocerla mejor.

—Mrs. Núñez —dijo Nolan Wainwright— quisiera pedirle algo.

—Diga.

—Si usted tiene un problema, un problema verdadero, algo en lo que yo pudiera ayudarla, ¿quiere usted recurrir a mí?

Era la segunda vez que le hacían esa oferta en los últimos días.

—Tal vez.

Aquella —hasta mucho tiempo después— fue la última conversación entre Wainwright y Juanita. El sintió que había hecho todo lo que había podido, y tenía otras cosas en la mente. Una de esas cosas era un tema que había discutido con Alex Vandervoot hacía dos meses... implantar un espía encubierto para descubrir la fuente de las tarjetas de crédito falsificadas, que seguían provocando profundas heridas financieras en el sistema de tarjetas clave.

Wainwright había descubierto a un ex presidiario, conocido como «Vic», que estaba dispuesto a correr el considerable peligro que suponía a cambio de dinero. Habían tenido un encuentro secreto, bajo cuidadosas precauciones. Preparaban otro.

La ardiente esperanza de Wainwright era llevar ante la justicia a los falsificadores de tarjetas, como lo había hecho unos días antes con el condenado Miles Eastin.

La semana siguiente, cuando Eastin compareció una vez más ante el juez Underwood —esta vez para escuchar la sentencia— Nolan Wainwright era el único representante del First Mercantile American que estaba en el salón.

Con el prisionero de pie, de cara a la tribuna, el juez se tomó tiempo para seleccionar varios papeles y tenderlos ante sí, despues miró friamente a Eastin.

—¿Tiene usted algo que decir?

—No, señoría —la voz era apenas perceptible.

—He recibido un informe del oficial de pruebas... —el juez Underwood hizo una pausa y recorrió uno de los papeles que había elegido antes—... a quien parece usted haber convencido de que está genuinamente arrepentido por las criminales ofensas de las que se ha reconocido culpable...— el juez articuló las palabras «genuinamente arrepentido» como si tuviera que agarrarlas con asco entre el pulgar y el índice,

134

demostrando claramente que no era tan ingenuo como para compartir esa opinión.

Prosiguió:

—El arrepentimiento, sin embargo, sea o no genuino, no sólo es tardío para mitigar su maligna y despreciable tentativa de echar la culpa de su mala acción sobre una persona inocente y que nada sospechaba... una mujer joven... ante la que, además, era usted responsable por ser funcionario del banco y porque ella confiaba en usted como en un superior.

»En base a las pruebas es evidente que usted hubiera continuado con ese intento, hasta llegar a hacer acusar a una víctima inocente, hacerla culpar y sentenciar en su lugar. Por suerte, gracias a la vigilancia de otros eso no ocurrió. Pero no fue debido a ningún segundo pensamiento ni a un "arrepentimiento" de su parte.

Desde su asiento en la platea del tribunal, Nolan Wainwright podía ver parcialmente la cara de Eastin, que se había puesto profundamente colorada.

El juez Underwood consultó de nuevo sus papeles, después levantó la vista. Sus ojos, nuevamente, clavaron al prisionero.

—Hasta ahora he mencionado la parte de su conducta que me parece más despreciable. Está, además, la ofensa básica... haber traicionado la confianza puesta en usted como funcionario del banco, no sólo en una sino en cinco ocasiones, ampliamente separadas. Un solo caso de deshonestidad puede ser considerado como resultado de un impulso loco. Pero tal argumento no puede mantenerse en el caso de cinco robos cuidadosamente planeados y ejecutados con perversa habilidad.

»Un banco, como empresa comercial, debe esperar probidad de aquellos a quienes elige, como usted fue elegido, para un cargo de confianza excepcional. Pero un banco es algo más que una institución comercial. Es un lugar de confianza pública, y, por lo tanto, el público tiene derecho a ser protegido contra aquellos que abusan de esa confianza... los individuos como usted.

La mirada del juez se movió hasta incluir al joven abogado defensor, que esperaba con paciencia junto a su cliente. El tono de voz en la tarima se volvió cortante y formal.

—Si este hubiera sido un caso corriente, en vista de la carencia de antecedentes previos, hubiera impuesto libertad bajo fianza, como la defensa sugirió elocuentemente la otra semana. Pero éste no es un caso ordinario. Es un caso excepcional, por los motivos que he señalado. Por lo tanto, Eastin, irá usted a la cárcel, donde tendrá tiempo para reflexionar sobre las actividades que lo han conducido aquí.

»La sentencia del Tribunal es que será usted confiado a la custodia del Procurador General por un período de dos años.

Ante una señal de cabeza del ujier, un guardia se adelantó.

Una breve conferencia tuvo lugar, pocos minutos después de la sentencia, en un pequeño cubículo cerrado y custodiado detrás de la sala

135

del tribunal, uno de los varios reservados para los presos y sus abogados.

—Lo primero que debe usted recordar —dijo el joven abogado a
Miles Eastin— es que dos años de prisión no significan dos años. Podrá
pedir usted un indulto tras haber cumplido una tercera parte de la
sentencia. Es decir, menos de un año.

Miles Eastin, envuelto en la desdicha y con sensación de irreali-
dad, asintió pesadamente.

—Naturalmente, usted puede apelar la sentencia, y no es necesario
que se decida ahora. Aunque, francamente, no le aconsejo que lo haga.
En primer lugar, no creo que consiga usted indulto si hay una apelación
pendiente. En segundo lugar, como se ha reconocido usted culpable, la
base para la apelación es limitada. Además, para el tiempo en que se
concediera la apelación, usted ya podría haber cumplido su sentencia.

—El juego está dado. No habrá apelación.

—De todos modos me mantendré en contacto con usted, por si
cambia de idea. Y, cuanto más lo pienso, más lamento como han salido
las cosas.

Eastin reconoció sardónico:

—Yo también.

—Fue su confesión, lógicamente, lo que nos liquidó. Sin eso no creo
que la acusación hubiera podido probar el caso... por lo menos el robo
de caja de los seis mil dólares, que pesó mucho para el juez. Comprendo, claro está, por qué firmó la segunda declaración, la del FBI; usted
creía que la primera tenía valor, de manera que pensó que no tenía
importancia. Pero la tenía. Mucho me temo que ese jefe de Seguridad,
Wainwright, le haya engañado desde el principio.

El preso asintió.

—Sí, ahora lo sé.

El abogado miró el reloj.

—Bueno, tengo que irme. Tengo una cita pesada esta noche. Usted
comprende.

Un guardia lo dejó salir.

Al día siguiente Miles Eastin fue trasladado a una cárcel federal,
fuera del estado.

En el First Mercantile American, cuando se recibió la noticia de la
condena de Miles Eastin, entre quienes lo conocían, algunos lo lamenta-
ron, otros opinaron que era lo que merecía. Pero hubo una opinión
unánime: no volvería oírse hablar de Eastin en el banco.

Sólo el tiempo iba a demostrar hasta qué punto había sido errónea
esa presunción.

SEGUNDA PARTE

1

Como una burbuja que sale a la superficie desde el fondo, la primera insinuación de dificultades surgió a mitad de enero. Era un comentario en una columna de chismes. *Con la oreja en tierra*, que aparecía en la edición dominical de un periódico local.

El periodista escribía:

«...Los murmullos que corren predicen pronto mayores reducciones en el Forum East... Se dice que el grandioso proyecto tiene problemas económicos. ¿Quién no los tiene hoy en día?»

Alex Vandervoort no se enteró del comentario hasta la mañana del lunes, cuando su secretaria lo colocó, con un círculo en lápiz rojo, sobre su escritorio, junto con otros papeles.

En la tarde del lunes, Edwina D'Orsey telefoneó para preguntar si Alex había leído el comentario y si había algo detrás. La preocupación de Edwina no era sorprendente. Desde el comienzo del Forum East la sucursal que ella dirigía había trabajado con préstamos para la construcción, con muchas de las hipotecas involucradas y con el papeleo correspondiente. En la actualidad el proyecto representaba una parte importante de los negocios de la sucursal.

—Si hay algo en esos rumores —insistió Edwina— quiero estar enterada.

—Dentro de lo que sé —la tranquilizó Alex— nada ha cambiado.

Unos momentos más tarde tendió la mano hacia el teléfono, para averiguar la cosa con Jerome Patterton, pero cambió de idea. Las malas informaciones con respecto al Forum East no eran nada nuevo. El proyecto había generado mucha publicidad, e inevitablemente parte de esa publicidad no era exacta.

Era inútil, decidió Alex, molestar al nuevo presidente del banco con trivialidades innecesarias, especialmente cuando necesitaba el apoyo de Patterton para un proyecto mayor: la expansión en gran escala de la actividad de ahorros en el FMA, que estaba ahora a consideración del consejo rector.

De todos modos, Alex se preocupó unos días después, cuando apareció un comentario más largo, esta vez en la columna regular de noticias del diario «Times Register».

El informe decía:

Continúa la ansiedad sobre el futuro del Forum East entre crecientes rumores de que el apoyo financiero será muy pronto severamente reducido o retirado.

El proyecto del Forum East, que tiene como meta a largo plazo la total rehabilitación del centro de la ciudad tanto desde el punto de vista residencial como de los negocios, cuenta con el apoyo de un consorcio de intereses financieros encabezado por el banco First Mercantile American.

Un portavoz del First Mercantile American ha reconocido hoy

los rumores pero no ha hecho comentarios, a no ser para decir: «En el momento oportuno, se hará un anuncio». Bajo el plan del Forum East, algunas zonas residenciales del centro de la ciudad ya han sido modernizadas o reconstruidas. Un complejo residencial de apartamentos de bajo alquiler ya ha sido completado. Otro está en marcha.

Un plan principal de diez años incluye programas para mejorar las escuelas, asistir a los negocios menores, proporcionar empleo y preparación para obtener cargos, al igual que oportunidades culturales y recreo. La construcción en masa se inició hace dos años y medio, pero, hasta ahora, sólo se ha realizado en el papel.

Alex leyó la noticia por la mañana, en su apartamento, mientras desayunaba. Estaba sólo, Margot hacía una semana que había salido de la ciudad por asuntos legales.

Al llegar a la Torre del FMA, convocó a Dick French. Como vicepresidente de relaciones públicas, French, un ex comentarista financiero, fornido y de maneras directas, dirigía su departamento de manera notable.

—En primer lugar —preguntó Alex—: ¿quién fue el portavoz del banco?

—Fui yo —dijo French—. Y le digo desde ahora que no me gustó nada esa estupidez del «anuncio en el momento oportuno». Mr. Patterton me dijo que usara esas palabras. También insistió en que no dijera nada más.

—¿Y qué hay de más en la cosa?

—¡Y yo no sé, Alex! Evidentemente algo está pasando y, bueno o malo, cuanto antes lo saquemos a luz, mejor será.

Alex sofocó una creciente rabia.

—¿Hay algún motivo para que no se me haya consultado sobre este asunto?

El jefe de relaciones públicas pareció sorprendido.

—Creí que le habían consultado. Cuando hablé ayer por teléfono con Mr. Patterton, me di cuenta de que Roscoe estaba con él, porque los oí hablar. Supuse que usted también estaba presente.

—La próxima vez —dijo Alex— no suponga nada.

Despidió a French y dio orden a su secretaria para que averiguara si Jerome Patterton estaba libre. Le informaron que el presidente todavía no había llegado al banco, pero que ya estaba en camino, y que Alex podría verlo a las 11. Alex gruñó con impaciencia, y volvió a su trabajo sobre el programa de expansión de los ahorros.

A las 11, Alex caminó los escasos metros que lo separaban de las oficinas de la presidencia —dos habitaciones de la esquina—, cada una con vista sobre la ciudad. Desde que el nuevo presidente se había hecho cargo, la segunda habitación generalmente tenía la puerta cerrada y los visitantes no eran invitados a pasar. Entre las secretarias corría el comentario de que Patterton hacía esto para ponerlos en la «amansadora».

El brillante sol de un cielo invernal sin nubes resplandecía desde las amplias ventanas sobre la cabeza rosada y casi sin pelo de Jerome Patterton. Sentado tras un escritorio, llevaba un traje ligero con diseños, un cambio en lugar de sus acostumbrados trajes de lana. Un periódico doblado ante él señalaba el comentario que había traído aquí a Alex.

En un sofá, en la sombra, estaba Roscoe Heyward.

Los tres se dieron los buenos días.

Patterton dijo:

—He pedido a Roscoe que se quede porque creo tener idea del motivo que le trae a usted aquí —tocó el periódico—. Usted ha visto eso, lógicamente.

—Lo he visto —dijo Alex—. También he hablado con Dick French. Me ha dicho que Roscoe y usted discutieron ayer los comentarios de prensa. Por eso la primera pregunta que hago es: ¿por qué no he sido informado? Lo del Forum East me concierne tanto como a cualquier otro.

—Se le hubiera informado, Alex —Jerome Patterton pareció incómodo—. La verdad es que nos aturrullamos un poco cuando las llamadas de la prensa demostraban que se ha deslizado algo...

—Se ha deslizado... ¿qué?

Fue Heyward quien contestó:

—Algo sobre una propuesta que presentaré ante el comité de política monetaria el próximo lunes. Sugiero reducir en un cincuenta por ciento el compromiso actual del banco con el Forum East.

En vista de los rumores que habían salido a la superficie, la confirmación no era sorprendente. Lo que sorprendió a Alex fue la cantidad del corte propuesto.

Se dirigió a Patterton.

—Jerome: ¿debo entender que está usted a favor de esta increíble locura?

El rubor cubrió la cara del presidente y su cabeza en forma de huevo.

—No es verdad ni mentira. Reservo mi juicio hasta el lunes. Lo que Roscoe ha estado haciendo aquí... ayer y hoy... son algunos cabildeos por adelantado.

—Exacto —añadió Heyward con blandura—. Es una táctica enteramente legítima, Alex. En caso de que usted objete, permítame que le recuerde que en muchas ocasiones presentó usted a Ben sus ideas antes de las reuniones de política monetaria.

—Si lo he hecho —dijo Alex—, es porque me parecían más sensatas que este proyecto.

—Esa, naturalmente, es su opinión.

—No sólo la mía. Muchos la comparten.

Heyward no se inmutó.

—Mi opinión personal es que podemos poner el dinero del banco en un uso sustancialmente mejor —se volvió hacia Patterton—. A propósito, Jerome, esos rumores que están circulando pueden sernos útiles si la propuesta de una reducción es aceptada. Por lo menos la decisión no cogerá a nadie de sorpresa.

—Si usted lo ve así —dijo Alex— es porque probablemente es usted quien ha hecho correr los rumores.

—Le aseguro que no es así.

—¿Entonces cómo los explica?

Heyward se encogió de hombros.

—Pura coincidencia, supongo.

Alex se preguntó: ¿era coincidencia? ¿O bien alguien cerca de Roscoe Heyward había soltado un globo de prueba por cuenta de él? Sí. Probablemente Harold Austin, el Honorable Harold, quien, como jefe de una agencia de publicidad, tenía muchos contactos con la prensa. Era poco verosímil, sin embargo, que nadie lo pudiera probar nunca.

Jerome Patterton levantó las manos.

—Les ruego, a los dos, que ahorren las discusiones hasta el lunes. Entonces lo analizaremos todo.

No nos engañemos —insistió Alex Vandervoort—. El punto que decidimos hoy es: ¿cuánto beneficio es razonable y cuánto es excesivo?

Roscoe Heyward sonrió.

—Francamente, Alex, nunca me ha parecido que *ningún* beneficio sea excesivo.

—Tampoco me lo parece a mí —interrumpió Straughan—. Reconozco, sin embargo, que lograr un beneficio excepcionalmente alto es a veces indiscreto y puede acarrear molestias. Se sabe y es criticado. Al final del año financiero tenemos que publicarlo.

—Y es otro de los motivos —añadió Alex— por lo cual debemos lograr un equilibrio entre lograr beneficios y servir a la comunidad.

—Los beneficios sirven a nuestros accionistas —dijo Heyward—. Es esa clase de servicio la que es primordial para mí.

El comité de política monetaria del banco estaba reunido en una sala de conferencias de ejecutivos. El comité, que contaba con cuatro miembros, se reunía todos los lunes por la mañana, bajo la presidencia de Roscoe Heyward. Los otros miembros eran Alex y dos vicepresidentes efectivos, Straughan y Orville Young.

El propósito del comité era decidir los usos que podían darse a los fondos del banco. Las decisiones mayores eran luego referidas a la Dirección para su confirmación, aunque la Dirección rara vez cambiaba lo que el comité había recomendado.

Las sumas individuales aquí discutidas rara vez bajaban de las decenas de millones.

El presidente del banco asistía, *ex-officio,* a las reuniones más importantes del comité, aunque votaba sólo cuando era necesario para lograr un desempate. Jerome Patterton estaba hoy presente, aunque, hasta el momento, no había participado en la discusión.

Se debatía la propuesta de Roscoe Heyward de un drástico corte en la financiación del Forum East.

En los próximos meses, si el Forum East iba a continuar según estaba programado, se requerirían nuevos préstamos para la construcción y fondos para hipotecas. La participación del First Mercantile American en esa financiación debía ser de unos cincuenta millones de dólares. Heyward había propuesto reducir dicha cantidad a la mitad.

Ya había señalado:

—Debemos dejar en claro para todos los interesados que no abandonamos el Forum East y que no tenemos intención de hacerlo. La explicación que daremos es simplemente que, en vista de otros compromisos, hemos ajustado la fluencia de fondos. El proyecto no se detendrá. Simplemente marchará más lentamente de lo que se había planeado.

—Si se mira desde el punto de vista de la necesidad —protestó Alex— el progreso ya es más lento de lo que debía ser. Demorarlo es lo peor que podemos hacer, en todos los sentidos.

—Veo la cosa en términos de necesidad —dijo Heyward—. Las necesidades del banco.

La respuesta fue desusadamente tajante, pensó Alex, quizás porque Heyward confiaba hoy en que la decisión iba a ser la que él quería. Alex estaba seguro de que Tom Straughan iba a unirse a él para oponerse a Heyward. Straughan era el principal economista del banco —joven, estudioso, con un amplio margen de intereses— a quien Alex personalmente había promovido sobre las cabezas de los otros.

Pero Orville Young, tesorero del First Mercantile American, era hombre de Heyward y sin duda alguna iba a votar con él.

En el FMA, como en cualquier banco importante, las verdaderas líneas de poder rara vez aparecían reflejadas en los planes de organización. La verdadera autoridad fluía de lado o daba vueltas, dependía de las lealtades de unos individuos hacia otros, de manera que los que preferían no mezclarse en las luchas por el poder eran dados de lado o quedaban anclados en el puerto.

La lucha de poder entre Alex Vandervoort y Roscoe Heyward era bien conocida. Debido a esto algunos ejecutivos del FMA habían tomado partido, y puesto sus esperanzas de adelanto en la victoria de uno u otro adversario. La división era también evidente en la línea del comité de política monetaria.

Alex argumentó:

—Las ganancias del año pasado fueron del trece por ciento. Eso es muy bueno para los negocios, como todos sabemos. Este año las perspectivas son todavía mejores... un quince por ciento en las inversiones, quizás un dieciséis. Pero: ¿conviene luchar para conseguir más?

El tesorero, Orville Young, preguntó:

—¿Por qué no?

—Ya he contestado eso —retrucó Straughan—. Es de visión corta.

—Recordemos una cosa —urgió Alex—. En el negocio bancario no es difícil hacer grandes beneficios, y si un banco no los logra es porque está manejado por imbéciles. En muchos sentidos las cartas están a nuestro favor. Tenemos oportunidades, nuestra propia experiencia y razonables leyes bancarias. Lo último es quizás lo más importante. Pero las leyes no siempre serán tan razonables... es decir, si seguimos abusando de la situación y abdicando la responsabilidad ante la comunidad.

—No veo que seguir en el Forum East sea abdicar —dijo Roscoe

Heyward—. Incluso después de la reducción que propongo, estaremos sustancialmente comprometidos.

—¡Qué sustancialmente ni qué diablos! ¡Será una contribución mínima, como han sido siempre mínimas las contribuciones sociales de los bancos norteamericanos! En la financiación de las viviendas de bajo alquiler, lo que puede presentar este banco y cualquier otro es espantoso. ¿Para qué engañarnos? Durante generaciones los bancos han ignorado los problemas públicos. Incluso ahora hacemos el mínimo de lo que podemos...

El economista jefe, Straughan, revolvió unos papeles y consultó algunas notas escritas a mano.

—Quiero sacar el tema de las hipotecas de casas, Roscoe. Y ahora que Alex lo ha hecho, comunico que sólo el veinticinco por ciento de nuestros depósitos de ahorros están invertidos en préstamos hipotecarios. Es bajo. Podríamos aumentar al cincuenta por ciento, sin dañar la liquidez. Creo que deberíamos hacerlo.

—Apruebo eso —dijo Alex—. Nuestros gerentes de sucursales están pidiendo dinero para hipotecas. El porcentaje en las inversiones es bueno. Sabemos, por experiencia, que el riesgo que se corre con las hipotecas es insignificante.

Orville Young objetó:

—Pero ata el dinero durante largo tiempo, y es un dinero con el cual podríamos ganar promedios más elevados en otra cosa.

Alex, impaciente, golpeó con la palma de la mano la mesa de conferencias.

—Por una vez tenemos la obligación pública de aceptar promedios bajos. Este es el punto en que insisto. Por eso protesto de que nos escabullamos tajentemente del Forum East.

—Hay otro motivo —añadió Tom Straughan—. Alex ya lo ha mencionado: la legislación. Hay rumores en el Congreso. Muchos querrían una ley similar a la de México... el requerimiento de un porcentaje fijo de los depósitos bancarios para ser usado en la financiación de viviendas de bajo alquiler.

Heyward se burló:

—Nunca dejaremos que pase. El grupo bancario es el más fuerte en Washington.

El economista jefe meneó la cabeza.

—Yo no contaría con eso.

—Tom —dijo Roscoe Heyward—, le haré una promesa. De aquí a un año echaremos una nueva mirada a las hipotecas, y tal vez hagamos lo que usted defiende; tal vez volvamos a abrir el Forum East. Pero no este año. Quiero que éste sea un año de ganancias colosales —miró hacia el presidente del banco, que todavía no había participado en la discusión—. Y Jerome también lo quiere.

Por primera vez Alex percibió la estrategia de Heyward. Un año de excepcionales beneficios para el banco convertiría a Jerome Patterton, como presidente, en un héroe para los accionistas y directores. Todo lo que Patterton tenía era un año de reinado al final de una carrera mediocre, pero se retiraría con gloria y con el sonido de las trompetas. Y Patterton era humano. Por lo tanto era comprensible que la idea le atrajera.

La historia posterior era igualmente fácil de adivinar. Jerome Patterton, agradecido a Roscoe Heyward, iba a promover la idea que éste fuera su sucesor. Y, debido a aquel año ganancioso, Patterton estaría en posición fuerte para realizar sus deseos.

Era un plan nítidamente ingenioso el trazado por Heyward, y a Alex le iba a ser difícil romperlo.

—Hay otra cosa que no he mencionado —dijo Heyward—. Ni siquiera a usted, Jerome. Puede tener peso en nuestra decisión de hoy.

Los otros le miraron con renovada curiosidad.

—Estoy esperanzado, de hecho la posibilidad es fuerte, de que pronto disfrutemos de negocios sustanciales con la Supranational Corporation. Es otro de los motivos por el que no me siento muy dispuesto a comprometer los fondos en otra parte.

—Es una noticia fantástica —dijo Orville Young.

Incluso Tom Straughan reaccionó con sorprendida aprobación.

La Supranational —o SuNatCo, como se la identificaba familiarmente en el mundo entero— era un gigante multinacional, la General Motors de las comunicaciones globales. Igualmente la SuNatCo poseía o controlaba docenas de otras compañías, relacionadas o no con su línea principal. Su prodigiosa influencia en gobiernos de todos los colores, desde las democracias hasta las dictaduras, se suponía mayor que la de cualquier otro complejo de negocios en la historia. Los observadores decían a veces que la SuNatCo tenía más poder real que muchos de los estados soberanos en los cuales operaba.

Hasta el momento la SuNatCo había confiado sus actividades bancarias en los Estados Unidos a los tres grandes bancos, el Bank of America, el First National City y el Chase Manhattan. Añadirse a este terceto exclusivo elevaría inconmensurablemente el status del First Mercantile American.

—Es una perspectiva muy seductora, Roscoe —dijo Patterton.

—Espero contar con más detalles para nuestra próxima reunión de política monetaria —añadió Roscoe—. Es posible que la Supranational quiera que abramos una línea sustancial de crédito.

Fue Tom Straughan quien les recordó:

—Todavía necesitamos votar sobre el Forum East.

—Así es —reconoció Heyward. Sonreía confiado, crecido ante la reacción provocada por su anuncio y seguro del camino que iba a tomar la decisión sobre el Forum East.

Como era previsible se dividieron en dos grupos: Alex Vandervoort y Tom Straughan se opusieron a que se cortaran los fondos, Roscoe Heyward y Orville Young estuvieron en favor del corte.

Las cabezas se volvieron hacia Jerome Patterton, que tenía el voto decisivo.

El presidente del banco vaciló sólo levemente, después anunció:

—Alex, en esto estoy con Roscoe.

2

—Quedarte aquí sentado lamentándote no te servirá de nada —declaró Margot—. Lo que tenemos que hacer es levantar el ánimo colectivo e iniciar algo.

—Podemos dinamitar ese maldito banco —sugirió alguien.

—Nada de eso. Tengo amigos allí. Además, hacer volar los bancos no es una cosa legal.

—¿Y quién te ha dicho que debemos seguir en lo legal?

—Yo lo digo —cortó Margot—. Y si a algún tipo vivo se le ocurre otra cosa, es mejor que se busque otro portavoz y otra almohadilla.

El bufete de Margot Bracken, la noche de un jueves, era escenario de la reunión del comité ejecutivo de la Asociación de Inquilinos del Forum East. La asociación era uno de los muchos grupos dentro de la ciudad de los que Margot era asesora legal y que utilizaban su bufete para reunirse, facilidad que a veces le pagaban, aunque generalmente no era así.

Por suerte el bufete era modesto —dos cuartos en lo que había sido un almacén de barrio y algunos de los antiguos estantes de mercancías albergaban ahora libros legales. El resto del mobiliario, en su mayoría descabalado, comprendía chucherías y piezas que Margot había comprado baratas.

Caso típico de la situación general, otras dos antiguas tiendas, a ambos lados, habían sido abandonadas y alquiladas. Algún día, con suerte e iniciativa, la marea rehabilitadora del Forum East alcanzaría esa zona particular. Pero todavía no había llegado.

Aunque los acontecimientos en el Forum East les habían hecho reunirse.

Anteayer, en un anuncio público, el First Mercantile American había cambiado los rumores en hechos. La financiación de los futuros proyectos del Forum East iba a ser reducida a la mitad y hecha efectiva desde ahora.

La declaración del banco venía envuelta en jerga oficial y con frases eufemísticas, como «temporal disminución de fondos a largo plazo» y «será contemplada una periódica reconsideración», pero nadie creía esto último y todos, dentro y fuera del banco, sabían exactamente lo que la declaración significaba: el hacha.

La presente reunión era para determinar qué podía hacerse, si es que podía hacerse algo.

La palabra «inquilinos» en el nombre de la asociación, era un término amplio. Parte de los miembros eran inquilinos del Forum East; muchos otros no lo eran, pero esperaban serlo. Como había dicho Deacon Euphrates, un enorme obrero del acero, que había hablado antes:

—Hay muchos de nosotros que esperamos meternos, y que no nos meteremos si no nos dan el gran bocado.

Margot sabía que Deacon, su mujer y cinco hijos vivían en un apartamento pequeño y repleto, parte de un edificio infectado de ratas que debía haber sido demolido hacía años. Había intentado varias veces ayudarles para que alquilaran otro alojamiento, pero no lo había logrado. La esperanza en la que vivía Deacon Euphrates era la de mudarse con su familia a una de las nuevas unidades de viviendas del Forum East, pero el nombre de Euphrates estaba en la mitad de una larga lista y, si se detenía el ritmo de la construcción, era probable que permaneciera por mucho tiempo donde estaba.

El anuncio del FMA había sido también una sorpresa para Margot. Alex, estaba segura, había resistido cualquier propuesta de cortar fondos dentro del banco, pero evidentemente lo habían derrotado. Por este motivo todavía no había discutido el asunto con él. Además, cuanto menos supiera Alex de algunos planes que Margot cocía a fuego lento, tanto mejor para los dos.

—Tal como veo venir la pelota —dijo Seth Orinda, otro miembro del comité— me parece que, hagamos lo que hagamos, legal o no legal, no habrá manera, ninguna manera, de que esos bancos suelten el dinero. Es decir, si están decididos a guardarlo.

Seth Orinda era un profesor negro de colegio secundario, que ya estaba en el Forum East. Pero poseía un agudo sentido cívico y le importaban mucho los millares de personas que aguardaban fuera, esperanzados. Margot confiaba mucho en su estabilidad y ayuda.

—No esté tan seguro, Seth —contestó—. Los bancos tienen la barriga blanda. Clave un arpón en un lugar tierno y verá que pueden suceder cosas extraordinarias.

—¿Qué clase de arpón? —preguntó Orinda—. ¿Un desfile? ¿Una huelga? ¿Una demostración?

—No —dijo Margot—, olvídese de todo eso. Es materia vieja. Ya nadie se impresiona con las demostraciones convencionales. No son más que una molestia. No consiguen nada.

Examinó el grupo que tenía ante ella en el repleto despacho, lleno de humo. Había una docena o más, blancos y negros, de variadas formas, tamaños y comportamientos. Algunos se columpiaban precariamente en desvencijadas sillas y cajones, otros estaban despatarrados en el suelo.

—Oigan todos con atención. He dicho que necesitamos hacer algo, y creo que *hay* un tipo de acción que puede dar resultado.

—Miss Bracken —una figurita en el fondo del cuarto se puso de pie. Era Juanita Núñez, a quien Margot había saludado al entrar.

—Escucho, Mrs. Núñez.

—Quiero ayudar. Pero usted ya sabe, creo, que trabajo en el FMA. Tal vez no deba oír lo que usted va a decir a los otros...

Margot dijo comprensiva:

—No, y debía haber pensado en eso en lugar de molestarla.

Hubo un murmullo general de entendimiento. Antes de que cesara, Juanita se dirigió a la puerta.

—Lo que usted ya ha oído —dijo Deacon Euphrates— es un secreto, ¿verdad?

Juanita asintió y Margot dijo rápidamente:

—Todos podemos confiar en Mrs. Núñez. Espero que sus jefes tengan tanta ética como ella.

Cuando la reunión prosiguió, Margot se encaró con los miembros restantes. Su aire era característico: las manos en su pequeña cintura, los codos agresivamente hacia afuera. Un momento antes había echado hacia atrás su largo pelo castaño... un gesto habitual antes de entrar en acción, como cuando se levanta el telón. A medida que hablaba el interés se acrecentó. Surgieron una o dos sonrisas. En un momento Seth Orinda sofocó una profunda carcajada. Cerca del fin, Deacon Euphrates y los otros reían ampliamente.

—Caramba, caramba —dijo Deacon.

—Es terriblemente hábil —interrumpió otro.

Margot les recordó:

—Para que todo el plan marche necesitamos mucha gente... por lo menos un millar para empezar, y más a medida que pase el tiempo.

Una voz nueva preguntó:

—¿Cuánto tiempo necesitaremos, señora?

—Hemos planeado una semana. Una semana bancaria, quiero decir... cinco días. Si la cosa no anda procuraremos prolongarla y ampliar el margen de operaciones. Pero francamente no creo que sea necesario. Otra cosa: todos los que participen deben ser cuidadosamente aleccionados.

—Yo ayudaré en eso —dijo con decisión Seth Orinda.

Hubo un coro inmediato de:

—Yo también.

La voz de Deacon Euphrates se levantó sobre las otras:

—Voy a disponer de tiempo. Y juro que lo usaré; una semana libre de trabajo y empujaré a los otros.

—Bien —dijo Margot— y prosiguió con decisión—: Necesitamos un plan magistral. Lo tendré listo para mñana por la noche. Los demás deben iniciar inmediatamente el reclutamiento. Y recuerden que el secreto es importante.

Media hora después se interrumpió la reunión, y los miembros del comité estaban mucho más alegres y optimistas que cuando se habían reunido.

A petición de Margot, Seth Orinda se demoró. Ella dijo:

—Seth, de manera muy especial necesito su ayuda.

—Sabe que se la daré si puedo, Miss Bracken.

—Cuando se inicia alguna acción —dijo Margot— suelo estar al frente de ella. Usted lo sabe.

—Claro que lo sé —dijo el profesor, radiante.

—Esta vez quiero mantenerme en la sombra. Tampoco quiero que mi nombre aparezca cuando los diarios, la TV y la radio empiecen a actuar. Si eso sucediera, la cosa sería incómoda para dos grandes amigos míos... esos de los que hablé, en el banco. Quiero evitar eso.

Orinda asintió comprensivo.

—Dentro de lo que puedo ver, no habrá problema.

—Lo que realmente estoy pidiendo —insistió Margot— es que usted y los otros se adelanten en mi lugar. Yo estaré detrás de la escena, lógicamente. Y, si es necesario, pueden llamarme, aunque espero que no sea necesario.

—Eso es tonto —dijo Seth Orinda—. ¿Cómo vamos a llamarla si ninguno de nosotros la conoce ni siquiera de nombre?

La noche del sábado, dos días después de la reunión de la Asociación de Inquilinos del Forum East, Margot y Alex habían sido invitados a una pequeña comida entre amigos, y después fueron juntos al apartamento de ella. Estaba en una parte de la ciudad menos elegante que el piso de Alex, y era más pequeño, pero Margot lo había amueblado agradablemente con muebles antiguos que había coleccionado, a precios modestos, en el curso de los años. A Alex le encantaba ir allí.

El apartamento formaba gran contraste con el bufete de Margot.

—Te he echado de menos, Bracken —dijo Alex. Se había puesto un pijama y una bata que guardaba en casa de Margot, y descansaba relajado en un sillón estilo reina Ana, con Margot echada en una alfombrilla ante él, la cabeza apoyada en sus rodillas, mientras él le acariciaba suavemente el largo pelo. Ocasionalmente sus dedos se perdían... suaves y sexualmente hábiles, y empezaban a excitarla como siempre lo hacía y de la manera que a ella le gustaba. Margot suspiró satisfecha. Pronto irían a la cama. Sin embargo, a medida que crecía el deseo mutuo, había un placer exquisito en la demora impuesta.

Hacía una semana y media que no estaban juntos, porque planes en conflicto les habían mantenido aparte.

—Recobraremos los días perdidos —dijo Margot.

Alex guardó silencio. Luego observó:

—Sabes, he esperado toda la noche que me comieras vivo por lo del Forum East. Pero no has dicho una palabra.

Margot echó la cabeza más hacia atrás, y le miró desde su postura. Preguntó con inocencia:

—¿Por qué voy a comerte, querido? La idea de cortar la ayuda del banco no ha sido tuya... —su pequeña frente se enfurruñó—. ¿O lo ha sido?

—Sabes de sobra que no es así.

—Claro que lo sé. Y también estoy segura de que te opusiste.

—Sí, me opuse —y añadió con tristeza—: ¡Para lo que ha servido!

—Hiciste lo posible. Es todo lo que se te puede pedir.

Alex la miró desconfiado.

—Eso no parece muy tuyo...

—¿No te gusta que yo sea así?

—Eres una luchadora. Es una de las cosas que me atraen en ti. Tú no cedes. No aceptas con calma la derrota.

—Tal vez algunas derrotas sean totales. En ese caso nada puede hacerse.

Alex se incorporó, tieso.

—Estás planeando algo, Bracken. Lo sé. Dime de qué se trata.

Margot meditó, después dijo con lentitud:

—No reconozco nada. Pero, incluso en el caso de que fuera verdad lo que has dicho, es posible que haya ciertas cosas que es mejor que tú ignores. Algo que nunca he querido hacer, Alex, es crearte inconvenientes.

El sonrió cariñosamente.

—De todos modos *me has* dicho algo. Bueno, si no quieres que profundice, no lo haré. Pero quiero una seguridad: la de saber que lo que estás planeando es legal.

Por un momento Margot perdió el control.

—Yo soy aquí el abogado. Yo decido lo que es legal y lo que no lo es.

—Incluso las abogadas más inteligentes pueden cometer errores.

—No esta vez —pareció a punto de discutir más, pero se contuvo. Su voz se suavizó—. Sabes que siempre actúo dentro de la ley. Y también sabes por qué.

—Sí, lo sé —dijo Alex. Nuevamente relajado, siguió acariciándole el pelo.

Ella le había confesado una vez, cuando ya se conocían bien, sus ideas, logradas años antes, y que eran resultado de la pérdida y la tragedia.

En la facultad de derecho, donde Margot era una destacada estudiante, se había unido, como muchos otros en esa época, al activismo y la protesta. Era el tiempo de la creciente intervención norteamericana en el Vietnam y se habían producido amargas divisiones en la nación. Era también el comienzo de inquietudes y cambios dentro de la profesión legal, una rebeldía de la juventud contra las leyes de los viejos y contra lo establecido, la época de una nueva camada de abogados beligerantes de los cuales Ralph Nader era el publicitado y laureado símbolo.

Antes, en el colegio secundario y luego en la facultad, Margot había compartido sus puntos de vista de *avant-garde,* sus actividades y su persona con un muchacho estudiante —el único nombre por el cual Alex le conocía era Gregory— y Gregory y Margot vivían juntos, según era también la costumbre.

Durante varios meses había habido enfrentamiento sobre la administración estudiantil, y uno de los peores se inició cuando aparecieron oficialmente en la universidad reclutas del ejército y la marina de los Estados Unidos. Una mayoría estudiantil, entre la que se encontraban Gregory y Margot, habían querido que los reclutas fueran expulsados. Las autoridades de la facultad adoptaron un punto de vista opuesto, muy fuerte.

En protesta, los estudiantes ocuparon el edificio de la administración, se formaron dentro barricadas y otros quedaron fuera. Gregory y Margot, atrapados en el fervor general, estaban entre ellos.

Se iniciaron negociaciones pero fracasaron, en parte porque los estudiantes presentaban «demandas no negociables». Después de dos días la administración llamó a la policía estatal, ayudada, no muy sabiamente, por la Guardia Nacional. Se lanzó un asalto contra el sitiado edificio.

Durante la lucha se dispararon algunos tiros y algunas cabezas recibieron golpes. Por milagro, los tiros no hirieron a nadie. Pero por una trágica desdicha una de las cabezas castigadas —la de Gregory— sufrió una hemorragia cerebral, que dio como resultado su muerte horas más tarde.

Finalmente, porque la indignación popular fue grande, un policía joven, asustado y sin experiencia, que había dado el golpe mortal, fue llevado ante los tribunales. Los cargos contra él fueron rechazados.

Margot, aunque sumida en un profundo dolor y atontamiento, era una estudiante de leyes bastante objetiva como para entender el rechazo. Su entrenamiento legal le sirvió también más adelante, con calma, para valorar y codificar sus propias convicciones. Era un proceso demorado que las presiones de la excitación y la emoción habían impedido por largo tiempo.

Ninguno de los puntos de vista sociales o políticos de Margot habían cambiado, ni entonces ni luego. Pero su percepción era tan honrada como para reconocer que la facción estudiantil había retirado a otros las libertades de las que se proclamaba defensora. También, en su celo, habían transgredido la ley, sistema al que estaban dedicados sus estudios, y presumiblemente sus vidas.

Faltaba sólo otro paso en el razonamiento, paso que Margot dio, para comprender que no se hubiera logrado menos, probablemente se habría conseguido mucho más, actuando dentro de los límites legales.

Y había confesado a Alex, la única vez que habían hablado de aquella parte del pasado de ella, que seguir dentro de lo legal era su principio guía, y el de toda su actividad, desde entonces.

Todavía acurrucada cómodamente junto a él, ella preguntó:

—¿Cómo andan las cosas en el banco?

—Algunos días me siento como Sísifo. ¿Lo recuerdas?

—¿No era el griego que empujaba una roca subiendo una montaña? Cada vez que llegaba a la cima la piedra se deslizaba para abajo.

—El mismo. Debería haber sido un ejecutivo bancario procurando hacer cambios. ¿Sabes algo de nosotros, los banqueros, Bracken?

—Háblame de vosotros.

—Tenemos éxito pese a nuestra falta de intuición e imaginación.

—¿Permites que utilice tus palabras?

—Si lo haces juraré que nunca lo he dicho —murmuró él—. Pero, entre nosotros, los banqueros siempre reaccionan ante el cambio social, nunca lo anticipan. Todos los problemas que nos afectan ahora: ambientales, de ecología, energía, las minorías, hace tiempo que están entre nosotros. Lo que en esas áreas podía afectarnos hubiera podido ser previsto. Nosotros, los banqueros, podríamos ser dirigentes. En lugar de esto estamos siguiendo, sólo avanzamos cuando tenemos que hacerlo, cuando nos empujan.

—¿Por qué sigues siendo banquero entonces?

—Porque es importante. Lo que hacemos vale la pena y, que avancemos de buena voluntad o no, somos profesionales necesarios. El sistema monetario se ha vuelto tan enorme, tan complicado y sofisticado, que sólo los bancos pueden manejarlo.

—Entonces lo que más necesitan ustedes es un empujón de vez en cuando, ¿verdad?

Él la miró intensamente, con la curiosidad reanimada.

—Estás planeando *algo* en esa revuelta cabeza tuya.

—No he reconocido nada.

—Sea lo que sea, espero que no tenga que ver con los cuartos de aseo públicos...

—¡Por Dios, no!

Ante el recuerdo de hacía un año, ambos rieron a carcajadas. Había sido una de las victorias combativas de Margot y había llamado mucho la atención.

Su batalla había sido contra la comisión del aeropuerto que, en aquella época, pagaba a los centenares de porteros y limpiadores salarios sustancialmente más bajos de los que eran normales en la zona. El sindicato estaba corrompido, tenía un «contrato de novio» con la comisión, y no había hecho nada para ayudar. Desesperado, un grupo de trabajadores del aeropuerto había buscado la ayuda de Margot, que empezaba a ganar reputación en estos asuntos.

El acercamiento directo de Margot con la comisión, fue meramente rechazado. Ella decidió entonces que había que alertar a la opinión pública y que, una manera de lograrlo, era ridiculizar al aeropuerto y sus dirigentes. Como preparación, y trabajando con varios simpatizantes que antes la habían ayudado, Margot hizo un estudio inteligente del grande y ocupado aeropuerto en una noche de pesado tráfico.

Un factor señalado en el estudio era que, cuando los aviones de vuelos nocturnos, en los que se servían comidas y bebidas, descargaban a sus pasajeros, la mayoría de los recién llegados se dirigía inmediatamente a los cuartos de aseo del aeropuerto, creando así demandas máximas de esos lugares en un período de varias horas.

Al siguiente viernes por la noche, cuando el tráfico aéreo que llegaba y partía era más intenso, varios centenares de voluntarios, principalmente porteros y limpiadores que estaban libres ese momento, llegaron al aeropuerto bajo la dirección de Margot. Desde entonces hasta que se fueron, mucho más tarde, todos permanecieron tranquilos, en orden y cumpliendo con la ley.

El propósito era ocupar continuamente, a lo largo de la noche, todos los cuartos de aseo del aeropuerto. Y lo hicieron. Margot y sus ayudantes habían preparado un plan detallado y los voluntarios fueron a sitios designados, donde pagaron una moneda y se instalaron, entretenidos con material de lectura, radios portátiles e incluso comida que habían llevado. Algunas mujeres llevaron trabajos de costura o tejidos. Era lo último en cuanto a huelgas legales de brazos cruzados.

En los aseos de caballeros, nuevos voluntarios formaron largas filas junto a los urinarios, y cada fila se movía con abrumadora lentitud. Si un varón que no estaba en el complot se unía a la fila, tardaba una hora en llegar. Pocos, o ninguno, esperaron tanto tiempo.

Un contingente flotante explicaba tranquilamente a todo el mundo que quería escuchar, lo que estaba pasando, y por qué.

El aeropuerto se convirtió en un hervidero, con centenares de pasajeros enojados y angustiados, que se quejaban dura y calurosamente a las líneas aéreas que, a su vez, atacaron a la dirección del aeropuerto. La administración se vio frustrada e incapaz para hacer nada. Otros observadores, no involucrados ni necesitados, encontraron que la situación era cómica. Nadie permaneció indiferente.

Representantes de los medios informativos, avisados de antemano por Margot, estaban presentes en cantidad. Los periodistas rivalizaban entre sí para escribir historias que fueron propagadas a toda la nación por los servicios telegráficos, y luego repetidas internacionalmente y usadas en periódicos tan distintos como «Izvestia», el «Star» de Johannesburg y «The Times» de Londres. Al día siguiente, como resultado, el mundo entero reía.

En la mayoría de los comentarios el nombre de Margot Bracken figuró muy destacado. Había intimación de que nuevas huelgas «sentadas» proseguirían.

Tal como Margot había calculado, el ridículo es una de las armas más fuertes en cualquier arsenal. Después del fin de semana la comisión del aeropuerto accedió a discutir los salarios de los porteros y los limpiadores, lo que dio como resultado que los aumentaran más tarde. Un resultado consecuente fue que la dirección del sindicato corrompido perdió la votación y fue reemplazada por una más honrada.

Margot se agitó ahora, acercándose a Alex, y dijo suavemente:

—¿Qué clase de mente has dicho que tengo?

—Revuelta como un trompo.

—¿Y eso es bueno o malo?

—Es bueno para mí. Refrescante. Y casi siempre me gustan las causas por las que trabajas.

—Pero no siempre...

—No, no siempre.

—A veces las cosas que hago crean antagonismos. Muchas de ellas. Supongamos que el antagonismo es sobre algo en lo que no crees, o que te desagrada. Imagina que nuestros nombres aparecen vinculados en una ocasión en la que, digamos, no te gustaría estar asociado a mí.

—Aprendería a soportarlo. Además, tengo derecho a tener una vida privada, y también lo tienes tú.

—Y también tiene ese derecho cualquier mujer —dijo Margot—. Pero, a veces, me pregunto si realmente podrías soportarlo. Quiero decir, si estuviéramos juntos todo el tiempo. Yo no cambiaría ¿sabes? Tienes que entender eso, Alex, querido. No podría renunciar a mi independencia, ni dejar de ser yo misma y de tomar iniciativas.

El recordó a Celia, que nunca había tomado iniciativas, ni siquiera cuando había deseado que lo hiciera. Y pensé, como siempre con remordimiento, en lo que se había convertido Celia. Sin embargo había aprendido algo de ella: que ningún hombre es íntegro a menos que la mujer que ama sea libre, y sepa hacer uso de la libertad, explotándola para realizarse a sí misma.

Alex dejó caer las manos sobre los hombros de Margot. A través del delgado camisón de seda pudo sentir su cálida fragancia, percibió la suavidad de su piel. Dijo con dulzura:

—Tal como eres te quiero y te deseo. Si cambiaras contrataría a alguna otra abogada y te demandaría por haber traicionado al amor.

Sus manos dejaron los hombros de ella, se movieron lentas, acariciantes, hacia abajo. El sintió que la respiración de ella se apresuraba; un momento después se volvió hacia él, urgente, casi sin aliento:

—¿Qué diablos estamos esperando?

—Sólo Dios lo sabe —dijo él—. Vamos a la cama.

3

La visión era tan desusada que uno de los funcionarios de préstamos de la sucursal, Cliff Castleman, se dirigió hacia la plataforma.

—Mrs. D'Orsey, ¿por casualidad ha echado usted un vistazo desde la ventana?

—No —dijo Edwina. Estaba atareada con el correo matutino—. ¿Por qué?

Eran las 8,55, un miércoles, en la principal sucursal de la ciudad del First Mercantile American.

—Bueno —dijo Castleman—, se me ocurre que podría interesarle. Hay afuera una fila como nunca he visto antes de la hora de apertura.

Edwina miró. Varios empleados se apiñaban para mirar por las ventanas. Había murmullos de conversación entre los empleados, cosa generalmente desusada por la mañana tan temprano. Edwina sintió una corriente secreta de preocupación.

Dejó su escritorio y dio unos pasos hacia uno de los grandes ventanales, que formaban parte del frente del edificio que daba a la calle. Lo que vio la sorprendió. Una larga cola de gente, en hileras de cuatro o cinco, se extendía desde la puerta principal a todo lo largo del edificio y se perdía de vista más allá. Parecía que todos estaban esperando que se abriera el banco.

Ella abrió los ojos, incrédula.

—¿Qué diablos...?

—Alguien ha salido hace un momento —informó Castleman—. Dice que la fila se extiende hasta la mitad de la Plaza Rosselli y que se añade más gente continuamente.

—¿Y alguien ha preguntado qué desean?

—Parece ser que lo ha hecho uno de los guardias de seguridad. La respuesta es que vienen a abrir cuentas.

—¡Eso es ridículo! ¿*Toda* esa gente? Debe haber unas trescientas personas, según calculo desde aquí. Nunca hemos tenido tantas cuentas nuevas en un solo día.

El empleado de préstamos se encogió de hombros.

—Simplemente repito lo que he oído.

Tottenhoe, el contador, se les unió en la ventana, y en su cara apareció su habitual malhumor.

—He notificado a la Seguridad Central —informó a Edwina—. Dicen que van a mandar más guardias y que Mr. Wainwright viene para acá. También han avisado a la policía.

Edwina comentó:

—No hay señales exteriores de violencia. Toda esa gente parece muy pacífica.

Era un grupo muy heterogéneo, según podía ver, formado en dos tercios por mujeres, con preponderancia de negros. Muchas mujeres iban acompañadas de niños. Entre los hombres, algunos llevaban mono, como si acabaran de dejar el trabajo o se encaminaran a él. Otros estaban en ropas descuidadas, algunos bien vestidos.

La gente de la fila hablaba entre sí, algunos animadamente, pero nadie parecía enemigo. Algunos, al verse observados, saludaron a los empleados del banco.

—¡Mire eso! —señaló Cliff Castleman. Había aparecido un grupo de cámaras de televisión. Mientras Edwina y los otros miraban, empezaron a filmar.

—Pacíficos o no —dijo el funcionario de préstamos—, tiene que haber un motivo para que toda esta gente venga aquí de golpe.

Un relámpago de intuición golpeó a Edwina.

—Es el Forum East —dijo—. Apostaría a que es el Forum East.

Varios otros, que tenían escritorios cercanos, se habían acercado y escuchaban.

Tottenhoe dijo:

—No abriremos hasta que hayan llegado los guardias de refuerzo.

Todos los ojos se volvieron hacia el reloj de la pared, que marcaba las nueve menos un minuto.

—No —ordenó Edwina, y levantó la voz para que los demás pudieran oírla—. Abriremos como siempre, a la hora acostumbrada. Que cada uno vuelva a su trabajo, por favor.

Tottenhoe se alejó apresurado y Edwina volvió a la plataforma y a su escritorio.

Desde su lugar de privilegio vio que las puertas principales se abrían de golpe y los primeros clientes se precipitaron. Los que habían estado a la cabeza de la fila hicieron al entrar una pausa momentánea, miraron alrededor con curiosidad, después avanzaron rápidamente, a medida que los otros los empujaban. En pocos momentos el recinto central de la gran sucursal bancaria estuvo repleto de una multitud ruidosa y charlatana. El edificio, relativamente tranquilo hacía un minuto, se había convertido en una torre de Babel. Edwina vio a un negro alto y robusto, agitando algunos billetes en la mano y proclamando:

—Quiero poner mi dinero en el banco.

Un guardia de seguridad le indicó:

—Por allí. Allí se abren las cuentas nuevas.

El guardia señaló un escritorio donde una empleada —una muchacha joven— esperaba. Parecía nerviosa. El hombre grande se dirigió hacia ella, sonrió como para tranquilizarla, y se sentó. Inmediatamente los demás se apretaron en una fila confusa, esperando turno.

Parecía que el informe de que todos venían a abrir cuentas había sido exacto, después de todo.

Edwina pudo ver al hombre grandote que se echaba hacia atrás expansivamente, siempre con los billetes en la mano. Su voz se elevó sobre el ruido de las otras conversaciones, y ella lo oyó proclamar:

—No tengo prisa. Hay algunas cosas que me gustaría explicarle.

Los otros dos mostradores fueron rápidamente atendidos por otros empleados. Con igual velocidad amplias filas de gente se formaron delante.

156

Normalmente tres empleados bastaban para manejar las cuentas nuevas pero evidentemente el número era insuficiente ahora. Edwina pudo ver a Tottenhoe en el extremo del banco y le llamó por el teléfono interno. Le dio instrucciones:

—Utilice otros escritorios para atender las cuentas nuevas y ponga a atender a todo el personal de que se disponga.

Incluso muy cerca del intercomunicador era difícil oír por encima del ruido.

Tottenhoe gruñó una respuesta:

—Usted comprenderá que no podemos atender hoy a toda esta gente, y los que atendamos, por muchos que sean, nos tendrán totalmente atados.

—Tengo una idea —dijo Edwina—, eso es lo que alguien desea. Apresure el proceso todo lo que pueda.

Sin embargo sabía que, por mucho que se apresuraran, se tardaba entre diez y quince minutos para abrir cada nueva cuenta. Siempre era así. El papeleo requería ese tiempo.

Primero había un formulario de solicitud para averiguar el domicilio, el empleo, el seguro social y detalles de familia. Había que conseguir un ejemplo de tipo medio de la firma del solicitante. Después se requería prueba de su identidad. Tras todo esto, los empleados llevaban los documentos a un funcionario del banco, para que los aprobara y clasificara. Finalmente se entregaba una libreta de ahorros, o un talonario provisional de cheques.

Por consiguiente el máximo de cuentas nuevas que cualquier empleado bancario podía abrir en una hora era de cinco, de modo que, todo lo que los tres empleados que estaban trabajando podían alcanzar era un total de noventa cuentas en un día de trabajo, *si* trabajaban a toda velocidad, lo que era improbable.

Incluso triplicar el número de empleados en la tarea no permitiría que se abrieran más de doscientas cincuenta cuentas en un día y, ya en los primeros minutos de trabajo, había en el banco más de cuatrocientas personas, otras seguían entrando, y la fila de afuera, que Edwina se levantó para ir a comprobar, parecía más larga que nunca.

El ruido dentro del banco seguía aumentando. Se había convertido en un rugido.

Otro problema era que la creciente masa de los llegados al recinto impedía el acceso de otros clientes a los mostradores. Edwina pudo ver algunos afuera, que miraban aquella barahúnda con consternación. Mientras ella miraba, algunos se cansaron y se marcharon.

Dentro del banco los recién llegados conversaban con los pagadores, y los pagadores, que no tenían nada que hacer a causa de la confusión, charlaban también.

Dos ayudantes de la gerencia habían ido a la zona central y procuraban controlar el fluir de la gente, abriendo también algún espacio ante los mostradores. Pero no tenían mucho éxito.

Sin embargo, no había hostilidad evidente. Todos los que estaban en el repleto banco, cuando los miembros del personal les dirigían la

157

palabra contestaban cortésmente y con una sonrisa. Era, pensó Edwina, como si todos los aquí presentes hubieran recibido instrucciones de portarse lo mejor posible.

Decidió que había llegado el momento de intervenir.

Edwina dejó la plataforma y la zona cercada donde estaba el personal y con dificultad, se abrió paso entre la confusión de gente hasta la puerta principal. Hizo señas a dos guardias de seguridad, que se abrieron paso a codazos para llegar hasta ella, y ordenó:

—Ya hay bastante gente en el banco. Que todo el mundo se quede ahora fuera. Dejen entrar sólo cuando otros hayan salido. Naturalmente, nuestros clientes habituales deben tener preferencia y hay que dejarles pasar cuando lleguen.

El más viejo de los guardias acercó su cabeza a la de Edwina para hacerse oír.

—No va a ser fácil, Mrs. D'Orsey. Reconocemos muchos clientes, pero hay muchos que no conocemos. Vienen demasiadas personas diariamente para que las conozcamos a todas.

—Otra cosa —interrumpió el otro guardia—, cuando llega alguien los que están fuera gritan: «A la cola». Si favorecemos a algunos podemos provocar una revuelta.

Edwina aseguró:

—No habrá revuelta. Haga todo lo que pueda.

Al volverse, Edwina habló con varios de los que esperaban. Las constantes conversaciones que los rodeaban impedían que la oyeran y tuvo que levantar la voz.

—Soy la gerente. ¿Podrían ustedes decirme por qué han venido hoy todos aquí?

—Estamos abriendo cuentas —contestó una mujer que estaba junto a Edwina, con un niño. Tuvo una risita—. No hay nada malo en eso, ¿verdad?

—Y ustedes han puesto anuncios —intervino una voz de negro—. Dicen que por pequeña que sea una cantidad se puede empezar con ella.

—Es verdad —dijo Edwina— y el banco ha hablado en serio. Pero debe haber algún motivo para que todos ustedes hayan decidido venir juntos.

—Puede usted decir —chilló un viejo cadavérico— que todos somos del Forum East.

Una voz joven intervino:

—O queremos serlo.

—Por eso todavía no me... —empezó Edwina.

—Tal vez yo pueda explicarle, señora —un hombre negro, de mediana edad y aspecto distinguido, se abrió paso entre la marea de gente.

—Hágalo, por favor.

En el mismo momento Edwina fue consciente de otra figura a su lado. Al volverse vio que era Nolan Wainwright. Y en la puerta principal había varios nuevos guardias de seguridad, para ayudar a los dos habituales. Edwina lanzó una mirada interrogativa al jefe de Seguridad, que aconsejó:

—Adelante. Lo está usted haciendo muy bien.

El hombre que se había adelantado, dijo:

—Buenos días, señora. No sabía que hubiera mujeres gerentes de banco.

—Bueno, las hay —contestó Edwina—. Y cada vez somos más. Supongo que usted cree en la igualdad de las mujeres, ¿Mr...?

—Orinda. Seth Orinda, señora. Y le aseguro que creo en eso, y también en muchas otras cosas.

—¿Y es una de esas otras cosas la que los ha traído hoy aquí?

—En cierto modo así puede decirse.

—¿Exactamente de qué modo?

—Creo que está usted enterada que todos somos del Forum East.

Ella reconoció:

—Eso me han dicho.

—Lo que hacemos puede calificarse de un acto de esperanza —el bien vestido portavoz marcó con cuidado las palabras. Habían sido escritas y ensayadas. Más gente se acercó, y las conversaciones se apaciguaron al escuchar.

Orinda prosiguió:

—Este banco, según dice, no tiene bastante dinero para seguir ayudando a la construcción del Forum East. De todos modos el banco ha reducido a la mitad el dinero que nos otorgaba, y algunos creemos que todavía cortarán otra mitad, es decir, si alguien no se pone a tocar el tambor y hace algo.

Edwina dijo agudamente:

—Y hacer algo, supongo, significa llevar a un punto muerto todos los negocios de esta sucursal —mientras hablaba fue consciente de varias caras nuevas entre la multitud, de libretas que se abrían y del correr de lápices. Comprendió que habían llegado los periodistas.

Evidentemente alguien había avisado de antemano a la prensa, lo que explicaba la presencia del equipo de televisión afuera. Edwina se preguntó quién lo habría hecho.

Seth Orinda pareció apenado.

—Lo que estamos haciendo, señora, es traer todo el dinero que podemos juntar nosotros, pobre gente, para ayudar al banco en estos momentos de prueba.

—Sí intervino otra voz—, y que no nos vengan con que eso no es buena vecindad.

Nolan Wainwright exclamó:

—¡Eso es una tontería! Este banco no está en dificultades.

—Si no está en dificultades —preguntó una mujer— ¿por qué ha hecho lo que ha hecho con el Forum East?

—La posición del banco fue aclarada en el anuncio —contestó Edwina—. Es una cuestión de prioridades. Además, el banco ha dicho que espera reanudar la financiación más adelante —incluso a ella las palabras le parecieron huecas. Otros también lo pensaron, porque estalló un coro de risas burlonas.

Fue la primera nota de fealdad y de enemistad. El hombre de

159

apariencia distinguida, Seth Orinda, se volvió bruscamente y levantó la mano llamando al orden. Las burlas cesaron.

—Vean ustedes cómo se ve aquí la cosa —afirmó, dirigiéndose a Edwina— el hecho es que todos hemos venido a poner dinero en su banco. Es a esto a lo que me refiero cuando hablo de un acto de esperanza. Pensábamos que, cuando nos vieran a todos, y comprendieran lo que sentimos, tal vez cambiarían ustedes de idea.

—¿Y si no cambiamos?

—Entonces supongo que seguiremos buscando más gente y un poquito más de dinero. Y podemos hacerlo. Tenemos muchas almas bondadosas que seguirán viniendo hoy, y mañana, y pasado mañana. Y, para el fin de semana, se habrá corrido la voz —se volvió hacia los periodistas— de manera que habrá otros, y no sólo del Forum East, que se nos unirán la próxima semana. Nada más que para abrir una cuenta. Para ayudar a este pobre banco. Nada más.

Muchas voces añadieron alegremente:

—Sí, hombre, mucha más gente... no nadamos en oro, pero no cabe duda de que somos muchos... Digan a sus amigos que vengan a apoyarnos.

—Lógicamente— dijo Orinda con expresión inocente— algunas de las personas que ponen hoy dinero en el banco tendrán que venir a sacarlo mañana, o al día siguiente, o la próxima semana. Muchos tienen poco, y no pueden dejar aquí el dinero mucho tiempo. Pero, en cuanto sea posible, volveremos a ponerlo... —sus ojos brillaron con travesura—. Queremos, que estén ustedes ocupados.

—Sí —dijo Edwina—, ya entiendo lo que quieren.

Una periodista esbelta y rubia, preguntó:

—Mr. Orinda: ¿cuánto dinero depositarán todos ustedes en el banco?

—No mucho —fue la alegre respuesta—, muchos han traído sólo cinco dólares. Es la cantidad menor que acepta este banco. ¿No es verdad? —miró a Edwina, que asintió.

Algunos bancos, como sabían Edwina y algunos de los oyentes, requerían un mínimo de cincuenta dólares para abrir una cuenta de ahorros, y de cien dólares para cuenta corriente. Algunos pocos no tenían el mínimo. El First Mercantile American que buscaba alentar a los pequeños ahorristas, había aceptado un mínimo de cinco dólares.

Otra cosa: una vez que una cuenta era aceptada, la mayoría de los originales cinco dólares podían ser retirados, dejando cualquier balance de crédito para mantener la cuenta abierta. Seth Orinda y los otros habían comprendido claramente esto y se proponían ahogar la sucursal bancaria del centro con transacciones de depósitos y retiros. Edwina pensó: es posible que lo logren.

Sin embargo no se estaba haciendo nada ilegal ni obstructivo.

Pese a sus responsabilidades y a su rabia de hacía unos momentos, Edwina tuvo la tentación de reír, aunque comprendió que no debía hacerlo. Miró de nuevo a Nolan Wainwright que se encogió de hombros y dijo tranquilamente:

—Mientras no haya ningún disturbio evidente lo único que podemos hacer es regular el tráfico.

El jefe de seguridad del banco se volvió hacia Orinda y dijo con firmeza:

—Esperamos que todos ustedes nos ayuden a mantener este lugar en orden, dentro y afuera. Nuestros guardias darán instrucciones sobre la cantidad de personas que podrán entrar por vez, y dónde debe situarse la fila de los que esperan.

El otro asintió:

—Lógicamente, señor, mis amigos y yo haremos todo lo posible para ayudar. Tampoco queremos ningún disturbio. Y esperamos que se nos trate con justicia.

—¿Y eso qué significa?

—Los que estamos aquí —afirmó Orinda— y los de afuera, son clientes como cualquier otro que venga a este banco. Y, si bien estamos dispuestos a esperar nuestro turno con paciencia, no queremos que otros reciban un tratamiento especial o que se les permita pasar antes que nosotros, que estamos esperando. Lo que quiero decir es que, cualquiera que llegue, no importa quien sea, tendrá que formar cola.

—Nos ocuparemos de eso.

—Nosotros también, señor. Porque, si lo hacen ustedes de otro modo, será un caso evidente de discriminación. Entonces tendrán que ver cómo nos movemos.

Los periodistas, según vio Edwina, seguían tomando notas.

Se abrió paso entre la muchedumbre hacia los nuevos escritorios habilitados, a los que ya se habían unido dos más, mientras se establecían otros dos.

Uno de los escritores auxiliares, notó Edwina, estaba ocupado por Juanita Núñez. Ella vio la mirada de Edwina y cambiaron una sonrisa. Edwina recordó de pronto que la muchacha Núñez vivía en el Forum East. ¿Había estado enterada de antemano de aquella invasión? Después pensó: de todos modos, no importaba.

Dos de los funcionarios menores del banco supervisaban la nueva actividad de abrir cuentas, y era evidente que cualquier otro trabajo iba a quedar seriamente retrasado.

El hombre de aspecto robusto, que había sido uno de los primeros en llegar, se levantaba en el momento en que Edwina se acercó. La muchacha que había hecho el trámite y que ya no estaba nerviosa, dijo:

—Este es Mr. Euphrates. Acaba de abrir una cuenta.

—Deacon Euphrates es como todos me llaman —y, el hombre tendió a Edwina una mano enorme, que ella tomó.

—Bienvenido al First Mercantile American, Mr. Euphrates.

—Gracias, muy amable de su parte. De verdad, tan amable que creo que, después de todo, voy a poner un poco más de alpiste en esta cuenta— examinó un puñado de cambio menor, seleccionó un cuarto de dólar y dos monedas más y después se dirigió a un cajero.

Edwina preguntó a uno de los nuevos empleados que atendían el servicio de cuentas:

—¿Cuánto fue el depósito inicial?

—Cinco dólares.

—Bien. Procuren trabajar lo más rápidamente posible.

—Es lo que hago, Mrs. D'Orsey, pero perdí mucho tiempo con ese hombre, porque hizo cantidad de preguntas sobre retiros e intereses. Tenía todo escrito en un papel.

—¿Tiene usted el papel?

—No.

—Probablemente otros también lo tengan. Procure conseguir uno y traígamelo.

Tal vez sirva para darnos alguna clave, pensó Edwina, acerca de quién ha planeado y ejecutado esta experta invasión. No creía que ninguna de las personas con las que había hablado hasta ese momento fuera la figura organizadora clave.

Otra cosa emergía: la tentativa de inundar el banco no iba a limitarse meramente a abrir nuevas cuentas. Los que ya las habían abierto formaban ahora cola antes los mostradores de los cajeros, pagando o retirando diminutas sumas a paso glacial, haciendo preguntas o forzando a los cajeros a conversar.

De manera que los clientes regulares no sólo iban a tener dificultades para entrar al edificio, sino que, una vez dentro, sufrirían nuevos impedimentos.

Informó a Nolan Wainwright acerca de las listas de preguntas y de las instrucciones que había dado a la muchacha empleada.

El jefe de seguridad aprobó:

—A mí también me gustaría verlas.

—Mr. Wainwright —llamó una secretaria—, le llaman por teléfono. El cogió el teléfono y Edwina le oyó decir:

—Es una manifestación, aunque no en el sentido legal. Es pacífica y podría provocar molestias para nosotros mismos si tomamos decisiones apresuradas. Lo que menos deseamos aquí es un enfrentamiento violento.

Era tranquilizador, pensó Edwina, poder contar con la sana solidez de Wainwright. Cuando él dejó el teléfono ella tuvo una idea.

Alguien sugirió que llamáramos a la policía— dijo.

—Llegó cuando yo llegaba y la despaché. Ya vendrá si la necesitamos. Pero espero que no sea así —señaló hacia el teléfono, después hacia la Torre de la Casa Central—. La noticia ha llegado a los grandes. Están allí apretando los botones del pánico.

—Deberían procurar devolver los fondos que han retirado del Forum East.

Por primero vez desde su llegada una breve sonrisa atravesó la cara de Wainwright.

—A mí también me gustaría. Pero ésta no es la manera y, cuando el dinero del banco está en juego, la presión exterior no alterará nada.

Edwina estaba a punto de decir: «¿Quién sabe?» cuando cambió de idea y se quedó en silencio.

Mientras miraban, la multitud que monopolizaba la zona central del banco seguía sin disminuir; el rumor era un poco más fuerte que antes.

Afuera la fila que aumentaba seguía firme en su puesto.

Eran las 9,45.

4

También a las 9,45, a tres manzanas de la Torre de la Casa Central del FMA, Margot Bracken operaba en un puesto de mando desde un Volkswagen descuidadamente estacionado.

Margot había tenido la intención de mantenerse apartada de la ejecución de su plan de presión, pero, finalmente, no había podido hacerlo. Como un caballo de batalla que patea el suelo ante el olor del combate, su resolución se había debilitado primero y se había disuelto después.

Pero la preocupación de Margot de no turbar a Alex o a Edwina continuaba, y éste era el motivo de que estuviera ausente de la primera fila de acción, en la Plaza Rosselli.

Si aparecía, iba a ser rápidamente identificada por miembros de la prensa, cuya presencia Margot conocía, ya que ella misma lo había arreglado de antemano, con notas confidenciales enviadas a los periódicos, a la TV y a la radio.

En consecuencia unos discretos mensajeros traían hasta el coche noticias acerca del desarrollo de las operaciones y llevaban instrucciones de vuelta.

Desde el jueves se había llevado a cabo una gran actividad organizadora.

El viernes, cuando Margot trabajaba en el plan principal, Seth, Deacon y varios miembros del comité habían reclutado capitanes de grupo dentro y fuera del Forum East. Estos jefes describieron lo que iba a hacerse en términos generales, pero la respuesta fue abrumadora. Casi todos querían actuar en algo y conocían a otros con quienes también se podía contar.

Al final del domingo, cuando las listas estaban completas, figuraban mil quinientos nombres. Rápidamente se añadieron otros. De acuerdo con el plan de Margot era imposible mantener la acción por lo menos una semana, o más, si se mantenía el entusiasmo.

Entre los hombres con trabajos regulares que se habían ofrecido voluntariamente para cooperar, algunos, como Deacon Euphrates, estaban de vacaciones, tiempo que dijeron iban a aprovechar. Otros simplemente dijeron que se ausentarían cuando fuera necesario. Lamentablemente muchos de los voluntarios eran desocupados, y su número había crecido recientemente debido a una temporada de escasez de trabajo.

Pero predominaban las mujeres, en parte por estar más disponibles durante el día, y también porque —más que en el caso de los hombres— el Forum East se había convertido en el esperanzado faro de sus vidas.

Margot sabía esto, tanto por lo que le decía su personal adelantado como por los informes de la mañana.

Los informes que hasta ahora había recibido eran altamente satisfactorios.

Margot había insistido que en cualquier momento, y particularmente durante los contactos directos con representantes del banco, todos los del contingente del Forum East debían ser amables, corteses y parecer ostensiblemente dispuestos a cooperar. Este era el motivo de la frase «Acto de Esperanza», que Margot había acuñado, y la idea de que un grupo de individuos interesados en el asunto —aunque de medios limitados— venían en «ayuda» del banco que estaba en «dificultades».

Sospechaba, con aguda penetración, que cualquier sugestión de que el First Mercantile American estaba en dificultades iba a tocar un nervio sensible.

Y aunque no se debía ocultar la conexión con el Forum East, en ningún momento debía haber amenazas abiertas, como por ejemplo, que la paralización del gran banco continuaría a menos que se desvolvieran los fondos para la construcción. Margot había dicho a Seth Orinda y los otros: «Dejemos que sea el mismo banco el que llegue a esa conclusión».

Al dar instrucciones había señalado la necesidad de evitar cualquier apariencia de amenaza o intimidación. Los que habían asistido a las reuniones tomaron nota, y después trasmitieron las instrucciones.

Otro detalle era la lista de preguntas que podían hacer los individuos al abrir una cuenta. Margot también había preparado estas preguntas. Hay centenares de preguntas legítimas que cualquiera que esté tratando con un banco puede hacer razonablemente, aunque, en general, la gente no las hace. Como resultado implícito las operaciones del banco iban a demorarse casi hasta la paralización.

Orinda debía actuar como portavoz si llegaba la oportunidad. El proyecto de Margot no necesitaba mucho ensayo. Y era fácil de aprender.

Deacon Euphrates fue designado para iniciar temprano la fila y ser el primero en abrir una cuenta.

Fue Deacon* —nadie sabía si Deacon era un nombre dado a un título otorgado por alguna de las religiones de la zona— quien encabezó el trabajo aconsejando a los voluntarios y diciéndoles cuándo y cómo tenían que actuar. Deacon trabajaba con un ejército de lugartenientes, que se extendía ampliándose, como la tela de una araña.

El miércoles por la mañana, había sido esencial una gran concurrencia al banco para crear una fuerte impresión. Pero algunos de los asistentes debían ser relevados periódicamente. Los otros, que aún no habían aparecido, eran la reserva para acudir más tarde, u otro día.

Para realizar todo esto se había establecido una red de comunicaciones que hacía continuo uso de los teléfonos públicos locales, por medio de otros cooperadores estacionados en las calles. Pese a algunos fallos en un esquema improvisado y que debía funcionar rápido, las comunicaciones andaban bien.

Todas estas cosas y otros informes eran proporcionados a Margot, que seguía esperando en el asiento trasero de su Volkswagen. La información incluía el número de personas que formaban fila, el tiempo que empleaba el banco en abrir cada cuenta y el número de escritorios

---

* «Deacon»: diácono.

adicionales para abrir las cuentas. También estaba enterada de la situación en el colmado interior del banco; y conocía las frases cambiadas entre Seth Orinda y los funcionarios del banco.

Margot hizo un cálculo y después dio órdenes al último mensajero, un joven larguirucho que esperaba en el asiento delantero del coche:

—Dígale a Deacon que no busque más voluntarios por el momento; me parece que tenemos bastantes para el resto del día. Que los que están afuera sean relevados un rato, aunque no más de cincuenta por vez, y dígales que vayan a recoger sus almuerzos. En cuanto a los almuerzos, prevenga nuevamente a todos que no deben quedar desperdicios en la Plaza Rosselli, y que no hay que llevar comida ni bebidas al banco.

El hablar de los almuerzos recordó a Margot el problema del dinero, que se había presentado al empezar la semana.

El lunes, los informes traídos por Deacon Euphrates revelaron que muchos de los voluntarios no podían disponer de cinco dólares... y esa era la cantidad mínima requerida para abrir una cuenta en el FMA. La Asociación de Inquilinos del Forum East virtualmente no tenía dinero. Por un momento pareció que el plan iba a fracasar.

Entonces Margot hizo una llamada telefónica. Llamó al sindicato —la Asociación Norteamericana de Empleados, Cajeros y Trabajadores de Oficina— que representaba ahora a los porteros y limpiadores del aeropuerto a quienes había ayudado el año pasado.

¿Quería el sindicato colaborar prestando el suficiente dinero como para proporcionar cinco dólares a cada voluntario que no dispusiera de ellos? Los dirigentes del sindicato convocaron a una reunión apresurada. El sindicato dijo que sí.

El martes, empleados de las oficinas del sindicato ayudaron a Deacon y Seth Orinda a distribuir el dinero. Todos los interesados sabían que parte de ese dinero nunca iba a ser devuelto, y que algunos de los poseedores de los cinco dólares iban a gastarlos el martes por la noche, y que el propósito original iba a ser ignorado u olvidado. Pero la mayoría del dinero, suponían, iba a ser empleado como se pensaba. A juzgar por el espectáculo de esta mañana, no se habían equivocado.

El sindicato había ofrecido suministrar y pagar los almuerzos. La oferta fue aceptada. Margot sospechaba que debía haber algún interés especial de parte del sindicato, pero decidió que la cosa no iba a afectar el objetivo del Forum East y que, por lo tanto, no tenía importancia.

Siguió dando instrucciones al último mensajero:

—Debemos mantener la fila hasta que se cierre el banco, a las tres.

Era posible, pensó, que los periodistas tomaran fotografías en el último momento, de manera que era importante una muestra de fuerza en lo que quedaba del día.

Los planes para el día siguiente serían coordinados esa noche. En su mayoría eran una repetición del plan del primer día.

Por suerte el tiempo —un despliegue de dulzura con cielos claros— ayudaba y los pronósticos para los próximos días eran buenos.

—No dejen de recalcar —dijo Margot a otro mensajero media hora después— que todos deben ser amables, amables, amables. Incluso si la gente del banco se vuelve grosera o se impacienta lo único que hay que hacer es contestarles con una sonrisa.

A las 11,45 de la mañana Seth Orinda informó personalmente a Margot. Sonreía ampliamente y enarbolaba en la mano una temprana edición del periódico de la tarde.

—¡Caramba! —Margot desdobló y leyó la primera plana.

La actividad del banco ocupaba la mayor parte del espacio disponible. Le prestaban mucha, mucha más atención de la que se había atrevido a esperar.

El titular principal decía:

**GRAN BANCO INMOVILIZADO POR LOS DEL
FORUM EAST**

Y debajo:

¿ESTA EN DIFICULTADES EL FIRST MERCANTILE AMERICAN?

**MUCHOS HAN IDO A «AYUDARLO»
CON PEQUEÑOS DEPOSITOS.**

Seguían fotografías y un artículo a dos columnas.

—¡Hermano! —exhaló Margot—. ¡Esto no va a gustarle nada al FMA!

No les gustó.

Poco después de mediodía tuvo lugar una conferencia rápidamente convocada en el piso treinta y seis de la Torre de la Casa Central del First Mercantile American, en las oficinas de la presidencia.

Jerome Patterton y Roscoe Heyward estaban allí, con las caras torcidas. Alex Vandervoort se les unió. El también estaba serio, aunque a medida que la discusión progresaba, Alex pareció menos preocupado que los otros, su expresión era por momentos pensativa, con algún chispazo divertido. El cuarto asistente era Tom Straugham, el estudioso y joven jefe de los economistas del banco; el quinto era Dick French, vicepresidente de relaciones públicas.

French, corpulento y ceñudo, caminaba a zancadas masticando un cigarro sin encender; traía un montón de diarios de la tarde que fue echando uno tras otro, ante los presentes.

Jerome Patterton, sentado detrás de su escritorio, abrió un periódico. Cuando leyó las palabras: «¿Está en dificultades el FMA?», estalló:

—¡Esta es una inmunda mentira! ¡Habría que poner pleito a ese diario!

—No hay motivo para ponerle pleito —dijo French, con su acostumbrada rudeza—. El periódico no lo afirma como un hecho. Está puesto como un interrogante y, en todo caso, está citando a otro. Y la frase original no era maligna —guardó silencio en una actitud que significaba «hay que aceptar la cosa como es», con las manos cruzadas a la espalda y el cigarro proyectándose como un torpedo acusador.

Patterton se puso colorado de rabia.

—¡Claro que es maligna! —exclamó Roscoe. Había permanecido desdeñosamente junto a una ventana y se volvió ahora hacia los otros cuatro—. Todo el asunto está hecho con malignidad. Cualquier imbécil puede verlo.

French suspiró:

—Está bien, tendré que deletrear la cosa. Quienquiere que esté detrás de esto, es alguien que conoce bien la ley y las relaciones públicas. El asunto, como usted lo dice, está hábilmente planeado para dar la impresión de algo amistoso y cooperativo hacia el banco. Claro, sabemos que no es así. Pero es algo que nunca podrá probarse y sugiero que dejemos de perder tiempo hablando de intentar hacerlo.

Recogió uno de los diarios y lo tendió mostrando la primera página.

—Uno de los motivos por el que gano mi principesco salario es porque soy experto en noticias y en el ambiente. Y en este momento mi experiencia me dice que esta historia... que está bien escrita y preciosamente presentada, ¿para qué negarlo?... está corriendo por todos los servicios telegráficos del país y *será utilizada*. ¿Por qué? Porque es una historia de David y Goliat, que apesta a interés humano.

Tom Straughan, sentado junto a Vandervoort, dijo tranquilamente:

—Puedo confirmar eso en parte. La historia ha estado en el servicio de noticias del Dow Jones y casi en seguida nuestros valores han bajado un punto.

—Otra cosa —Dick French siguió como si no lo hubieran interrumpido— es conveniente que nos preparemos esta noche para las noticias en la televisión. Habrá mucho en las emisoras locales, seguramente y, mi entrenamiento en estas cosas me dice que habrá información en cadena en los tres canales mayores. Y afirmó que si algún guionista puede resistirse a hacer algo con la frase «Banco en dificultades», estoy dispuesto a tragarme un sapo.

Heyward preguntó con frialdad:

—¿Ha terminado?

—No del todo. Sólo quiero añadir que, si yo hubiera desperdiciado todo el presupuesto de relaciones públicas del año en una sola cosa, *nada más que en una,* para presentar *mal* a este banco, no podría igualar el daño que han hecho ustedes, sin ayuda de nadie.

Dick French tenía una teoría personal. Era que un buen encargado de relaciones públicas debe estar cada día preparado para actuar. Si el conocimiento y la experiencia requerían de él que dijera a sus superiores hechos desagradables, que hubieran preferido no oír, y si era necesario ser brutalmente franco al hacerlo, lo hacía. La sinceridad formaba también parte de las relaciones públicas... era una treta para llamar la atención. Hacer menos, o procurar ganar favores por medio del silencio o el sigilo, hubiera sido faltar a sus responsabilidades.

Algunos días requerían más rudeza que la habitual. Este era uno de ellos.

Frunciendo el ceño, Roscoe Heyward preguntó:

—¿Sabemos ya quiénes son los organizadores?

—No concretamente —dijo French—. He hablado con Nolan Wainwright, que se está ocupando de eso. No es que vaya a importar mucho.

—Y si le interesa conocer las últimas noticias de la sucursal —añadió Tom Straugham— le diré que he ido allí por el túnel, antes de venir aquí. La plaza está todavía repleta de manifestantes. Casi nadie puede entrar para hacer transacciones regulares.

—No son manifestantes —corrigió Dick French—. Que esto también quede claro, ya que estamos en ello. No hay un cartel ni ninguna consigna, como no sea, quizás «Acto de Esperanza». Son clientes, y ese es el problema.

—Está bien —dijo Jerome Patterton—, ya que está usted tan enterado: ¿qué sugiere?

El vicepresidente de relaciones públicas se encogió de hombros:

—Son ustedes los que retiraron la alfombra del Forum East. Es a ustedes a quienes corresponde volverla a poner.

Las facciones de Roscoe Heyward se endurecieron.

Patterton se volvió hacia Vandervoort.

—¿Qué opina, Alex?

—Ustedes conocen mis sentimientos —dijo Alex; era la primera vez que hablaba—. Yo estuve, en principio, en contra de que se cortaran los fondos. Sigo estándolo.

Hayward dijo con sarcasmo:

—Entonces probablemente estará usted encantado con lo que está ocurriendo. Y supongo que cedería de buena gana ante esa chusma y sus intimidaciones.

—No, no estoy en modo alguno encantado —los ojos de Alex llamearon enojados—. Lo que estoy es turbado y ofendido de ver al banco colocado en esta situación. Creo que lo que está ocurriendo podía haber sido previsto... es decir, podía haberse previsto alguna respuesta, alguna oposición. Pero, lo que importa en este momento es arreglar cuanto antes la situación.

Heyward dijo, con desprecio:

—Por lo tanto usted *cede* ante la intimidación. Tal como he dicho.

—Ceder o no ceder no tiene aquí importancia —contestó Alex con frialdad—. La cuestión real es: ¿Teníamos razón o no al cortar los fondos al Forum East? Sí estábamos equivocados, debemos rectificar y tener el valor de reconocer nuestro error.

Jerome Patterton observó:

—Rectificaciones o no, si ahora retrocedemos, haremos el papel de idiotas.

—Jerome —dijo Alex— en primer lugar, no creo eso. En segundo lugar: ¿qué importa?

Dick French intervino:

—La parte financiera de todo esto no es asunto mío. Lo sé. Pero les diré algo: si decidimos ahora cambiar nuestra política con respecto al Forum East, quedaremos bien y no mal.

Roscoe Heyward dijo agriamente a Alex:

—Si el valor es aquí un factor, yo diría que usted carece de él enteramente. Lo que usted hace es negarse a hacer frente a unos patanes.

Alex meneó la cabeza, con impaciencia.

—Vamos, Roscoe, no hable como un comisario de pueblo. A veces negarse a cambiar una decisión equivocada es simple testarudez y nada más. Todos los periodistas lo han dicho claramente. Además, esa gente que está en la sucursal no es chusma.

Heyward dijo, desconfiado:

—Parece usted sentir una afinidad especial con ellos. ¿Sabe acaso algo que los demás no sabemos?

—No.

—De todos modos, Alex —rumió Jerome Patterton—, no me gusta la idea de someterme tan fácilmente.

Tom Straugham había escuchado los dos argumentos. Ahora dijo:

—Yo, como todos saben, me opuse a que se cortaran los fondos al Forum East. Pero tampoco me gusta que me lleven por delante unos desconocidos.

Alex suspiró.

—Si todos están de acuerdo con eso, es mejor que nos hagamos a la idea de que la sucursal del centro quedará paralizada por algún tiempo.

—Esa gentuza no podrá continuar con lo que está haciendo —afirmó Roscoe—. Me atrevo a predecir que, si nos mantenemos fuertes, si nos negamos a que nos hagan a un lado o nos pisoteen, toda la demostración se evaporará mañana.

—Y yo —dijo Alex— me atrevo a predecir que continuará toda la próxima mañana.

Finalmente ambos cálculos resultaron equivocados.

En ausencia de una actitud de suavización en el banco, la inundación de la sucursal del centro por los sostenedores del Forum East se prolongó todo el jueves y el viernes, hasta el cierre de las transacciones, el viernes por la tarde.

La gran sucursal estaba inutilizada. Y, como había predicho Dick French, toda la atención del país se concentró en aquel aprieto.

Parte de la atención prestada era humorística. Sin embargo, los inversores no estaban tan divertidos, y en la Bolsa de Nueva York, el viernes, las acciones del First Mercantile American cerraron con dos puntos y medio menos.

Entretanto Margot Bracken, Seth Orinda, Deacon Euphrates y otros continuaban planeando y reclutando.

El lunes por la mañana el banco capituló.

En una conferencia de prensa rápidamente convocada a las 10 de la mañana, Dick French anunció que la total financiación del Forum East sería restablecida inmediatamente. Por cuenta del banco, French expresó la cordial esperanza de que muchos habitantes del Forum East y sus amigos, que habían abierto cuentas en FMA en los días pasados, siguieran siendo clientes del banco.

Detrás de la capitulación del banco hubo varios motivos de fuerza.

Uno fue: antes de que se abriera la sucursal el lunes por la mañana, la fila fuera del banco y en la Plaza Rosselli era todavía mayor que en días anteriores, de manera que resultaba evidente que la situación de la semana anterior iba a repetirse.

Y, para mayor desconcierto, otra fila apareció en otra sucursal del FMA, en el suburbio de Indian Hill. Aquello no fue del todo inesperado. La extensión de las actividades del Forum East a otras sucursales del First Mercantile American había sido prevista en los diarios del domingo. Cuando se empezó a formar la fila en Indian Hill, el alarmado gerente telefoneó a la Casa Central, pidiendo ayuda.

Pero fue un último factor el que desencadenó el resultado.
ltimo factor el que desencadenó el resultado.

Al final de la semana, el sindicato que había prestado dinero a los inquilinos del Forum East y proporcionado almuerzo gratuito para los que formaban fila la Federación Norteamericana de Empleados, Cajeros y Trabajadores de Oficina públicamente anunció que participaba en el asunto. Afirmaron que darían apoyo adicional. Un portavoz del sindicato calificó al FMA como a «una máquina egoísta y pantagruélica de hacer dinero, puesta en marcha para enriquecer a los poderosos a costa de los que nada tienen.» Una campaña para sindicar a los empleados del banco, anunció, iba a iniciarse pronto.

El sindicato, de aquel modo, hizo inclinar la balanza, no con una brizna de paja, sino con un saco de ladrillos.

Los bancos —todos los bancos— temen, incluso odian a los sindicatos. Los dirigentes y ejecutivos bancarios miran a los sindicatos como una serpiente podría mirar a una mangosta. Lo que asusta a los bancos, si los sindicatos se hacen fuertes, es una disminución de la libertad financiera de los bancos. A veces ese miedo ha sido irracional, pero ha existido.

Aunque los sindicatos lo habían intentado con frecuencia, pocos habían abierto camino en lo que concierne a los empleados bancarios. Una y otra vez, hábilmente, los banqueros fueron más ingeniosos que los organizadores de sindicatos y pensaban seguir siéndolo. Si la situación en el Forum East significaba una palanca para que se formara un sindicato, *ipso facto* la palanca debía ser removida. Jerome Patterton, que había llegado temprano a su oficina y se movía con velocidad desusada, tomó la decisión de autorizar la restitución de fondos al Forum East. También aprobó el anuncio que iba a hacer el banco y que Dick French corrió a propagar.

Después, para calmar los nervios, Patterton cortó todas las comunicaciones y se dedicó a practicar puntería con palillos en la alfombra de su despacho.

Más tarde, esa misma mañana, en una reunión informal del comité de política bancaria, se acordó la restitución de los fondos aunque Roscoe Heyward rezongó:

—Se ha creado un precedente y es una entrega que lamentaremos.

Alex Vandervoort guardó silencio.

Cuando el anuncio del FMA fue leído a los partidarios del Forum

East, en ambas sucursales bancarias, se oyeron algunos aplausos, y los grupos reunidos tranquilamente se dispersaron. En media hora los negocios en ambas sucursales volvieron a la normalidad.

El asunto hubiera terminado allí de no ser por una información que se había deslizado y que, vistas las cosas retrospectivamente, fue quizás inevitable. La filtración apareció dos días después en el comentario de un periódico —un comentario en la columna *Con la Oreja en Tierra*—, sección que había sido la primera en sacar a luz el asunto.

¿Se ha preguntado usted quién estaba detrás de los inquilinos del Forum East que esta semana pusieron de rodillas al orgulloso y poderoso First Mercantile American? La Sombra lo sabe. Es la abogada feminista y defensora de los Derechos Civiles, Margot Bracken... la misma de «la sentada en los servicios de aseo del aeropuerto», famosa por esta y otras batallas a favor de los humildes y los pisoteados.

Esta vez, aunque el «banqueo» fue idea suya, en la que trabajó activamente, Miss Bracken actuó con sumo secreto. Se encargaron otros de dar la cara, pero ella se mantuvo oculta, evitó a la prensa, su aliada normal. ¿Esto también les parece raro?

¡Que no les parezca! El mejor y más grande amigo de Margot, con quien ha sido vista frecuentemente, es el equidistante banquero Alexander Vandervoort, importante ejecutivo del FMA. Si usted fuera Margot y tuviera esa relación en la cacerola: ¿no se habría mantenido aparte?

Sólo nos preocupa una cosa: ¿conocía Alex y aprobó la invasión de su propio hogar?

5

—¡Maldición, Alex —dijo Margot—, lo lamento muchísimo!

—Tal como ha sucedido, yo también lo lamento.

—Desollaría vivo a ese periodista piojoso. Por lo menos no ha mencionado que soy pariente de Edwina.

—No muchos lo saben —dijo Alex—, ni siquiera en el banco. De todos modos los amantes son noticia más viva que los primos.

Era cerca de la medianoche. Estaban en el apartamento de Alex, y era la primera cita desde que se había iniciado la invasión de la sucursal central del FMA. El comentario de *Con la Oreja en Tierra* había aparecido en día anterior.

Hacia algunos minutos que había llegado Margot, tras representar a un cliente ante un tribunal nocturno: un borracho habitual y rico, cuya costumbre de atacar a quien fuera cuando estaba bebido era una de las pocas y continuas fuentes de ingreso de Margot.

—Supongo que el periodista cumplió con su deber —dijo Alex—. Y casi seguramente tu nombre habría aparecido de todos modos.

Ella dijo con aire contrito:

—Quise asegurarme de que no apareciera. Sólo unas pocas personas estaban enteradas y yo quería que las cosas siguieran así.

El sacudió la cabeza.

—No había manera. Nolan Wainwright me lo dijo esta mañana, y estas fueron sus palabras: «Todo el asunto parece planeado por la propia mano de Margot Bracken». Y Nolan había empezado a interrogar a la gente. Antes era detective de la policía, ¿sabes? Alguno habría hablado si el comentario no hubiese aparecido.

—Pero no necesitaban mencionar *tu* nombre.

—Si quieres saber la verdad —dijo Alex sonriendo—, me gusta un poquito eso de «equidistante banquero».

Pero la sonrisa era falsa y comprendió que Margot se daba cuenta. La verdad era que el comentario le había sacudido y deprimido. Seguía deprimido esa noche, aunque se había alegrado cuando Margot telefoneó para anunciar que venía.

Preguntó:

—¿Has hablado hoy con Edwina?

—Sí, la he telefoneado. No parecía enojada. Nos conocemos bien. Además, a ella le gusta que el Forum East esté otra vez en marcha... con todo. Tú también debes estar contento.

—Ya conoces mis sentimientos sobre el asunto. Pero eso no quiere decir que apruebe tus turbios métodos, Bracken.

Había hablado con más rudeza de lo que pensaba. Margot reaccionó con rapidez.

—No ha habido nada turbio en lo que yo o mi gente hemos hecho. Y no sé si puede decirse lo mismo de tu maldito banco.

El levantó las manos, a la defensiva.

—No discutamos. No esta noche.

—Entonces no digas esas cosas.

—Está bien. No las diré.

La rabia momentánea de ambos desapareció.

Margot dijo, pensativa:

—Dime... ¿cuando todo empezó, no se te ocurrió que yo podía estar metida en el ajo?

—Sí. En parte porque te conozco bien y recordé que te habías callado la boca sobre lo del Forum East, cuando esperaba que nos hicieras trizas a mí y al banco.

—¿Se te hicieron difíciles las cosas... cuando se analizaba el asunto en el banco?

El contestó bruscamente:

—Sí, así fue. No sabía si convenía compartir lo que sospechaba o callarme. Como mencionar tu nombre no hubiera supuesto nada importante ante lo que estaba pasando, me callé. Ahora comprendo que hice mal.

—¿De manera que ahora algunos creen que tú estabas enterado?

—Roscoe lo cree. Tal vez Jerome. No estoy seguro de los demás.

Siguió un silencio incierto hasta que Margot preguntó:

—¿Te importa? ¿Importa mucho? —Por primera vez desde que se conocían la voz de ella era ansiosa. La preocupación ensombrecía su cara.

Alex se encogió de hombros, y decidió tranquilizarla.

—Realmente no importa, creo. No te preocupes. Sobreviviré.

Pero importaba. Importaba mucho en el FMA, a pesar de lo que acababa de decir, y el incidente había sido doblemente infortunado en aquel momento.

Alex estaba seguro de que la mayoría de los directores del banco había visto el comentario donde aparecía su nombre y la pregunta pertinente: *«¿Conocía Alex y aprobó la invasión de su propio hogar?»* Y, si algunos no lo habían visto, Roscoe Heyward se iba a encargar de que lo vieran.

Heyward había mostrado claramente su actitud.

Aquella mañana Alex había ido a ver directamente a Jerome Patterton cuando el presidente llegó, a las 10 de la mañana. Pero Heyward, cuyo despacho estaba más cerca, había llegado antes.

—Adelante, Alex —había dicho Patterton—. Es mejor que tengamos una sola reunión de tres y no dos reuniones por separado.

—Antes de hablar, Jerome —dijo Alex—, quiero ser el primero en mencionar el tema. ¿Ha visto esto? —puso el recorte del comentario de *Con la Oreja en Tierra* sobre el escritorio.

Sin esperar, Heyward dijo, con mal tono:

—¿Cree que hay alguien en el banco que no lo haya visto?

Patterton suspiró.

—Sí, Alex, estoy enterado y desearía no estarlo. También hay una docena de personas que me ha llamado la atención sobre el asunto y no me cabe duda de que habrá otras.

Alex dijo con firmeza:

—Entonces tiene usted derecho a saber que lo que está ahí impreso es para crear problemas y nada más. Le doy mi palabra de que ignoraba absolutamente todo lo que pasó en la sucursal central, y que no sabía más que los otros cuando la cosa estaba en marcha.

—Mucha gente creerá —comentó Roscoe Heyward— que, dadas sus «relaciones» —puso un énfasis sardónico en la palabra «relaciones»— esa ignorancia es improbable.

—La explicación que he dado —exclamó Alex— está dirigida únicamente a Jerome.

Pero Heyward se negó a que le dejaran de lado.

—Cuando la reputación del banco se ve públicamente disminuida, a todos nos importa. En cuanto a su supuesta explicación: ¿realmente supone que alguien puede creer que todo el miércoles, el jueves, el viernes, el fin de semana y hasta el lunes, no tenía usted idea, ninguna idea, de que su amiga estuviera metida en el asunto?

Patterton dijo:

—Vamos, Alex: ¿qué contesta usted a eso?

Alex sintió que la cara se le ponía colorada. Estaba dolido —y se había sentido así varias veces desde el día anterior— de que Margot le hubiera colocado en esta posición absurda.

Con toda la tranquilidad que pudo, contó a Patterton la sospecha que había tenido la semana pasada de que Margot pudiera estar metida en el asunto, y su idea de que nada se ganaba si discutía con los otros esa posibilidad. Explicó, además, que hacía más de una semana que no había visto a Margot.

—Nolan Wainwright opinaba lo mismo —añadió Alex—. Me lo dijo esta mañana temprano. Pero Nolan también se calló, porque, para ambos, no era más que una impresión, un presentimiento, hasta que apareció el comentario.

—Tal vez alguien le crea, Alex —dijo Roscoe Heyward. Su tono y expresión afirmaban: *Yo no*.

—Vamos, vamos, Roscoe —protestó con suavidad Patterton—. Está bien, Alex. Acepto su explicación. Aunque confío en que use de su influencia con Miss Bracken para que, en el futuro, dirija su artillería hacia otra parte.

Heyward añadió:

—Sería mejor que no la dirigiera hacia ninguna parte.

Ignorando la última frase, Alex dijo al presidente del banco, con una sonrisa que era una mueca apretada:

—Puede contar con eso.

—Gracias.

Alex estaba seguro de que había oído la última palabra de Patterton sobre el tema, y que la relación de ambos podía volver a ser normal, por lo menos en la superficie. Pero no estaba tan seguro de lo que había detrás de la superficie. Probablemente en la mente de Patterton y en la de otros —incluidos algunos miembros del Directorio— la lealtad de Alex tendría, a partir de ahora, un interrogante de duda. Y, si no era

174

eso, podía haber reservas respecto a la discreción de Alex con las amistades que tenía.

De cualquier modo aquellas dudas y reservas iban a estar en la mente de los directores al llegar el fin de año, cuando estuviera cerca el retiro de Jerome Patterton y la Dirección volviera a plantearse el problema de la presidencia del banco. Y, aunque los directores eran grandes hombres en algunos sentidos, en otros, como Alex sabía muy bien, podían ser mezquinos y estar llenos de prejuicios.

¿Por qué? ¿Por qué tenía que haber pasado aquello justamente *ahora*?

Su humor sombrío se agudizó, mientras Margot le miraba, con ojos interrogantes y una expresión todavía ansiosa e incierta.

Margot dijo, con más seriedad que antes:

—Te he creado dificultades. Muchas, creo. No finjamos que no es así.

El estuvo a punto de tranquilizarla de nuevo, pero cambió la idea, comprendiendo que había llegado el momento de que fueran sinceros consigo mismos.

—Otra cosa —prosiguió Margot—, quiero que recuerdes que hablamos de esto sabiendo lo que podía pasar... preguntándonos si podíamos seguir siendo como somos... gente independiente... y continuar juntos sin embargo...

—Sí —dijo él—, recuerdo...

—La verdad —dijo ella con tristeza— es que no esperaba que todo llegara tan pronto al punto que ha llegado.

El tendió los brazos hacia ella, como había hecho antes tantas veces, pero Margot se apartó y meneó la cabeza.

—No. Arreglemos antes esto.

El comprendió que, sin aviso, y sin que ninguno de los dos lo quisiera, su relación había llegado a una crisis.

—Volverá a pasar de nuevo, Alex. No nos engañemos creyendo que no pasará. Oh, no con el banco, pero con otras cosas relacionadas. Y quiero estar segura de que podremos afrontarlo cuando se presente, y no sólo una vez, esperando que sea la última.

El sabía que lo que ella había dicho era verdad. La vida de Margot era una vida de confrontaciones; y habría otras. Y, aunque algunas fueran remotas a sus propios intereses, otras no lo serían.

También era verdad, como Margot había señalado, que antes habían hablado del asunto... hacía una semana y media. Pero entonces la discusión había sido en abstracto, la elección era menos clara, no estaba agudamente definida como lo exigían ahora los acontecimientos de la semana anterior.

—Una cosa que tú y yo podríamos hacer —dijo Margot— es separarnos ahora, cuando nos divertimos juntos, cuando todavía lo tenemos en la mano... Sin rencores de ninguna de las dos partes; simplemente una conclusión inteligente. Si lo hacemos, si dejamos de vernos y de que nos vean juntos, el comentario correrá rápido. Siempre es así. Y, aunque no borre lo que ha pasado en el banco, facilitará para ti las cosas.

Alex comprendió que aquello también era verdad. Sintió la rápida tentación de aceptar el ofrecimiento, de exorcizar —limpia y rápidamente— aquella complicación de su vida, una complicación que probablemente se volvería mayor y no menor, con el correr de los años. Otra vez se preguntó: ¿Por qué los problemas, las presiones, llegan todos juntos?... Celia había empeorado; Ben Rosselli había muerto; había una lucha en el banco; el inmerecido hostigamiento de hoy. Y ahora Margot. ¿Por qué?

La pregunta le recordó algo que había pasado años atrás, en una visita a la ciudad canadiense de Vancouver. Una mujer joven se había suicidado saltando desde el piso veinticuatro de un cuarto de hotel y, antes de saltar, había garabateado con lápiz de labios en el cristal de la ventana: *¿Por qué, oh, por qué?* Alex no la conocía y no supo más tarde cuáles habían sido sus problemas; que ella suponía sin solución. Pero se había alojado en el mismo piso del hotel y un asistente de la gerencia, muy charlatán, le había mostrado la triste ventana, manchada con lápiz de labios. El recuerdo nunca lo había abandonado.

¿Por qué, oh, por qué, elegimos como elegimos? ¿O por qué la vida nos obliga a hacerlo? ¿Por qué se había casado con Celia? ¿Por qué ella se había vuelto loca? ¿Por qué seguía retrocediendo ante la catarsis del divorcio? ¿Por qué tenía Margot que ser una activista? ¿Por qué consideraba ahora la idea de perder a Margot? ¿Hasta qué punto deseaba ser presidente del FMA?

¡No tanto!

Tomó una decisión forzada, controlada, y expulsó de sí el pesar. *¡Qué se fuera al diablo!* Por ningún FMA, por ninguna Dirección, por ninguna ambición personal, iba a entregar, *nunca,* su libertad privada de acción y su independencia. Y no iba a dejar tampoco a Margot.

—Lo más importante —dijo— es *si tú* quieres lo que acabas de sugerir ahora... si quieres una «conclusión razonable».

Martog habló en medio de las lágrimas.

—Claro que no.

—Pues yo tampoco la quiero, Bracken. Y no creo que jamás llegue a desearlo. Alegrémonos pues de que haya pasado esto, porque hemos probado algo y ninguno de los dos tendrá que volver a demostrarlo.

Esta vez, cuando él tendió los brazos, ella no retrocedió.

6

—Roscoe, viejo —dijo por teléfono el Honorable Harold Austin, con tono de estar muy satisfecho consigo mismo—. He estado hablanco con el Gran George. Nos invita a ti y a mí a jugar al golf en las Bahamas el viernes.

Roscoe Heyward contrajo los labios, dudoso. Estaba en su casa de Shaker Heights, en el despacho, una tarde de sábado en el mes de marzo. Antes de atender el teléfono había estado examinando un portafolio con declaraciones financieras, junto a otros papeles desparramados en el suelo, alrededor de su sillón de cuero.

—No creo poder salir tan pronto y tan lejos —dijo el Honorable Harold—. ¿No sería mejor organizar un encuentro en Nueva York?

—Claro que podríamos intentarlo. Aunque sería estúpido, porque el Gran George prefiere Nassau; y porque al Gran George le gusta arreglar los negocios en un campo de golf... *nuestro* tipo de negocios, que él atiende personalmente.

Era innecesario para cualquiera de los dos identificar al «Gran George». La verdad era que pocos, en la industria, en los bancos o en la vida privada lo juzgaban necesario.

G. G. Quartermain, presidente del consejo Director y jefe ejecutivo de la Supranational Corporation —SuNatCo— era un toro bravo, que poseía más poder que muchos jefes de Estado y lo ejercía como un rey. Sus intereses y su influencia se extendían por el mundo entero, como los de la corporación cuyo destino dirigía. Dentro de la SuNatCo y fuera era invariablemente admirado, odiado, cortejado, agasajado y temido.

Su fuerza estaba en su ficha personal. Ocho años atrás —en base a alguna magia financiera previa— G. G. Quartermain había sido llamado para rescatar a la Supranational en el momento enferma y cargada de deudas. A partir de entonces había recuperado la fortuna de la compañía, la había agrandado en un conglomerado espectacular, tres veces, había dividido las acciones y cuatriplicado los dividendos. Los accionistas, a quienes el Gran George había vuelto más ricos, le adoraban; también le concedían toda la libertad de acción que deseaba. Es verdad que algunas Casandras afirmaban que había construido un imperio de cartón. Pero los informes financieros de la SuNatCo y sus muchas sucursales —que Roscoe Heyward estudiaba cuando el Honorable Harold había telefoneado— las contradecían ruidosamente.

Heyward había visto dos veces al presidente de la SuNatCo: una vez brevemente, entre mucha gente; la segunda en Washington, en la *suite* de un hotel, con Harold Austin.

El encuentro de Washington tuvo lugar cuando el Honorable Harold informó a Quartermain acerca de una misión que había llevado a cabo para la Supranational. Heyward no tenía idea de cuál había sido la misión —los otros dos casi habían terminado la conversación cuando él se les unió— salvo que, en cierto modo, se relacionaba con el gobierno.

La Agencia Austin estaba encargada de la publicidad de la Hepplewhite Distillers, gran sucursal de la SuNatCo, aunque parecía que la relación personal del Honorable Harold con G. G. Quartermain se extendía más allá de eso.

Fuera cual fuese el informe, aparentemente puso de buen humor al Gran George. Cuando le presentaron a Heyward, observó:

—Harold me dice que es usted director de su pequeño banco y que ustedes dos desearían probar una cucharada de nuestra salsa. Bueno, en algún momento, pronto, hablaremos de eso.

El jefe de la Supranational había palmeado a Heyward en el hombro y había hablado de otras cosas.

Fue aquella conversación en Washington con G. G. Quartermain la que había decidido a Heyward a mediados de enero —hacía dos meses— a informar al comité de política financiera del FMA que había posibilidad de hacer negocios con la SuNatCo. Más adelante comprendió que se había apresurado. Ahora parecía que el proyecto renacía.

—Bueno —concedió Heyward en el teléfono—, tal vez pueda partir el jueves por uno o dos días.

—Así me gusta —oyó decir al Honorable Harold—. Nada de lo que hayas planeado puede ser más importante que esto para el banco. Ah, hay algo que no he mencionado: el Gran George mandará su avión particular a buscarnos.

Heyward se entusiasmó.

—¿De veras? ¿Es bastante grande como para un viaje rápido?

—Es un 707. Pensé que iba a gustarte —dijo Harold Austin, con una risita—. Saldremos de aquí el jueves a mediodía, pasaremos todo el viernes en las Bahamas y volveremos el sábado. A propósito ¿como son los nuevos informes de la SuNatCo?

—Los he estado estudiando —Heyward miró la mezcolanza de datos financieros tendidos alrededor de su asiento—. El paciente parece en buena salud; de verdad muy sano.

—Si tú lo dices —contestó Austin—, con eso me basta.

Al dejar el teléfono Heyward se permitió una muda y leve sonrisa. El viaje pendiente, su propósito y el hecho de ir a las Bahamas en un avión privado sería un comentario agradable para dejar caer casualmente en la conversación la semana próxima. También, si la cosa daba algún resultado, su propio *status* ante la Dirección iba a acrecentarse... y esto era algo que nunca perdía de vista en la actualidad, al recordar la naturaleza interina del nombramiento de Jerome Patterton como presidente del FMA.

También le gustaba el regreso aéreo planeado para el sábado. Esto significaba que no dejaría de presentarse en su iglesia —la de San Atanasio— donde era uno de los lectores laicos, y daba su lección, clara y solemne, todos los domingos.

La idea le recordó la lectura de mañana, que había decidido preparar por adelantado, como siempre hacía. Sacó una pesada Biblia familiar de un estante y la abrió en una página, ya doblada. La página era de los *Proverbios,* donde la lectura de mañana incluía un versículo que era el
178

favorito de Heyward: *La virtud exalta a una nación; pero el pecado es un reproche para cualquier pueblo.*

Para Roscoe Heyward la excursión a las Bahamas fue una enseñanza.

No desconocía por cierto lo que era vivir en gran tren. Como la mayoría de los banqueros, Heyward había tenido contactos sociales con clientes y otras personas que usaban libremente el dinero, que lo usaban incluso agresivamente, para comodidades principescas y diversiones. Casi siempre había envidiado aquella libertad financiera.

Pero G. G. Quartermain los sobrepasaba a todos.

El jet 707, identificado por una gran «Q» en el fuselaje y en la cola, aterrizó en el aeropuerto internacional de la ciudad como había sido previsto, ni un minuto más ni un minuto menos. Se estacionó en una terminal privada, donde el Honorable Harold y Heyward dejaron la *limousine* que les había traído desde el centro y fueron conducidos a bordo, penetrando por la parte trasera.

En un saloncito como un vestíbulo de hotel en miniatura, un cuarteto les saludó: un hombre de edad mediana, con pelo gris y una mezcla de autoridad y deferencia que le señalaba como mayordomo, y tres mujeres jóvenes.

—Bienvenidos a bordo, señores —dijo el mayordomo. Heyward asintió, pero apenas notó al hombre, ya que su atención se había concentrado en las mujeres, unas muchachas bonitas como para cortar el aliento, de unos veintitantos años, y todas sonreían amablemente. A Roscoe Heyward se le ocurrió que la organización de Quartermain debía haber reunido a las camareras más bonitas de las compañías TWA, United y American, y que, luego, debía haber seleccionado a estas tres, como la crema de la leche más rica. Una de las muchachas tenía el pelo color miel, otra era una llamativa morena, la tercera una pelirroja de pelo largo. Eran de piernas largas, sinuosas, sanamente tostadas por el sol. El tostado contrataba con sus elegantes y estrictos uniformes beige pálido.

El uniforme del mayordomo era del mismo material elegante que los de las muchachas. Los cuatro llevaban una «Q» bordada sobre el bolsillo delantero izquierdo.

—Buenas tardes, Mr. Heyward —dijo la pelirroja. Su voz, gratamente modulada, tenía una calidad suave, casi seductora. Prosiguió—: Me llamo Avril. Si me acompaña le mostraré su cuarto.

Heyward la siguió, sorprendido ante la referencia a un «cuarto», y el Honorable Harold fue recibido por la rubia.

La elegante Avril precedió a Heyward por un corredor que se extendía por uno de los lados del avión. Varias puertas se abrían sobre el corredor.

Por encima del hombro, ella anunció:

—Mr. Quartermain está tomando una sauna y un masaje. Se reunirá más tarde con usted en la sala.

—¿Una sauna? ¿Aquí?

—Oh, sí. Hay una directamente detrás de la cubierta de vuelo. También un cuarto para baños de vapor. A Mr. Quartermain le gusta tomar una sauna o un baño turco donde quiera que esté, y su masajista siempre le acompaña —Avril lanzó una deslumbrante sonrisa—. Si desea usted tomar un baño y masaje tendrá tiempo para hacerlo durante el vuelo. Me gustaría encargarme de eso.

—No, gracias.

La muchacha se detuvo ante una puerta.

—Este es su cuarto, Mr. Heyward —mientras hablaba el avión se puso en marcha, iniciando el recorrido. Ante el movimiento inesperado, Heyward trastabilló.

—¡Uy! —Avril tendió el brazo, le ayudó a mantener el equilibrio y, por un momento, ambos estuvieron muy cerca. El fue consciente de unos largos dedos finos, de unas uñas lacadas de naranja oscuro, de un contacto firme y leve y de una oleada de perfume.

Ella siguió con la mano apoyada en el brazo de él.

—Es mejor que le ponga el cinturón para cuando despeguemos. El capitán siempre es muy rápido. A Mr. Quartermain no le gusta demorarse en los aeropuertos.

El tuvo la rápida impresión de una salita suntuosa, donde la muchacha le hizo pasar, después quedó sentado en un asiento blando y cómodo, mientras los dedos, de los que ya era consciente, sujetaban hábilmente una correa alrededor de su cintura. Incluso a través de la correa podía sentir el movimiento de los dedos. La sensación no era desagradable.

—¡Listo! —el avión corría ahora. Avril dijo—: Si no le molesta me quedaré hasta que despeguemos.

Se sentó junto a él en el asiento y se ajustó otra correa.

—No —dijo Roscoe Heyward. Se sentía absurdamente deslumbrado—. No me molesta en lo más mínimo.

Al mirar alrededor percibió más detalles. La sala o cabina, como nunca había visto en otro avión, había sido diseñada para una utilización eficiente y lujosa del espacio. Tres de las paredes tenían paneles con una «Q» tallada en una hermosa hoja de oro. La cuarta pared estaba ocupada casi totalmente por un espejo, que ingeniosamente volvía el compartimiento más grande de lo que era. En un nicho de la pared de la izquierda había un escritorio de oficina compactamente organizado, con una consola telefónica y teletipos protegidos con un cristal. Cerca había empotrado un pequeño bar, con una fila de botellas en miniatura. Metida en la pared del espejo, que enfrentaba a Heyward y Avril, había una pantalla de televisión, con un doble juego de controles, al alcance de la mano, a ambos lados del asiento. Una puerta detrás comunicaba, presumiblemente, con un cuarto de baño.

—¿Quiere ver cómo despegamos? —preguntó Avril. Sin esperar respuesta tocó los controles de la televisión que tenía cerca, y una imagen, nítida y en color, surgió a la vida. Evidentemente había una cámara al frente del avión y, en la pantalla, vieron el recorrido hasta llegar a una amplia pista, que pudo verse completamente cuando el 707 se precipitó en ella. Sin perder tiempo el avión avanzó y simultáneamente la pista empezó a correr bajo ellos, después, lo que quedaba de ella se inclinó hacia abajo, cuando el gran jet se puso en ángulo, y estuvieron en el aire. Heyward tuvo una sensación de altura, y no sólo a causa de la imagen de la televisión. Con sólo el cielo y las nubes al frente. Avril apagó la TV.

—Los canales regulares de televisión están allí, si desea verlos—. —Informó ella, después señaló el teleprinter—. Allí puede usted comunicarse con la Dow Jones, la AP, la UP o la Telex. Simplemente telefonée a la cabina de vuelo y atenderán cualquier cosa que usted diga.

Heyward observó, con cautela.

—Todo esto sobrepasa un poco mi experiencia normal.

—Ya lo sé. A veces produce ese efecto en la gente, aunque es sorprendente lo rápido que uno se adapta —nuevamente le lanzó una mirada directa y una sonrisa deslumbrante—. Tenemos cuatro cabinas privadas como esta, que pueden convertirse fácilmente en dormitorios. Basta con apretar unos botones. Se lo mostraré si quiere.

El meneó la cabeza.

—Por el momento me parece innecesario.

—Como usted guste, Mr. Heyward.

Ella aflojó su cinturón y se puso de pie.

—Si quiere hablar con Mr. Austin, él está en la cabina de atrás. Más adelante está la sala principal, donde queda invitado cuando esté listo. Además hay un comedor, oficinas y, más allá, el compartimiento privado de Mr. Quartermain.

—Gracias por los datos geográficos —Heyward se quitó sus lentes sin aro y sacó un pañuelo para limpiarlos.

—Oh, deje que yo lo haga —amablemente pero con firmeza Avril le quitó los lentes de la mano, sacó un pedazo de seda cuadrado y los limpió. Después volvió a colocarle los lentes en la cara, y sus dedos viajaron levemente por detrás de las orejas de Roscoe. Heyward tuvo la sensación de que debía protestar, pero no lo hizo.

—Mi tarea en este viaje, Mr. Heyward, es ocuparme exclusivamente de usted para que no le falte nada.

¿Era acaso su imaginación, se preguntó, o la muchacha había puesto un sutil énfasis en las palabras «que no le falte nada»? Bruscamente se recordó a sí mismo que esperaba que no fuera así. Si lo era, la implicación era de lo más sorprendente.

—Dos cosas más —dijo Avril. Suntuosa y esbelta, con el pelo rojo moviéndose, había ido hacia la puerta dispuesta a partir—. Si me necesita para algo no dude y apriete el botón número siete que verá en el intercomunicador.

Heyward contestó gruñendo:

—Gracias, señorita, pero me parece difícil que lo haga.

Ella quedó impertérrita.

—La otra cosa: en el trayecto a las Bahamas haremos un corto aterrizaje en Washington. El vicepresidente se nos unirá allí.

—¿El vicepresidente de la Supranational?

Los ojos de ella fueron burlones.

—No tonto. El vicepresidente de los Estados Unidos.

Unos quince minutos después el Gran George Quartermian gritó a Roscoe Heyward:

—¡Por todos los diablos! ¿Qué mierda está tomando? ¿Leche de madre?

—Es limonada —Heyward levantó el vaso, inspeccionando el líquido insípido—. Más bien me gusta.

El presidente de la Supranational encogió los macizos hombros.

—Cada adicto con su propio veneno. ¿Las chicas les han atendido bien?

—En ese sector no hay quejas —confesó el Honorable Harold Austin, con una risita. Al igual que los otros estaba cómodamente reclinado en el espléndido salón principal del 707, con la rubia, cuyo nombre era Rhetta, acurrucada en una alfombrilla a sus pies.

Avril dijo con dulzura:

—Hacemos lo que podemos —estaba de pie detrás del sillón de Heyward y dejó que su mano se deslizara ligeramente por la espalda de él. El sintió los dedos que le tocaban la nuca, se abandonó un instante, después se movió.

Unos momentos antes G. G. Quatermain había llegado al salón resplandeciente en una bata de toalla colorada rayada en blanco y la inevitable «Q» ampliamente bordada. Como un senador romano era asistido por sus acólitos —un hombre de cara dura y silenciosa, con un jersey blanco, probablemente el masajista y la azafata, en su bien cortado uniforme beige, de facciones delicadamente japonesas. El masajista y la muchacha supervisaron la entrada del Gran George en un amplio sillón semejante a un trono, que le estaba claramente reservado. Después, una tercera figura —el mayordomo del principio— como por magia, sacó un Martini frío y lo tendió a la ávida mano de G. G. Quartermain.

Incluso más que en las ocasiones previas que se habían visto, Heyward decidió que el apodo «Gran George» era adecuado en todo sentido. Físicamente el anfitrión era un hombre como una montaña, de por lo menos un metro ochenta y cinco de estatura, el pecho, los hombros y el torso de un herrero de pueblo. Su cabeza era el doble de las de otros hombres y sus rasgos faciales hacían juego: eran prominentes, los ojos grandes, se movían con rapidez y oscura audacia, y la boca era de labios gruesos y fuertes, acostumbraba a dar órdenes como un sargento de la marina, aunque por asuntos más amplios. También era evidente que la jovialidad superficial podía desvanecerse en un instante, si algo le desagradaba profundamente.

Sin embargo estaba lejos de ser grosero y no había en él señales de estar gordo de más o de blandura. A través de la tela de toalla que lo envolvía, abultaban los músculos. Heyward observó también que en la cara del Gran George no había capas de grasa, y que su mandíbula maciza no tenía rollos de papada. Su vientre parecía tenso y chato.

182

En cuanto a otras grandezas la amplitud de sus corporaciones y de su apetito eran diariamente comentados en la prensa comercial. Y su estilo de vida en este avión de doce millones de dólares era indudablemente regio.

El masajista y el mayordomo desaparecieron en silencio. Para reemplazarlos, otra vez como un nuevo personaje que surge en el escenario, apareció un *chef* —un hombre pálido, preocupado, con un lápiz, inmaculado en sus ropas de cocina, con un gorro alto que rozaba el techo de la cabina. Heyward se preguntó cuánto personal habría a bordo. Más adelante se enteró que eran en total dieciséis.

El *chef* se plantó tieso ante el sillón del Gran George, y sacó una gran carpeta de cuero negro adornada con una «Q» dorada. El gran George lo ignoró.

—Esas dificultades que han tenido en el banco —dijo Quartermain dirigiéndose a Roscoe Heyward—. Las manifestaciones. Todo lo demás. ¿Está todo arreglado? ¿Son ustedes sólidos?

—Siempre hemos sido sólidos —contestó Heyward—. Eso nunca estuvo en tela de juicio.

—El mercado no opinaba eso.

—¿Desde cuándo ha sido el mercado de Bolsa un barómetro preciso para algo?

El Gran George sonrió vagamente, después se volvió hacia la pequeña camarera japonesa:

—Rayo de Luna, tráeme la última cotización del FMA.

—Sí, señol «Q» —dijo la muchacha. Salió por una puerta delantera.

El Gran George hizo una señal hacia la dirección por la que ella había salido.

—Todavía no he logrado que pronuncie «Quartermain». Siempre me llama «Señol» —mostró los dientes a los otros—. Pero se porta muy bien en todo lo demás.

Roscoe Heyward dijo con rapidez:

—Los informes que pueda usted haber oído sobre nuestro banco se refieren a un incidente trivial, exagerado más allá de su importancia. Sucedió también en un momento de transición de la dirección.

—Pero la gente de ustedes no se ha mantenido firme —insistió el Gran George—. Han dejado que agitadores de afuera se salgan con la suya. Se han ablandado y han cedido.

—Sí, es cierto. Y confieso sinceramente que no me gustó la idea. La verdad es que me opuse.

—¡Hay que darles la cara! ¡Hay que destrozar a esos hijos de puta de una u otra manera! Nunca hay que echarse atrás —el presidente de la Supranational vació su Martini y el mayordomo reapareció no se sabía de dónde, retiró el vaso y colocó otro en la mano del Gran George. Que la bebida estaba perfectamente fría era visible por el grado de congelación exterior.

El *chef* seguía de pie, esperando. Quartermain siguió ignorándole. Murmuró reminiscente:

—Yo tenía una fábrica de repuestos cerca de Denver. Muchas

183

dificultades de trabajo. Demandas de aumento de salario más allá de toda razón. A principios de año el sindicato llamó a la huelga, la última de una serie. Le dije a nuestra gente, a la subsidiaria que dirige la fábrica, prevenga a esos hijos de puta que cerraremos la fábrica. Nadie nos creyó. Hicimos estudios, planeamos acuerdos. Embarcamos los instrumentos y máquinas a otra de nuestras compañías. Distribuimos los restos inactivos. Y cerramos la fábrica de Denver. De pronto ya no hubo ni fábrica, ni trabajo, ni salario. Y ahora todos... empleados, sindicato, la ciudad de Denver, el gobierno del estado, usted lo ha dicho... están de rodillas suplicando que volvamos a abrirla... —examinó su Martini, después dijo con magnanimidad—: Bueno, tal vez lo hagamos. Fabricaremos otras cosas y en nuestros términos. Pero no hemos retrocedido.

—¡Bravo, George! —dijo el Honorable Harold—. Necesitamos que haya más gente capaz de plantarse así. Pero el problema en nuestro banco ha sido algo distinto. En cierto modo estamos todavía en una situación interina, que empezó, como usted sabe, con la muerte de Ben Rosselli. Pero, para la primavera próxima, muchos de los que estamos a bordo de ese barco esperamos que Roscoe tenga firmemente el timón.

—Me alegro de oírlo. No me gusta tratar con gente que no está en lo más alto. Las personas con las que hago negocios deben tener capacidad para decidir y después mantener las decisiones.

—Le aseguro, George —dijo Heyward—, que cualquier decisión a la que lleguemos usted y yo, será sostenida por el banco.

Heyward percibió que, de manera muy hábil, el anfitrión les había colocado a él y a Harold Austin en situación de suplicantes... que es lo contrario del papel habitual de un banquero. Pero estaba el hecho de que, cualquier préstamo para la Supranational estaría libre de preocupaciones, y sería un prestigio para el FMA. Igualmente importante era el hecho de que podía ser precursor de nuevas cuentas industriales, ya que la Supranational Corporation marcaba el paso, y otros seguían el ejemplo.

El Gran George preguntó bruscamente al *chef:*

—¿Bueno, qué hay?

La figura de blanco quedó galvanizada en la acción. Tendió la carpeta negra que había tenido desde su llegada.

—El menú del almuerzo, *monsieur.* Para que lo apruebe.

El Gran George no hizo ademán de tomar la carpeta, pero echó un vistazo al contenido que tenía a la vista. Señaló con un dedo:

—Cambie esa ensalada a la Waldorf por una a la César.

—*Oui, monsieur.*

—Y el postre. Nada de *Glacé Martinique.* Un *Soufflé Grand Marnier.*

—Perfectamente, *monsieur.*

Lo despidió con un movimiento de cabeza. Después, cuando el *chef* se dio vuelta, el Gran George lanzó chispas:

—Y cuando pida un filete, recuerde cómo lo quiero.

—*Monsieur* —el *chef* hizo un ademán de imploración con la mano que tenía libre—. Ya me he disculpado dos veces por la desgracia de anoche.

184

—Eso no importa. La cuestión es: ¿*«Cómo lo quiero»*?

Con un gálico encogimiento de hombros, repitiendo una lección aprendida, el *chef* canturreó:

—Ligeramente hecho por fuera y crudo por dentro.

—No lo olvide.

El *chef* preguntó, desesperado:

—¿Cómo voy a olvidarlo, *monsieur?* —Y con la cresta caída, se fue.

—Otra cosa importante —recordó el Gran George a sus invitados— es no dejar que la gente se salga con la suya. Pago una fortuna a ese sapo para que sepa *exactamente* cómo me gusta la comida. Se equivocó anoche... no mucho, pero lo bastante como para reprenderle de manera que la próxima vez no lo olvide. ¿Cuál es la cotización? —Rayo de Luna había vuelto con una hoja de papel.

La muchacha leyó con bastante acento:

—El FMA está ahora a cuarenta y cinco y tres cuartos.

—Ahí tiene —dijo Roscoe Heyward—, hemos subido otro punto.

—Pero todavía no tanto como cuando era Rosselli quien mandaba —dijo el Gran George. Hizo una mueca—. Aunque la verdad es que, cuando se corra la voz de que ustedes están ayudando las finanzas de la Supranational, la cotización se irá a las nubes.

Podía ser peor, pensó Heyward. En el revuelto mundo de las finanzas y las cotizaciones de bolsa sucedían cosas inexplicables. Que alguien prestara dinero a alguien no parecía significar mucho, sin embargo el mercado respondería.

Pero era aún más importante que el Gran George había declarado positivamente que algún tipo de negocio iba a realizarse entre el First Mercantile American y la SuNatCo. Sin duda iban a entrar en detalles en los próximos dos días. Sintió que su excitación aumentaba.

Sobre sus cabezas sonó una suave campanilla. Afuera el jet disminuyó la marcha.

—¡Washington! —dijo Avril. Ella y las otras muchachas empezaron a sujetar a los hombres en sus asientos con pesados cinturones y dedos leves y acariciantes.

El tiempo que permanecieron en tierra, en Washington, fue todavía más breve que en la parada anterior. Con un pasajero importante como un brillante de 14 quilates, todas las prioridades para aterrizar, navegar y despegar eran axiomáticas.

Así que, en menos de veinte minutos habían vuelto a la altitud de viaje, en ruta para las Bahamas.

La instalación del vicepresidente quedó a cargo de la morena, Krista, arreglo que evidentemente él aprobó.

Los hombres del Servicio Secreto que custodiaban al vicepresidente, quedaron acomodados en alguna parte en el fondo.

Poco después, el Gran George Quartermain, vestido ahora con un llamativo traje de una sola pieza de seda color crema, jovialmente les guió desde el salón del avión hasta el comedor —un apartamento ricamente decorado, predominantemente en plata y azul real. Allí los cuatro hombres, sentados ante una mesa de roble tallada, y bajo una lámpara de cristal, con Rayo de Luna, Avril, Rhetta y Krista atendiéndolos deliciosamente desde atrás, almorzaron en un estilo y una cocina que cualquiera de los grandes restaurantes del mundo hubiera tenido dificultades para igualar.

Roscoe Heyward, mientras saboreaba la comida, no compartió los diversos vinos ni el coñac de treinta años de antigüedad que se sirvió al final. Pero observó que las pesadas copas bordeadas de oro omitían la tradicional y decorativa «N» de Napoleón por una «Q».

7

El caliente sol de un cielo azul sin nubes brillaba en el lustroso césped verde del campo de golf en el Fordly Cay Club de las Bahamas. El campo y el lujoso edificio del club figuraban entre la media docena de los más exclusivos del mundo.

Más allá del césped, una playa de arena blanca, bordeada de palmeras, desierta, se extendía como una franja del paraíso hacia la lejanía. En el borde de la playa, un translúcido mar color turquesa mordía con suavidad la costa, en pequeñas olitas. A una media milla de la costa una línea de rompientes ponía una nota crema sobre los arrecifes de coral.

Muy cerca, junto al sendero, una exótica alfombra de flores —hibiscos, Santa Rita, peonias, frangipani— competían en una orgía de colores. El aire fresco, claro, se agitaba levemente por un céfiro, que traía el aroma de los jazmines.

—Imagino —observó el vicepresidente de los Estados Unidos— que estamos tan cerca del cielo como puede estarlo un político.

—Mi idea del cielo —dijo el Honorable Harold Austin— no incluiría divisiones —hizo una mueca y golpeó mal con su palo—. Debe haber manera de mejorar en este juego.

Los cuatro jugaban un partido... el Gran George y Roscoe Heyward contra Harold Austin y el vicepresidente.

—Lo que debería usted hacer, Harold —dijo Byron Stonebridge, el vicepresidente— es volver al Congreso y trabajar para ocupar el cargo que yo ocupo. Una vez que llegue, lo único que tendrá que hacer es jugar al golf; pero podrá tener tòdo el tiempo que quiera para mejorar su juego. Es un hecho histórico aceptado que todos los vicepresidentes, desde hace medio siglo, dejan el cargo convertidos en mejores jugadores de golf que cuando lo asumieron.

Y como para confirmar sus palabras, unos momentos después acertó su tercer golpe —con un hermoso palo ocho— y fue a parar directamente a la banderilla.

Stonebridge, delgado y esbelto, de movimientos fluidos, jugaba hoy un partido espectacular. Había empezado la vida como hijo de un granjero, y trabajado largas horas en una pequeña propiedad familiar; ahora, a través de los años, conservaba su cuerpo ágil. En este momento sus facciones domésticas de campesino irradiaron al ver caer la pelota, que rodó después a un pie del hoyo.

—No está mal —reconoció el Gran George a medida que su carrito se acercaba—. Washington no te tiene muy ocupado, ¿verdad, By?

—Oh, la verdad es que no puedo quejarme. Hice un inventario de recortes de la Administración el mes pasado. Y ha habido algunas noticias que se han filtrado desde la Casa Blanca... parece que tendré que afilar los lápices pronto.

Los otros rieron como correspondía. No era un secreto que Stonebridge, ex gobernador del estado, ex dirigente de la minoría en el

Senado, estaba inquieto y angustiado en su papel actual. Antes de la elección que le había llevado a su cargo, su compañero de fórmula, el candidato presidencial, declaró que su vicepresidente debía —en una era nueva, post Watergate— desempeñar un papel lleno de sentido y ocuparse del gobierno. Pero, como siempre después de la toma del mando, las promesas no se cumplieron.

Heyward y Quartermain pasaron al «green», después esperaron con Stonebridge, mientras el Honorable Harold, que había estado jugando a la deriva, marchaba, reía, fluctuaba y finalmente los siguió.

Los cuatro hombres formaban un grupo muy diverso. G. G. Quartermain, enorme y por encima de los otros, estaba costosamente inmaculado en unos pantalones de tartán, un cardigan de Lacoste, unos zapatos de cabritilla de la marina. Llevaba una gorra de golf roja, con una escarapela que proclamaba el codiciado status de miembro del Fordly Cay Club.

El vicepresidente estaba vestido pulcramente y con estilo: pantalones de doble punto, una camisa suavemente coloreada, y su calzado de golf era de un ambivalente blanco y negro. En dramático contraste estaba Harold Austin, vestido de la manera más deslumbrante, en un estudiado rosa fuerte y lavanda. Roscoe Heyward parecía eficientemente práctico en unos pantalones gris oscuro, una camisa de «vestir» blanca, de mangas cortas y zapatos negros. Incluso en un campo de golf recordaba al banquero.

Su progreso, desde el principio, había sido una especie de cabalgata. El Gran George y Heyward compartían un carrito eléctrico para llevar los palos; Stonebridge y el Honorable Harold ocupaban otro. Otros seis habían sido tomados por la escolta del Servicio Secreto del vicepresidente y ahora los rodeaba —a ambos lados, por adelante y por atrás— como una escuadra de guerra.

—Si tuvieras libre elección, By —dijo Roscoe Heyward—, libre elección para establecer algunas prioridades gubernamentales, ¿cuáles serían?

El día anterior, Heyward se había dirigido a Stonebridge formalmente, llamándolo «Señor Vicepresidente», pero pronto quedó tranquilizado.

—Olvidemos las formalidades. Me tienen harto. Es mejor que me tutee y me llame «By», había dicho, y Heyward, que apreciaba el tuteo con personas importantes, quedó encantado.

Stonebridge contestó:

—Si pudiera elegir me concentraría en la economía... en restablecer el saneamiento fiscal, en una contabilidad nacional equilibrada.

G. G. Quartermain, que había escuchado, señaló:

—Algunos valientes lo han intentado, By. Pero fracasaron. Y tú llegas demasiado tarde.

—Es tarde, George, pero no *tan* tarde.

—Ya discutiremos eso —el Gran George abrió las piernas, calculando la línea de su golpe—. Después de las nueve. Por el momento la prioridad es acertar este golpe.

Desde que se había iniciado el partido Quartermain había estado más tranquilo que los otros, y más concentrado. Tenía un handicap de tres, y siempre jugaba para ganar. Ganar o mejorar un tanteo le gustaba tanto (según decía) como adquirir una nueva compañía para la Supranational.

Heyward jugaba con competencia; su actuación no era espectacular, pero tampoco como para tener que avergonzarse.

Cuando todos marcharon hacia el sexto hoyo el Gran George previno:

—No pierdas de vista, con tus ojos de banquero, el tanteo de estos dos. En un político y un publicista, la precisión no suele ser una costumbre.

—Mi exaltado *status* requiere que yo gane —dijo el vicepresidente—. Por cualquier medio.

—Oh, tengo los tanteos —Roscoe Heyward se golpeó la frente—. Todos están aquí. En el uno, George y By tuvieron cuatro, Harold seis, y yo uno sobre el par. Todos tuvimos par en el dos, excepto By, con un increíble uno bajo el par. Lógicamente Harold y yo también tuvimos allí lo mismo. Todos fuimos par en el tres, con excepción de Harold; él tuvo otro seis. El cuarto hoyo fue bueno para nosotros, cuatro para George y para mí (y yo de allí un solo golpe), cinco para By, siete para Harold. Y, naturalmente, este último hoyo ha sido un desastre para Harold, aunque su compañero se apuntó otro uno bajo el par. Por lo tanto, en lo que al partido se refiere, hasta el momento estamos empatados.

Byron Stonebridge le clavó la mirada.

—Parece magia. Lo juro.

—Te equivocaste conmigo en el primer hoyo —dijo el Honorable Harold—, lo hice en cinco, no en seis.

Heyward dijo con firmeza:

—No es así, Harold. Recuerda que te metiste en ese bosquecillo de palmeras, saliste, llegaste al sendero lejos del «green», te demoraste e hiciste dos golpes.

—Tienes razón —confirmó Stonebridge—, lo recuerdo.

—Maldición, Roscoe —gruñó Harold Austin—, ¿de quién eres amigo?

—¡De mí, caramba! —exclamó el Gran George. Echó el brazo amistosamente sobre los hombros de Heyward—. Empiezas a gustarme, Roscoe, especialmente por tu handicap —Heyward se puso radiante, y el Gran George bajó la voz hasta un tono confidencial—. ¿Todo fue de tu gusto anoche?

—Perfectamente, gracias. Me gustó mucho el viaje, la velada, y dormí maravillosamente bien.

Al principio no había dormido bien. En el curso de la velada anterior en la mansión de G. G. Quartermain en las Bahamas, había quedado en claro que Avril, la esbelta y preciosa pelirroja, estaba a la disposición de Roscoe Heyward para cualquier cosa que él quisiera. Aquello había sido deducido por los otros, y la creciente cercanía de Avril durante el día, convertido ya en noche, había progresado. No perdía ocasión de recostarse contra Heyward, de manera que, a veces, su suave pelo le rozaba

189

la cara, y buscaba los menores pretextos para estar en contacto físico con él. Y él, aunque no la alentaba, tampoco protestaba.

También quedó en claro que la suntuosa Krista estaba a la disposición de Byron Stonebridge, y la deslumbrante rubia, Rhetta, a la de Harold Austin.

La exquisitamente bella japonesa, Rayo de Luna, rara vez se alejaba unos metros de G. G. Quartermain.

La propiedad de Quartermain, una entre la media docena que poseía el presidente de la Supranational en varios países, quedaba en Próspero Ridge, por encima de la ciudad de Nassau, con una vista panorámica sobre la tierra y el mar. La casa quedaba en un terreno que formaba un hermoso paisaje, detrás de altas paredes de piedra. El cuarto de Heyward, en el segundo piso, donde Avril lo acompañó cuando llegaron, enfrentaba todo el panorama. También permitía echar un vistazo, entre los árboles, a la casa de un vecino cercano: el primer ministro, cuya intimidad estaba protegida por la Policía Real de las Bahamas, que patrullaba.

Al terminar la tarde estuvieron bebiendo junto a una piscina con columnas. Siguió la cena, servida en una terraza al aire libre, a la luz de las velas. Esta vez las muchachas, que se habían quitado el uniforme y estaban magníficamente vestidas, se unieron a ellos en la mesa. Atentos camareros de guantes blancos servían, en tanto que dos orquestas, sobre un atril portátil tocaban música. La amistad y la conversación fluían.

Después de la comida el vicepresidente Stonebridge y Krista decidieron quedarse en casa, pero los otros ocuparon un trío de Rolls Royces —los mismos coches que los habían esperado antes en el aeropuerto de Nassau— y se dirigieron hacia el casino Paradise Island. Allí el Gran George jugó fuerte y aparentemente ganó. Austin participó con cautela, y Roscoe no jugó. A Heyward no le gustaba el juego, pero estaba interesado en la descripción que hacía Avril de los mejores puntos en el *chemin de fer,* en la ruleta y en el punto y banca que eran nuevos para él. Debido al murmullo de las otras conversaciones Avril mantenía su cara cerca de la de Heyward mientras hablaba y, como antes en el avión, él descubrió que la sensación no era desagradable.

Después, con desconcertante brusquedad, su cuerpo empezó a tomar conocimiento de Avril, de manera que ideas e inclinaciones que él sabía reprensibles eran cada vez más difíciles de desvanecer. Sintió que Avril estaba divertidamente consciente de su lucha, en la que no le ayudó. Finalmente, ante la puerta de su cuarto, hasta donde ella le acompañó a las 2 de la mañana, hizo un gran esfuerzo de voluntad —particularmente cuando ella demostró deseo de quedarse— para no invitarla a pasar.

Antes de dirigirse a su cuarto, dondequiera que estuviera, Avril sacudió su pelo rojo y le dijo, sonriendo:

—Hay un intercomunicador junto a la cama. Si desea usted *cualquier cosa* apriete el botón número siete y yo vendré —esta vez ya no había duda de lo que significaba «cualquier cosa». Y parecía que el número siete era un número clave para llamar a Avril, dondequiera que ella estuviera.

Inexplicablemente la voz de él se había puesto pastosa y su lengua parecía agrandada cuando le dijo:

—No, muchas gracias. Buenas noches.

Pero ni siquiera entonces terminó su conflicto interno. Mientras se desvestía sus pensamientos volvieron a Avril y comprobó, apenado, que su cuerpo estaba minando la resolución de su voluntad. Hacía mucho tiempo que, sin que lo quisiera, no le sucedía una cosa así.

Fue entonces cuando cayó de rodillas y rogó a Dios que le protegiera del pecado y le librara de la tentación. Y después de un rato, según pareció, la plegaria fue escuchada. Su cuerpo cayó, agotado. Un poco más tarde, dormía.

Ahora, cuando hacían el sexto hoyo, el Gran George insinuó:

—Oye, si quieres, esta noche te mandaré a Rayo de Luna. Nadie puede imaginar las tretas que conoce ese pimpollo de loto.

La cara de Heyward se puso colorada. Decidió mostrarse firme:

—George, disfruto mucho de tu compañía y quiero ser tu amigo. Pero debo comunicarte que, en ciertos terrenos, nuestras ideas son diferentes.

Las facciones del enorme individuo se endurecieron:

—¿En qué terrenos?

—Supongo que en los morales.

El Gran George meditó, pero su cara era una máscara. Después de pronto, gruñó:

—¿Moral? ¿Qué es la moral? —detuvo el juego mientras el Honorable Harold se preparaba a golpear desde un montículo a la izquierda—. Bueno, Roscoe, como quieras. Pero avísame si cambias de idea.

Pese a la firmeza de su resolución, durante las próximas dos horas, Heyward descubrió que su imaginación volaba hacia la frágil y seductora muchacha japonesa.

Al final de los nueve hoyos, cuando tomaban un refresco, el Gran George continuó su discusión iniciada en el quinto hoyo con Byron Stonebridge.

—El gobierno de los Estados Unidos y otros gobiernos —declaró el Gran George— están en manos de gente que no entiende o no quiere entender los principios económicos. Es uno de los motivos; el único motivo, por el que padecemos una continua inflación. Por eso el sistema monetario mundial se está desmoronando. Por eso todo lo que tenga que ver con el dinero sólo puede empeorar.

—Estoy contigo en parte —le dijo Stonebridge—. La manera en que el Congreso gasta dinero haría creer que los fondos son inagotables. Tenemos gente aparentemente sensata entre los diputados y en el Senado, que cree que, por cada dólar que entra, fácilmente pueden sacarse cuatro o cinco.

El Gran George dijo con impaciencia:

—Todos los hombres de negocios lo saben. Lo saben desde hace una generación. La cuestión no es si se vendrá abajo la economía norteamericana, sino cuándo.

—No estoy convencido de que sea así. Todavía podremos evitarlo.

—Podrían, pero no lo harán. El socialismo, que está gastando dinero que ustedes no tienen y nunca tendrán, está demasiado arraigado. Vendrá un momento en el que el gobierno se quedará sin crédito. Los tontos creen que no puede pasar. Pero pasará.

El vicepresidente suspiró.

—En público niego esa verdad. Aquí, entre nosotros, en privado, no puedo hacerlo.

—La secuencia que llega —dijo el Gran George— es fácil de predecir. Será semejante a como sucedieron las cosas en Chile. Muchos creen que lo de Chile es diferente y remoto. No lo es. Es un modelo en pequeña escala de lo que pasará en Estados Unidos, Canadá y Gran Bretaña.

El Honorable Harold se aventuró a decir, pensativo:

—Estoy de acuerdo contigo en eso de la secuencia. Primero una democracia... sólida, reconocida por el mundo, y efectiva. Después un socialismo, suave al principio, pero que pronto aumentará. Y el dinero se gastará a tontas y a locas, hasta que no quede nada. Después de eso, la ruina financiera, la anarquía, la dictadura.

—Por mucho que nos metamos en el agujero —dijo Byron Stonebridge—, no creo que lleguemos tan lejos.

—No será necesario —contestó el Gran George—. No si algunos de nosotros, con inteligencia y poder, pensamos de antemano, y planeamos. Cuando llegue el colapso financiero, en los Estados Unidos tenemos dos brazos fuertes que nos salvarán de la anarquía. Uno, son los grandes negocios. Me refiero a un plantel de compañías multinacionales, como la mía, y grandes bancos como el suyo y otros, Roscoe... que podrían dirigir el país financieramente, ejerciendo disciplina fiscal. *Seremos* solventes, porque operamos en el mundo entero; hemos puesto nuestros recursos donde la inflación no nos tragará. El otro brazo poderoso son los militares y la policía. En unión con los grandes negocios, mantendrán el orden.

El vicepresidente dijo con sequedad:

—En otras palabras, un estado policial. Pero se puede encontrar oposición.

El Gran George se encogió de hombros.

—Alguna, es posible; pero no mucha. La gente aceptará lo inevitable. Especialmente cuando la llamada democracia se haya dividido, cuando el sistema monetario esté quebrado, cuando el poder individual de compra sea nulo. Además de esto, los norteamericanos ya no creen en las instituciones democráticas. Sus políticos las han minado.

Roscoe Heyward había guardado silencio, y escuchaba. Ahora dijo:

—Lo que tú prevés, George, es una ampliación del complejo actual militar-industrial en un gobierno de *elite*.

—Exactamente. Y lo industrial-militar... prefiero en ese orden... se está volviendo más fuerte a medida que se debilita la economía norteamericana. Y tenemos organización. Está floja, pero se aprieta con rapidez.

—Eisenhower fue el primero en reconocer la estructura militar-industrial —dijo Heyward.

—Y nos previno contra ella —añadió Byron Stonebridge.

—Caramba, sí —asintió el Gran George—. Y le engañaron más. Ike, entre todos, debían haber visto las posibilidades de fuerza. ¿No te parece?

El vicepresidente sorbió su *Planters's Punch*.

—Eso no está en la orden del día. Pero sí, estoy de acuerdo.

—Y yo digo una cosa —aseguró el Gran George—, tú eres de los que deberían unirse a *nosotros*.

El Honorable Harold preguntó:

—George: ¿cuánto tiempo crees que nos queda?

—Mis expertos predicen ocho o nueve años. Para entonces el colapso del sistema monetario es inevitable.

—Lo que me atrae como banquero —dijo Roscoe Heyward— es la idea final de la disciplina, para el dinero y para el gobierno.

G. G. Quartermain firmó la nota del bar y se puso de pie con la prestancia que le era habitual.

—Y lo verás. Te lo prometo.

Se dirigieron al décimo hoyo.

El Gran George exclamó, dirigiéndose al vicepresidente.

—By, has estado jugando sin cabeza, dicho sea en tu honor. Ahora hagamos un poco del golf *disciplinado* y *económico*. Sólo hay un punto de ventaja y todavía faltan nueve hoyos difíciles por hacer.

El Gran George y Roscoe Heyward esperaban en el sendero, mientras Harold Austin buscaba alrededor del hoyo catorce; tras una búsqueda general, un hombre del Servicio Secreto había encontrado la pelota bajo un matorral de hibiscos.

El Gran George había aflojado, ya que él y Heyward llevaban dos hoyos de ventaja y tenían ahora un punto a su favor. Mientras esperaban, el tema que Heyward había esperado surgió. Se produjo con sorprendente y sutil ligereza.

—¿Así que a su banco le gustaría hacer algún negocio con la Supranational?

—Es una idea que hemos tenido —Heyward procuró parecer igualmente casual.

—Estoy ampliando las comunicaciones extranjeras de la Supranational, comprando el control de pequeñas compañías claves telefónicas y de transmisiones. Algunas son de propiedad gubernamental, otras son privadas. Lo hacemos en silencio, pagando a los políticos locales cuando es necesario; de esa manera evitamos las algaradas nacionalistas. La Supranational proporciona tecnología adelantada, servicio eficiente, que los pequeños países no pueden pagar, y una standarización para conexiones globales. Para nosotros hay buenos beneficios. En tres años más controlaremos, por medio de sucursales, el cuarenta y cinco por ciento de las comunicaciones ligadas en el mundo entero. Nadie está ni siquiera cerca de esto. Es importante para Norteamérica; y será vital en la clase de vinculación industrial-militar de la que hablábamos.

—Sí —asintió Heyward—, veo la importancia de eso.

—De su banco yo desearía una línea de crédito de cincuenta millones de dólares. Naturalmente, con la tasa de interés preferencial.

—Lógicamente, cualquier cosa que arreglemos será con tasa de interés preferencial.

Heyward sabía que cualquier préstamo que se hiciera a la Supranational iba a ser a la mejor tasa de interés del banco. En los bancos es axiomático que los clientes más ricos pagan menos por el dinero prestado; las altas tasas de interés son para los pobres.

—Lo que tendremos que revisar —señaló— es la limitación legal de nuestro banco bajo la ley federal.

—¡A la mierda con los límites legales! Siempre hay una manera para dar vuelta a la cosa, métodos que se usan todos los días. Usted lo sabe tan bien como yo.

—Sí, sé que hay maneras y medios.

Ambos hombres hablaban, y se referían a una regulación bancaria que prohibía a cada banco un préstamo de más del diez por ciento de su capital y el suplemento de pagos a un solo deudor. El propósito era evitar algún gigantesco fracaso bancario y proteger de las pérdidas a los depositantes. En el caso del First Mercantile American, un préstamo de cincuenta millones de dólares a la Supranational sustancialmente excedería ese límite.

—La manera de esquivar esa ley —dijo el Gran George— es que ustedes dividan el préstamo entre nuestras compañías subsidiarias. Después volveremos a colocarlo, cuando y donde lo necesitemos.

Roscoe Heyward musitó:

—Podría hacerse de esa manera —comprendía que la propuesta violaba el espíritu de la ley, aunque técnicamente siguiera dentro de ella. Pero también sabía que lo que el Gran George había dicho era verdad: tales cometidos eran de uso diario entre los bancos más grandes y más prestigiosos.

Sin embargo, incluso con el problema solucionado, el tamaño del compromiso propuesto le hizo vacilar. Había calculado veinte o veinticinco millones como punto de partida, suma que quizás hubiera ido aumentando a medida que se desarrollaran las relaciones entre el banco y la Supranational.

Como si hubiera leído en su pensamiento, el Gran George dijo:

—Nunca hago tratos por sumas pequeñas. Si cincuenta millones es más de lo que ustedes pueden disponer, olvidemos el asunto. Daré el negocio al banco Chase.

El escurridizo e importante negocio que Heyward había venido a buscar aquí, con la esperanza de capturarlo, pareció escabullirse súbitamente.

—No, no. No es demasiado.

Mentalmente revisó otros compromisos del FMA. Nadie los conocía mejor que él. Sí, *podían* concederse cincuenta millones a la SuNatCo. Iba a ser necesario dar algunas vueltas de tuerca dentro del banco... cortar drásticamente los préstamos menores y las hipotecas, pero esto podía arreglarse. Un único gran préstamo a un solo cliente como la

Supranational sería inmensamente más provechoso que un ejército de préstamos pequeños, costosos en el procedimiento y en el cobro.

—Pienso recomendar enfáticamente esa línea de crédito a nuestro Consejo —dijo Heyward con decisión— y estoy seguro de que estaremos de acuerdo.

Su compañero de golf contestó brevemente:

—Bien.

—Naturalmente mi posición sería más fuerte si pudiera informar a los directores de que tendremos alguna representación bancaria en la Dirección de la Supranational.

El Gran George acercó el palo de golf hasta su pelota, y estudió la posición antes de contestar:

—Eso podría arreglarse. Si se hace, espero que el departamento de crédito de ustedes invierta pesadamente en nuestros valores. Ya es hora de que nuevas compras hagan subir los precios.

Con creciente confianza, Heyward dijo:

—Podría explorarse el asunto, junto con otras cosas. Evidentemente la Supranational tendrá ahora una cuenta activa con nosotros, y está el asunto del balance compensatorio...

Heyward comprendió que estaban realizando la danza ritual entre cliente y banco. Lo que simbolizaba era un hecho de la vida corporativa bancaria: *Yo te rasco la espalda, tú me rascas la mía.*

G. G. Quartermain, sacando un palo de hierro de su bolsa de piel de cocodrilo, dijo irritado:

—No me aburra con detalles. Mi agente financiero, Inchbeck, vendrá hoy aquí. Mañana regresará con nosotros. Ustedes dos podrán hablar entonces.

Era evidente que la breve sesión dedicada a los negocios había concluido. Para entonces el juego errático del Honorable Harold parecía haber afectado a su compañero.

—Me estás volviendo loco —se quejó Byron Stonebridge en un punto. Y en otro—: Caramba, Harold, ese golpe fallido tuyo es contagioso como la viruela. Cualquiera que juegue contigo como compañero debería estar vacunado —y fuera cual fuere el motivo, el impulso del vicepresidente, sus golpes y su compostura empezaron, ahora, a marchar torcidos en los buenos golpes.

Como Austin no mejoraba, ni siquiera con las reprimendas, en el hoyo diecisiete del Gran George y el «corto-pero-directo», Roscoe llevaban ventaja. Esto convenía a G. G. Quartermain y dio su primer golpe en el hoyo dieciocho a unos doscientos cincuenta metros, directamente hacia el centro, después empezó a rodear hábilmente el hoyo, llevando la victoria de su lado.

El Gran George se puso contento al ganar y palmeó en el hombro a Byron Stonebridge.

—Supongo que esto hará que mi crédito en Washington sea todavía mejor que antes.

—Depende de lo que quieras —dijo el vicepresidente. Y añadió significativamente—: Y de la discreción que tengas.

Mientras tomaban unos tragos en el guardarropas de hombres, el Honorable Harold y Stonebridge pagaron cada uno cien dólares a G. G. Quartemain... apuesta en la que se habían puesto de acuerdo antes de iniciar el juego. Heyward se había negado a apostar y, por lo tanto, no fue incluido en el pago.

Pero el Gran George dijo magnánimamente:

—Me gusta la manera cómo has jugado, socio... —se dirigió a los otros—. Creo que Roscoe debe recibir algo en reconocimiento. ¿Están de acuerdo?

Los otros asintieron y el Gran George se golpeó la rodilla.

—¡Ya sé! Un puesto en la Dirección de la Supranational. ¿Qué te parece como recompensa?

Heyward sonrió.

—Estás bromeando claro.

Por un momento la sonrisa abandonó el siempre radiante rostro del presidente de la SuNatCo.

—Cuando hablo de la Supranational nunca bromeo.

Fue entonces cuando Heyward comprendió que aquella era la manera del Gran George de instrumentar la conversación previa. Si aceptaba, lógicamente, eso significaba aceptar las otras obligaciones...

Su vacilación duró sólo unos segundos.

—Si lo dices en serio, estoy encantado de aceptar.

—Haremos el anuncio la semana que viene.

La oferta había sido tan rápida y sorprendente que a Heyward todavía le costaba trabajo creerla. Había esperado que otro entre los directores del First Mercantile American fuera invitado a unirse a la Dirección de la Supranational. Ser elegido él mismo, y personalmente por G. G. Quartermain, era la consagración. La Dirección de la SuNat-Co, tal como estaba compuesta ahora, era como una cinta azul en el *Quién es Quién* de los negocios y las finanzas.

Como si leyera en su mente, el Gran George tuvo una risita.

—Entre otras cosas podrás cuidar el dinero de tu banco.

Heyward vio que el Honorable Harold le miraba, interrogante. Cuando Heyward hizo una leve señal de asentimiento, su compañero en la dirección del FMA se puso radiante.

8

La segunda velada en la mansión de G. G. Quartermain en las Bahamas fue de una calidad sutilmente diferente a la primera. Era como si los ocho allí presentes —los hombres y las muchachas— compartieran una cómoda intimidad, que había faltado la noche anterior. Roscoe Heyward, consciente del contraste, sospechó cuál era el motivo.

La intuición le decía que Rhetta había pasado la noche anterior con Harold Austin, y Krista con Byron Stonebridge. Esperaba que los otros dos no creyeran lo mismo de él y Avril. Estaba seguro de que su anfitrión no lo creía; las frases dichas aquella mañana lo indicaban, probablemente porque el Gran George estaba informado de lo que pasaba, o no pasaba, dentro de su casa.

Entretanto la reunión del crepúsculo —otra vez alrededor de la piscina— y en la terraza para la cena, había sido deliciosa en sí. Roscoe Heyward se permitió formar parte de ella, de manera alegre y jovial.

Era verdad que disfrutaba de las continuas atenciones de Avril, que no mostraba señales de estar ofendida por el rechazo de la otra noche. Como ya se había probado a sí mismo que podía resistir las seducciones de la muchacha, Heyward no veía ahora motivo para negar a Avril el placer de una agradable compañía.

Uno de los motivos de su estado eufórico era el compromiso de la Supranational de hacer negocios con el First Mercantile American y el inesperado y deslumbrador trofeo de un asiento para él en el consejo director de la SuNatCo. No dudaba que ambas cosas iban a reforzar su prestigio en el FMA. Su nombramiento para la sucesión de la presidencia parecía cercano.

Más temprano había tenido una breve reunión con el contador de la Supranational, Stanley Inchbeck, que había llegado, como lo anunciara el Gran George. Inckbeck era un ruidoso neoyorquino que empezaba a quedarse calvo, y él y Heyward convinieron en arreglar los detalles del préstamo de la SuNatCo al día siguiente, durante el vuelo. Fuera de su encuentro con Heyward, Inchbeck había permanecido encerrado buena parte de la tarde con G. G. Quartermain. Aunque aparentemente estaba en alguna parte de la casa, Inchbeck no apareció para tomar unas copas ni para cenar.

Otra cosa que Roscoe Heyward percibió, desde la ventana de su cuarto en el segundo piso, fue que G. G. Quartermain y Byron Stonebridge, recorrieron el jardín durante una hora a principios del crepúsculo, sumergidos en una profunda conversación. Estaban demasiado lejos de la casa para que pudiera oírse nada de lo que decían, pero el Gran George parecía hablar de manera persuasiva, y el vicepresidente interrumpía ocasionalmente, con lo que probablemente eran preguntas. Heyward recordaba la frase de la mañana en el campo de golf acerca de «crédito en Washington», se preguntó cuál de los muchos intereses de la Supranational estarían discutiendo. Decidió que nunca iba a saberlo.

Ahora, después de la cena, en la oscuridad fresca y perfumada de afuera, el Gran George era nuevamente el anfitrión complaciente. Rodeando con las manos una copa de coñac con el sello «Q», anunció:

—Nada de excursiones esta noche. Todos nos divertiremos aquí.

El mayordomo, los camareros y los músicos habían desaparecido discretamente.

Rhetta y Avril, que bebían champaña, dijeron a coro:

—¡Una fiesta aquí!

By Stonebridge levantó la voz para ponerse a tono con las muchachas.

—¿Qué clase de fiesta?

—Una fiesta de «redada» —declaró Krista, y se corrigió, porque su manera de hablar se había vuelto un tanto confusa a causa del vino y del champaña—. Quiero decir una «nadada». Quiero nadar.

Stonebridge la provocó:

—¿Qué te detiene?

—¡Nada, By, querido! ¡Absolutamente nada! —con una serie de rápidos movimientos Krista dejó su copa de champaña, pateó sus zapatos, desabrochó unos clips del vestido y se balanceó. El largo vestido verde de noche que llevaba cayó como una cascada a sus pies. Debajo llevaba un *slip*. Se lo quitó y lo tiró lejos por encima de su cabeza. No llevaba nada más.

Desnuda, sonriendo, con su cuerpo exquisitamente proporcionado, sus altos pechos firmes y su pelo negro como ébano, que la convertían en una escultura de Maillol en movimiento, Krista avanzó con dignidad por la terraza, descendió los peldaños hacia la piscina iluminada y se zambulló. Nadó a lo largo de la piscina, se volvió y llamó a los otros:

—¡Es glorioso! ¡Venid!

—¡Por Dios —dijo Stonebridge—, claro que iré! —Se quitó la camisa deportiva, los pantalones y los zapatos y luego, desnudo como Krista, aunque menos llamativo, avanzó hasta el agua y se zambulló.

Rayo de Luna, con una risita en tono muy alto, y Rhetta, ya se estaban desvistiendo.

—¡Un momento —gritó Harold Austin—, este tipo también va!

Roscoe Heyward, que había mirado a Krista con una mezcla de sorpresa y fascinación, vio que Avril estaba a su lado.

—Roscoe, tesorito, ábreme la cremallera... —le presentó su espalda.

Vacilando, él procuró agarrar el cierre sin dejar su asiento.

—Ponte de pie, tonto —dijo Avril. Cuando lo hizo, volviendo a medias la cabeza, ella se inclinó contra él, y su calidez y su fragancia le abrumaron.

—¿Todavía no has terminado?

A él le resultaba difícil concentrarse.

—No, parece que...

Hábilmente, Avril buscó en su espalda.

—Aquí, déjame... —terminando lo que él había empezado, bajó la cremallera. Con un movimiento de hombros hizo caer el vestido.

Movió el pelo rojo en un gesto que él había aprendido a conocer.

198

—Bueno, ¿qué esperas? Desabrocha mi sujetador.

Las manos de él temblaban, tenía los ojos clavados en ella, mientras hacía lo que le decían. El sujetador cayó. Pero no las manos de él.

Con un movimiento levísimo y gracioso, Avril se puso de puntillas. Se inclinó hacia él y le besó en los labios. Las manos de él, que siguieron donde estaban tocaron los erguidos pezones de sus pechos. Involuntariamente, según le pareció, sus dedos se curvaron y apretaron. Unas eléctricas oleadas sensuales lo atravesaron.

—Hum —ronroneó Avril—. Me gusta. ¿Vamos a nadar?

El sacudió la cabeza.

—Te veo luego entonces —se volvió, caminó en su desnudez como una diosa griega y se unió a los otros que jugueteaban en la piscina.

G. G. Quartermain había seguido sentado, con la silla retirada de la mesa. Bebía el coñac y lanzaba miradas pícaras a Heyward.

—Yo tampoco tengo ganas de nadar. De vez en cuando, si uno está seguro de encontrarse entre amigos, es bueno para un hombre dejarse ir.

—Supongo que debo reconocer eso. Y ciertamente me siento entre amigos —Heyward volvió a hundirse en su asiento, se quitó los lentes y empezó a limpiarlos. Ahora tenía el control de sí mismo. El instante de loca debilidad había quedado atrás. Prosiguió:

—El problema es que, naturalmente a veces uno va más lejos de lo que piensa. De todos modos, lo importante es mantener el control general.

El Gran George bostezó.

Mientras hablaban, los otros, que habían salido del agua, se secaban con una toalla y sacaban sus ropas de un montón que había junto a la piscina.

Unas dos horas después, como había hecho la noche anterior, Avril, acompañó a Roscoe Heyward hasta la puerta de su dormitorio. Al principio, abajo, él había decidido insistir en que ella no le acompañara, pero después cambió de idea, confiado en su reafirmada fuerza de voluntad y seguro de no sucumbir a salvajes impulsos eróticos. Incluso se sintió tan absolutamente seguro como para decir alegremente:

—Buenas noches, hijita. Sí, antes que me lo digas, ya sé que tu número de teléfono interno es el siete, pero te aseguro que no necesitaré nada.

Avril le había mirado con una semisonrisa enigmática, después se había vuelto. Inmediatamente él cerró la puerta de su dormitorio y pasó el cerrojo, y empezó a canturrear suavecito mientras se preparaba para ir a la cama.

Pero, en la cama, el sueño le eludió.

Permaneció despierto casi una hora, con las ropas de cama tiradas hacia los pies, el lecho suave bajo su peso. Por la ventana abierta podía escuchar el adormecedor zumbido de los insectos y, a lo lejos, el ruido de las olas al romperse en la costa.

Pese a sus buenas intenciones el foco de sus pensamientos era Avril. *Avril*... tal como la había visto y la había tocado... hermosa hasta

199

cortar el aliento, desnuda y deseable. Instintivamente movió los dedos, reviviendo la sensación de aquellos pechos llenos y firmes, con los pezones erguidos, cuando los había apretado entre las manos.

Y entretanto su cuerpo... luchaba, surgía... se burlaba de la virtud pretendida.

Procuró pensar en otra cosa... en los negocios del banco, en el préstamo de la Supranational, en formar parte de la Dirección de la compañía, como G. G. Quartermain había prometido. Pero el pensamiento de Avril volvía, con más fuerza que nunca, imposible de borrar. Recordaba sus piernas, sus muslos, sus labios, su suave sonrisa, su calor y su perfume... y que estaba a su disposición.

Se levantó y empezó a pasearse, procurando dirigir su energía hacia otra parte. Pero la energía no quería ser dirigida.

De pie junto a la ventana vio que una brillante luna de tres cuartos se había levantado. Bañaba el jardín, las playas y el mar con una blanca luz etérea. Mientras miraba, una frase por largo tiempo olvidada volvió a él. *La noche está hecha para amar... a la luz de la luna.*

Volvió de nuevo a pasearse, después regresó a la ventana y permaneció allí, de pie.

Por dos veces hizo un movimiento hacia la mesa de noche, con su intercomunicador. Dos veces la decisión y la firmeza lo detuvieron.

Pero la tercera vez no retrocedió. Agarrando el instrumento con una mano, gruñó... era una mezcla de angustia, de culpabilidad, de terca excitación, de anticipación celestial.

Con decisión y firmeza apretó el botón número siete.

9

Nada en su experiencia o en lo que había imaginado antes de ingresar a la penitenciaria de Drummonburg, había preparado a Miles Eastin al despiadado y degradante infierno de la cárcel.

Habían pasado seis meses desde que había sido descubierto como estafador, y cuatro meses desde que había sido juzgado y sentenciado.

En los raros momentos en los que la objetividad prevalecía sobre la miseria física y la angustia mental, Miles Eastin pensaba que, si la sociedad buscaba imponer una venganza bárbara y salvaje en una persona como él, lo había logrado más allá del conocimiento de cualquiera de los que no han soportado el brutal purgatorio de la cárcel. Y si el objeto de tal castigo, pensaba después, era sacar a un hombre de su humanidad, y convertirlo en un animal de bajos instintos, el sistema de las cárceles era la mejor manera de lograrlo.

Lo que la prisión no hacía y no haría nunca —se decía a sí mismo Miles Eastin —era convertir a un hombre en un miembro de la sociedad más sano que cuando había ingresado en ella. Si se le daba tiempo, la cárcel sólo servía para degradar y empeorar a un individuo; sólo servía para aumentar su odio al «sistema» que lo había enviado allí; sólo reducía la posibilidad de convertirse en un ciudadano útil y sometido a la ley. Y cuánto más larga fuera la sentencia, menos probabilidad había de salvación moral.

Así, por encima de todas las cosas, el tiempo producía la erosión y eventualmente destruía cualquier potencial de regeneración que pudiera tener un preso al llegar a la cárcel.

Incluso cuando un individuo se aferraba a fragmentos de valores morales, como un nadador que se ahoga para salvar la vida, se debía a fuerzas que había dentro de él, y no era a causa de la cárcel sino a pesar de ella.

Miles luchaba para no hundirse, se esforzaba en mantener algún parecido con lo mejor de lo que antes había sido, procuraba no embrutecerse del todo, quedar sin sentimientos, totalmente desesperado, salvajemente amargado. ¡Era tan fácil meterse en la vestimenta tosca, la camisa de arpillera que uno iba a usar para siempre! La mayoría de los presos lo hacía. Estaban aquéllos bestias antes de llegar aquí y que habían empeorado desde entonces, y otros, a los que el tiempo en la cárcel había agotado; el tiempo y la fría inhumanidad de corazón de la ciudadanía de afuera, indiferente a los horrores que se perpetraban o las decencias que se olvidaban —todo en nombre de la sociedad— detrás de aquellas paredes.

A favor de Miles, y en su mente mientras se aferraba a ella, había una posibilidad dominante. Había sido condenado a dos años. Esto lo autorizaba para una libertad condicional en cuatro meses más.

La contingencia de que no le concedieran la libertad condicional era algo en lo que no pensaba. Las implicaciones eran demasiado horribles.

No creía poder soportar dos años de cárcel sin salir total e irreparablemente disminuido mental y corporalmente.

Mantente, se repetía todos los días y durante las noches. *Mantente* para la esperanza, la liberación, la libertad condicional. Al principio, cuando le detuvieron y le encarcelaron antes del juicio, había creído que, estar encerrado en una celda iba a volverlo loco. Recordaba haber leído que la libertad, hasta que se pierde, no es apreciada. Y es verdad que nadie se da cuenta de cuánto significa la libertad física de movimiento —incluso el ir libremente de un cuarto a otro o el salir brevemente afuera— hasta que estas cosas le son negadas totalmente.

De todos modos, comparado con las condiciones de esta penitenciaría, el período previo al juicio había sido un lujo.

La jaula de Drummonburg en la que estaba confinado era una celda de seis pies por ocho, parte de un bloque en forma de X de celdas para cuatro personas. Cuando la cárcel había sido construida, hacía más de medio siglo, cada celda estaba destinada a una sola persona. Hoy en día, debido a que la cárcel estaba superpoblada, la mayoría de las celdas incluso la que incluía a Miles, albergaba a cuatro. La mayoría de los días los presos permanecían encerrados en los reducidos espacios dieciséis horas de las veinticuatro del día.

Poco después de la llegada de Miles, y debido a revueltas en otra parte de la cárcel, habían permanecido encerrados —«encerrados y comiendo dentro»— según decían las autoridades— durante diecisiete días y noches. Después de la primera semana, los gritos desesperados de mil doscientos hombres casi enloquecidos, añadieron una agonía más a las otras.

La celda en la que estaba Miles Eastin tenía cuatro camastros adosados a las paredes, un lavabo y un único retrete, en el suelo, que los cuatro presos compartían. Debido a que la presión del agua por las antiguas y corroídas cañerías era escasa, el suministro —de agua fría únicamente— en el lavabo era sólo un chorrito; a veces se detenía enteramente. Por el mismo motivo el retrete no funcionaba con frecuencia. Ya era bastante malo estar confinado en el mismo lugar donde cuatro hombres defecaban unos delante de los otros, pero que el hedor siguiera después, mientras esperaban que hubiera bastante agua, era un horror asqueante que revolvía el estómago.

El papel higiénico y el jabón, aunque se usaban con economía, nunca bastaban.

Se permitía una breve ducha una vez por semana; entre las duchas los cuerpos se volvían rancios, y añadían miseria a aquella intimidad forzada.

Fue en las duchas, durante la segunda semana en la cárcel, cuando Miles fue violado por un grupo. Por malas que hubieran sido las otras experiencias, aquella fue la peor.

Se había dado cuenta, poco después de su llegada, que otros presos se sentían sexualmente atraídos por él. Pronto descubrió que el tener buen tipo y la juventud iban a ser otra dificultad. Cuando se dirigían a las comidas o cuando hacían ejercicios en el patio, los homosexuales más agresivos se las arreglaban para rodearlo y frotarse contra él. Algunos intentaban acariciarle; otros, a lo lejos, hacían muecas con la boca y le tiraban besos. El se apartaba de los primeros e ignoraba a los segundos, pero, a medida que ambos grupos se volvían más difíciles, su nerviosismo y después su miedo aumentaron. Era evidente que los presos no involucrados en la cosa nunca iban a ayudarle. Sintió que los guardianes que vigilaban sus pasos sabían lo que estaba pasando. Pero simplemente parecían divertidos.

Aunque la población de la cárcel era predominantemente negra, los ataques provenían por igual de blancos y negros.

Miles estaba en la casa de las duchas, una estructura de un sólo piso, desconchada, donde llevaban a los presos en grupos de cincuenta individuos, escoltados por los guardias. Los presos se desvestían, dejaban las ropas en canastos de alambre, después penetraban desnudos y temblando en el edificio sin calefacción. Permanecían de pie bajo las duchas, esperando que un guardia hiciera correr el agua.

El guardia del salón de duchas estaba muy por encima de ellos, en una plataforma, y el control de las duchas y de la temperatura del agua dependía del capricho del guardia. Si los prisioneros eran lentos en sus movimientos o hacían ruido, el guardia les mandaba un chorro de agua fría que levantaba gritos de rabia y protestas, mientras los presos saltaban como salvajes, procurando escapar. Debido al plano de la casa de duchas no podían hacerlo. Otras veces, malignamente, el guardia ponía el agua casi hirviendo, con el mismo efecto.

Una mañana, cuando un grupo de cincuenta entre los que se encontraba Miles, salía de las duchas, y otros cincuenta, ya desvestidos, esperaban para entrar, Miles sintió que le rodeaban de cerca varios cuerpos. De pronto sus brazos fueron fuertemente sujetados por media docena de manos y lo llevaron arrastrándolo hacia adelante. Una voz detrás de él apremiaba:

—Mueve el culo, precioso. No tenemos mucho tiempo —y varios otros reían.

Miles miró hacia la plataforma elevada. Procurando llamar la atención del guardia, gritó:

—¡Señor, señor!

El guardia, que se rascaba la nariz y miraba hacia otra parte, pareció no oír.

Un puño golpeó con fuerza las costillas de Miles. Una voz detrás rechinó:

—¡Cállate!

El volvió a gritar de dolor y miedo y el mismo hombre, u otro, volvió a golpearle en las costillas. Perdió el aliento. Sintió una herida feroz en el costado. Le retorcieron los brazos salvajemente. Gimiendo, con los pies que apenas tocaban el suelo, fue arrastrado.

El guardia seguía sin percibir nada. Más tarde Miles adivinó que el hombre había estado prevenido y comprado de antemano. Como los guardias eran abismalmente mal pagados, el soborno en la cárcel era una manera de vivir.

Cerca de la salida de las duchas, donde otros empezaban a vestirse, había una estrecha puerta abierta. Siempre rodeado, Miles fue empujado dentro. Fue consciente de cuerpos negros y blancos. Detrás de ellos la puerta se cerró de golpe.

El cuarto en que estaba era pequeño y se usaba para almacenaje. Escobas, trapos, materiales de limpieza, estaban en unos armarios con alambre y cerrados con candados. En el centro del cuarto había una mesa-caballete. Miles fue echado de bruces encima; su boca y su nariz golpearon con fuerza la superficie. Sintió que se le aflojaban algunos dientes. Los ojos se le llenaron de lágrimas. Empezó a sangrarle la nariz.

Mientras sus pies seguían apoyados en el suelo, le abrieron brutalmente las piernas. El luchó desesperada, desoladamente, procurando moverse. Pero muchas manos lo sujetaron.

—Quieto, precioso —oyó murmurar Miles, y sintió un empellón. Un segundo después chillaba de dolor, asco y horror. El individuo que le sujetaba la cabeza lo agarró del pelo, la levantó y lo golpeó contra el caballete.

—¡Silencio!

Ahora el dolor, en oleadas, estaba en todas partes.

—¿No es preciosa? —la voz resonaba a la distancia, como un eco en un sueño.

La penetración terminó. Antes de que su cuerpo pudiera experimentar alivió empezó otra. Pese a sí mismo, sabiendo las consecuencias, chilló de nuevo. Y una vez más volvieron a golpearle la cabeza.

En los próximos minutos y en la monstruosa repetición, la mente de Miles empezó a vagar, su conciencia se desvanecía. A medida que las fuerzas le abandonaban, la lucha disminuía. Pero la agonía física se intensificó —el partirse de una membrana, la feroz abrasión de miles de nervios sensoriales.

La conciencia probablemente le dejó del todo, volvió luego. Oyó cómo un guardia tocaba un silbato, afuera. Era la señal para que se dieran prisa en vestirse y se reunieran en el patio. Sintió que las manos que lo sujetaban se retiraban. Detrás de él se abrió una puerta. Los otros salieron corriendo.

Sangrando, amoratado y apenas consciente, Miles se tambaleó. El más leve movimiento del cuerpo lo hacía sufrir.

—¡Eh, tú! —ladró el guardia desde la plataforma—. ¡Mueve el culo, maricón de mierda!

Tanteando y consciente sólo a medias de lo que estaba haciendo, Miles tomó la canasta de alambre con su ropa y empezó a sacarla. La mayoría de los otros en el grupo de cincuenta estaban ya en el patio. Otros cincuenta hombres que habían estado bajo las duchas estaban listos para pasar a la zona en la que se vestían.

El guardia gritó ferozmente por segunda vez:

—¡Pedazo de mierda, te he dicho que te muevas!

Al meterse en sus toscos pantalones de lona de presidiario, Miles se tambaleó y hubiera caído de no ser por un brazo que se tendió y lo sujetó.

204

—Tranquilo, muchacho —dijo una voz profunda—. Vamos, yo te ayudo— la primera mano seguía sosteniéndolo firme y la segunda le ayudó a ponerse los pantalones.

El silbato del guardia resonaba agudo.

—¡Negro, ya has oído! ¡Carajo, tú y el marica, salid de una vez o informo!

—Sí, señor, sí señor patrón. En seguida. Vamos, muchacho. Trata de reponerte.

Miles tuvo la sensación, vaga, de que el hombre a su lado era enorme y negro. Más adelante se enteró de que el nombre de aquel hombre era Karl y que cumplía cadena perpetua por asesinato. Miles se preguntó, también, si Karl había estado en el grupo que le había violado. Sospechó que había estado, pero nunca preguntó y nunca lo supo con certeza.

Lo que Miles descubrió en cambio es que el gigante negro, pese a su tamaño y su rudeza, tenía una suavidad de maneras y unas consideraciones de sensibilidad casi femenina.

Desde la casa de duchas, apoyado en Karl, Miles avanzó vacilante.

Hubo algunas afectadas sonrisas de parte de otros presos, pero en las caras de la mayoría, Miles leyó el desprecio. Un viejo acartonado escupió con asco y se volvió.

Miles pasó el resto del día —cuando volvió a la celda; más tarde en el comedor, donde no pudo comer lo poco que generalmente tragaba a causa del hambre y finalmente cuando volvió a su celda— con la ayuda de Karl.

Los otros tres compañeros de celda le ignoraron como si estuviera leproso. Atravesado por el dolor y la miseria se durmió, se revolvió, despertó y permaneció despierto horas, padeciendo el aire fétido; durmió brevemente, volvió a despertar. Con el amanecer y el clamor de las puertas de las celdas que se abrían, volvió un miedo renovado: ¿Cuándo iba a suceder de nuevo aquello? Sospechaba que muy pronto.

En el patio durante el «ejercicio» —dos horas durante las cuales la mayoría de la población de la cárcel vagaba a la deriva— Karl lo buscó.

—¿Qué tal, muchacho?

Miles meneó la cabeza, abatido.

—Atrozmente —y añadió—: Gracias por lo que hiciste —comprendía que el negro le había salvado de una mala nota, como había amenazado el guardián de la casa de duchas. Aquello hubiera representado un castigo —probablemente un tiempo en un agujero— y una nota adversa en el informe para pedir la libertad condicional.

—Está bien, hijo. Pero tienes que saber una cosa. Una vez, como ayer, no va a satisfacer a los muchachos. Son como perros y tú como una perra en celo. Volverán a perseguirte.

—¿Y qué puedo hacer? —la confirmación de los temores de Miles hizo que su voz vacilara y le temblara el cuerpo. El otro lo miró con audacia.

—Lo que necesitas, hijo, es un protector. Alguien que te defienda. ¿Qué te parece que yo lo haga?

—¿Y por qué vas hacerlo?

—Si eres mi amiguito yo te cuidaré. Cuando los otros sepan que estás conmigo no se atreverán a echarte mano. Saben que, si lo hacen, tendrán que contar conmigo —y Karl cerró la mano hasta formar un puño del tamaño de un jamón pequeño.

Aunque ya sabía la respuesta, Miles preguntó:

—Y yo, ¿qué te daré?

—Tu lindo culito blanco, nene —el hombre enorme cerró los ojos y prosiguió, soñador—. Tu cuerpo, para mí solo. Cuando lo necesite. Yo me encargo de buscar el sitio.

Miles Eastin sintió una náusea.

—¿Qué te parece, nene? ¿Qué dices?

Como ya había pensado muchas veces, Miles pensó, desesperado: *Haya hecho antes lo que haya hecho, ¿quién puede merecer una cosa así?*

Sin embargo aquí estaba. Y había aprendido que la cárcel era una selva, miserable y salvaje, donde no había justicia, donde el hombre era despojado de los derechos humanos el día que entraba. Dijo, con amargura:

—¿Qué remedio me queda?

—Visto de esa manera me parece que no te queda ninguno —una pausa y después preguntó impaciente—: Bueno, ¿estamos?

Miles dijo miserablemente:

—Supongo que sí.

Satisfecho al parecer, Karl echó un brazo sobre los hombros del otro, como si fuera su propiedad. Miles, estremecido por dentro, se esforzó y no retrocedió.

—Tenemos que movernos un poco, nene. A mi corredor. Tal vez a mi colchoneta —la celda de Karl quedaba en otro corredor, debajo del de Miles, en el ala opuesta del bloque de celdas en forma de X. El negro se lamió los labios—. Sí, hombre... —su mano ya lo buscaba.

Karl preguntó:

—¿Tienes alpiste?

—No —Miles sabía que, si hubiera tenido dinero, se le habrían facilitado las cosas. Los presos que tenían afuera recursos financieros, y que los usaban, sufrían menos que los presos desposeídos.

—Yo tampoco tengo nada —confió Karl—. Voy a tener que inventar algo.

Miles asintió pesadamente. Comprendió que ya había empezado a aceptar el papel ignominioso de «amiguito». Pero también sabía que dada la forma en que marchaban aquí las cosas, mientras estuviera con Karl, estaría a salvo. No habría más grupos para violarlo.

La creencia demostró ser correcta.

No se produjeron nuevos ataques, ni tentativas de acariciarlo, ni le lanzaban ya besos. Karl tenía reputación de saber usar sus puños poderosos. Se rumoreaba que hacía un año había matado a un compañero que lo irritaba, aunque oficialmente el crimen no se había descubierto.

Miles fue transferido, no sólo a la galería de Karl, sino a la celda de éste. Evidentemente el cambio era resultado de dinero pasado de mano en mano. Miles preguntó a Karl cómo lo había logrado.

El negrazo rió.

—Los muchachos de la Fila de la Mafia dan alpiste. A ellos les gustas, nene.

—¿*Les* gusto?

Al igual que otros presos, Miles sabía de la existencia de la «Mafia», en otras palabras llamada la colonia italiana. Era un segmento de celdas que albergaba a las grandes figuras del crimen organizado, cuyos contactos exteriores e influencia les hacían ser respetados e incluso temidos, decían algunos, por el director de la cárcel. En el interior de la penitenciaría de Drummonburg sus privilegios eran legendarios.

Tales privilegios incluían cargos claves en la cárcel, libertad de movimiento, comida superior, contrabandeada por los guardias o escamoteada del sistema de raciones generales. Los habitantes de la Fila de la Mafia, según había oído Miles, disfrutaban con frecuencia de filetes y otros manjares, cocinados en parrillas prohibidas en rincones del taller. También tenían comodidades especiales en las celdas —entre otras cosas televisión y lámparas de sol. Pero Miles personalmente no tenía contacto con la Fila de la Mafia, ni estaba enterado de que nadie allí conociera su existencia.

—Dicen que eres un tipo que sabe mantenerse —dijo Karl.

Parte del misterio se solucionó unos días después, cuando un preso con cara de comadreja y una gran panza, llamado La Rocca, se puso junto a Miles en el patio de la cárcel. La Rocca, aunque no formaba parte de la Fila de la Mafia, andaba bordeándola, y actuaba a veces como correo.

Saludó a Karl con la cabeza, reconociendo el interés de propietario del negrazo, y después dijo a Miles:

—Te traigo un mensaje del ruso Ominsky.

Miles quedó sorprendido e inquieto. Igor (el ruso) Ominsky, era el tiburón prestamista a quien había debido —y seguía debiendo— mil quinientos dólares. Comprendió también que los intereses de la deuda debían haberse acrecentado enormemente.

Seis meses atrás habían sido las amenazas de Ominsky las que habían llevado a Miles a robar seis mil dólares de la caja del banco, tras lo cual sus robos previos habían sido descubiertos.

—Ominsky sabe que te has callado la boca —dijo La Rocca—. Le gusta cómo te has portado y supone que eres un tipo que sabe hacer frente.

Era verdad que durante los interrogatorios previos al juicio Miles no había revelado los nombres ni del tomador de apuestas ni del prestamista, porque temía a ambos en la época en que lo arestaron. No tenía nada que ganar al nombrarlos, y quizás mucho que perder. De todos modos no había sido presionado sobre el asunto ni por el jefe de Seguridad del banco, Wainwright, ni por el FBI.

—Como te has sabido callar —informó La Rocca— Ominsky quiere que sepas que ha parado el reloj mientras estés dentro.

Lo que significaba, comprendió Miles, que los intereses que debía no seguirían acumulándose durante el tiempo que estuviera preso. Conocía bastante a los prestamistas tiburones como para comprender que la concesión era importante. El mensaje también explicaba por qué la Fila de la Mafia, con sus relaciones fuera de la cárcel, estaba enterada de la existencia de Miles.

—Dale las gracias a Mr. Ominsky —dijo Miles. Pero no tenía idea de cómo iba a pagar la suma principal cuando saliera de la cárcel, ni siquiera cómo iba a ganar lo bastante como para mantenerse.

La Rocca reconoció:

—Alguien se comunicará contigo antes de que te larguen. Tal vez podamos hacer un trato —y, con un saludo que incluía a Karl, se alejó.

En las semanas siguientes Miles vio con más frecuencia a La Rocca, el de la cara de comadreja, quien buscó varias veces su compañía, junto con la de Karl, en el patio de la cárcel. Algo que parecía fascinar a La Rocca y a otros presos era el conocimiento que tenía Miles de la historia del dinero. En cierto modo, lo que antes había sido un interés y un *hobby* consiguió para Miles el tipo de respeto que los habitantes de la cárcel sienten por aquellos cuyo origen y crímenes son cerebrales, como opuestos a los meramente violentos. Bajo el sistema actual hay un asaltante en el fondo de la escala social de las cárceles y un estafador o un artista en lo más alto.

Lo que más intrigaba a La Rocca era la descripción de Miles de las falsificaciones masivas, hechas por los gobiernos, del dinero de otros países.

—Esas han sido siempre las mayores falsificaciones entre todas —contó un día Miles a un auditorio interesado de media docena de personas.

Describió cómo el gobierno británico había patrocinado la falsificación de grandes cantidades de billetes franceses en una tentativa de minar la Revolución Francesa, pese a que el mismo crimen realizado individualmente era castigado con la horca, castigo que se prolongó en Gran Bretaña hasta 1821. La revolución norteamericana había empezado con la falsificación oficial de billetes británicos. Pero la mayor falsificación de todas, informó Miles, ocurrió durante la Segunda Guerra Mundial, cuando Alemania fabricó 140 millones de libras esterlinas y cantidades desconocidas de dólares norteamericanos, todos de la más elevada calidad. Los ingleses también imprimieron dinero alemán y lo mismo hicieron los otros aliados.

—¡Quién lo diría! —declaró La Rocca—. ¡Y ésos son los hijos de puta que nos han metido aquí! ¡Juraría que están haciendo lo mismo ahora!

La Rocca apreciaba el prestigio que adquiría como resultado de su relación con Miles. También manifestó claramente que pasaba algunas de las informaciones a la Fila de la Mafia.

—Yo y los muchachos nos encargaremos de ti cuando salgas —anunció un día, ampliando su primera promesa. Miles estaba enterado que su salida de la cárcel y la de La Rocca iban a ocurrir más o menos por el mismo tiempo.

Hablar de dinero era para Miles una especie de suspenso mental, que disipaba, aunque fuera brevemente, el horror del presente. Imaginó, igualmente, que debía sentirse aliviado por haber parado la «marcha del reloj» del préstamo. Pero, de todos modos, hablar o pensar en otras cosas sólo excluía, momentáneamente, la miseria general y el asco que sentía ante sí mismo. A causa de esto empezó a pensar en el suicidio.

El odio hacia sí mismo se centraba en su relación con Karl. El negrazo había declarado que quería: *Tu lindo culito blanco, nene. Tu cuerpo sólo para mí. Cuando se me dé la gana.* Y, desde el acuerdo, Karl le había hecho cumplir la promesa, con un apetito que parecía insaciable.

Al principio Miles procuró anestesiar su mente, diciéndose que lo que pasaba era preferible a ser violado por un grupo, cosa que, debido a la instintiva suavidad de Karl era en verdad mejor. Pero el asco y la conciencia de la cosa seguían.

Y lo que sucedió después fue aún peor.

Incluso en su propia mente a Miles le resultaba difícil aceptarlo, pero el hecho estaba allí: empezaba a *gozar* de lo que pasaba entre él y Karl. Además, Miles consideraba ya a su protector con nuevos sentimientos... ¿Cariño? *Sí...* ¿Amor? ¡*No!* No se *atrevía*, por el momento, a ir tan lejos.

La comprobación le sacudió. Pero aceptó las nuevas sugerencias que se le ocurrían a Karl, incluso cuando éstas convertían el papel homosexual de Miles en algo más positivo.

Tras cada encuentro era asaltado por una cantidad de interrogantes. ¿Seguía siendo un hombre? Sabía que antes lo había sido, pero ahora ya no estaba seguro. ¿Se había pervertido totalmente? ¿Era así como sucedía? ¿Podría ocurrir más adelante una vuelta total, un trastrueque a la normalidad que cancelara el placer, lo que estaba probando aquí y ahora? Si no era así: ¿valía la pena seguir viviendo? Lo dudaba.

Fue entonces cuando quedó envuelto en la desesperación y el suicidio le pareció algo lógico... una panacea, un fin, un alivio. Aunque fuera difícil en la prisión repleta, la cosa podía hacerse... por medio de la horca. Cinco veces desde la llegada de Miles se habían oído gritos de «¡Un ahorcado!» —generalmente por la noche— y los guardias corrían como tropas de asalto, jurando, llevando palancas para abrir los cerrojos de los corredores; abrían «de golpe» una celda y se precipitaban para cortar la cuerda de un presunto suicida antes de que muriera. En tres de las cinco ocasiones, aclamados por los rencorosos gritos y las carcajadas de los presos, llegaron demasiado tarde. Inmediatamente después, como los suicidios eran una cosa molesta para la cárcel, aumentaban las patrullas nocturnas, pero la cosa rara vez duraba.

Miles sabía cómo hacerlo. Había que empapar una tira de sábana o de manta para que no se desgarrara —orinarla sería más discreto— después se la aseguraba a una de las vigas del techo, a las que se podía llegar desde un catre alto. Había que hacerlo en silencio, mientras los que estaban en la celda dormían...

Al final una cosa y sólo una le detuvo. Ningún otro factor influyó en la decisión que tenía Miles de ahorcarse.

Quería, cuando terminara su condena, pedir perdón a Juanita Núñez.

El arrepentimiento de Miles Eastin cuando le sentenciaron, había sido sincero. Sentía remordimientos por haber robado en el First Mercantile American, donde le habían tratado honorablemente, y él había pagado con el deshonor. Retrospectivamente se preguntaba cómo podía haber acallado su conciencia de aquella manera.

A veces, cuando pensaba ahora en la cosa, era como si hubiera sido presa de una fiebre. Las apuestas, la mundanidad, los acontecimientos deportivos, el vivir por encima de sus medios, la locura de pedir prestado a un tiburón prestamista y el robar, aparecían trastocados, como locas y desplazadas partes de una pesadilla. Había perdido el contacto con la realidad y, como en el caso de una fiebre en estado avanzado, su mente se había distorsionado, hasta que desaparecieron la decencia y los valores morales.

De otro modo, se lo había repetido miles de veces, nunca hubiera hecho algo tan despreciable, nunca se habría hecho culpable de tanta vileza como para querer culpar de su robo a Juanita Núñez.

Durante el proceso, había tenido tanta vergüenza, que no se había atrevido a mirar a Juanita.

Ahora, seis meses después, la preocupación de Miles por el banco había disminuido. Había dañado al FMA, pero la estadía en la cárcel le había hecho pagar el total de la deuda. *¡Por Dios, vaya si había pagado!*

Pero ni siquiera la penitenciaría de Drummonburg, con todo su horror, podía compensar lo que debía a Juanita. Nunca lo compensaría nada. Por eso tenía que buscarla y pedirle perdón.

Por eso, como necesitaba la vida para hacerlo, la soportó.

10

—Banco First Mercantile American —dijo cortante en el teléfono el operador en monedas del FMA; lo había acomodado hábilmente entre el hombro y la oreja izquierda, de manera que tenía las manos libres—. Necesito seis millones de dólares esta noche. ¿Cuál es su tasa?

Desde la costa occidental de California, la voz de un operador del gigantesco Bank of America, arrastró las palabras:

—Trece y cinco octavos.

—Es elevado —dijo el hombre del FMA.

—El juego es duro.

El operador del FMA vaciló, procurando adivinar al otro, preguntándose de qué lado iría la cotización. Por costumbre registró el persistente zumbido de voces a su alrededor en el Centro de Tráfico Monetario del First Mercantile American —una médula sensible y nerviosa en el centro mismo de la Torre Central del FMA, que pocos de los clientes del banco conocían y sólo un grupo privilegiado había visto alguna vez. Pero era en centros como éste donde se efectuaban muchas de las ganancias del gran banco... o donde se registraban las pérdidas.

Los requerimientos de la reserva hacían necesario que un banco tuviera específicas cantidades al contado contra cualquier posible demanda, pero ningún banco quería tener demasiado dinero quieto, ni demasiado poco. Los operadores de dinero del banco mantenían las cantidades en equilibrio.

—Espere, por favor —dijo el operador del FMA a la voz de San Francisco. Apretó el botón de «Fijo» en la consola telefónica y después oprimió otro botón.

Una nueva voz anunció:

—Manufacturer Hanover Trust, Nueva York.

—Necesito seis millones esta noche. ¿Cuál es su cotización?

—Trece y tres cuartos.

En la costa Este la cotización aumentaba.

—Gracias, no, gracias —el operador del FMA cortó la comunicación con Nueva York y soltó el botón de «Fijo» donde esperaba el de San Francisco. Dijo:

—Me parece que lo tomo.

—Seis millones vendidos a ustedes a trece y cinco octavos —dijo el del Bank of America.

—Bien.

El acuerdo había tardado veinte segundos. Era uno de los miles que se hacían diariamente entre bancos rivales, en un concurso de nervios e ingenio, con apuestas de siete cifras. Los operadores de moneda de los bancos eran invariablemente hombres jóvenes, en la treintena, inteligentes, ambiciosos, rápidos de pensamiento, que no se alteraban bajo la presión. De todos modos, como un informe de éxito en el tráfico de dinero podía adelantar la carrera de un hombre y un error estropearla, la tensión era constante, de manera que tres años en un escritorio de tráfico de dinero era considerado el máximo. Después de ese tiempo la tensión empezaba a notarse.

En ese momento, en San Francisco y en el First Mercantile American se anotaba la última transacción, que era pasada a una computadora y después transmitida al Sistema del *Federal Reserve*. En el «Fed», por las próximas veinticuatro horas, las reservas del Bank of America tendrían un débito de seis millones de dólares, las reservas del FMA acreditarían la misma cantidad. El FMA pagaría al Bank of America por el uso de su dinero durante ese tiempo.

En todo el país se estaban efectuando transacciones similares entre otros bancos.

Era miércoles, a mediados de abril.

Alex Vandervoort, que visitaba el Centro de Operaciones Monetarias, parte de su dominio dentro del banco, saludó con la cabeza al operador, sentado en una plataforma elevada y rodeado de ayudantes, que le proporcionaban informaciones y completaban el papeleo. El hombre joven, ya sumergido en otra transacción, devolvió el saludo con un movimiento de mano y una alegre sonrisa.

En otras partes del recinto —del tamaño de un auditorio y con semejanzas que recordaban el centro de control de un atareado aeropuerto— estaban otros operadores en seguridades y bonos, flanqueados por ayudantes, contadores, secretarias. Todos estaban muy atareados en usar el dinero del banco prestando, pidiendo prestado, invirtiendo, vendiendo, o reinvirtiendo.

Detrás de los operadores, media docena de supervisores financieros trabajaban en unos escritorios más amplios y más cómodos.

Tanto los operadores como los supervisores tenían delante una enorme pizarra que ocupaba todo lo largo del centro de tráfico y daba las cotizaciones, los promedios de interés y otras informaciones. Las cifras a control remoto del cuadro cambiaban constantemente.

Un operador en bonos, en un escritorio no lejos de donde estaba Alex de pie, se levantó y anunció en voz alta:

—La Ford y el Sindicato de Trabajadores del Auto acaban de anunciar un contrato por dos años —varios operadores buscaron los teléfonos. Las noticias importantes en el terreno industrial y político, a causa de su efecto instantáneo en el precio de los valores, eran siempre compartidas de esta manera por el primero que las escuchaba en el recinto.

Unos segundos después una luz verde sobre la pizarra de informaciones parpadeó y fue reemplazada por una deslumbrante, de color ámbar. Era la señal para que los operadores no se comprometieran, porque nuevas cotizaciones, presumiblemente resultado del acuerdo de la industria automotor, iban a llegar. Una llameante luz roja, que raras veces se usaba, prevenía de algún cambio cataclísmico.

De todos modos la oficina de tráfico de dinero, cuyas operaciones había estado contemplando Alex, seguía siendo un punto clave.

Las leyes federales exigían que los bancos dispusieran del diecisiete y medio por ciento de los depósitos líquidamente y al contado. Las penalizaciones por no cumplir con esto eran severas. Pero también era perjudicial para los bancos dejar grandes sumas sin invertir, aunque sólo fuera por un día.

Por lo tanto los bancos mantenían una cuenta continua de todo el dinero que entraba y salía. Un cajero central en el departamento mantenía el dedo en el fluir del dinero, como un médico que toma el pulso. Si los depósitos dentro de un sistema bancario como el del First Mercantile American eran más fuertes de lo que se había anticipado, el banco —por intermedio de su operador de dinero— prestaba en seguida fondos excedentes a otros bancos que podían necesitarlos para el requerimiento de reservas. Contrariamente, si los retiros de los clientes eran desusadamente fuertes, el FMA pedía prestado.

La posición de un banco cambiaba de hora en hora, de manera que un banco que era prestamista por la mañana podía pedir prestado a mediodía y ser nuevamente prestamista antes del cierre de los negocios. De esta manera, un gran banco podía traficar con más de mil millones de dólares diarios.

Otras dos cosas podían decirse —y con frecuencia se decían— sobre el sistema. Primero, que los bancos eran generalmente más rápidos en buscar ganancias para sí mismos que para sus clientes. Segundo, que los bancos obtenían beneficios mucho, muchísimo mayores para sí mismos que los que conseguían para la gente de afuera, que les confiaba su dinero.

La presencia de Alex Vandervoort en el Centro de Operaciones Monetarias se debía, en parte, al deseo de mantenerse en contacto con el fluir del dinero, cosa que hacía con frecuencia, y para discutir los procedimientos bancarios de las últimas semanas, que le habían inquietado.

Estaba con Tom Straughan, vicepresidente y miembro del Comité de Política Monetaria del FMA. El despacho de Straughan quedaba inmediatamente al lado. Había entrado con Alex en el Centro de Operaciones Bancarias. Era el joven Straughan quien, en enero, se había opuesto a que se cortaran los fondos del Forum East, aunque ahora parecía entusiasmado con el préstamo propuesto a la Supranational Corporation.

En estos momentos discutían sobre la Supranational.

—Se preocupa usted demasiado, Alex —insistía Tom Straughan—. Además de tratarse de un riesgo nulo, la SuNatCo nos hará bien. Estoy convencido.

Alex dijo con impaciencia:

—No existen los riesgos nulos. De todos modos, estoy menos preocupado con la Supranational que con los grifos que tendremos que cerrar.

Ambos hombres sabían a qué «grifos» dentro del First Mercantile American se refería Alex. Un memorándum de propuestas, trazado por Roscoe Heyward y aprobado por el presidente del banco, Jerome Patterton, había circulado entre los miembros del Comité de Política Monetaria unos días antes. Para que la línea de crédito de cincuenta millones de dólares a la Supranational fuera posible, se proponía cortar drásticamente los préstamos pequeños, las hipotecas de casas y la financiación de bonos municipales.

—Si el préstamo pasa y hacemos esos cortes —argumentó Tom Straughan— serán sólo temporales. En tres meses, quizás menos, nuestros fondos volverán a ser lo que eran antes.

—Es posible que usted lo crea, Tom. Yo no.

Alex había estado desalentado antes de venir aquí. La conversación con el joven Straughan le había deprimido aún más.

Las propuestas Heyward-Patterton estaban en contra, no sólo de las creencias de Alex, sino también en contra de su instinto financiero. Creía que era un error canalizar los fondos del banco tan sustancialmente en un préstamo industrial a costa del servicio público, aunque la financiación industrial fuera muchísimo más ventajosa. Pero, incluso desde el exclusivo punto de vista de los negocios, la amplitud del compromiso del banco con la Supranational —por intermedio de las subsidiarias de la SuNatCo— le inquietaba.

En este último punto, comprendió que estaba en total minoría. Todos los demás en la alta dirección del banco estaban encantados con la nueva relación con la Supranational, y Roscoe Heyward había recibido efusivas felicitaciones por haberla logrado. Y la inquietud de Alex persistía, aunque no habría sabido decir por qué. Es verdad que la Supranational parecía muy sólida financieramente; sus páginas de balance mostraban que el gigantesco conglomerado irradiaba salud fiscal. Y, en prestigio, la SuNatCo se equiparaba a compañías como la General Motors, IBM, Exxon, Dupont y U.S. Steel.

Tal vez, pensó Alex, sus dudas y su depresión provenían de su influencia declinante dentro del banco. Porque *declinaba*. Esto se había hecho evidente en las últimas semanas.

Por el contrario, la estrella de Roscoe Heyward estaba ascendiendo muy alto. Patterton le escuchaba y confiaba en él, y esta confianza se expandía tras el deslumbrante éxito del viaje de dos días que Heyward había hecho a las Bahamas, con George Quartermain. Alex comprendía que su reserva personal acerca de ese éxito era considerada como las uvas verdes de la fábula.

Alex sentía también que había perdido influencia personal con Straughan y otros, que antes se consideraban dentro de la carreta de Vandervoort.

—Tiene que reconocer —dijo Straughan— que el acuerdo con la Supranational es estupendo. ¿Sabía que Roscoe les hizo aceptar un balance compensatorio del diez por ciento?

El balance compensatorio había sido un acuerdo al que habían llegado tras rudas discusiones entre el banco y los solicitantes. Un banco insiste en que quede en depósito en cuenta corriente una determinada porción de cualquier crédito la cual no gana interés para el solicitante, y, sin embargo, está a disposición del banco para su propio uso e inversión. Así un solicitante no hace uso total de todo el préstamo, y vuelve la tasa de interés real sustancialmente más elevada que la tasa aparente. En el

214

caso de la Supranational, como había señalado Tom Straughan, cinco millones de dólares quedarían en las nuevas cuentas de cheques de la SuNatCo... con gran ventaja para el FMA.

—Presumo —dijo Alex con mofa— que está usted enterado del otro lado de ese delicioso acuerdo.

Tom Straughan pareció incómodo.

—Bueno, me han dicho que hay un entendimiento. No me parece que podamos referirnos a eso como al «otro lado».

—¡Vaya si lo es! Los dos sabemos que la SuNatCo insistió y que Roscoe consintió en que nuestro departamento de depósitos invierta ampliamente en los valores de la Supranational.

—Si es así, no hay nada escrito.

—Claro que no. Nadie sería tan tonto —Alex miró al joven—. Usted tiene acceso a las cifras. ¿Cuánto *hemos* comprado hasta ahora?

Straughan vaciló, y se dirigió al escritorio de uno de los supervisores del Centro de Tráfico. Volvió con unas anotaciones escritas a lápiz en un papel.

—Hasta hoy noventa y siete mil acciones —y Straughan añadió—: La última cotización fue a cincuenta y dos.

Alex dijo, agriamente:

—En la Supranational deben estar frotándose las manos. Nuestras compras ya han hecho subir cinco dólares el precio de una acción... —calculó mentalmente—. De manera que, en la semana pasada, hemos metido casi cinco millones de dólares del dinero que nos han confiado nuestros clientes en la Supranational. ¿Por qué?

—Es una inversión excelente —Straughan procuró hablar con ligereza—. Haremos ganar en grande a todas las viudas, huérfanos y fundaciones educacionales cuyo dinero cuidamos.

—O evaporamos... abusando de la confianza puesta en nosotros. ¿Qué sabemos acerca de la SuNatCo, Tom, que no hayamos sabido hace dos semanas? Y, hasta esta semana, ¿acaso el departamento de depósitos había comprado jamás una sola acción de la Supranational?

El hombre más joven quedó en silencio, después dijo, a la defensiva:

—Creo que Roscoe supone que, ahora que él va a formar parte de la Dirección, podrá vigilar a la compañía más de cerca.

—Me desilusiona usted, Tom. Nunca había sido tan deshonesto consigo mismo, especialmente cuando conoce los motivos reales tan bien como yo... —al ver que Straughan se ruborizaba, Alex insistió—: ¿Se hace idea del tipo de escándalo que habría si el Servicio Secreto examinara esto? Hay conflicto de intereses; abuso de la ley de limitación de préstamos; uso de los fondos confiados al banco para influir en los negocios del banco mismo; y no me cabe la menor duda de que hay acuerdo para votar el *stock* de la Supranational en la próxima reunión anual de la SuNatCo.

Straughan dijo con agudeza:

—Si es así, no será la primera vez... ni siquiera aquí.

—Desgraciadamente es verdad. Pero el olor del guisado no mejora.

La cuestión de la ética en el departamento de depósitos era un tema antiguo. Se supone que los bancos mantienen una barrera interna —que llaman a veces la Muralla China— entre sus propios intereses comerciales y los fondos que se les confían. De hecho no lo hacen.

Cuando un banco tiene miles de millones de dólares en fondos confiados por clientes para invertir, es inevitable que la «cantidad» dada de este modo sea usada comercialmente. Se espera que las compañías en las que un banco invierte fuertemente responden recíprocamente con negocios bancarios. Con frecuencia también, las compañías eran presionadas para que hubiera un director de banco en su propio consejo director. Si no se hacía ninguna de las dos cosas, otras inversiones rápidamente reemplazaban a ésas en los portafolios de depósitos, con los valores disminuidos como resultado de la venta del banco.

Igualmente, las agencias de bolsa que manejaban el gran volumen del departamento de depósitos, comprando y vendiendo, debían mantener a su vez amplios balances bancarios. Generalmente así era. De lo contrario el ansiado negocio de bolsa se iba a otra parte.

Pese a la propaganda de relaciones públicas, el interés de los clientes depositantes —incluidas las proverbiales viudas y huérfanos—, con frecuencia se cotiza después de los intereses del banco. Era uno de los motivos por los cuales el resultado del departamento de depósitos era generalmente pobre.

De este modo Alex sabía que la situación entre la Supranational y el FMA no era única. De todos modos el saberlo no hacía que la cosa le gustara más.

—Alex —se adelantó Tom Straughan—, es mejor que le prevenga que mañana, en la reunión del comité monetario, pienso apoyar el préstamo a la Supranational.

—Lo lamento.

Pero la noticia no era inesperada. Y Alex se preguntó cuánto tiempo iba a pasar hasta quedar tan solo y aislado que su situación en el banco resultara insostenible. Podía suceder pronto.

Después de la reunión de mañana del Comité de Política Monetaria, donde seguramente las propuestas referentes a la Supranational iban a ser apoyadas por mayoría, todo el consejo director volvería a reunirse el próximo miércoles, con la Supranational nuevamente en la agenda. En ambas reuniones, Alex estaba seguro, él iba a ser la única voz discordante y solitaria.

Examinó una vez más el siempre ocupado Centro de Operaciones Monetarias, dedicado a la riqueza y las ganancias, idéntico en principio a los antiguos templos del oro de Babilonia y Grecia. No era, pensó, que el dinero, el comercio y la ganancia fueran en sí algo indigno. Alex estaba dedicado a las tres cosas, aunque no ciegamente, y con reservas que implicaban escrúpulos morales, la razonable distribución de riqueza y la ética bancaria. Sin embargo, cuando se presentaba la perspectiva de un beneficio excepcional, según lo demostraba toda la historia, aquellos

216

que tenían tales reservas eran obligados a callar, o eran dejados de lado.

Frente a las poderosísimas fuerzas del gran dinero y el gran negocio —representados ahora por la Supranational y la mayoría del FMA— ¿qué podía esperar un individuo solo en la oposición?

Muy poco, pensó desesperanzado Alex Vandervoort. Quizás nada.

11

La reunión de la Dirección del banco First Mercantile American en la tercera semana de abril, fue memorable desde muchos puntos de vista.

Dos temas mayores de la política bancaria fueron tema de intensa discusión: uno, era la línea de crédito a la Supranational; el otro una propuesta para expandir la actividad ahorrista del banco y la apertura de nuevas sucursales suburbanas.

Incluso antes que se iniciaran los procedimientos, el tono de la reunión se hizo evidente. Heyward, desusadamente jovial y relajado, con un elegante traje gris claro, se presentó temprano. Saludó a otros directores en la puerta del salón de conferencias, a medida que llegaban. Por las cordiales respuestas era claro que la mayoría de los miembros, no sólo había oído hablar del acuerdo con la Supranational, por misteriosas vías financieras, sino que estaba entusiastamente a favor.

—Felicitaciones, Roscoe —dijo Philip Johannsen, presidente de la Mid-Continent Rubber—, realmente ha metido usted a este banco en la gran canasta. ¡Más poder, eso... es lo que usted necesita!

Radiante, Heyward reconoció:

—Agradezco su apoyo, Phil. Y quiero que sepa que tengo otras metas en la mente.

—Las logrará, no tema.

Un director con cejas de escarabajo procedente del interior, Floyd LeBerre, presidente de la General Cable and Switchgear Corporation, entró. En el pasado LeBerre nunca había sido muy cordial con Heyward, pero ahora le estrechó la mano con efusión.

—Encantado de oír que formará usted parte de la Dirección de la Supranational, Roscoe —el presidente de la General Cable bajó la voz—. Mi división de ventas de repuestos tiene algunos negocios con la SuNatCo. Me gustaría poder hablar pronto de ello.

—Hagámoslo la semana próxima —dijo Heyward amablemente—. Puede tener la certeza de que ayudaré todo lo que pueda.

LeBerre se apartó, con expresión satisfecha.

Harold Austin, que había oído la charla, guiñó un ojo con picardía.

—Nuestro viajecito nos está dando ya beneficios. Cabalgas muy alto.

El Honorable Harold parecía más que nunca un *playboy* envejecido: una chaqueta a cuadros de colores, pantalones acampanados marrones, una camisa de alegres colores y una cerúlea corbata azul cielo. El flotante pelo blanco estaba arreglado y cortado en un nuevo estilo.

—Harold —dijo Heyward—, si hay algún favor que quieras pedirme...

—Los habrá —aseguró el Honorable Harold, y después se dirigió a grandes pasos a su asiento junto a la mesa de conferencias.

Incluso Leonard L. Kingswood, el enérgico presidente de la Northam Steel, y ferviente sostenedor de Alex Vandervoort en el Directorio, tuvo una palabra amable al pasar.

—He oído que ha atrapado usted a la Supranational, Roscoe. Es un negocio de primera clase.

Otros directores también lo felicitaron.

Entre los últimos en llegar estaban Jerome Patterton y Alex Vandervoort. El presidente del banco, con su cabeza calva brillante y bordeada de blanco, con su aspecto de granjero de siempre se dirigió a la cabeceta de la larga mesa ovalada del salón de reuniones. Alex, que llevaba una carpeta llena de papeles, se sentó como de costumbre en el centro de la mesa, del lado izquierdo.

Patterton golpeó con el martillo para llamar la atención y rápidamente abordó varios asuntos de rutina. Después anunció:

—El primer punto a tratar es: «Préstamos sometidos a la aprobación de la Dirección».

Alrededor de las mesas un agitarse de páginas que daban la vuelta señaló la apertura de las tradicionales agendas azules de préstamos del FMA, preparadas para uso de los directores.

—Como de costumbre, señores, tienen ustedes ante sí detalles de las propuestas de la dirección. Lo que hoy ofrece especial interés, como la mayoría de ustedes ya sabe, es nuestra nueva cuenta con la Supranational Corporation. Personalmente estoy encantado con los términos negociados y recomiendo con énfasis su aprobación. Dejo a Roscoe, que es responsable de haber traído este nuevo e importante negocio al banco, el completar los detalles y el contestar preguntas.

—Gracias, Jerome —Roscoe Heyward acomodó sus lentes sin aro, que había estado limpiando por costumbre y se inclinó hacia adelante en su silla. Al hablar sus maneras parecieron menos austeras que de costumbre, su voz era agradable y segura.

—Señores: al embarcarse en el compromiso de un gran préstamo es prudente asegurarse de la solidez financiera del peticionario, incluso en el caso de que este peticionario tenga un promedio de crédito de una triple «A», como pasa con la Supranational. En el apéndice «B» de las agendas azules —nuevamente se oyó el ruido de páginas que pasaban— encontrarán un sumario que he preparado personalmente sobre los activos y proyectados beneficios del grupo SuNatCo, incluidas todas las subsidiarias. Se basa en declaraciones financieras de auditores más datos adicionales proporcionados por el contador de la Supranational, Stanley Inchbeck. Como pueden ustedes ver las cifras son excelentes. Nuestro riesgo es mínimo.

—No conozco la reputación de Inchbeck —intervino un director; era Wallace Sperrie, dueño de una compañía de instrumentos científicos—. Pero conozco la suya, Roscoe, y, si usted aprueba estas cifras, son cuatro «A» para mí.

Varios otros canturrearon su asentimiento. Alex Vandervoort jugueteaba con un lápiz ante una libreta que tenía delante.

—Gracias Wally, gracias, señores —Heyward se permitió una leve sonrisa—. Espero que la confianza de ustedes se extienda a la acción concomitante que he recomendado.

Aunque las recomendaciones estaban anotadas en la carpeta azul, las

219

describió de todos modos... la línea de crédito de cincuenta millones debía ser totalmente concedida a la Supranational, en cortes financieros en otras áreas del banco, que debían hacerse efectivos inmediatamente. Los cortes, aseguró Heyward a los atentos directores, serían restablecidos «en cuanto fuera posible y conveniente», aunque prefería no especificar cuándo. Terminó:

—Recomiendo este flete para nuestro navío y prometo que, en su compañía, nuestras cifras de beneficios serán muy buenas de verdad.

Cuando Heyward se echó hacia atrás en la silla, Jerome Patterton anunció:

—La reunión está abierta para preguntas y discusiones.

—Francamente —dijo Wallace Sperrie— no veo necesidad de ninguna de las dos cosas. Todo está claro. Creo que estamos en presecia de un golpe maestro de los negocios para este banco, y propongo una aprobación inmediata.

Varias voces dijeron al unísono:

—De acuerdo.

—Propuesto y acordado —entonó Jerome Patterton—. ¿Estamos listos para votar? —Evidentemente lo esperaba. Tenía levantado el martillo.

—No —dijo con voz tranquila Alex Vandervoort. Hizo a un lado el lápiz y la libreta con la que había estado jugueteando—. Y no creo que nadie deba votar sin que haya bastante discusión sobre el asunto.

Patterton suspiró. Dejó el martillo. Alex ya le había prevenido, por cortesía, de sus intenciones, pero Patterton había esperado que, al sentir la casi unanimidad de la Dirección, Alex hubiera cambiado de idea.

—Lamento profundamente —dijo Alex Vandervoort— encontrarme en la Dirección en conflicto con mis compañeros, Jerome y Roscoe. Pero no puedo, por deber de conciencia, acallar mi ansiedad acerca de este préstamo y mi oposición a hacerlo.

—¿Qué pasa? ¿A su amiga no le gusta la Supranational? —La espinosa pregunta provenía de Forrest Richardson, antiguo director del FMA; era de maneras bruscas, tenía reputación de ser muy preciso y era príncipe heredero en la industria de la carne envasada.

Alex se puso colorado de rabia. No cabía duda de que los directores recordaban la pública vinculación de su nombre con la «invasión al banco» de Margot, hacía tres meses; de todos modos, no estaba dispuesto a que su vida personal fuera examinada. Pero contuvo una violenta respuesta y contestó:

—Miss Bracken y yo rara vez discutimos asuntos bancarios. Les aseguro que no hemos discutido éste.

Otro director preguntó:

—¿Qué es lo que no le gusta del acuerdo, Alex?

—Todo.

Alrededor de la mesa se oyeron inquietos movimientos y exclamaciones de enojada sorpresa. Las caras que se volvieron hacia Alex revelaban una actitud hostil.

Jerome Patterton aconsejó brevemente:

—Es mejor que explique el motivo.

—Sí, lo haré —Alex buscó el portafolio que había traído y extrajo una página de notas.

—En primer lugar me opongo a la «amplitud» del compromiso con un solo cliente. Y no sólo me parece una mal aconsejada concentración de riesgos, en mi opinión es una acción fraudulenta bajo la Sección 23A de la Ley de Reserva Federal.

Roscoe Heyward se puso de pie de un salto.

—Protesto ante la palabra «fraudulento».

—El protestar no cambia la verdad —dijo Alex con calma.

—¡No es verdad! Hemos establecido claramente que el compromiso no es para la Supranational Corporation, sino para sus subsidiarias. Son la Hepplewhite Distillers, la Horizon Land, la Atlas Jet Leasing, la Caribbean Finance y la International Bakeries —Heyward se apoderó de una agenda azul—. Las colocaciones de dinero están detalladas aquí específicamente.

Alex dijo:

—Todas esas compañías son subsidiarias controladas por la Supranational.

—Pero también son compañías largo tiempo establecidas, viables y con derechos propios.

—¿Entonces por qué, precisamente hoy, hemos estado hablando únicamente de la Supranational?

—Por simplicidad y conveniencia —dijo Heyward furioso.

—Usted sabe tan bien como yo —insistió Alex— que, una vez que el dinero del banco esté en *cualquiera* de esas subsidiarias, G. G. Quartermain podrá moverlo a cualquier parte que le dé la gana.

—¡Atención, *un momento!* —La interrupción provenía de Harold Austin, que se había inclinado hacia adelante y golpeaba la mesa con la mano para llamar la atención—. El Gran George Quartermain es mi amigo personal. Y no me voy a quedar sentado tranquilamente oyendo una acusación de mala fe.

—No ha habido acusación de mala fe —contestó Alex—. Estoy hablando de un hecho de la vida global. Grandes sumas de dinero son transferidas frecuentemente entre las subsidiarias de la Supranational; las páginas de balance así lo demuestran. Y esto sólo sirve para confirmar que estamos prestando a una sola entidad.

—Bueno —dijo Austin y, sin mirar a Alex se dirigió a otros miembros del consejo director—. Me limito a repetir que conozco bien a George Quartermain, y también a la Supranational. Como la mayoría de ustedes saben, yo fui responsable del encuentro entre Roscoe y el Gran George en las Bahamas, donde se arregló esta línea de crédito. Teniéndolo todo en cuenta repito que es un acuerdo excepcionalmente bueno para el banco.

Hubo un silencio momentáneo que quebró Philip Johannsen.

—¿No será acaso, Alex —preguntó el presidente de la MidContinent Rubber— que está usted envidioso porque fue Roscoe y no usted el invitado a jugar un partido de golf en las Bahamas?

—No. El punto que señalo no tiene que ver con nada personal.

Alguien dijo, escéptico.

—La verdad es que no parece.

—¡Señores, señores! —Jerome Patterton golpeó agudamente con el martillo.

Alex había esperado algo parecido. Manteniendo la frialdad, persistió:

—Repito que el préstamo es un compromiso demasiado grande con un solo cliente. Por otra parte, pretender que no es para un único solicitante es una tentativa artera para contravenir la ley, y todos los aquí presentes lo sabemos— lanzó una mirada provocativa alrededor de la mesa.

—Yo no lo sé —dijo Roscoe Heyward— y digo que su interpretación es torcida y basada en el error.

En ese momento era ya evidente que estaban en una sesión extraordinaria. Las reuniones de la Dirección generalmente eran asuntos de práctica corriente o, en el caso de algún leve desacuerdo, los directores intercambiaban comentarios corteses y caballerescos. Las discusiones agrias y ácidas eran prácticamente desconocidas.

Por primera vez habló Leonard L. Kingswood. Su voz era conciliadora.

—Alex, reconozco que hay alguna verdad en lo que usted dice, pero el hecho es que, lo que aquí se ha sugerido, se hace a cada momento entre los grandes bancos y las corporaciones amplias.

La intervención del presidente de la Northam Steel fue significativa. En la reunión de la Dirección, en diciembre, Kingswood había sido el jefe de la facción que quería el nombramiento de Alex como presidente del FMA. Ahora prosiguió:

—Francamente, si hay algo culpable en esa clase de financiación, mi propia compañía también es culpable.

Apenado, comprendiendo que iba a perder un amigo, Alex meneó la cabeza.

—Lo lamento, Len. Pero sigo creyendo que la cosa es incorrecta, del mismo modo que creo que nos expondremos a una acusación de conflicto-de-intereses si Roscoe entra en la Dirección de la Supranational.

La boca de Leonard Kingswood se apretó. No dijo nada más.

Pero Philip Johannsen habló. Dijo con acritud a Alex:

—Si tras la última frase quiere hacernos creer que no hay nada personal en su oposición está loco.

Roscoe Heyward procuró ocultar una sonrisa, pero no lo logró.

La cara de Alex se puso sombría. Se preguntó si aquella sería la última reunión de la Dirección del FMA a que iba a asistir pero, fuera así o no, tenía que terminar con lo que había empezado. Ignorando el comentario de Johannsen, declaró:

—Como banqueros no hemos aprendido. En todas partes, en el Congreso, los consumidores, nuestros clientes, la prensa, nos acusan de perpetuar un conflicto-de-intereses por medio de trenzas de consejos directores. Si somos sinceros con nosotros mismos, deberemos reconocer que la mayoría de las acusaciones dan en el blanco. Todos los presentes saben cómo están ligadas entre sí las grandes compañías petroleras, cómo trabajan juntas en las directivas de los bancos, y éste es sólo un ejemplo. Sin embargo seguimos y seguimos con este tipo de intercambio: *Yo estoy en tu Directiva, tú estás en la mía.* Cuando Roscoe sea director de la Supranational, ¿qué intereses defenderá primero? ¿Los de la Supranational? ¿O los del First Mercantile American? Y aquí, en nuestra Dirección, ¿no es posible que favorezca a la SuNatCo en lugar de a otras compañías, porque es allí director? Los accionistas tienen derecho a conocer la respuesta a estos interrogantes; y también los legisladores y el público. Lo que es más, si no damos pronto algunas respuestas convincentes, si no cesamos de actuar desde arriba como lo hacemos, todos los bancos tendrán que enfrentarse con duras leyes restrictivas. Y las merecemos.

—Si habla usted lógicamente —objetó Forrest Richardson— vendría a resultar que la mitad de los miembros de esta Dirección pueden ser acusados de conflicto de intereses.

—Precisamente. Y ha llegado el momento de que el banco enfrente la situación y termine con ella.

Richardson gruñó:

—Puede haber otras opiniones sobre el punto —su propia compañía de carne envasada, como todos sabían, era gran deudora del FMA, y Forrest Richardson había participado en reuniones de Dirección en las que se habían aprobado préstamos para su compañía.

Sin prestar atención a la creciente hostilidad, Alex clavó el dardo:

—Otros aspectos del préstamo a la Supranational también me inquietan. Para disponer del dinero tendremos que cortar los préstamos hipotecarios y los préstamos menores. En sólo esos dos puntos, el banco estará en falta como servicio público.

Jerome Patterton dijo, malhumorado:

—Se ha establecido claramente que esos cortes serán temporales.

—Sí —reconoció Alex—. Pero nadie sabe hasta cuándo se prolongará esa temporalidad, ni lo que pasará con los negocios y la buena voluntad que perderá el banco cuando la cosa se publique. Y está también la tercera zona de cortes, que todavía no hemos tocado... los bonos municipales... —abrió su portafolio y consultó una segunda hoja de notas—. En las próximas seis semanas serán licitadas once series de bonos del distrito, para escuelas. Si nuestro banco no participa, la mitad de esos bonos quedarán sin ser vendidos —la voz de Alex se agudizó—: ¿Es intención del banco prescindir, *tan pronto, después de la muerte de Ben Rosselli*, de una tradición que abarca varias generaciones de este nombre?

Por primera vez desde que se había iniciado la reunión los directores cambiaron miradas inquietas. La política impuesta desde hacía mucho tiempo por el fundador del banco, Giovanni Rosselli, *establecía* que el First Mercantile American fuera el primero en respaldar y vender bonos de las pequeñas municipalidades estatales. Sin esa ayuda del banco más

223

poderoso del estado, tales bonos —nunca grandes, importantes o bien conocidos— pasarían de largo en el mercado, dejando en descubierto las necesidades financieras de las comunidades. La tradición había sido fielmente seguida por el hijo de Giovanni, Lorenzo, y por el nieto, Ben. El negocio no era especialmente beneficioso, aunque tampoco representaba una pérdida. Pero era un servicio público significativo, y también devolvía a las pequeñas comunidades algo del dinero que los ciudadanos depositaban en el FMA.

—Jerome —sugirió Leonard Kingswood—, me parece que debería usted revisar otra vez la situación.

Se oyeron murmullos de asentimiento.

Roscoe Heyward hizo una rápida intervención:

—Jerome... si me permite...

El presidente del banco asintió.

—En vista de lo que parece ser un sentimiento general de la Dirección— dijo Heyward con suavidad— estoy seguro de que podemos examinar el asunto de nuevo, y tal vez devolver parte de los fondos para bonos municipales sin estorbar ninguno de los acuerdos con la Supranational. Sugiero que la Dirección, expresando claramente sus sentimientos, deje que los detalles sean considerados por Jerome y por mí... —señaladamente no incluyó a Alex.

Asentimientos y voces expresaron aprobación.

Alex objetó:

—Este no es un compromiso total ni hace nada para establecer las hipotecas para viviendas y los préstamos menores.

Los otros directores guardaron un significativo silencio.

—Creo que hemos escuchado todos los puntos de vista —sugirió Jerome Patterton—. Tal vez convenga ahora votar la propuesta en su conjunto.

—No —dijo Alex—, todavía hay otro punto.

Patterton y Heyward cambiaron miradas de divertida resignación.

—Ya he señalado que hay un conflicto de intereses —afirmó Alex sombríamente—. Ahora quiero prevenir a la Dirección sobre un conflicto aún mayor. Desde la negociación del préstamo de la Supranational, y hasta ayer por la tarde, nuestro departamento de depósitos ha comprado...— consultó sus notas— ciento veintitrés mil acciones de la Supranational. En ese tiempo, y siguiendo a las compras sustanciales hechas con el dinero depositado por nuestros clientes, el precio de la acción de la SuNatCo ha subido siete puntos y medio, cosa que estoy seguro es intencionada y ha sido puesta como condición...

Su voz fue ahogada por gritos de protesta de parte de Roscoe Heyward, Jerome Patterton y otros directores.

Heyward estaba otra vez de pie, con los ojos llameantes.

—¡Eso es una deliberada distorsión!

Alex replicó:

—La compra no es una distorsión.

—Pero *lo es* su interpretación. La SuNatCo es una excelente inversión para nuestras cuentas de depósitos.

—¿Por qué se ha vuelto *súbitamente* tan buena?

Patterton protestó con calor:

—Alex, las transacciones específicas del departamento de depósitos no están en discusión aquí.

Philip Johannsen interrumpió:

—Estoy de acuerdo.

Harold Austin y otros gritaron:

—¡Yo también!

—Que estén o no estén —persistió Alex— les prevengo que todo lo que está pasando puede estar en contravención con la Ley Glass-Steagall de 1933, y que los directores pueden ser considerados responsables de...

Media docena de voces enojadas estallaron de nuevo. Alex comprendió que había tocado un nervio sensible. Aunque los miembros de la Dirección estaban enterados de que la clase de duplicidad que él describía se llevaba a cabo, preferían ignorarlo específicamente. El conocimiento involucraba compromiso y responsabilidad. Y no querían ninguna de las dos cosas.

Bueno, pensó Alex, le guste o no, ahora lo saben. Por encima de las otras voces continuó con firmeza:

—Prevengo a la Dirección que, si ratifica el préstamo a la Supranational con todas sus ramificaciones tendrá motivo para lamentarlo —se echó hacia atrás en la silla—. Eso es todo.

Cuando Jerome Patterton golpeó con el martillo, el tumulto se acalló.

Patterton, más pálido que antes, anunció.

—Si no hay mas discusiones procederemos a votar.

Unos momentos después las propuestas de la Supranational fueron aprobadas, y Alex Vandervoort fue el único miembro en disidencia.

12

La frialdad hacia Vandervoort se hizo evidente cuando los directores continuaron la reunión después del almuerzo. Normalmente bastaba una reunión de dos horas por la mañana para disponer de todos los asuntos. Pero hoy se habían concedido un tiempo extra.

Percibiendo el antagonismo de la Dirección, Alex sugirió durante el almuerzo a Jerome Patterton que su presentación fuera demorada hasta la reunión del mes siguiente. Pero Patterton le dijo brevemente:

—No hay nada que hacer. Los directores están malhumorados, es culpa suya, y tiene usted que arriesgarse.

Era una declaración extraordinariamente vigorosa para un hombre de modales tan suaves como Patterton, pero demostraba la marea de descontento que corría en contra de Alex. También sirvió para convercerle de que la próxima hora iba a ser un ejercicio de futilidad. Sus propuestas iban a ser seguramente rechazadas por mera perversidad, si no por otros motivos.

A medida que los directores se acomodaban, Philip Johansen estableció el tono consultando marcadamente su reloj.

—Ya he tenido que cancelar una cita esta tarde —rezongó el jefe de la MidContinent Rubber— y tengo otras cosas que hacer, de manera que abreviemos.

Varios otros asintieron con un gesto.

—Seré lo más breve posible, señores —prometió Alex cuando Jerome Patterton le otorgó formalmente la palabra—. Quiero sólo señalar cuatro puntos —los marcó con los dedos al hablar.

—Uno: nuestro banco pierde un negocio importante y beneficioso al no aprovechar mejor las oportunidades para que aumenten los ahorros. Dos: una expansión de los depósitos de ahorros aumentaría la estabilidad del banco. Tres: cuanto más nos demoremos, más difícil será ponernos a la par con nuestros competidores. Cuatro: hay margen para tomar la dirección... que ejercerán otros bancos... en un regreso a las costumbres de economía personal, nacional y corporada, descuidada por tanto tiempo.

Describió los métodos por los cuales el First Mercantile American podría ganar raspando a otros competidores: un alto interés en los ahorros, hasta el límite legal; términos más atractivos para depósitos entre uno y cinco años; facilidades de cheques para depositantes de ahorros, dentro de lo que lo permitiera la ley bancaria; regalos para los que abrieran nuevas cuentas; una campaña de publicidad masiva comprendiendo el programa de ahorros y las nuevas sucursales.

Para la presentación, Alex había dejado su asiento habitual para plantarse ante la cabecera de la mesa. Patterton había movido su silla a un lado. Alex también había traído al principal economista del banco, Tom Straughan, que había preparado informes colocados sobre caballetes para que los vieran los miembros de la Dirección.

Roscoe Heyward se había adelantado en su asiento y escuchaba, con un rostro sin expresión.

Cuando Alex hizo una pausa, Floyd LeBerre intervino:

—Tengo que hacer una observación inmediata.

Patterton, que había recobrado su acostumbrada cortesía, preguntó:

—¿Quiere usted que se hagan preguntas de paso, Alex, o prefiere dejarlas para el final?

—Escucharé ahora a Floyd.

—No es una pregunta —dijo el presidente de la General Cable, sin sonreir—. Es una cuestión primordial. Estoy en contra de la expansión de los ahorros porque, si lo hacemos, será como abrirse las tripas. Ahora mismo tenemos grandes depósitos de bancos corresponsales...

—Dieciocho millones de dólares de las instituciones de ahorro y préstamo —dijo Alex. Había esperado la objeción de LeBerre y era válida. Pocos bancos existían solos; la mayoría tenía vínculos financieros con otros y el First Mercantile American no era una excepción. Varias instituciones de ahorro y préstamo locales tenían grandes depósitos en el FMA, y el miedo a que esas sumas fueran retiradas había disuadido otras propuestas de actividades de ahorros en el pasado.

Alex afirmó:

—He tomado eso en cuenta.

LeBerre quedó descontento.

—¿Ha tomado usted en cuenta que, si competimos intensamente con nuestros propios clientes, perderemos hasta lo último de ese negocio?

—Perderemos parte. No creo que todo. En todo caso, los nuevos negocios que generaremos de lejos excederán lo perdido.

—Es lo que usted dice.

Alex insistió:

—Me parece un riesgo aceptable.

Leonard Kingswood dijo, con tranquilidad:

—Estaba usted en contra de cualquier riesgo con la Supranational, Alex.

—No estoy en contra de los riesgos. Pero este es un riesgo mucho menor. No hay relación entre los dos.

Las caras alrededor de la mesa reflejaron escepticismo.

LeBerre dijo:

—Me gustaría oír las opiniones de Roscoe.

Otros hicieron eco:

—Sí, oigamos a Roscoe.

Las cabezas se volvieron hacia Heyward, que estudiaba sus manos cruzadas. Dijo con blandura:

—No es agradable torpedear a un colega.

—¿Por qué no? —preguntó alguien—. ¡Es lo que él ha querido hacerle!

Heyward sonrió débilmente:

—Prefiero estar por encima de eso —su cara se puso seria—. De todos modos estoy de acuerdo con Floyd. Una intensa actividad de ahorros de nuestra parte nos hará perder importantes negocios Y no creo.

que ninguna ganancia potencial teórica lo merezca —señaló uno de los planos de Straughan que marcaban la geografía de las nuevas sucursales propuestas—. Los miembros de la Dirección observarán que cinco de las sucursales sugeridas estarán situadas cerca de las de asociaciones de ahorro y préstamo que son grandes depositarias del FMA. Podemos tener la certeza de que eso no dejará de llamarles la atención.

—Esa situación —dijo Alex— ha sido cuidadosamente elegida como resultado de estudios de la población. Están donde está la *gente*. Seguramente las asociaciones de ahorro y préstamo han llegado allí primero; en muchos sentidos han tenido más intuición que nuestros bancos. Pero eso no significa que siempre debamos mantenernos apartados.

Heyward se encogió de hombros.

—Ya he dado mi opinión. Sin embargo añadiré algo... me desagrada la idea de esas sucursales en la línea del frente.

Alex contestó:

—Serán tiendas de dinero... los bancos sucursales del futuro —pero comprendió que todo sucedía de manera opuesta a como había esperado. Había planeado tratar más adelante el problema de las sucursales. Bueno, de todos modos ahora no importaba.

—Por la descripción —dijo Floyd LeBerre, que estaba leyendo una página de información de Tom Straughan que había circulado— esas sucursales parecen lavanderías.

Heyward, que también estaba leyendo, meneó la cabeza.

—No está de acuerdo con nuestro estilo. No hay dignidad.

—Haríamos mejor en dejar a un lado la dignidad y hacer más negocios —declaró Alex—. Sí, los bancos de barrio semejan lavaderos; de todos modos es la clase de bancos que se impone. Haré una predicción a la Dirección: ni nosotros ni nuestros competidores podremos permitirnos seguir teniendo la clase de sepulcros dorados que tenemos ahora como sucursales de bancos. El costo de la tierra y de la construcción los vuelve sin sentido. En diez años, la mitad... por lo menos... de nuestras actuales sucursales habrán dejado de existir tal como las conocemos. Guardaremos algunas que son clave. Las demás quedarán en lugares menos costosos, serán totalmente automáticas, con máquinas que actuarán como cajeros, monitores de televisión para contestar preguntas y estarán todas unidas a una computadora central. Al planear las nuevas sucursales, incluidas las nueve que defiendo aquí, es esa transición la que debemos anticipar.

—Alex tiene razón en eso de la automatización —dijo Leonard Kingswood—. Casi todos la vemos en nuestros propios negocios, y avanza más rápido de lo que nunca hubiéramos sospechado.

—Lo que es igualmente importante —afirmó Alex— es que tenemos una ocasión de dar un salto hacia adelante ventajosamente, es decir, si lo hacemos dramáticamente, con olfato y fanfarria. La campaña de propaganda debe ser masiva, debe saturar. Señores, vean ustedes las cifras. Primero, nuestros actuales depósitos de ahorros... sustancialmente más bajos de lo que deben ser...

Avanzó ayudado por los informes y alguna ampliación ocasional de Tom Straughan. Alex sabía que las cifras y propuestas en las que él y Straughan habían trabajado juntos eran sólidas y lógicas. Sin embargo presentía una total oposición de parte de algunos miembros de la Dirección y falta de interés de parte de los otros. En un extremo de la mesa un director se llevó la mano a la boca, sofocando un bostezo.

Era evidente que había perdido. El plan de ahorros y expansión de las sucursales iba a ser rechazado, y representaría, igualmente, un voto de «no confianza» en él. Como anteriormente, Alex se preguntó cuánto tiempo se prolongaría su permanencia en el FMA. Parecía que había aquí poco futuro para él, y tampoco se veía participando en un régimen dominado por Heyward.

Decidió no perder más tiempo.

—Bien, no hablaré más, señores. A menos que alguno quiera hacer más preguntas.

No había esperado ninguna. Y, menos que nada, había esperado apoyo de la fuente de donde surgió, sorprendentemente.

—Alex —dijo Harold Austin con una sonrisa y tono amistoso—, quisiera darle las gracias. Francamente estoy impresionado. No esperaba que fuera así pero su argumentación ha sido convincente. Lo que es más, me gusta la idea de esas nuevas sucursales.

Algunos asientos más allá Heyward quedó atónito, y lanzó a Austin una mirada furiosa. El Honorable Harold lo ignoró y se dirigió a los otros que rodeaban la mesa.

—Creo que debemos ver esto con la mente abierta, dejando a un lado nuestros desacuerdos de la mañana.

Leonard Kingswood asintió, y también lo hicieron algunos otros. La mayoría de los directores combatió la somnolencia de después del almuerzo, y volvió a prestar atención. Por algo Austin era el miembro más antiguo de la Dirección. Su influencia era penetrante. También le gustaba llevar a los otros a compartir sus puntos de vista.

—Al principio de su comentario, Alex —dijo—, habló usted de un retorno al ahorro persona, y a la dirección que deberían dar algunos bancos como el nuestro.

—Así es.

—¿Podría usted ampliar esa idea?

Alex vaciló.

—Supongo que sí.

¿Debería hacerlo? Alex pesó las consecuencias. Ya no estaba sorprendido de la intervención. Sabía exactamente por qué Austin había cambiado de lado. *La publicidad*. Antes, cuando Alex había sugerido «una campaña publicitaria masiva», hasta la «saturación», había visto cómo se levantaba la cabeza de Austin, con el interés claramente acusado. Desde ese momento no había sido difícil ver en el interior de esa cabeza. La Agencia de Publicidad Austin, debido a que el Honorable Harold estaba en la Dirección y tenía influencia en el FMA, tenía el monopolio de los asuntos publicitarios del banco. Una campaña tal como la que planeaba Alex, daría sustanciales beneficios a la Agencia Austin.

La acción de Austin representaba un conflicto de intereses de la manera más grosera —el mismo conflicto de intereses que Alex había atacado por la mañana ante el nombramiento de Roscoe Heyward como componente de la Dirección de la Supranational. Alex había preguntado entonces: *¿Qué intereses pondría primero Roscoe? ¿Los de la Supranational o los de los accionistas del First Mercantile American?* Ahora podía hacerse una pregunta similar en el caso de Austin.

La respuesta era clara. Austin cuidaba sus propios intereses; los del FMA venían después. Nada importaba que Alex creyera en el plan. El apoyo —por motivos egoístas— era antimoral, un abuso de confianza.

¿Iba Alex a revelar eso? Si lo hacía, iba a provocar un tumulto todavía mayor que el de esta mañana, y volvería a perder. Los directores se mantenían juntos como los compañeros de una logia. Además, tal enfrentamiento terminaría, seguramente, con la presencia de Alex en el FMA. ¿Valía eso la pena? ¿Era necesario? ¿Acaso sus deberes requerían que fuera custodio de la conciencia de la Dirección? Alex no estaba seguro. Entretanto los directores miraban y esperaban.

—Sí —dijo— me he referido, como Harold ha recordado, a la economía y a la necesidad de dirección —Alex miró unas notas que, unos minutos antes, había decidido descartar.

—Se ha dicho con frecuencia —dijo a los atentos directores— que el gobierno, la industria y el comercio de todo tipo se basan en el crédito. Sin crédito, sin préstamos, sin solicitudes de dinero... pequeñas, medianas y masivas, los negocios se desintegrarían y la civilización se marchitaría. Los banqueros saben bien esto.

»Sin embargo, son más cada vez los que creen que el pedir prestado y el déficit financiero es una locura, y han eclipsado toda razón. Especialmente esto es verdad en lo que a los gobiernos se refiere. El gobierno de los Estados Unidos ha acumulado una montaña enorme de deudas, que está mucho más allá de nuestra capacidad de pago. Otros gobiernos están en iguales o peores condiciones. Este es el verdadero motivo de la inflación y el descenso de las monedas, aquí y en el extranjero.

»En una extensión notable —prosiguió— la abrumadora deuda gubernamental es igualada por una deuda corporativa pantagruélica. Y, en un plano financiero más bajo, millones de personas —individuos que siguen ejemplos establecidos nacionalmente— han asumido pesadas deudas que no pueden pagar. El total de la deuda de Estados Unidos llega a un billón y medio de dólares. La deuda nacional del consumidor se acerca ahora a los doscientos mil millones de dólares. En los últimos seis años más de un millón de norteamericanos se han declarado en bancarrota.

«En algún punto del camino —nacional, corporativa, individualmente— hemos perdido la antigua verdad del ahorro y el buen gobierno, de equilibrar lo que gastamos con lo que ganamos, y de guardar lo que debemos dentro de límites honrados.

Bruscamente el tono de la Dirección pareció más sobrio. Respondiendo a esto Alex dijo, tranquilo:

—Me gustaría poder decir que hay algún camino para salir de lo que he descrito. No estoy convencido de que lo haya. Pero los caminos se inician por la acción decidida en alguna parte. ¿Por qué no aquí?

»En la naturaleza de los tiempos, los depósitos de ahorros... más que cualquier otro tipo de actividad monetaria... representan la prudencia financiera. Nacional e individualmente necesitamos más prudencia. Una manera de lograrla es por medio de enormes aumentos de los ahorros.

»*Puede* haber tremendos aumentos... si nos comprometemos y si trabajamos. Y aunque los ahorros personales solos no devuelvan a todo la salud fiscal es, por lo menos, un importante movimiento hacia ese fin. Por esto hay una ocasión para ejercer la dirección y también... aquí y ahora... porque creo que este banco debe ejercerla.

Alex se sentó. Unos segundos después se dio cuenta de que no había mencionado sus dudas respecto a la intervención de Austin.

Leonard Kingswood rompió el breve silencio que había seguido.

—El buen sentido y la verdad no siempre son agradables de oír. Pero me parece que en este caso hemos escuchado algo.

Philip Johannsen gruñó, después dijo, malhumorado:

—Acepto parte de eso.

—Yo lo acepto todo —dijo el Honorable Harold—. En mi opinión la Dirección debe aprobar el plan de ahorro y expansión tal como ha sido presentado. Yo pienso votarlo. Pido a los demás que hagan lo mismo.

Esta vez Roscoe Heyward no mostró su rabia, aunque su cara se había puesto dura. Alex supuso que Heyward también sospechaba los motivos del apoyo de Harold Austin.

Siguieron otros quince minutos de discusión, hasta que Jerome Patterton usó el martillo y llamó a votar. Por abrumadora mayoría las propuestas de Alex Vandervoort fueron aprobadas. Los únicos que se opusieron fueron Floyd LeBerre y Roscoe Heyward.

Al salir de la sala de conferencias Alex percibió que la hostilidad no se había desvanecido. Era evidente que algunos directores estaban todavía resentidos por su exposición de la mañana acerca de la Supranational. Pero el último e inesperado desarrollo le había dado ánimo, y se sentía menos pesimista en cuanto a la continuidad de su papel en el FMA.

Harold Austin lo atajó:

—Alex, ¿cuándo pondrán en marcha el plan de ahorros?

—Inmediatamente —no queriendo ser descortés, añadió—: Gracias por su apoyo.

Austin asintió.

—Me gustaría venir con dos o tres personas de la agencia para discutir el plan de campaña.

—Bien. La semana que viene.

De manera que Austin había confirmado así, sin demora y sin vergüenza, lo que Alex había deducido. Aunque, para ser justo, pensó Alex, la Agencia de Publicidad Austin trabajaba bien y podía ser elegida para dirigir como se debía la campaña de ahorros.

Estaba racionalizando y lo sabía. Al guardar silencio hacía unos minutos había sacrificado los principios a un logro. Se preguntó lo que Margot podría pensar de su sometimiento.

El Honorable Harold dijo afablemente:

—Entonces será hasta pronto.

Roscoe Heyward, que había dejado la sala de conferencias antes que Alex, fue detenido por un mensajero del banco uniformado, que le entregó un sobre cerrado. Heyward lo abrió y sacó una hojita de papel doblada. Al leerla se alegró visiblemente, miró el reloj y sonrió. Alex se preguntó el por qué de aquello.

13

La nota era muy simple. Escrita a máquina por la secretaria de confianza de Roscoe, Dora Callaghan, le informaba que Miss Deveraux había telefoneado, para comunicarle que estaba en la ciudad y que deseaba verle cuanto antes. La nota proporcionaba un número de teléfono y un interno.

Heyward reconoció el número: el Columbia Hilton Hotel. Miss Deveraux era Avril.

Se habían visto dos veces desde el viaje a las Bahamas, hacía mes y medio. Ambas veces se habían encontrado en el Columbia Hilton. Y cada vez, como durante aquella noche en Nassau, cuando él había apretado el botón número siete para que Avril viniera a su cuarto, ella le había llevado a una especie de paraíso, un lugar de éxtasis sensual como él nunca había soñado que existiera. Avril conocía cosas increíbles que podían hacerse a un hombre y que —durante la primera noche— primeramente le había sorprendido y luego deleitado. Después la habilidad de ella había despertado ola tras ola de placer sensual, hasta que él había gritado de puro deleite, usando palabras que ignoraba haber conocido. Y luego Avril había sido amable, acariciante, cariñosa y paciente, hasta que, ante su sorpresa y exaltación, él se había excitado nuevamente.

Fue entonces cuando empezó a darse cuenta, con una claridad que había aumentado desde entonces, que gran cantidad de la pasión y la gloria de la vida: la mutua exploración, exaltación, el compartir, el dar y el recibir, nunca habían sido conocidos por él y Beatrice.

Para Roscoe y Beatrice el descubrimiento había llegado demasiado tarde, aunque era un descubrimiento que quizás Beatrice nunca hubiera querido. Pero Roscoe y Avril todavía tenían tiempo; y lo habían probado en los momentos pasados juntos desde Nassau. Miró su reloj sonriendo... la sonrisa que había percibido Alex Vandervoort.

Iría a ver a Avril lo antes posible, lógicamente. Eso representaba cambiar los planes de esta tarde y los de la noche, pero la cosa no importaba. Incluso en este momento la idea de verla una vez más le excitaba, de manera que su cuerpo se agitaba y reaccionaba como el de un joven.

En escasas ocasiones, desde que había iniciado su aventura con Avril, le habían turbado los problemas de conciencia. En los recientes domingos en la iglesia, el texto que había leído en voz alta antes de ir a las Bahamas le perseguía: *La justicia exalta a una nación, pero el pecado es un reproche en cualquier pueblo.* En tales momentos se consolaba con las palabras de Cristo en el Evangelio de San Juan: *Aquel de entre vosotros que esté libre de pecado, arroje la primera piedra...* Y: *Vosotros juzgáis según la carne, yo no juzgo a ningún hombre.* Heyward incluso se permitió reflexionar —con una ligereza que le hubiera dejado atónito hacía escaso tiempo— que la Biblia, como las estadísticas, podían usarse para probar cualquier cosa.

En todo caso, la discusión no tenía importancia. La intoxicación producida por Avril era más fuerte que la llamada de la conciencia.

Al dirigirse desde la sala de conferencias hacia sus oficinas en el mismo piso, pensó, radiante: el encuentro con Avril sería la culminación de un día triunfal, con la aprobación de sus propuestas para la Supranational y su prestigio profesional en el cenit de la Dirección. Naturalmente, le había fastidiado lo ocurrido por la tarde, y se había enojado ante lo que consideraba una traición de Harold Austin, aunque inmediatamente había comprendido los motivos egoístas que lo motivaban. De todos modos. Heyward dudaba bastante que las ideas de Vandervoort provocaran éxitos reales. El efecto, en los beneficios bancarios del año, de sus acuerdos con la Supranational iban a ser muchísimo más grandes.

Lo que le recordó que debía tomar una decisión sobre medio millón de dólares adicionales requerido por el Gran George Quartemain, como prolongación de préstamo a las Inversiones «Q»

Roscoe Heyward frunció el ceño levemente. Imaginaba que en todo el asunto de las Inversiones «Q» había alguna leve irregularidad, aunque debido al compromiso del banco con la Supranational y viceversa, la cosa no parecía grave.

Había planteado el asunto en un memorial confidencial a Jerome Patterton hacía más o menos un mes.

G. G. Quartermain de la Supranational me ha telefoneado dos veces desde Nueva York, sobre un proyecto personal suyo llamado las Inversiones «Q». Se trata de un pequeño grupo privado del cual Quartermain (El Gran George) es el principal, y nuestro propio director, Harold Austin, es miembro. El grupo ha comprado ya grandes cantidades de valores de varias empresas de la Supranational en términos ventajosos. Se han planeado más compras.

Lo que el Gran George desea de nosotros es un préstamo para las Inversiones «Q» de U$A $1^{1/2}$ millones, al mismo bajo interés que el préstamo a la Supranational, aunque sin requerimiento de balance compensatorio. Señala que el balance compensatorio de la SuNatCo será amplio como para sobrepasar este préstamo personal... lo que es verdad, aunque, lógicamente, no hay garantía cruzada.

Debo señalar que Harold Austin también me ha telefoneado para urgir que se haga el préstamo.

De hecho el Honorable Harold había recordado bruscamente a Heyward acerca de un *quid pro quo* —una deuda contraída con el fuerte apoyo de Austin en el tiempo de la muerte de Ben Rosselli. Era un apoyo que Heyward iba a continuar necesitando cuando Patterton —el Papa interino— se retirara, dentro de ocho meses.

El memorial a Patterton continuaba:

Francamente el interés propuesto en este préstamo es muy bajo, y dejar a un lado un balance compensatorio será una gran concesión. Pero, en vista de los negocios de la Supranational, que nos ha dado el Gran George, creo que sería prudente seguir adelante.

Recomiendo el préstamo. ¿Está usted de acuerdo?

Jerome Patterton había devuelto el memorial con un lacónico «Sí» escrito a lápiz a continuación de la pregunta final. Conociendo a Patterton, Heyward pensó que apenas había concedido al asunto más que una rápida mirada.

Heyward no veía motivo para meter a Alex Vandervoort en el asunto, y el préstamo tampoco era tan grande como para requerir la aprobación del Comité de Política Monetaria. Por lo tanto, unos días después, Roscoe Heyward había aprobado iniciando el préstamo, cosa que tenía autoridad para hacer.

Pero para lo que *no* tenía autoridad —y no había informado a nadie— era para una transacción personal entre él y G. G. Quartermain.

En la segunda conversación telefónica sobre las Inversiones Q, el Gran George, que le había llamado desde la SuNatCo de Chicago, había dicho:

—He estado hablando de ti con Harold Austin, Roscoe. Ambos creemos que ya es hora que te metas en nuestro grupo de inversiones. Queremos tenerte con nosotros. Te he hecho conceder dos mil acciones que serán consideradas como ya pagadas. Son certificados nominales en blanco... es más discreto de esta manera. Los he mandado por correo.

Heyward se había quedado de una pieza.

—Gracias, George, pero me parece que no puedo aceptar.

—Demonio, ¿por qué no?

—No es moral.

El Gran George había gruñido.

—Estamos en un mundo real, Roscoe. Este tipo de cosas pasa a diario entre los clientes y los banqueros. Tú lo sabes. Y yo lo sé.

Sí, Heyward sabía que la cosa pasaba, aunque no «a diario», como afirmaba el Gran George, y Heyward nunca había permitido que le sucediera una cosa semejante.

Antes de que pudiera contestar, Quartermain insistió:

—Vamos, muchacho,, no seas tonto. Si eso te hace sentir mejor, diremos que las acciones son en agradecimiento por tu consejo sobre las inversiones.

Pero Heyward sabía que él no había dado consejo sobre las inversiones, ni entonces ni después.

Uno o dos días después los certificados de acciones de Inversiones «Q» llegaron por correo certificado, en un sobre con muchos sellos y con la marca: *Estrictamente Personal y Confidencial*. Ni siquiera Dora Callaghan abrió ese sobre.

Esa noche en su casa, al estudiar los informes financieros de las Inversiones Q, que también le había mandado el Gran George, Heyward

235

comprobó que sus dos mil acciones tenían un valor neto de 20.000 dólares. Más adelante, si las Inversiones «Q» prosperaban o se hacían públicas, su valor sería mucho mayor.

En ese momento tenía la intención de devolver las acciones a G. G. Quartermain; después, recordando sus precarias finanzas personales que no habían prosperado en varios meses, vaciló. Finalmente cedió a la tentación y más tarde, la misma semana, puso los certificados en su caja fuerte de depósitos en la sucursal principal del FMA. No era, pensó Heyward, como privar al banco de dinero. No había hecho eso. De hecho, debido a la Supranational, la verdad era lo contrario. De manera que, si al Gran George se le ocurría hacerle un regalo amistoso, ¿por qué ser quisquilloso y rechazarlo?

Pero el haber aceptado todavía le preocupaba un poco, especialmente cuando el Gran George telefoneó al terminar la semana, está vez desde Amsterdam, pidiendo medio millón adicional para las Inversiones «Q».

—Hay una única oportunidad para nuestro grupo «Q» de apoderarse de un montón de valores en Guilderland, que seguramente se irán a las nubes. No puedo decir mucho por un teléfono que no sea privado, Roscoe, debes confiar en mí.

—Claro que confío, George —dijo Heyward—, pero el banco querrá detalles.

—Los recibirás... mañana por correo... —tras lo cual el Gran George añadió, con énfasis—: No olvides que ahora eres uno de los nuestros.

Brevemente Heyward tuvo un segundo sentimiento: era como si G. G. Quartermain prestara más atención a sus inversiones privadas que a la dirección de la Supranational. Pero al día siguiente las noticias le tranquilizaron. El «Wall Street Journal» y otros diarios trajeron prominentes artículos sobre una importante adquisición ingeniero-industrial de la SuNatCo en Europa. Era un *coup d'état* comercial que hizo subir de golpe las acciones de la Supranational en los mercados de Londres y Nueva York, y pareció que el préstamo del FMA a la corporación gigante era aún más ventajoso.

Cuando Heyward entró en el despacho, Mrs. Callaghan lo saludó con su acostumbrada sonrisa de matrona.

—Los otros mensajes están sobre su escritorio, señor.

El asintió, pero, una vez dentro, puso la pila a un lado. Vaciló mirando unos papeles que habían sido preparados, pero que aún no estaban aprobados, referentes al préstamo adicional para las Inversiones «Q». Después dejó también eso a un lado y, usando el teléfono de línea directa con el exterior, marcó el número del paraíso.

—Roscoe, tesoro —murmuró Avril mientras exploraba su oreja con la punta de la lengua— te apresuras demasiado. *Espera*. Quédate quieto. *Quieto. Demórate* —le acarició el hombro desnudo, después la columna vertebral, y sus uñas arañaron, agudas, pero suaves como seda.

Heyward gimió —una mezcla dolorosa, dulce, saboreada, de placer postergado— y obedeció.

Ella murmuró de nuevo:

236

—Vale la pena esperar, te lo juro.

El sabía que así era. Siempre era así. Nuevamente se preguntó como alguien tan joven y tan bonita podía haber aprendido tanto, ser tan emancipada... sin inhibiciones... gloriosamente sabia.

Todavía no, Ros... querido, todavía no. Así... Eso me gusta. Ten paciencia. Sus manos, hábiles y conocedoras, siguieron explorando. El dejó que su cuerpo y su mente flotaran, sabiendo por experiencia que era mejor hacerlo todo... exactamente... como ella decía.

—¡Oh, *así me gusta*, Roscoe! ¿No es maravilloso?

El respiró.

—Sí, Sí.

—Pronto, Roscoe. *Muy pronto.*

Junto a él, sobre las dos almohadas encimadas, se expandía el pelo rojo de Avril. Sus besos le había devorado. Su fragancia pesada, como de ambrosia, le llenaba las narices. Su cuerpo maravilloso, sinuoso, sometido, estaba debajo de él. Esto, le gritaban sus sentidos, era lo *mejor* de la vida, de la tierra y del cielo, aquí, en este momento.

La única dulce y agria tristeza era haber esperado tantos años para descubrirlo.

Nuevamente los labios de Avril buscaron los suyos y los encontraron. Ella suplicó:

—*Ahora,* Roscoe. *Ahora,* tesoro, *ahora...*

El dormitorio, como Heyward había observado al llegar, era típico del Hilton limpio, eficientemente cómodo, un cubículo sin mayor carácter. Una reducida salita del mismo género quedaba afuera; en esta ocasión como en las anteriores, Avril había tomado una *suite*.

Estaban aquí desde el fin de la tarde. Después de hacer el amor se habían amodorrado, habían despertado, habían vuelto a hacer el amor, aunque no con éxito total, y después habían vuelto a dormir una hora. Ahora ambos se estaban vistiendo. El reloj de Heyward marcaba exactamente las ocho de la noche.

Estaba exhausto, físicamente agotado. Más que nada deseaba volver a su casa y acostarse... solo. Se preguntó en cuanto tiempo podría despedirse decentemente.

Avril estaba en la salita, telefoneando. Cuando volvió, dijo:

—He pedido que nos traigan la comida, amorcito. La subirán en seguida.

—Maravilloso, querida.

Avril se había puesto unas medias-slip transparentes. Sin sujetador. Empezó a cepillarse el largo pelo, que estaba en desorden. El se sentó en la cama, la contempló y, pese a su cansancio, comprobó que cada movimiento de ella era sinuoso y sensual. Comparada con Beatrice, a quien él tenía costumbre de ver diariamente, Avril era *muy joven*. De pronto se sintió deprimentemente viejo.

Pasaron a la salita, donde Avril dijo:

—Abramos el champaña.

Estaba en un armario, en un balde con hielo. Heyward lo había notado antes. Casi todo el hielo se había derretido, pero la botella seguía fría. Tiró inexpertamente del alambre y el corcho.

—No quieras sacar el corcho —dijo Avril—. Tuerce la botella unos cuarenta y cinco grados, después agarra el corcho y haz girar la botella.

Dio fácilmente resultado. Ella *sabía mucho*.

Apoderándose de la botella, Avril llenó dos vasos. El meneó la cabeza.

—Sabes que no bebo, querida.

—Te hará sentirte más joven —le tendió el vaso. Cuando él cedió y lo tomó, se preguntó si había adivinado ella sus pensamientos.

Cuando hubieron bebido dos vasos más y llegó la comida, él se sentía *en verdad* más joven.

Cuando el camarero se fue, Heyward dijo:

—Deberías dejarme pagar esto —unos minutos antes había sacado la billetera, pero Avril la había puesto a un lado y había firmado una nota.

—¿Por qué, Roscoe?

—Porque debes permitir que pague algunos de tus gastos... las cuentas del hotel, el costo del vuelo desde Nueva York —estaba enterado de que Avril tenía un apartamento en Greenwich Village—. Es demasiado para que lo pagues sola.

Ella le miró con curiosidad, y tuvo una risa diáfana.

—¿No supondrás *que yo* pago todo esto? —Señaló la *suite*—. ¿Crees que gasto así *mi* dinero? ¡Roscoe, nene, debes estar loco!

—¿Entonces *quién* paga?

—¡La Supranational, tontito! Todo es por cuenta de ellos... esta *suite*, la comida, mi pasaje, mi tiempo... —se acercó a la silla de él y le besó; sus labios eran llenos, húmedos—. No te preocupes más.

Pero él permaneció inmóvil, abrumado y silencioso, absorbiendo el impacto de lo que ella había dicho. La ablandadora potencia del champaña todavía recorría su cuerpo, pero su mente estaba clara.

Mi tiempo. Aquello lastimaba más que todo. Hasta este momento había supuesto que el motivo por el cual Avril le había telefoneado después del viaje a las Bahamas, sugiriendo que volvieran a verse, era porque él le gustaba y había disfrutado —tanto como él— de lo que había pasado entre ellos.

¿Cómo *podía* haber sido tan ingenuo? *Naturalmente* toda la cosa había sido preparada por Quartermain y era a costa de la Supranational. ¿Acaso no se lo debía haber dicho el sentido común? ¿O tal vez se había protegido y no había preguntado antes porque no quería saber? Otra cosa: Si a Avril se le pagaba *su tiempo*... esto, ¿en qué la convertía? ¿En una puta? Y si era así, ¿qué era Roscoe Heyward? Cerró los ojos. San Lucas 18:13, pensó: *Señor, ten piedad de mí, un pecador*.

Naturalmente, podía hacer algo. Inmediatamente. Averiguar cuánto se había gastado hasta ahora y después enviar un cheque personal por la suma a la Supranational. Empezó a calcular, después comprendió que no tenía idea del costo de Avril. El instinto le decía que no debía ser un precio bajo.

En todo caso dudaba de la prudencia de tal acción. Su mente de contador razonó: ¿en qué forma figurarían los pagos en los libros de la Supranational? Y, todavía más efectivo: no disponía de ese dinero para gastarlo. Y además: ¿qué iba a pasar cuando nuevamente necesitara a Avril? Y ya sabía, de antemano, que así iba a ser.

Sonó el teléfono llenando la salita con su sonido. Avril atendió, habló unas palabras, y después anunció:

—Es para ti.

—¿Para *mí?*

Al coger el aparato la voz resonó:

—¡Bravo, Roscoe!

Heyward preguntó agudamente:

—¿Dónde estás, George?

—En Washington. ¿Pero qué importa? Tengo unas noticias muy buenas sobre la SuNatCo. Declaración trimestral de ganancias. Ya la leerás mañana en los diarios.

—¿Y me has llamado aquí para decirme eso?

—Te he interrumpido, ¿eh?

—No.

El Gran George tuvo una risita.

—Una llamada de amigo, viejo. Para saber si todo andaba bien.

Si quería protestar, éste era el momento de hacerlo, comprendió Heyward. Pero, ¿protestar por qué? ¿Por la generosa disponibilidad de Avril? ¿Por su aguda turbación?

La resonante voz del teléfono cortó el dilema.

—¿Esas Inversiones «Q» tienen ya el visto bueno?

—No del todo.

—Te estás tomando tiempo, ¿eh?

—De verdad que no. Son formalidades.

—Habrá que mover el asunto o tendré que dar a otro banco ese negocio, y tal vez retirar también algunos de los de la Supranational.

La amenaza era clara. Pero la cosa no sorprendió a Heyward, porque las presiones y las concesiones eran parte normal de la tarea en los bancos.

—Haré todo lo que pueda, George.

Un gruñido.

—¿Avril está todavía ahí?

—Sí.

—Déjame hablar con ella.

Heyward pasó el teléfono a Avril. Ella escuchó un momento y dijo:

—Sí, lo haré —sonrió y cortó.

Después la muchacha se dirigió al dormitorio donde él oyó abrir una maleta y reapareció con un gran sobre de papel madera.

—Georgie dice que debo darte esto.

Era la misma clase de sobre y con sellos similares al que había contenido los certificados de acciones en las Inversiones «Q».

—George dice que te diga que es un recuerdo de la grata estancia en Nassau.

¿Más certificados de acciones? Era dudoso. Meditó, pensando rehusar, pero la curiosidad fue más fuerte.

Avril dijo:

—No debes abrirlo aquí. Debes hacerlo después que te hayas ido.

El aprovechó la oportunidad y miró la hora.

—Tengo que irme, querida.

—Yo también. Esta noche vuelo para Nueva York.

Se despidieron en la *suite*. Podía haber habido cierta incomodidad en la despedida. Pero no la hubo gracias al práctico *savoir faire* de Avril.

Ella le rodeó con sus brazos y se mantuvieron muy juntos mientras ella murmuraba:

—Roscoe, eres un bomboncito. Nos veremos pronto.

Pese a lo que ahora sabía o a su cansancio del momento, la pasión que ella le inspiraba no había cambiado. Y pensó que, fuera cual fuera el costo de *su tiempo,* había una cosa segura: Avril pagaba con creces.

Roscoe Heyward tomó un taxi desde el hotel hasta la Torre de la Casa Central del First Mercantile American. En el recinto de la planta baja del edificio dejó dicho que para dentro de quince minutos quería un coche y un chófer para que lo llevara a su casa. Después tomó un ascensor hasta el piso treinta y seis y marchó por corredores silenciosos, pasó ante unos escritorios desiertos y llegó a sus oficinas.

Ante el escritorio abrió el sobre sellado que Avril le había dado. En un segundo paquete dentro, envuelto en tela, había una docena de fotografías ampliadas.

En la segunda noche en las Bahamas, cuando las muchachas y los hombres se habían bañado desnudos en la piscina del Gran George, el fotógrafo había permanecido discretamente escondido. Tal vez había empleado teleobjetivo, probablemente estaba oculto entre las matas del lujuriante jardín. Seguramente había utilizado sólo película, porque no había ningún flash que lo traicionara. Pero no importaba. El... o ella... habían estado allí de todos modos.

Las fotos mostraban a Krista, Rhetta, Rayo de Luna, Avril y Harold Austin desvistiéndose y ya sin ropas. Roscoe Heyward aparecía rodeado por las muchachas desnudas, y su cara parecía un estudio de la fascinación. Había una vista de Heyward desabrochando el vestido y el sujetador de Avril; otra en la que él la besaba, mientras sus dedos se curvaban sobre los pechos de ella. Ya fuera deliberadamente o por accidente sólo podía verse la espalda del vicepresidente Stonebridge.

Técnica y artísticamente la calidad de las fotos era elevada, y era evidente que el fotógrafo no era un aficionado. Pero lo cierto era, pensó Heyward, que G. G. Quartermain estaba acostumbrado a pagar siempre lo mejor.

Notablemente, en ninguna de las fotos aparecía el Gran George.

La existencia de las fotos aterró a Heyward. ¿Y por qué se las habían dado? ¿Eran acaso una especie de amenaza? ¿O alguna broma pesada? ¿Quién tenía los negativos y otras copias? Empezaba a comprender que Quartermain era un hombre complejo, caprichoso, quizás peligroso.

Por otra parte, pese a la sorpresa, Heyward quedó fascinado. Al estudiar las fotos, inconscientemente, se mojó los labios con la lengua. Su primer impulso había sido destruirlas. Ahora ya no podía hacerlo.

Quedó sorprendido al comprobar que hacía media hora que estaba en su escritorio.

Era evidente que no podía llevar las fotos a su casa. ¿Qué hacer entonces? Volvió a empaquetarlas con cuidado y guardó el sobre en un cajón del escritorio donde guardaba varios archivos personales privados.

Por costumbre revisó otro cajón donde Mrs. Callaghan dejaba los papeles corrientes cuando limpiaba el escritorio por las noches. En lo alto del montón estaban los concernientes al préstamo adicional para las Inversiones «Q». Pensó: ¿para qué demorarse? ¿Por qué vacilar? ¿Era realmente necesario consultar por segunda vez a Patterton? El préstamo era sano, como G. G. Quartermain y la Supranational. Cogió los papeles, garabateó un «Aprobado» y añadió sus iniciales.

Poco más tarde llegaba al vestíbulo. El chófer le esperaba afuera, en la *limousine*.

14

Sólo raras veces hoy en día Nolan Wainwright tenía ocasión de visitar el depósito de cadáveres de la ciudad. La última vez había sido tres años atrás, para identificar el cuerpo de un guardia del banco muerto en un asalto y tiroteo. Cuando Wainwright era detective en la policía, visitar el depósito y ver a las víctimas del crimen violento había sido una parte necesaria y frecuente de su trabajo. Pero incluso entonces nunca se había acostumbrado. Un depósito, cualquier depósito, con su aura de muerte y su olor a cadáver, le deprimía y, a veces, le descomponía el estómago. Tal era ahora el caso.

El sargento de los detectives de la ciudad, que se había encontrado antes con él por previo acuerdo, caminaba pesadamente junto a Wainwright por un sombrío pasadizo, y sus pasos resonaban agudos en los mosaicos antiguos y rotos del suelo. El empleado del depósito que les precedía, y que daba la sensación de que pronto sería cliente del local, llevaba zapatos con suela de goma, y avanzaba silencioso al frente.

El detective, de nombre Timberwell, era joven, un poco gordo, tenía el pelo revuelto y le hacía falta afeitarse. Muchas cosas habían cambiado, pensó Nolan Wainwright, en los doce años desde que había dejado de ser comisario de policía:

Timberwell dijo:

—Si el tipo muerto es *su* hombre, ¿cuándo le vio la última vez?

—Hace siete semanas. A principios de marzo.

—¿Dónde?

—En un pequeño bar de los suburbios. El *Easy Over*.

—Conozco el lugar. ¿Tuvo alguna noticia de él después de eso?

—No.

—¿Alguna idea de donde vivía?

Wainwright meneó la cabeza.

—El no quería que lo supiera. Y le dejé seguir su juego.

Nolan Wainwright tampoco estaba seguro del nombre del hombre. Le habían dado uno, pero seguramente era falso. Por equidad no había querido averiguar el verdadero. Todo lo que sabía era que «Vic» era un ex presidiario que necesitaba dinero y estaba dispuesto a ser espía encubierto.

El octubre pasado, a petición de Wainwright, Alex Vandervoort le había autorizado a emplear un espía para averiguar la fuente de las tarjetas de crédito falsificadas, que aparecían entonces en número inquietante. Wainwright mandó «tanteadores», usó contactos en los centros de la ciudad y luego, por medio de otros intermediarios, hubo un encuentro entre él y Vic y llegaron a un acuerdo. Aquello había sido en diciembre. El jefe de Seguridad lo recordaba bien, porque el juicio de Miles Eastin había tenido lugar la misma semana.

Había habido otros dos encuentros entre Vic y Wainwright en los meses siguientes, cada uno en un bar distinto y apartado, y en las tres ocasiones Wainwright había entregado dinero, arriesgándose a no recibir más tarde el valor de lo gastado. Las comunicaciones habían sido unilaterales. Vic le telefoneaba y le daba cita en algún lugar elegido por él, pero Wainwright no tenía medios de ponerse en contacto con él. Había visto lo razonable de los motivos detrás del acuerdo, y había aceptado la cosa.

A Wainwright no le gustaba Vic, pero tampoco había esperado que le gustara. El ex presidiario era escurridizo, evasivo, con una nariz que le chorreaba continuamente y otros signos exteriores de los acostumbrados a los narcóticos. Demostraba desprecio por todo, incluido Wainwright; sus labios estaban constantemente curvados. Pero en el tercer encuentro, en marzo, dio la impresión de haber tropezado con algo.

Informó de un rumor: una gran cantidad de billetes falsos de veinte dólares, de alta calidad, iba a ser pasada a distribuidores y pasantes. Según unos murmullos todavía más secretos, en alguna parte de las sombras —detrás de los distribuidores— había una organización competente de alto poder en otras líneas de acción, incluidas las tarjetas de crédito. Esta última información era vaga, y Wainwright sospechaba que tal vez Vic la había inventado para agradarle. Por otra parte, era posible que no fuera así.

Más específicamente, Vic afirmaba que se le había prometido un pequeño papel activo con el dinero falsificado. Imaginaba que, si lo obtenía y le tomaban confianza, podría penetrar más profundamente en la organización. Uno o dos detalles que, en opinión de Wainwright, Vic no tenía suficiente conocimiento ni ingenio para inventar, convencieron al jefe de Seguridad del banco de que la principal fuente de información era auténtica. El plan propuesto también tenía sentido.

Wainwright siempre había supuesto que, quien fuese el que estuviera produciendo las tarjetas clave falsas, era posible que también estuviera metido en otro tipo de falsificación. Se lo había dicho a Alex Vandervoort en octubre pasado. Había una cosa segura: iba a ser muy peligroso intentar penetrar en la organización y un espía, si era descubierto, podía darse por hombre muerto. Se había sentido obligado a prevenir de esto a Vic, y recibió como recompensa una risa burlona.

Después de aquel encuentro, Wainwright no había vuelto a tener noticias de Vic.

Ayer, una noticia breve en el «Times Register» acerca de un cuerpo que habían encontrado flotando en el río, le había llamado la atención.

—Debo prevenirle —dijo el sargento detective Timberwell— que lo que ha quedado del tipo no es muy agradable de ver. Los médicos calculan que ha estado como una semana en el agua. También hay mucho tráfico en el río y parece que alguna hélice lo ha cortado.

Siguiendo al viejo empleado entraron en un cuarto de techo bajo, largo, brillantemente iluminado. El aire era helado. Olía a desinfectante. Ocupando una pared, frente a ellos, había lo que parecía un archivo gigantesco, con cajones de acero inoxidable, cada uno identificado por un número. El zumbido de un equipo de refrigeración surgía desde atrás de la estantería.

El empleado miró con ojos miopes una pizarra que llevaba, y se dirigió a un cajón del centro del cuarto. Dio un tirón y el cajón se deslizó silenciosamente sobre soportes de nylon. Dentro estaba la confusa forma de un cuerpo, cubierto por una hoja de papel.

—Estos son los restos que buscaban ustedes, señores —dijo el viejo. Y tan casualmente como quien destapa unos pepinos echó hacia atrás la hoja de papel.

Wainwright deseó no haber venido. Sintió náuseas.

El cuerpo que miraban había tenido una cara alguna vez. Pero ya no la tenía. La inmersión, la putrefacción y algo más —probablemente la hélice de algún barco, como había dicho Timberwell— habían dejado las capas de carne expuestas y laceradas. Entre aquella confusión, asomaban huesos, blancos.

Estudiaron el cadáver en silencio, luego el detective preguntó:

—¿Ve usted algo que pueda identificarlo?

—Sí —dijo Wainwright. Había estado observando el costado de la cara, donde lo que quedaba de la línea del pelo se unía con el cuello. La cicatriz roja en forma de manzana —indudablemente una marca de nacimiento— era todavía claramente visible. El entrenado ojo de Wainwright la había observado en las tres ocasiones que él y Vic se habían visto. Aunque los labios que con tanta frecuencia se habían burlado ya no existían, no cabía duda que el cuerpo era el de su agente encubierto. Se lo dijo a Timberwell, que asintió.

—Ya lo habíamos identificado por las impresiones digitales. No eran de las más claras, pero bastaron —el detective sacó una libreta y la abrió—. Su verdadero nombre, si es que puede creerse, era Clarence Hugo Levinson. Había usado varios nombres, y tiene numerosos antecedentes, en su mayoría cosas menores.

—El artículo del diario dice que murió como consecuencia de unas puñaladas, no por haberse ahogado.

—Es lo que mostró la autopsia. Antes fue torturado.

—¿Cómo lo sabe?

—Tenía los testículos aplastados. El informe del patólogo dice que deben haber sido puestos en alguna especie de aparato que los apretó hasta reventarlos. ¿Quiere verlos?

Sin esperar que le dijeran, el empleado retiró el resto de la hoja de papel.

Pese al encogimiento de los genitales por inmersión, la autopsia había expuesto bastante como para mostrar la verdad de la afirmación de Timberwell. Wainwright tragó saliva.

—¡Por Cristo! —Se volvió hacia el viejo—. ¡Tápelo!

Después urgió a Timberwell:

—Salgamos de aquí.

Mientras bebía un fuerte café negro en un pequeño restaurante a media manzana del depósito, el sargento detective Timberwell hablaba solo:

—¡Pobre bestia! Haya hecho lo que haya hecho, no merecía eso

—sacó un cigarrillo, lo encendió y tendió el paquete. Wainwright meneó la cabeza—. Adivino lo que usted siente —dijo Timberwell—. Uno se endurece ante estas cosas. Pero hay algunas que hacen pensar.

—Sí —Wainwright recordaba su propia responsabilidad por lo que le había pasado a Clarence Hugo Levison, alias Vic.

—Necesito una declaración suya, Mr. Wainwright. Un resumen de las cosas que me ha dicho acerca de su acuerdo con el muerto. Si usted no se opone quisiera que fuéramos al destacamento cuando terminemos aquí.

—Conforme.

El policía lanzó un círculo de humo y sorbió su café.

—¿Qué cantidad hay de tarjetas de crédito falsificadas... en estos momentos?

—Se usan más y más. A veces, algunos días, son como una epidemia. Los bancos como el nuestro perdemos con ellas mucho dinero.

Timberwell dijo, escéptico:

—Querrá usted decir que cuestan dinero al público. Los bancos como el de ustedes pasan por alto esas pérdidas. Por eso a la gente de arriba no le importa tanto como debiera importarle.

—No puedo discutir eso con usted —Wainwright recordó sus propios e inútiles argumentos pidiendo mayor presupuesto para combatir los crímenes relacionados con el banco.

—¿Es buena la calidad de las tarjetas?

—Excelente.

El detective rumió.

—Es exactamente lo que el Servicio Secreto nos ha dicho sobre el dinero falsificado que circula en la ciudad. Hay mucha cantidad. Supongo que lo sabe.

—Sí, lo sé.

—Entonces tal vez el pobre tipo tenía razón al suponer que ambas cosas provienen de la misma fuente.

Ninguno de los dos hombres habló, después el detective dijo bruscamente:

—Quiero prevenirle de algo. Tal vez usted ya haya pensado en ello.

Wainwright esperó.

—Cuando lo torturaron , ante quien fuera, él habló. Usted ya lo ha visto. No podía dejar de hacerlo. Por lo tanto puede usted imaginar que lo ha contado todo, incluso el trato que había hecho con usted.

—Sí, he pensado en eso.

Timberwell asintió.

—No creo que esté usted personalmente en peligro, pero, para la gente que mató a Levinson, usted es veneno. Si cualquiera de los que *ellos* tratan, respira el mismo aire que usted, el tipo puede darse por muerto... de mala manera.

Wainwright estaba a punto de hablar, cuando el otro lo hizo callar.

—No estoy sugiriendo que no mande otro espía encubierto. Es asunto suyo y no me interesa saberlo... al menos por ahora. Pero le digo esto: si lo hace, tenga más que cuidado, y no se meta usted en el asunto. Es lo menos que le debe a ese pobre tipo.

—Gracias por el aviso —dijo Wainwright. Seguía pensando en el cuerpo de Vic, tal como lo había visto, cuando levantaron el papel—. Pero dudo mucho que vuelva a haber otro tipo.

TERCERA PARTE

1

Aunque la cosa continuaba siendo difícil con su salario de 98 dólares semanales como cajera del banco (83 dólares deducidos los descuentos), de alguna manera Juanita se las arreglaba, semana tras semana, para vivir junto con Estela y pagar la guardería de la niña. Incluso —a mediados de agosto— había reducido un poco la deuda con la compañía financiera que Carlos, su marido, le había echado encima antes de abandonarla. La firma financiera, como correspondía, había vuelto a redactar el contrato, reduciendo los pagos mensuales, aunque ahora los habían extendido —con intereses mayores— hacia un futuro de tres años.

En el banco, aunque Juanita era tratada con consideración luego de las falsas acusaciones contra ella, en octubre pasado, y aunque los miembros del personal hacían todo lo posible por ser cordiales, ella no había establecido amistades íntimas. La intimidad no era fácil para ella. Tenía una natural desconfianza hacia la gente, en parte heredada, en parte condicionada por la experiencia. El centro de su vida, el apogeo hacia el que progresaba en cada día de trabajo, eran las horas nocturnas que pasaban juntas ella y Estela.

Ahora estaban juntas.

En la cocina del diminuto pero cómodo apartamento del Forum East, Juanita preparaba la comida, ayudada —y a veces molestada— por su niñita de tres años. Ambas habían estado amasando y dando forma a una mezcla para hacer bizcochos, Juanita con el propósito de usarla en un pastel de carne, y Estela manoseando un trozo de la masa con los deditos, según le indicaba la imaginación.

—¡Mamá, mira! ¡He hecho un castillo mágico!

Juntas rieron.

—¡*Qué precioso, mi cielo*! —dijo Juanita con cariño—. Pondremos el castillo en el horno junto con el pastel. Entonces los dos se volverán mágicos.

Para rellenar el pastel, Juanita había usado carne guisada con cebollas, una patata, zanahorias frescas y una lata de judías verdes. Los vegetales aumentaban el volumen de la escasa cantidad de carne, que era todo lo que Juanita podía permitirse. Era instintivamente una cocinera imaginativa, y el pastel iba a ser sabroso y nutritivo.

Llevaba ya veinte minutos en el horno, y todavía faltaban otros diez para que estuviera listo, y Juanita leía a Estela una traducción al castellano de Hans Andersen, cuando llamaron a la puerta del apartamento. Juanita dejó de leer y escuchó, dudosa. Los visitantes eran raros a esa hora; era muy desusado que alguien la fuera a ver tan tarde. Tras unos momentos volvieron a llamar. Algo nerviosa, haciendo un gesto a Estela para que se quedara donde estaba, Juanita se levantó y se dirigió con lentitud a la puerta.

Su apartamento era único en el entrepiso, en lo alto de lo que una vez había sido una única vivienda que hacía tiempo había sido dividida en apartamentos que se alquilaban. Los promotores del Forum East habían mantenido las divisiones del edificio, aunque modernizadas y reparadas. Pero aquello no impedía que el Forum East estuviera situado en una zona notoria por el elevado promedio de criminalidad, especialmente ataques y asaltos. Por eso, aunque los bloques de apartamentos estaban muy poblados por la noche la mayoría de los ocupantes cerraban las puertas con cerrojos y se encerraba dentro. Había una robusta puerta exterior, útil como protección, en la planta baja del edificio que ocupaba Juanita, aunque otros inquilinos la dejaban abierta con frecuencia.

Inmediatamente fuera del apartamento de Juanita había un estrecho rellano, en lo alto de unas escaleras. Con la oreja apretada contra la puerta, ella preguntó:

—¿Quién es? —No hubo respuesta, pero nuevamente el golpe, suave pero insistente, volvió a repetirse.

Juanita se aseguró de que la cadena de protección interna estuviera en su lugar, después quitó los cerrojos y abrió la puerta unas pulgadas... lo que permitía la cadena.

En el primer momento, en la luz confusa, no pudo ver nada, después se perfiló una cara y una voz preguntó:

—Juanita, ¿puedo hablar con usted? ¡Tengo que hacerlo, por favor! ¿Me deja pasar?

Ella quedó atónita. Miles Eastin. Pero ni la voz ni la cara eran las del Miles Eastin que ella había conocido. La cara que ahora podía ver mejor era pálida, consumida; la voz insegura y suplicante.

Se detuvo un momento a pensar:

—Creí que estaba preso.

—He salido. Hoy... —se corrigió en seguida—. En libertad condicional.

—¿Para qué ha venido aquí?

—Recordé su dirección.

Ella meneó la cabeza, sin quitar la cadena de la puerta.

—No es eso lo que le he preguntado. ¿Por qué ha venido a *verme?*

—Porque lo único en lo que he pensado estos meses, todo el tiempo que estuve dentro, fue en verla, hablarle, explicarle...

—No hay nada que explicar.

—¡*Lo hay*! Juanita, se lo ruego. No me eche. Por favor.

Detrás de ella la clara voz de Estela preguntó:

—Mamá, ¿quién es?

—Juanita —dijo Miles Eastin—, no tiene por qué tenerme miedo... ni por usted ni por su hijita. No llevo nada encima como no sea esto... —mostró una pequeña maleta usada—. Nada más que las cosas que me devolvieron cuando salí.

—Bueno... —Juanita vaciló. Pese a sus temores, la curiosidad era fuerte. ¿Por qué *quería* verla Miles Eastin? Preguntándose si iba a arrepentirse, cerró un poco la puerta y retiró la cadena.

—Gracias —él avanzó tímidamente, como si todavía temiera que Juanita cambiara de idea.

—Hola —dijo Estela—, ¿eres amigo de mamá?

Por un momento Eastin pareció desconcertado, después contestó:

—No siempre lo he sido. Desearía que hubiese sido así.

La chiquita de pelo oscuro le miró.

—¿Cómo te llamas?

—Miles.

Estela rió.

—Eres flaquito.

—Sí, ya lo sé.

Ahora que podía verle claramente, Juanita quedó aún más sorprendida del cambio en Miles. En los ocho meses que no le veía había perdido tanto peso que tenía las mejillas hundidas, el cuello y el cuerpo eran huesudos. Su arrugado traje pendía flojo, como hecho para un individuo del doble de su talla. Parecía cansado y débil.

—¿Puedo sentarme?

—Sí —Juanita indicó un sillón de mimbre, pero ella siguió de pie, mirándolo. Dijo, acusando de manera ilógica—. No le han dado bien de comer en la cárcel.

El meneó la cabeza y, por primera vez, sonrió levemente.

—No se vive allí exactamente como un *gourmet.* ¿Se nota?

—*Sí, me doy cuenta.* Se nota.

Estela preguntó:

—¿Te quedas a cenar? Mamá ha hecho un pastel.

El vaciló.

—No.

Juanita preguntó súbitamente.

—¿Ha comido hoy?

—Esta mañana. Tomé algo en la estación de autobuses —el aroma del pastel casi hecho, salía de la cocina. Instintivamente Miles volvió hacia allí la cabeza.

—Entonces puede acompañarnos —empezó a poner otro cubierto en la mesita donde comían ella y Estela. El gesto fue natural. En cualquier hogar de Puerto Rico, incluso en el más pobre, la tradición requiere compartir la comida que se tenga.

Mientras cenaban. Estela charlaba y Miles contestaba a sus preguntas: algo de la primera tensión empezaba evidentemente a dejarlo. Varias veces miró alrededor, el apartamento, agradable y sencillamente amueblado. Juanita tenía sentido para crear un ambiente hogareño. Le gustaba coser y decorar. En la modesta salita había un viejo sofá usado que ella había enfundado con algodón de brillantes colores rojos, blancos y amarillos. El sillón de mimbre en el que se había sentado Miles en el primer momento era uno de los dos que compró en una liquidación y repintó de un rojo intenso. Para las ventanas usaba unas cortinas de gruesa tela de arpillera amarilla, poco costosa. Un cuadro primitivo y varios *posters* de viajes adornaban las paredes.

Juanita escuchaba la charla de los otros dos, pero casi no hablaba, y dentro de sí misma seguía llena de dudas y desconfianza. ¿Por qué había venido Miles? ¿Acaso iba a provocarle tantas dificultades como antes?

La experiencia le prevenía de que esto era probable. Sin embargo, por el momento, parecía desarmado... evidentemente débil físicamente, un poco asustado, quizás derrotado. Juanita tuvo la sabiduría práctica de reconocer esos síntomas.

Pero no sentía enemistad hacia él. Aunque Miles había querido echarle la culpa del robo del dinero que él había escamoteado, el tiempo había convertido aquella traición en algo remoto. Incluso originalmente, cuando él quedó en descubierto, el principal sentimiento de ella había sido de alivio, no de odio. Ahora lo único que Juanita quería, para ella y para Estela, era que las dejaran en paz.

Miles Eastin suspiró al apartar su plato. No había dejado nada.

—Gracias. Es la mejor comida que he probado en mucho tiempo.

Juanita preguntó:

—¿Qué va a hacer ahora?

—No sé. Mañana empezaré a buscar trabajo —aspiró profundamente y pareció a punto de decir algo más, pero ella le hizo señas de que esperara.

—¡*Estelita, vamos, amorcito!* ¡A acostarse!

Poco después, lavada, con el pelo cepillado y llevando un pijama rosado, Estela vino a despedirse. Sus grandes ojos líquidos miraron con gravedad a Miles.

—Papá se fue. ¿Tú te vas también?

—Sí, muy pronto.

—Eso me parecía —y tendió la cara para que la besara.

Después de acostar a Estela, Juanita salió del único dormitorio del apartamento y cerró la puerta tras ella. Se sentó frente a Miles, con las manos cruzadas sobre el regazo.

—Bueno, ahora puede hablar.

El vaciló, se mojó los labios. Ahora que había llegado el momento estaba indeciso, no encontraba las palabras. Después dijo:

—Todo este tiempo desde que fui... desde que me cogieron... he deseado pedirle perdón. Perdón por todo lo que hice, pero, principalmente, por lo que le hice a usted. Estoy avergonzado. En cierto modo no sé cómo sucedió. Otras veces creo saberlo.

Juanita se encogió de hombros.

—Lo pasado, pasado. ¿Qué importa ahora?

—Importa para mí. Por favor, Juanita, deje que le cuente lo demás, cómo fueron las cosas.

Y entonces, como un torrente incontenible, brotaron las palabras.

Habló del despertar de su conciencia, de sus remordimientos, de la locura del juego el año anterior y de las deudas, y de cómo estaba poseído por una fiebre que distorsionaba los va'ores morales y la percepción. Al recordarlo, dijo a Juanita, era como si otra persona hubiera poseído su mente y su cuerpo. Proclamó su culpabilidad al robar en el banco. Pero, lo peor de todo, confesó, era lo que le había hecho a ella, o lo que le había procurado hacer. La vergüenza por eso, declaró emocionado, le había perseguido diariamente en la cárcel, y nunca iba a dejarle.

Cuando Miles empezó a hablar, el más profundo instinto de Juanita había sido de desconfianza. A medida que él hablaba, no toda la desconfianza desapareció; la vida la había engañado y golpeado con demasiada frecuencia para que pudiera creer totalmente en algo. Sin embargo, su razón la inclinaba a aceptar lo que Miles decía como algo genuino, y un sentimiento de piedad la invadió.

Empezó a comparar a Miles con Carlos, su marido ausente. Carlos había sido débil; y también Miles. Pero, en cierto modo, la decisión de Miles de verla y enfrentarse con ella, arrepentido, le daban una fuerza y una virilidad que Carlos nunca había tenido.

Bruscamente vio el humor de toda la situación: los hombres en su vida —por uno u otro motivo— eran imperfectos y fugaces. También eran perdedores, como ella. Casi rió, pero decidió no hacerlo, porque Miles nunca hubiera entendido.

El preguntó ansioso:

—Juanita, quiero pedirle una cosa: ¿me perdona?

Ella le miró.

—Y si lo hace... ¿quiere decírmelo?

La risa silenciosa murió en ella; sus ojos se llenaron de lágrimas. Podía entender *eso*. Había nacido católica y, aunque hoy en día raras veces se preocupaba por la iglesia, conocía el solaz de la confesión y la absolución. Se puso de pie.

—Miles —dijo Juanita—; póngase de pie. Míreme.

Obedeció y ella dijo, con suavidad:

—*Ha sufrido bastante*. Sí, lo perdono.

Los músculos de la cara de él se contrajeron y se torcieron. Y ella tuvo que sostenerlo mientras lloraba.

Cuando Miles se repuso y nuevamente estuvieron sentados, Juanita habló prácticamente:

—¿Dónde va a pasar la noche?

—No lo sé. Encontraré algún sitio.

Ella lo pensó, y dijo:

—Puede quedarse aquí, si quiere —y, al ver la sorpresa de él, añadió, rápida—. Por esta noche puede dormir en este cuarto. Yo estaré en el dormitorio, con Estela. Nuestra puerta quedará cerrada —no quería malentendidos.

—Si de verdad no le molesta —dijo él— me gustaría quedarme. Y no tiene por qué preocuparse.

No le dijo el verdadero motivo por el que no debía preocuparse: que había dentro de él otros problemas... psicológicos y sexuales... que todavía no había enfrentado. Todo lo que Miles sabía por el momento era que, debido a repetidos actos homosexuales entre él y Karl, su protector en la cárcel, su deseo por las mujeres se había evaporado. Se preguntaba si volvería a ser un hombre, sexualmente, otra vez.

Poco después, cuando el cansancio les agotó a los dos, Juanita fue a reunirse con Estela.

Por la mañana, tras la puerta cerrada, oyó a Miles desde temprano.

Media hora después, cuando ella salió del cuarto él ya se había ido. Había una nota sobre la mesa de la salita:

> *«Juanita:*
>> *De todo corazón, gracias.*
>>> *Miles».*

Mientras preparaba el desayuno para ella y Estela, le sorprendió lamentar que Miles hubiera partido.

2

En los cuatro meses y medio desde la aprobación de su plan de expansión de ahorros y de nuevas sucursales por la Dirección del FMA, Alex Vandervoort se había movido rápidamente. Se habían realizado casi diariamente sesiones de progreso y planeamiento entre el personal del banco y consultantes y contratistas del exterior. El trabajo proseguía por las noches, en los fines de semana y durante las vacaciones, aguijoneado por la insistencia de Alex de que el programa estuviera en marcha antes del fin del verano y a todo vuelo para mediados de otoño.

La reorganización de los ahorros fue más fácil de realizar en aquel tiempo. La mayoría de lo que Alex quería hacer —incluso el lanzamiento de cuatro nuevos tipos de cuentas de ahorros, con intereses incrementados y tomando en cuenta diversas necesidades— había sido objeto de tempranos estudios iniciados por él. Bastaba con trasladar las cosas a la realidad.

Las zonas que iban a ser cubiertas implicaban un fuerte programa de publicidad para atraer a nuevos depositantes y esto —conflicto de intereses o no— era proporcionado por la agencia Austin con velocidad y competencia. El tema de la campaña de ahorros era:

EN EL FIRST MERCANTILE AMERICAN
LE PAGAMOS PARA QUE SEA AHORRATIVO.

A principios de agosto, avisos a doble página en los diarios proclamaban las virtudes de ahorrar en el FMA. También mostraban la situación de ochenta sucursales del banco donde se ofrecían regalos, café «y un consejo financiero amistoso» para cualquiera que abriera una nueva cuenta. El valor del regalo dependía del tamaño del depósito incial, junto con el acuerdo de no disponer de él durante un tiempo determinado. Anuncios rápidos en la televisión y la radio martilleaban en los hogares una campaña similar.

En cuanto a las nueve sucursales nuevas —«nuestras tiendas de dinero» como las llamaba Alex— dos se habían abierto en la última semana de julio, otras tres en los primeros días de agosto, y las cuatro restantes iban a estar abiertas antes de septiembre. Como todas estaban en locales alquilados, lo que suponía conversión en lugar de construcción, había sido posible obrar con rapidez.

Eran las tiendas de dinero —nombre que atrapó pronto a la gente— las que atrajeron el máximo de atención desde el principio. También provocaron una publicidad mucho mayor de la que Alex Vandervoort, el Departamento de Relaciones Públicas del Banco o la Agencia de Publicidad Austin habían previsto. Como portavoz de todo esto —elevándose a la cima como un cometa ascendente— estaba Alex.

Que no había intentado que las cosas fueran de esa manera. Simplemente habían sucedido.

Una periodista del matutino «Times Register», designada para escribir sobre la apertura de las nuevas sucursales, se sumergió en el depósito del periódico en busca de antecedentes, y descubrió la tenue conexión de Alex con la «toma del banco» en favor del Forum East en el mes de febrero. Una discusión con el editor provocó la idea de que Alex era buen material para un extenso artículo. La cosa demostró ser cierta.

«Cuando piensen ustedes en un banquero moderno —escribió la periodista— no piensen en solemnes y cautelosos funcionarios, en tradicionales trajes azul oscuro cruzados, que fruncen los labios y dicen: "No". Piensen en Alexander Vandervoort.

Vandervoort, que es un importante ejecutivo en nuestro First Mercantile American, no parece en modo alguno un banquero. Sus trajes provienen de la sección de modas de *Esquire,* sus modales son sencillos y, cuando se trata de préstamos, especialmente préstamos menores, está autorizado —con leves excepciones— a decir: "Sí". Pero también cree en el ahorro y dice que la mayoría de nosotros no somos tan sabios, en lo que a dinero se refiere, como nuestros padres y nuestros abuelos.

Otro rasgo de Alexander Vandervoort es que es un líder de la moderna tecnología bancaria, y algo de esa técnica ha llegado a nuestros suburbios justamente esta semana.

Lo más moderno en bancos está representado por sucursales que no tienen la apariencia de bancos, cosa bastante apropiada, porque Vandervoort (que, como hemos dicho, no parece un banquero) es la fuerza local que las impulsa.

Quien esto escribe ha hecho esta semana un recorrido con Alexander Vandervoort para echar una ojeada a lo que él llama "banco para consumidores del futuro, que está ya aquí"».

El jefe de relaciones públicas del banco, Dick French, había arreglado la entrevista. La periodista era una mujer de mediana edad, una rubia de pelo caído de nombre Jill Peacock, en modo alguno ganadora de premios Pulitzer, pero la historia le había interesado y se portó amistosamente.

Alex y Miss Peacock visitaron juntos una de las nuevas sucursales, situada en una plaza suburbana. Era casi del mismo tamaño que un almacén cercano, brillantemente iluminada y agradablemente diseñada. El mobiliario principal consistía en dos cajas automáticas de acero inoxidable *Docutel* que los clientes manejaban ellos mismos, y un circuito cerrado de televisión sobre una consola, en una casilla. Las cajas automáticas, explicó Alex, estaban enlazadas directamente a computadoras en la Casa Central del FMA.

—Hoy en día —prosiguió él— el público está condicionado para esperar servicios, motivo por el cual hay una demanda para que los bancos permanezcan más tiempo abiertos, y a horas más convenientes. Tiendas de dinero como éstas deben estar abiertas las veinticuatro horas del día, en una semana de siete días.

—¿Con personal todo ese tiempo? —preguntó Miss Peacock.

—No. Durante el día tendremos un empleado para que conteste las preguntas. El resto del tiempo no habrá aquí nadie, fuera de los clientes.

—¿No tiene miedo de los robos?

Alex sonrió.

—Las dos cajas están construidas como fortalezas, con todos los sistemas de alarma conocidos. Y los aparatos de TV —uno en cada tienda de dinero— responden a un centro de control de la ciudad. Nuestro problema inmediato no es la seguridad... es lograr que los clientes se adapten a las nuevas ideas.

—Parece —dijo Miss Peacock— que algunos ya se han adaptado.

Aunque era temprano, las 9,30, el pequeño banco ya tenía una docena de personas y otras estaban llegando. Casi todas eran mujeres.

—Los estudios que hemos hecho —explicó Alex— demuestran que las mujeres aceptan con más rapidez los cambios en el comercio, y probablemente por esto las tiendas minoristas siempre han innovado. Los hombres son más lentos, pero al final las mujeres logran convencerles.

Se habían formado unas pequeñas colas ante las cajas automáticas, pero prácticamente no había demora. Las transacciones se completaban rápidamente después que cada cliente introducía una tarjeta plástica de identificación y apretaba una sencilla línea de botones. Algunos depositaban dinero al contado o en cheques, otros retiraban dinero. Uno o dos habían venido a pagar tarjetas de banco o cuentas de utilidades. Sea cual fuera el propósito, la máquina se tragaba papel y dinero al contado, o los vertía con la velocidad del rayo.

Miss Peacock señaló las cajas automáticas.

—¿La gente ha aprendido a usarlas con más rapidez o más lentamente de lo que usted esperaba?

—Mucho, mucho más rápido. Hay que hacer un esfuerzo para convencer a la gente de que use las máquinas la primera vez. Pero, una vez que lo ha hecho, queda fascinada y se enamora de ellas.

—Uno siempre oye decir que los seres humanos prefieren tratar con seres humanos y no con máquinas. ¿Por qué es distinto en los bancos?

—Los estudios que le he mencionado demuestran que se debe al secreto del trato.

«Aquí realmente *hay* secreto —reconoció Jill Peacock en su artículo de la edición dominical— y no es como con esos cajeros que parecen el monstruo de Frankenstein.

Sentada en una casilla, en la misma tienda de dinero, frente a una combinación de cámara y pantalla de televisión, abrí una cuenta y negocié un préstamo.

Otras veces, al pedir dinero a un banco, me he sentido avergonzada. Esta vez no ha sido así, porque la cara que tenía ante mí en la pantalla era impersonal. El dueño de ella... un hombre sin cuerpo, de nombre desconocido, estaba a millas de distancia».

—A diecisiete millas para ser exacto —dijo Alex—. El funcionario

257

del banco con quien usted habló está en la sala de control de nuestra Torre Central. Desde allí él, y otros, pueden ponerse en contacto con cualquier sucursal equipada con un circuito cerrado de TV.

Miss Peacock meditó.

—¿A qué velocidad están cambiando los bancos?

—Tecnológicamente nos desarrollamos a más velocidad que los inventos aeroespaciales. Lo que usted ha visto aquí es el desarrollo más importante desde la introducción de las cuentas con cheques y, dentro de diez años o menos, la mayoría de las transacciones bancarias se harán de este modo.

—Pero habrá siempre *algunos* cajeros humanos...

—Por un tiempo, pero la raza desaparecerá rápidamente. Muy pronto la noción de que un individuo cuente el dinero con la mano, y después lo entregue sobre el mostrador, parecerá antediluviana... tan pasado de moda como el antiguo almacenista que acostumbraba a pesar el azúcar, las judías y la manteca y después las ponía él mismo en bolsitas de papel.

—Es más bien triste —dijo Miss Peacock.

—El progreso frecuentemente lo es.

«Luego pregunté a una docena de personas, al azar, si les gustaban las nuevas tiendas del dinero. Sin excepción todos fueron entusiastas.

A juzgar por la gran cantidad de gente que las usa, el punto de vista se ha extendido y su popularidad, según me ha informado Vandervoort, ayuda al impulso de los ahorros corrientes».

El que las tiendas de dinero dieran impulso a los ahorros o viceversa, nunca quedó enteramente en claro. Lo que sí quedó en claro es que las metas de ahorro más optimistas del FMA fueron pronto alcanzadas y se sobrepasaron a una velocidad fenomenal. Parecía —como dijo Alex a Margot Bracken— que el estado de ánimo del público y el del First Mercantile American coincidían de manera mágica.

—Deja de darte aires y bebe tu zumo de naranja —dijo Margot. El domingo por la mañana era un placer en el apartamento de Margot. Todavía en pijama y bata, ella había estado leyendo, por primera vez, la serie de artículos de Jill Peacock en el «Times Register» dominical, mientras preparaba un desayuno de huevos a la benedictina.

Alex estaba radiante mientras comían. Margot leyó personalmente la historia del «Times Register» y concedió:

—No está mal —se inclinó y le besó—. Me alegro por ti.

—Es mejor propaganda que la que me hiciste últimamente, Bracken.

Ella dijo con alegría:

—Nunca se puede saber. La prensa da y la prensa quita. Tal vez mañana tú y tu banco seáis atacados.

El suspiró.

—Sueles tener tantas veces razón...

Pero esta vez ella se había equivocado.

Una versión condensada de los artículos originales fue sindicada y usada por diarios de otras cuarenta ciudades. La AP, al percibir el amplio interés general, hizo su propio informe por el telégrafo nacional; y lo mismo hizo la UPI. El «Wall Street Journal» envió a un periodista redactor y pocos días después, aparecían en una primera columna de análisis de los bancos automatizados Alex Vandervoort y el First Mercantile American. Una filial de la NBC envió un equipo de televisión para entrevistar a Alex en una de las tiendas de dinero, y el *videotape* fue pasado por la red de las noticias nocturnas de la National Broadcasting Corporation.

Con cada estallido publicitario la campaña de ahorros se renovaba y los negocios subían a las nubes en las tiendas de dinero.

Sin prisa, desde su elevada eminencia, el «New York Times» meditó y tomó nota. Después, a mediados de agosto, la sección dominical de Negocios y Finanzas, proclamó: *Una política radical bancaria de la que se volverá a hablar.*

La entrevista de Alex con el «Times» consistió en preguntas y respuestas. Empezó con la automatización, y continuó en un terreno más amplio.

Pregunta: ¿Qué es lo que principalmente anda mal en los bancos hoy en día?

Vandervoort: Nosotros, los banqueros, hace demasiado tiempo que hacemos las cosas como nos da la gana. Estamos tan preocupados con nuestro propio bienestar que pensamos muy poco en los intereses de nuestros clientes.

P.: ¿Puede darnos algún ejemplo?

V.: Sí. Los clientes bancarios... especialmente los individuos... deberían recibir mucho más dinero en interés del que reciben.

P.: ¿De qué manera?

V.: De varias maneras... en sus cuentas de ahorros; también con los certificados de depósitos; y deberíamos pagar intereses en los depósitos de demanda... es decir, en las cuentas de cheques.

P.: Hablemos primero de los ahorros. Hay una ley federal que pone límite a los intereses de ahorros en los bancos comerciales.

V.: Sí, y el propósito es proteger los ahorros y los préstamos bancarios. Casualmente hay otra ley que impide que los bancos de ahorro y préstamo permitan usar cheques a sus clientes. Esto se hace para proteger a los bancos comerciales. Lo que debería hacerse es que las leyes dejaran de proteger a los bancos y protegieran a la gente.

P.: Por «proteger a la gente», ¿quiere usted decir que aquellos que tienen ahorros deberían disfrutar del máximo de interés y de otros servicios que puede proporcionar cualquier banco?

V.: Sí, eso quiero decir.

P.: Usted ha mencionado los certificados de depósitos.

V.: La *Federal Reserve* de los Estados Unidos ha prohibido a los grandes bancos, como el que yo trabajo, hacer propaganda de certificados de depósito a largo plazo y a altas primas de interés. Esta clase de certificados son especialmente buenos para cualquiera que piense retirarse en el futuro, y que quiera diferir los impuestos hasta más adelante, con renta baja, por años. Los de la *Federal Reserve* han dado excusas curiosas para esta prohibición. Pero el verdadero motivo es proteger a los bancos pequeños contra los grandes, porque los grandes son más eficientes y capaces de mejores acuerdos. Como de costumbre en quien menos se piensa es en el público, y en los individuos que salen perdiendo.

P.: Seamos claros en esto. ¿Usted sugiere que nuestro banco central, el *Federal Reserve*... se preocupa más de los pequeños bancos que de la población en general?

V.: Muy justo.

P.: Vayamos a las demandas de depósitos... a las cuentas de cheques. Algunos banqueros han manifestado que están dispuestos a pagar interés para las cuentas de cheques, pero las leyes federales lo prohíben.

V.: La próxima vez que algún banquero le diga eso, pregúntele si nuestro poderoso cuerpo bancario en Washington ha hecho algo últimamente para cambiar la ley. Si alguna vez ha habido algún esfuerzo en esa dirección, yo no estoy enterado.

P.: ¿Sugiere usted por lo tanto que la mayoría de los banqueros no quiere que cambie la ley?

V.: No lo estoy sugiriendo. Lo sé. La ley que impide el pago de intereses en las cuentas corrientes es muy conveniente si uno es propietario de un banco. Fue introducida en 1933, poco después de la Depresión. Tenía el objeto de fortalecer a los bancos, porque muchos habían quebrado en los años anteriores.

P.: ¿Y eso fue hace más de cuarenta años?

V.: Exactamente. La necesidad de esa ley ha caducado hace tiempo. Permita que le diga algo. En este mismo momento, si todas las cuentas corrientes de este país fueran sumadas, totalizarían más de 200 mil millones de dólares. Puede usted jurar que los bancos ganan intereses con este dinero, pero los depositantes... los clientes del banco... no reciben un centavo.

P.: Ya que usted es un banquero, y su propio banco se beneficia con la ley de la que hablamos, ¿por qué propicia usted un cambio?

V.: Por un motivo: creo en la justicia. Y, además, los bancos no necesitan las muletas de todas esas leyes protectoras. En mi opinión podemos hacer algo mejor... con esto me refiero a mejorar el servicio público... y otorgar más beneficios.

P.: ¿Ha habido recomendaciones en Washington acerca de algunos de los cambios de los que usted habla?

V.: Sí. El informe de la comisión Hunt de 1971, y la legislación propuesta a la que dio resultado, que beneficiaría a los consumidores. Pero todo el asunto está estancado en el Congreso, por intereses especiales... incluidos los de nuestro cuerpo bancario... que detienen el progreso.

P.: ¿Prevé usted antagonismo por parte de otros banqueros por la franqueza con la que se ha expresado?

V.: De verdad no he pensado en la cosa.

P.: Además de los intereses bancarios, ¿tiene usted alguna visión general del escenario económico corriente?

V.: Sí, y una visión general no debe limitarse a la economía.

P.: Por favor hable de su visión general... y no se limite.

V.: Nuestro mayor problema y nuestro mayor fallo como nación, es que casi todo, hoy en día, está dirigido *contra* el individuo y a favor de las grandes instituciones, los grandes sindicatos, los grandes bancos, el gran gobierno. De manera que un individuo no sólo tiene dificultades para salir adelante y conservar su puesto, sino que con frecuencia tiene dificultad hasta para meramente sobrevivir. Y cuando pasan cosas malas... inflación, devaluación, depresión, déficits, impuestos más altos, incluso guerras... no son las grandes instituciones las que sufren, por lo menos no tanto; es el individuo, todo el tiempo.

P.: ¿Ve usted algún paralelo histórico con esto?

V.: Los veo, en verdad. Parecerá raro que diga esto, pero creo que el más parecido es el de Francia antes de la Revolución. En aquella época, pese a la inquietud y la mala economía, todos supusieron que los negocios iban a producirse como de costumbre. En lugar de esto la muchedumbre, compuesta por individuos que se habían rebelado, derrocó a los tiranos que les oprimían. No sugiero que nuestras condiciones actuales sean precisamente las mismas, pero, en muchos sentidos, estamos terriblemente cerca de la tiranía, que está, una vez más, en contra del individuo. Y decir a la gente que no puede alimentar a su familia a causa de la inflación que «Nunca lo han pasado mejor», es tan malo como decirles «Que coman bizcochos». Por eso digo que, si queremos preservar lo que llamamos nuestra forma de vida, y la libertad individual que afirmamos valorar, es mejor que empecemos a pensar y a actuar otra vez en favor de los intereses del individuo.

P.: Y en su propio caso, usted ha empezado por hacer que los bancos sirvan más al individuo.

V.: Sí.

—¡Querido, es magnífico! ¡Estoy orgullosa de tí, y te quiero más que nunca!—aseguró Margot a Alex, cuando leyó un ejemplar adelantado, un día antes de que se publicara la entrevista—. Es lo más honrado que he leído en mi vida. Pero los otros banqueros van a detestarte. Querrán comerse tus testículos como desayuno.

—Algunos lo harán —dijo Alex—. Otros no.

Pero ahora que había visto las preguntas y las respuestas impresas, y pese a la oleada de éxito que lo arrastraba, se sintió levemente preocupado.

3

—Lo que te ha salvado de que te crucificaran, Alex —declamó Lewis D'Orsey— es que se trataba del «New York Times». Si hubieras dicho lo que has dicho para otro diario del país, tus compañeros directores te hubieran negado y te habrían arrojado como a un paria. El «Times» te ha salvado. Te ha envuelto en su respetabilidad, pero no me preguntes por qué.

—Lewis, querido —dijo Edwina D'Orsey—, ¿quieres dejar de discursear y servir más vino?

—No estoy discurseando —Lewis se levantó de la mesa donde cenaban y trajo una segunda botella de *Clos de Vougeot 62*. Aquella noche Lewis parecía tan diminuto y poco alimentado como de costumbre. Prosiguió—: Estoy hablando con lucidez y calma del «New York Times» que, en mi opinión es un harapo inefectivo, y su prestigio no merecido un monumento a la imbecilidad norteamericana.

—Tiene más circulación que tu periódico —dijo Margot Blacken—. ¿Es por eso por lo que no te gusta?

Ella y Alex Vandervoort estaban invitados a comer en la elegante *pent house de* Cayman Manor, de Lewis y Edwina D'Orsey. Sobre la mesa, con suave luz de velas, el mantel, el cristal y la pulida plata brillaban. A lo largo de uno de los amplios ventanales del comedor se enmarcaban las temblorosas luces de la ciudad, allá abajo. En medio de la luz una sinuosa oscuridad señalaba el curso del río.

Había pasado una semana desde la publicación de la controvertida entrevista de Alex.

Lewis se sirvió un medallón de carne y contestó a Margot con desdén:

—Mi periódico quincenal representa la alta calidad y el elevado intelecto. La mayoría de los diarios, incluido el «Times», son una vulgaridad.

—¡Dejad de pelear! —exclamó Edwina, volviéndose hacia Alex—. Por lo menos una docena de personas de las que vinieron esta semana a la sucursal central me dijeron que habían leído el artículo y que admiraban tu franqueza. ¿Qué reacción hubo en la Torre?

—Mezclada.

—Apostaría a que sé quién no la aprobó.

—Tienes razón —dijo Alex, riendo—. Roscoe no dirigió el grupo de los aplausos.

La actitud de Heyward, recientemente, se había vuelto más ácida que de costumbre. Alex sospechaba que Heyward estaba envidioso, no sólo por la atención que se prestaba a Alex, sino también a causa del éxito de la campaña de ahorros y de las tiendas de dinero, cosas a las que se había opuesto Roscoe.

Otra predicción derrotada de Heyward y sus sostenedores en la Dirección se refería a los 18 millones de dólares de depósitos de las instituciones de ahorro y préstamo. Aunque las gerencias de las instituciones habían resoplado y rezongado, no habían retirado sus depósitos del First Mercantile American. Y tampoco, según era ahora evidente, pensaban hacerlo.

—Aparte de Roscoe y algunos otros —dijo Edwina— he oído decir que tienes mucha popularidad estos días entre el personal.

—Tal vez sea yo estrella de un día. Como el desnudarse en público.

—Es un vicio —dijo Margot—. Me parece que te estás acostumbrando demasiado.

El sonrió. Había sido alentador en la última semana recibir felicitaciones de la gente que Alex respetaba, como Tom Straughan, Orville Young, Dick French y Edwina, y de parte de otros, incluidos ejecutivos jóvenes que antes no conocía de nombre. Varios directores habían telefoneado con palabras de elogio.

—Está convirtiendo la imagen del banco en una institución benéfica— dijo por teléfono Leonard L. Kingswood. Y la marcha de Alex por la Torre del FMA había sido, a veces, casi triunfal, con empleados y secretarias que le saludaban y sonreían afectuosamente.

—Hablando de tu personal, Alex —dijo Lewis D'Orsey—, esto me recuerda que falta algo en esa Torre de ustedes... Edwina. Ya es hora de que suba más alto. Mientras no sea así, son ustedes quienes pierden.

—Vamos, Lewis, ¿cómo puedes decir eso? —Incluso a la luz de las velas fue visible que Edwina se había ruborizado. Protestó—: Esta es una reunión entre amigos. Aunque no lo fuera, esa clase de comentarios están fuera de lugar. Alex, te pido perdón.

Lewis, sin inmutarse, miró a su mujer por encima de sus lentes de media luna.

—Tú puedes disculparte, querida. Pero yo no lo haré. Conozco tu capacidad y lo que vales. ¿Quién puede conocerla mejor? Además, tengo la costumbre de llamar la atención sobre cualquier cosa notable cuando la veo.

—¡Bueno, tres bravos para ti, Lewis! —dijo Margot—. Alex, ¿qué te parece la cosa? ¿Cuándo se trasladará a la Torre mi estimada prima?

Edwina se había enojado.

—¡Basta, por favor! ¡Me estais avergonzando!

—Nadie tiene por qué avergonzarse —Alex sorbió el vino apreciativamente—. ¡Hum! El 62 fue un buen año para el Borgoña. Es casi tan bueno como el de la cosecha del 61, ¿no os parece?

—Sí —reconoció el anfitrión—. Por suerte he guardado bastante de las dos cosechas.

—Los cuatro somos amigos —dijo Alex—, de manera que podemos hablar francamente, sabiendo que lo hacemos en confianza. Quiero deciros que ya he estado pensando en ascender a Edwina, y que tengo para ella una tarea especial. Cuándo podré hacer esto, y algunos otros cambios, dependerá de lo que pase en los próximos meses, y eso Edwina lo sabe muy bien.

—Sí —dijo ella— lo sé... —Edwina sabía también que su amistad personal con Alex era conocida en el banco. Desde la muerte de Ben

Rosselli, e incluso antes, había comprendido que la promoción de Alex a la presidencia sin duda significaría un avance en su carrera. Pero, si el que triunfaba era Roscoe Heyward, era poco probable que ella pudiera progresar en el First Mercantile American.

—Hay algo más que yo desearía —siguió Alex—, y es ver a Edwina formando parte de la Dirección.

Margot se entusiasmó.

—¡Ahora has hablado! ¡Será un paso adelante en el movimiento de liberación femenina!

—No —contestó Edwina con brusquedad—. ¡No me metas jamás en el movimiento de liberación femenina! Todo lo que he conseguido lo he conseguido sola, compitiendo honradamente con los hombres. El movimiento de liberación femenina... son palabras, una manera de pedir favoritismos y preferencias *porque se es* mujer... eso es hacer retroceder al sexo, no hacerlo avanzar.

—¡Tonterías! —Margot pareció chocada—. Puedes decir eso porque eres un caso raro y has tenido suerte.

—No hubo suerte —dijo Edwina—. He trabajado.

—¿Que *no has* tenido suerte?

—Bueno, no mucha.

Margot argumentó:

—Debes haber tenido suerte, porque eres mujer. Desde que todos recordamos, los bancos han sido un exclusivo club de hombres... sin el menor motivo.

—¿Acaso la experiencia no puede ser un motivo? —preguntó Alex.

—No. La experiencia es una cortina de humo, que han echado los hombres para mantener alejadas a las mujeres. No hay nada de masculino en ser banquero. Lo único que se necesita es inteligencia... que a veces las mujeres tienen... con más abundancia que los hombres. Y todo lo demás está en el papel, en la cabeza, en la charla, de manera que la única tarea física es meter y sacar dinero de camiones blindados, cosa que también podrían hacer sin duda las mujeres guardianas.

—No discuto nada de eso —dijo Edwina—. Pero estás anticuada. La exclusividad masculina ya ha sido quebrada... por gente como yo... y se extiende continuamente más y más. ¿Quién necesita del movimiento de liberación femenina? ¡Yo no!

—No has penetrado ese frente a fondo —replicó Margot—. De otro modo ya estarías en la Torre Central, y no hablando de ello como lo hacemos esta noche.

Lewis D'Orsey canturreó:

—¡*Touché*, querida!

—Otras en el oficio bancario necesitan del movimiento de liberación femenina —terminó Margot— y lo necesitarán, por mucho tiempo.

Alex se echó hacia atrás, disfrutando, como siempre, de una discusión en la que Margot estaba metida.

—Se diga lo que se diga de nuestras cenas juntos —observó—, nadie podrá decir que son aburridas.

Lewis asintió.

—Dejadme que diga... por ser quien ha iniciado esto... que me alegro que tengas esas intenciones con respecto a Edwina.

—Bien —dijo con firmeza su mujer—, y yo también te lo agradezco, Alex. Pero con eso basta. Dejemos ahí la cosa.

Y así lo hicieron.

Margot habló de un juicio que había iniciado contra una gran tienda que sistemáticamente falseaba las cuentas de los clientes. Los totales impresos en las cuentas mensuales, explicó Margot, eran siempre de unos dólares más de lo que se debía. Si alguien se quejaba, la diferencia se explicaba como un error, pero rara vez lo hacía alguien.

—Cuando la gente ve un total impreso supone que no puede haber error. Lo que ignoran, u olvidan, es que las máquinas pueden estar arregladas para *incluir* un error. En este caso, una lo estaba— y Margot añadió que la tienda se había beneficiado con varios miles de dólares, como iba a probarlo ante el tribunal.

—Nosotros no planeamos errores en el banco —dijo Edwina— pero suceden, máquinas o no. Por eso pido a la gente que compruebe sus declaraciones.

En la investigación de la tienda, dijo Margot a los otros, había sido ayudada por un detective privado de nombre Vernon Jax. Había sido diligente y lleno de recursos. Lo elogió ampliamente.

—Lo conozco —dijo Lewis D'Orsey—. Ha hecho investigaciones para el Servicio Secreto... algo que yo les hice hacer una vez. Es un buen tipo.

Cuando salían del comedor, Lewis dijo a Alex:

—Liberémonos. ¿Por qué no vienes conmigo a fumar un cigarro y beber un coñac? Vamos a mi despacho. A Edwina no le gusta el humo de los cigarros.

Disculpándose, los hombres bajaron un piso —la *pent-house* de los D'Orsey era en dos niveles— hacia el sancta sanctorum de Lewis. Ya dentro, Alex miró con curiosidad alrededor.

El cuarto era espacioso, con estanterías de libros a ambos lados y, en otro, rejillas para revistas y periódicos. Los estantes y las rejillas desbordaban. Había tres escritorios, uno con una máquina de escribir eléctrica, y todos llenos de papeles, libros y carpetas apiladas.

—Cuando ya no se puede trabajar en un escritorio —explicó Lewis— sencillamente me traslado a otro.

Una puerta abierta revelaba lo que, durante el día, era la oficina de una secretaria y un archivo. Lewis se metió dentro y volvió con dos vasos de coñac y una botella de Courvoisier, de donde sirvió.

—A veces me he preguntado —murmuró Alex— cuál es la base de un periódico financiero de éxito.

—Yo sólo puedo hablar del mío, considerado por jueces competentes como lo mejor que hay —Lewis tendió a Alex un coñac y señaló una caja abierta de cigarros—. Sírvete... son *Macanudos,* no hay nada mejor. Libres también de impuestos.

—¿Cómo has logrado eso?

Lewis tuvo una risita.

—Mira la banda alrededor de cada cigarro. Por un costo ínfimo hice retirar las bandas originales y les hice poner una banda especial que dice «D'Orsey Newsletter». Es un aviso... un gasto de negocios, de manera que, cada vez que fumo un cigarro, tengo la satisfacción de saber que lo hago en honor del Tío Sam.

Sin comentarios Alex tomó un cigarro lo olfateó apreciativamente. Hacía tiempo que había cesado de pronunciar juicios morales sobre la manera de evitar impuestos. El Congreso la había convertido en ley del país y, ¿quién podía echarle en cara a un individuo que escamoteara la cosa?

—Contestando a tu pregunta —dijo Lewis— no es secreto el propósito del «D'Orsey Newsletter» —encendió el cigarro de Alex, después el suyo y aspiró sensualmente—. Es para ayudar a que los ricos sean más ricos, o, en el peor de los casos, para conservar lo que tienen.

—Ya me he dado cuenta.

Cada número, como Alex sabía muy bien, contenía consejos para hacer dinero: seguridades para comprar o vender; monedas extranjeras a las que convenía precipitarse o eludir; comodidades para comerciar; mercados extranjeros para favorecer o evitar; trampas para que los ricos escabulleran impuestos; cómo manejarse con las cuentas suizas; situaciones políticas que podían afectar el dinero; próximos desastres que, aquellos que los vieran desde dentro, podían evitar ganancias. La lista era siempre larga, el tono del periódico autoritario y absoluto. Rara vez se escamoteaba algo.

—Desgraciadamente —añadió Lewis— hay muchos tramposos y charlatanes en el negocio de los periódicos financieros, que dañan a los periódicos serios y sinceros. Algunos de esos periódicos son la flor y nata de los diarios y, por lo tanto, no tienen valor; otros reciben coimas y mercancías de los bolsistas y promotores, aunque, finalmente, esa clase de chanchullos se hace evidente. Hay por lo menos media docena de periódicos financieros que valen algo, con el mío a la cabeza.

En cualquier otra persona, pensó Alex, el continuo autoelogio hubiera sido ofensivo. Pero, de algún modo, no pasaba esto con Lewis, quizás porque él tenía la manera de mantener la cosa. En cuanto a la política de extrema derecha de Lewis, Alex percibió que podía dejarla pasar, y recibir de él sólo un claro destilado financiero... como el que pasa por un colador.

—Creo que eres uno de mis suscriptores —dijo Lewis.

—Sí... por intermedio del banco.

—Aquí tienes un ejemplar del último número. Llévatelo... aunque recibas el tuyo el lunes por correo.

—Gracias —Alex aceptó la hoja impresa color celeste, de tamaño carta cuando estaba doblada y apariencia poco llamativa. El original había sido escrito apretadamente a máquina, después fotografiado y reducido. Pero lo que el periódico no tenía en cuanto a estilo visual, lo compensaba en valor monetario. Lewis se alababa de que, cualquiera que siguiera sus consejos, podía aumentar el capital que tuviera en un cuarto o la mitad en un año y, en algunos años, doblarlo o triplicarlo.

—¿Cuál es tu secreto? —preguntó Alex—. ¿Por qué tienes razón con tanta frecuencia?

—Tengo una mente como una computadora con treinta años de actuación —Lewis aspiró su cigarro, después se golpeó la frente con su dedo huesudo—. Cada brizna de conocimiento financiero que he aprendido está aquí almacenada. También puedo relacionar un punto con otro y el futuro con el pasado. Además, tengo algo que no tiene una computadora... genio instintivo.

—¿Por qué te preocupas entonces en hacer un periódico? ¿Por qué no haces fortuna para ti?

—No me daría satisfacción. No hay competencia. Además —Lewis hizo una mueca— no me va tan mal.

—Según creo, tu promedio de suscripciones...

—Es de trescientos mil dólares anuales por el periódico. Dos mil dólares por hora por consultas personales.

—A veces me he preguntado cuántos suscriptores tienes.

—También otros. Es un secreto que guardo cuidadosamente.

—Perdón. No he querido entrometerme.

—No hay motivo para que no lo hagas. En tu lugar, yo tendría curiosidad.

Esta noche, pensó Alex, Lewis parecía más comunicativo que nunca.

—Tal vez comparta contigo el secreto —dijo Lewis—. A todos nos gusta darnos un poquito de aires. Tengo más de cinco mil suscriptores.

Alex hizo una aritmética mental y silbó apenas. Aquello representaba una renta anual de más de un millón y medio de dólares.

—Al mismo tiempo —confió Lewis— publico un libro al año y recibo unas veinte consultas al mes. Lo que me pagan los consultantes y los derechos del libro pagan todos los costos, de manera que el periódico es enteramente beneficioso.

—¡Es sorprendente! —Y, sin embargo, pensó Alex, quizás no lo fuera tanto. Cualquiera que siguiera el consejo de Lewis podía recuperar su desembolso centenares de veces. Además, tanto la suscripción como las consultas estaban libres de impuestos.

—¿Hay algún punto general de guía —preguntó Alex— que darías a la gente que tiene dinero para invertir o ahorrar?

—Absolutamente sí... «ocúpese usted del asunto»...

—Supongamos que se trata de alguien que no sabe...

—Entonces que averigüe. Aprender no es tan difícil, y cuidar de nuestro propio dinero puede ser divertido. Hay que escuchar los consejos, lógicamente, pero mantenerse escéptico y desconfiado, y hay que seleccionar mucho el consejo que se sigue. Después de un tiempo se aprende en quién debemos confiar, y en quién no. Hay que leer mucho, incluidos los periódicos como el mío. Pero nunca hay que dejar que nadie tome las decisiones por nosotros. Especialmente esto incluye a los agentes de bolsa que representan la manera más rápida de perder que existe, y los departamentos de depósitos de los bancos.

—¿No te gustan los departamentos de depósitos?

—Caramba, Alex, sabes perfectamente que el informe de tu banco y de otros es atroz. Las grandes cuentas de depósitos proporcionan servicios individuales... de cierto tipo. Las pequeñas y las medianas están en la canasta general o están manejadas por incompetentes con escasos salarios, que no distinguen el papel moneda de la mierda.

Alex hizo una mueca, pero no protestó. Sabía demasiado bien que —con algunas excepciones honorables— lo que Lewis decía era verdad.

Mientras bebían el coñac en el cuarto lleno de humo, ambos hombres guardaron silencio. Alex pasó las páginas del último «Newsletter», revisando por encima su contenido, que pensaba más tarde leer en detalle. Como siempre había algunos artículos técnicos.

Sabiamente parecemos estar fuera de la 3ra. tanda en el mercado. Los 200 días planeados se han quebrado en 3 niveles, en perfecta sincronización. La línea se quiebra.

Más simple era:

Mezcla recomendada de monedas:

Franco suizo	40 %
Guilder holandés	25 %
Marco alemán	20 %
Dólar canadiense	10 %
Chelín austriaco	5 %
Dólar norteamericano	0 %

También Lewis aconsejaba a sus lectores que continuaran manteniendo el 40 % de la totalidad de sus bienes en oro metálico, monedas de oro y acciones de minas de oro.

Una columna regular presentaba los valores internacionales con los que se podía comerciar o que convenía guardar. Los ojos de Alex recorrieron la lista de «Compre» y «Guarde», y después la de «Venda». Se detuvo bruscamente ante el anuncio: «Supranational... venda inmediatamente en el mercado».

—Lewis, este asunto de la Supranational... ¿por qué aconsejas vender acciones de la Supranational? ¿E «inmediatamente en el mercado»? Durante años las has calificado como «acciones a largo plazo».

El anfitrión meditó antes de contestar.

—Estoy inquieto con la SuNatCo. Estoy recibiendo fragmentos de informaciones negativas de diversas fuentes. Algunos rumores acerca de grandes pérdidas que no han sido informadas. También historias de prácticas arriesgadas entre las subsidiarias. Un informe no confirmado de Washington dice que el Gran George Quartermain busca un subsidio. Lo que significa que... tal vez sí... tal vez no... las aguas bajan turbias. Como precaución prefiero que mis clientes se aparten.

—Pero todo lo que dices son rumores y sombras. Se puede decir de cualquier compañía. ¿Qué hay de serio en esto?

—Nada. Por instinto aconsejo «vender». A veces me guío por instinto. Esta vez, por ejemplo... —Lewis D'Orsey dejó la punta de su cigarro en un cenicero y su vaso vacío— ¿Quieres que volvamos junto a las señoras?

—Sí —dijo Alex, siguiendo a Lewis. Pero su mente seguía en la Supranational.

268

4

—No imaginaba —dijo Nolan Wainwright—, que tuviera usted el valor de venir aquí.

—Yo tampoco creía tenerlo —la voz de Miles Eastin traicionaba su nerviosismo. —Pensé venir ayer, después me di cuenta de que no podía. Hoy he pasado fuera una media hora, haciendo acopio de ánimo para entrar.

—Usted dirá que es ánimo, yo lo llamo atrevimiento. Y ahora que está aquí, ¿qué quiere?

Los dos hombres estaban de pie frente a frente en el despacho privado de Nolan Wainwright. Formaban un contraste agudo: el severo, negro y hermoso vicepresidente de Seguridad del banco, y Miles Eastin, el ex presidiario —consumido, pálido, inseguro, muy lejos del brillante y afable ayudante de contador que había trabajado hacía once meses en el FMA.

Lo que les rodeaba era espartano comparado con otros departamentos del banco. Las paredes estaban sencillamente pintadas y había muebles de metal gris, incluido el escritorio de Wainwright. En el suelo había una alfombra, pero era delgada y económica. El banco gastaba dinero y arte en las zonas productivas. Y la Seguridad no se contaba entre éstas.

—Bueno —repitió Wainwright—, ¿qué desea?

—He venido a ver si usted podía ayudarme.

—¿Y por qué voy a hacerlo?

El joven vaciló antes de contestar, luego dijo, siempre nervioso:

—Sé que usted me engañó en aquella primera confesión. La noche en que me detuvieron. Mi abogado dijo que la cosa era ilegal, que nunca hubiera podido presentarse ante el tribunal. Usted lo sabía. Pero usted me hizo creer que era una confesión legal y, por eso, firmé la segunda para el FBI, sin saber que había una diferencia...

Los ojos de Wainwright se entrecerraron, desconfiados.

—Antes de contestarle quiero saber una cosa: ¿lleva usted alguna grabadora?

—No.

—¿Por qué voy a creerle?

Miles se encogió de hombros, y levantó las manos sobre la cabeza como había aprendido a hacerlo para los cacheos forzosos de la cárcel.

Por un momento pareció que Wainwright iba a negarse a examinarlo; después, rápida y profesionalmente tanteó al hombre. Miles bajó los brazos.

—Soy un viejo zorro —dijo Wainwright—. Los tipos como usted creen que pueden avivarse y cogernos, para iniciar un juicio contra nosotros. ¿Así que se ha convertido en un experto legal?

—No. Lo único que sé es lo de la confesión.

—Bien, usted ha sacado el asunto a relucir y yo hablaré ahora. Claro que sabía que legalmente no tenía valor. Claro que le engañé. Y algo más: en las mismas circunstancias, volvería a hacerlo. Usted era culpable, ¿no? Estaba a punto de mandar a la cárcel a Juanita Núñez. ¿De qué sirve demorarse en detalles?

—Yo sólo pensé...

—Ya sé lo que pensó. Pensó que iba a presentarse aquí, que la conciencia me iba a sangrar, y que yo iba a ser fácil de usar para cualquier plan que ahora tenga. Bueno, no es así y no le sirvo.

Miles Eastin murmuró:

—No tengo planes. Lamento haber venido.

—¿*Qué* quiere?

Hubo una pausa en la que ambos se miraron. Después Miles dijo:

—Trabajo.

—¿Aquí? ¡Usted debe estar loco!

—¿Por qué? Sería el empleado más honesto que nunca haya tenido el banco.

—Hasta que alguien le presione para que robe de nuevo.

—¡No volverá a pasar! —Por un segundo algo del antiguo espíritu de Miles Eastin subió a la superficie—. ¿No puede usted creer... nadie puede creer, que he aprendido algo? He aprendido lo que pasa cuando se roba. He aprendido a no volver a hacer jamás eso. ¿No comprende que puedo resistir cualquier tentación antes de volver a la cárcel?

Wainwright refunfuñó:

—Lo que yo crea o no crea, no tiene importancia. El banco sigue su política. Dentro de ella figura no emplear a nadie con antecedentes criminales. Aunque quisiera, no podría cambiar eso.

—Pero podría intentarlo. Hay trabajos, incluso aquí, en los que los antecedentes criminales no importan, en los que *no hay* manera de no ser honrado. ¿No podría conseguirme algún trabajo de ese tipo?

—No —después intervino la curiosidad—. ¿Por qué tiene tantas ganas de volver aquí?

—Porque no puedo conseguir ningún trabajo, nada, ni un puesto, ni tengo posibilidad alguna en otra parte —la voz de Miles se quebró—. Y porque tengo hambre.

—¿Tiene qué?

—Mr. Wainwright, hace tres semanas que salí con libertad condicional. Hace más de una semana que no tengo ya dinero. Hace tres días que no como. Creo que estoy desesperado... —la voz que había vacilado se interrumpió y se quebró—. Venir aquí... verle a usted... adivinar lo que usted iba a decir... es la última...

Mientras escuchaba, algo de dureza desapareció de la cara de Wainwright. Señaló una silla del otro lado del cuarto.

—Siéntese.

Salió y dio cinco dólares a su secretaria.

—Vaya a la cafetería —dijo—, traiga dos sándwiches de lomo y media botella de leche.

Cuando regresó, Miles Austin seguía sentado, donde le había dicho, con el cuerpo agobiado y expresión tonta.

—¿No le ha ayudado el funcionario de la libertad condicional?

Miles dijo con amargura:

—Está cargado de casos... por lo que me ha dicho... ¡ciento setenta y cinco libertades condicionales! Tiene que ver a todos una vez al mes y, ¿qué puede hacer por cada uno? No hay trabajo. Lo único que puede dar son consejos.

Por experiencia Wainwright sabía cuales eran los consejos: no mezclarse con otros criminales que Eastin hubiera podido conocer en la cárcel; no frecuentar lugares conocidos donde iban los criminales. Hacer cualquiera de las dos cosas, y ser observado oficialmente, representaba un pronto regreso a la cárcel. Pero, en la práctica, las reglas eran tan poco realistas como arcaicas. Un preso sin medios financieros tenía los dados en contra de manera que la asociación con otros en las mismas circunstancias era con frecuencia el único medio de sobrevivir. Este era también el motivo por el cual el promedio de reincidencia era tan elevado entre los ex presidiarios.

Wainwright preguntó:

—¿De verdad ha buscado trabajo?

—En todas partes donde se me ocurrió. Y tampoco he pedido demasiado...

Lo más cerca que Miles había estado de conseguir empleo en tres semanas de búsqueda había sido como ayudante de cocina en un repleto restaurante italiano de tercera clase. El puesto estaba vacante y el dueño, un hombre triste y castigado, había tenido ganas de cogerle. Pero, cuando Miles reveló sus antecedentes carcelarios, como tenía que hacerlo, vio que el otro lanzaba una mirada a la caja registradora. Incluso en ese momento el patrón del restaurante había dudado, pero su mujer, una especie de sargento con faldas, gritó:

—¡No! ¡No podemos arriesgarnos! —Y suplicarles no hubiera servido de nada.

En otras partes su situación de libertad condicional había eliminado las posibilidades con mayor rapidez.

—Si pudiera hacer algo por usted, lo haría.

El tono de Wainwright se había dulcificado, ya no era el que tenía al principio de la entrevista.

—Pero no puedo. Aquí no hay nada. Créame.

Miles asintió, sombrío.

—De todos modos, lo sabía.

—¿Y qué piensa hacer ahora?

Antes de que pudiera contestar entró la secretaria y tendió a Wainwright una bolsa de papel y el cambio. Cuando la muchacha se fue, Wainwright sacó la leche y los sándwiches y los puso ante Eastin, que miraba, lamiéndose los labios.

—Coma, si quiere.

Miles se apresuró y quitó la envoltura del primer sándwich, con dedos ansiosos. Cualquier duda acerca de su afirmación de estar hambriento desapareció cuando Wainwright le vio devorar en silencio, con rapidez. Y, mientras el jefe de Seguridad miraba, empezó a formarse una idea.

Finalmente Miles vació el resto de la leche en un vaso de papel y se secó los labios. De los sándwiches no quedaba ni una migaja.

—No ha contestado mi pregunta —dijo Wainwright—. ¿Qué va a hacer ahora?

Visiblemente Eastin vaciló, luego dijo, seco:

—No lo sé.

—Creo que lo sabe. Y creo que está mintiendo... por primera vez desde que llegó aquí.

Miles Eastin se encogió de hombros.

—¿Acaso importa?

—Le diré lo que creo —dijo Wainwright, ignorando la pregunta del otro—. Hasta ahora se ha mantenido usted lejos de la gente que conoció en la cárcel. Pero, al no conseguir aquí nada, ha decidido dirigirse a ellos. Se arriesgará a que le vean y a perder la libertad condicional.

—¿Qué demonios puedo hacer? Y si lo sabe... ¿por qué pregunta?

—Por lo tanto usted *tiene* esos contactos.

—Si digo que sí —contestó Eastin con desdén—, lo primero que usted hará en cuanto me vaya es telefonear a la oficina de libertad condicional.

—No —Wainwright meneó la cabeza—. Decidamos lo que decidamos, le prometo que no haré eso.

—¿Qué significa eso de «decidamos lo que decidamos»?

—Tal vez haya algo en lo que usted podría trabajar. Si se atreve a correr algunos riesgos. Grandes.

—¿Qué clase de riesgos?

—Dejémoslo por el momento. Si es necesario, volveremos sobre la cosa. Háblame primero de la gente que conoció en la cárcel y de las personas con las que puede ponerse ahora en contacto... —percibiendo una continua desconfianza, Wainwright añadió—: Le doy mi palabra de que no aprovecharé... si usted no está de acuerdo... nada de lo que usted me diga.

—¿Cómo sé que no me está tendiendo una trampa... como me la tendió antes?

—No lo sabrá. Tiene que arriesgarse a confiar en mí. Eso, o salir de aquí y no volver más.

Miles permaneció en silencio, pensando, mojándose a veces los labios en el gesto nervioso que había mostrado antes. Después bruscamente, sin señales exteriores de decisión, empezó a hablar.

Reveló cómo se había puesto en contacto con él, en la penitenciaría de Drummonburg, un emisario de la Fila de la Mafia. El mensaje que llegó a Miles Eastin, según reveló a Wainwright, tenía que ver con el tiburón prestamista Igor Ominsky (el ruso) y decía que él, Eastin, era un tipo «que se sabía tener», ya que no había revelado la identidad del prestamista o del tomador de apuestas cuando lo detuvieron ni más adelante. Como concesión, le habían perdonado el interés del préstamo el tiempo que permaneciera en la cárcel.

—El mensajero de la Fila de la Mafia dijo que Ominsky iba a parar el reloj mientras yo estuviera dentro.

—Pero usted ya no está adentro —señaló Wainwright—. De manera que el reloj ha vuelto a marchar.

Miles pareció preocupado.

—Sí, ya lo sé —se había dado cuenta de eso y había procurado no pensar mientras buscaba trabajo. También se había apartado del lugar donde le habían dicho que podía ponerse en contacto con el prestamista Ominsky y con otros. Era el club *Double Seven,* en el centro de la ciudad, y le habían dado la información algunos días antes de que saliera de la cárcel. Lo repitió ahora, aguijoneado por Wainwright.

—Ya veo. No conozco el *Double Seven* —murmuró el jefe de Seguridad del banco— pero he oído hablar de él. Tiene fama de ser muy mal frecuentado.

Otra cosa que habían dicho a Miles en la penitenciaría era que, por medio de contactos que podía establecer, encontraría el modo de ganar dinero para vivir y empezar a pagar su deuda. No había necesitado un diagrama para darse cuenta de que tales «modos» estaban fuera de la ley. Este conocimiento, y el terror de volver a la cárcel, le habían mantenido decididamente alejado del *Double Seven*. Hasta ahora.

—Entonces mi presentimiento era certero. Usted habría salido de aquí para ir allí.

—¡Oh, Mr. Wainwright! ¡No quiero! ¡Todavía no quiero!

—Tal vez, entre nosotros, pueda usted combinar las dos cosas...

—¿Cómo?

—¿Sabe lo que es un agente encubierto?

Miles Eastin pareció sorprendido antes de reconocer:

—Sí.

—Entonces escuche con atención.

Wainwright empezó a hablar.

Cuatro meses atrás, al ver el cuerpo ahogado y mutilado de su espía, Vic, el jefe de Seguridad del banco había creído no volver a enviar jamás a otro agente encubierto. En aquel momento, trastornado y con un sentimiento de culpa, había hablado en serio y no había hecho nada desde entonces para reclutar a un reemplazante. Pero en esta ocasión, la desesperación de Eastin y sus recientes contactos eran demasiado prometedores para que pudiera ignorarlos.

Y también tenía el hecho importante: estaban apareciendo más y más tarjetas de crédito falsificadas, eran casi un diluvio, y la fuente de procedencia seguía siendo desconocida. Los métodos convencionales para localizar a los productores y distribuidores habían fracasado, como sabía muy bien Wainwright; también estorbaba a la investigación el hecho de que la falsificación de tarjetas de crédito no era una ofensa criminal para la ley federal. Había que probar el fraude; la intención de defraudación no bastaba. Por todos estos motivos, las agencias legales estaban más interesadas en otras formas de falsificación, y su preocupación por las tarjetas de crédito era sólo casual. Los bancos —ante el dolor de profesionales como Nolan Wainwright— no habían hecho serios esfuerzos para cambiar la situación.

El jefe de Seguridad explicó largamente casi todo esto a Miles Eastin.

También desarrolló un plan básicamente sencillo. Miles iría al club *Double Seven* y establecería todos los contactos posibles. Debía procurar caer en gracia, y también debía aprovechar cualquier oportunidad que se presentara de ganar algún dinero.

—Hacer eso significa un doble riesgo, y usted debe comprenderlo —dijo Wainwright—. Si usted hace algo criminal y le atrapan, le apresarán, será juzgado, y nadie podrá ayudarle. El otro riesgo es que, aunque no le atrapen, si la oficina de libertad condicional oye algún rumor, volverá usted igualmente a la cárcel.

De todos modos, prosiguió Wainwright, si ninguna de las dos cosas pasaba, Miles debería procurar ampliar sus contactos, tendría que escuchar bien y acumular informaciones. Al principio debía tener cuidado de no parecer curioso.

—Vaya despacio —previno Wainwright—. No se apresure, tenga paciencia. Deje que las cosas corran, deje que la gente le busque.

Sólo después que Miles fuera aceptado, trabajaría en firme y aprendería más. En ese momento podría empezar a hacer discretas preguntas sobre las tarjetas de crédito, demostrando tener el mismo interés y buscaría acercarse al punto en que se traficaba con ellas.

—Siempre hay alguien —aconsejó Wainwright— que conoce a otra persona, que a su vez conoce a otro tipo, que ha estado metido en algún chanchullo. De esa manera se meterá usted.

Periódicamente, dijo Wainwright, Eastin iría a informarle. Pero nunca directamente.

Al mencionar que debía informar, Wainwright recordó también que tenía obligación de explicar lo ocurrido con Vic. Lo hizo brutalmente, sin omitir detalles. Mientras hablaba, vio palidecer a Miles, y recordó la noche en el apartamento de Eastin, el momento del enfrentamiento y el descubrimiento, cuando el miedo instintivo del joven hacia la violencia física había sido tan evidente.

—Pase lo que pase —dijo Wainwright con severidad— no quiero que usted piense o diga después que no le previne sobre los peligros... —hizo una pausa y meditó—. Ahora, hablemos de dinero.

Si Miles consentía en ser agente encubierto por cuenta del banco, afirmó el jefe de Seguridad, él le garantizaba un pago de quinientos dólares mensuales, hasta que, de una u otra manera, terminara la misión. El dinero sería pagado por un intermediario.

—¿Figuraré como empleado del banco?

—Lógicamente no.

La respuesta era inequívoca, enfática, definitiva. Wainwright terminó: oficialmente el banco no estaría en modo alguno involucrado. Si Miles Eastin consentía en asumir el papel sugerido, dependería enteramente de sí mismo. Si se veía en dificultades y procuraba comprometer al First Mercantile American, sus afirmaciones serían negadas y nadie le creería.

—Desde que fue usted condenado y enviado a la cárcel —declaró Wainwright— no hemos vuelto a saber nada de usted.

Miles hizo una mueca.

—Es un acuerdo lateral.

—Exacto. Pero recuerde esto: es usted quien ha venido aquí. Yo no he ido a buscarlo. Cuál es su respuesta... ¿sí o no?

—Si usted estuviera en mi lugar... ¿cuál sería?

—No soy usted, y es poco probable que tenga jamás sus problemas. Pero le diré cómo veo la cosa. En su situación, no tiene usted muchas posibilidades.

Por un momento el antiguo humor y buen genio de Miles relampagueó.

—Cara, pierdo; cruz, pierdo. Creo que estoy en la bolsa del perdedor. Quiero preguntarle algo más.

—¿Qué?

—Si todo da resultado, si consigo... si *usted* consigue, las pruebas que necesita... ¿me ayudará después a conseguir un puesto en el FMA?

—No se lo puedo prometer. Ya le he dicho que no soy yo quién ha escrito las reglas.

—Pero tiene usted influencia para ampliarlas.

Wainwright meditó antes de responder. Pensó: si llegaba el caso podía ir a ver a Alex Vandervoort y presentar el caso en favor de Eastin. El éxito valdría la pena. Dijo en voz alta:

—Lo intentaré. Pero es *todo* lo que le prometo.

—Es usted un hombre duro —dijo Miles Eastin—. Está bien. Lo haré.

Discutieron la cuestión del intermediario.

—A partir de hoy —previno Wainwright— usted y yo no volveremos a vernos. Es demasiado peligroso, cualquiera de los dos podría ser vigilado. Necesitamos a alguien que sirva de contacto para los mensajes... y para el dinero... entre ambas partes; alguien en quien los dos podamos confiar totalmente.

Miles dijo lentamente:

—Juanita Núñez. Si ella *quiere* hacerlo.

Wainwright pareció incrédulo.

—¿La cajera a quien usted...?

—Sí. Pero me ha perdonado —había una mezcla de exaltación y excitación en su voz—. Fui a verla y... ¡que Dios la bendiga... me ha perdonado!

—¡Que me cuelguen!

—Pídaselo usted —dijo Miles Eastin—. No hay ningún motivo para que consienta. Pero creo... creo, nada más, que seguramente aceptará.

5

¿Hasta qué punto era exacto el presentimiento de Lewis D'Orsey acerca de la Supranational Corporation? ¿Hasta qué punto era sólida la Supranational? La cosa preocupaba continuamente a Alex Vandervoort.

El sábado por la noche Alex Lewis habían hablado de la SuNatCo. En lo que faltaba del fin de semana Alex meditó sobre las recomendaciones del «D'Orsey Newsletter» de vender las acciones de la Supranational a cualquier precio que pagara el mercado, y las dudas de Lewis acerca de la solidez del grupo.

Todo el asunto era excesivamente importante, incluso vital, para el banco. Pero, como Alex bien comprendía, era una situación delicada en la que debía actuar con cautela.

En primer lugar, la Supranational era ahora un cliente importante y cualquier cliente se sentiría justamente indignado si sus propios banqueros hacían circular rumores adversos acerca de él, especialmente si eran falsos. Y Alex no se hacía ilusiones: una vez que empezara a hacer preguntas en gran escala, éstas y su fuente serían comentadas y la cosa marcharía rápido.

Pero, ¿eran falsos los rumores? Evidentemente —como había reconocido Lewis D'Orsey— no se basaban en nada concreto. Pero tampoco habían tenido en qué basarse los rumores sobre quiebras tan espectaculares como la de la Penn Central, la Equity Funding, el Franklin National Bank, el Security National Bank, el U. S. National Bank of San Diego, el American Bank y Trust y otros. Y también estaba la Lockheed, que todavía no había quebrado, aunque estaba cerca, y se hallaba en el aire, sostenida por un adelanto del gobierno de los Estados Unidos. Alex recordaba con inquietante claridad la referencia de Lewis D'Orsey al presidente de la SuNatCo, Quartermain, que, según Lewis, buscaba en Washington una especie de préstamo similar al de la Lockheed... excepto que Lewis había usado la palabra «subsidio», lo que no estaba tan lejos de la verdad.

Era posible, naturalmente, que la Supranational sufriera meramente de una escasez temporal de dinero líquido, cosa que ocurría a veces con las mejores compañías. Alex esperaba que esto —o algo menos grave— fuera la verdad. De todos modos, como funcionario del FMA no podía permanecer sentado y esperar. Cincuenta millones de dólares del dinero del banco habían sido otorgados a la SuNatCo; además, utilizando fondos que era tarea del banco salvaguardar, el departamento de depósitos había invertido fuertemente en acciones de la Supranational, hecho que todavía estremecía a Alex cuando lo recordaba.

Decidió que lo primero que correspondía hacer, en justicia, era informar a Roscoe Heyward.

El lunes por la mañana se dirigió desde su despacho, por el alfombrado corredor del piso treinta y seis, al despacho de Heyward. Llevaba consigo el último número del «D'Orsey Newsletter», que Lewis le había dado el sábado por la noche.

Heyward no estaba allí. Con un amistoso saludo de cabeza a la secretaria principal, Mrs. Callaghan, Alex entró y puso directamente el periódico sobre el escritorio de Heyward. Ya había marcado el comentario sobre la Supranational, y dejó prendida una nota que decía:

«Roscoe: Creo que debe usted ver esto».

Después Alex volvió a su despacho.

Media hora después se presentó Heyward como una tromba, con la cara enfurecida. Arrojó el periódico.

—¿Es usted quien ha puesto sobre mi escritorio este asqueante insulto contra la inteligencia?

Alex señaló la nota que había dejado.

—Creo que sí.

—¡Entonces hágame el favor de no mandarme más basura escrita por ese ignorante pretencioso!

—¡Oh, vamos! No cabe duda de que Lewis D'Orsey es pretencioso, y me desagrada en parte lo que escribe, lo mismo que a usted. Pero no es un ignorante, y algunos de sus puntos de vista merecen ser tomados en cuenta.

—Esa será su opinión. No la de otros. Sugiero que lea esto... —y Heyward arrojó una revista abierta sobre el periódico.

Alex miró, sorprendido ante la vehemencia del otro.

—Ya lo he leído.

La revista era la «Forbes», y el artículo de dos páginas un violento ataque contra Lewis D'Orsey. A Alex el artículo le había parecido largo en rencor y breve en cuanto a los hechos. Pero señalaba algo que él ya sabía: los ataques al «D'Orsey Newsletter» por la prensa financiera establecida eran frecuentes. Alex señaló:

—El «Wall Street Journal» dijo algo similar hace un año.

—Entonces me sorprende que no acepte usted el hecho de que D'Orsey no tiene preparación ni conocimientos para ser consejero de inversiones. En cierto modo lamento que su mujer trabaje con nosotros.

Alex dijo cortante:

—Edwina y Lewis D'Orsey tienen a gala mantener separadas sus ocupaciones, como seguramente usted ya sabe. En cuanto a la preparación, debo recordarle que muchos expertos cargados de títulos no han servido para prever nada en las finanzas. Y Lewis D'Orsey lo ha previsto, con mucha frecuencia.

—No en lo referente a la Supranational.

—¿Sigue usted convencido de que la SuNatCo es sólida?

Alex hizo la última pregunta con tranquilidad, no por antagonismo, sino buscando información. Pero el efecto en Roscoe Heyward fue casi de un explosivo. Los ojos de Heyward lanzaron chispas desde sus lentes sin aro y en su cara congestionada surgió un rojo aún más profundo.

—¡Estoy seguro de que nada le gustaría a usted más que ver un tropiezo de la SuNatCo y, por lo tanto, mío!

—No, no es ese...

—¡Déjeme terminar! —Los músculos faciales de Heyward se torcieron a medida que fluía su rabia—. Hace tiempo que vengo observando sus pequeñas intrigas y su manera de provocar dudas, como cuando ha hecho correr esta basura... —señaló el «D'Orsey Newsletter» —y ahora debo decirle que termine con eso y que desista. La Supranational fue, es y será una compañía sana, progresista, con elevadas ganancias y muy buena dirección. Conseguir a la SuNatCo... por mucha envidia personal que usted tenga... ha sido obra mía. Y es asunto mío. Y ahora le prevengo: no se meta en esto.

Heyward giró sobre sus talones y salió.

Durante varios minutos Alex Vandervoort permaneció en silencio, pensativo, meditando sobre lo que había ocurrido. El estallido le había dejado atónito. En los dos años y medio que conocía y había trabajado con Roscoe Heyward, entre los dos había habido desacuerdos, y ocasionalmente se había revelado su mutua antipatía. Pero nunca había perdido Heyward el control de esta manera.

Alex creyó comprender el motivo. Debajo del ruido, Roscoe Heyward estaba preocupado. Cuanto más pensaba en la cosa más convencido se sentía.

Antes, Alex había estado personalmente preocupado con la Supranational. Ahora se planteaba el interrogante: ¿estaba también Heyward preocupado con la SuNatCo? Si así era... ¿qué iba a pasar?

Mientras meditaba, algo se agitó en su recuerdo. Un fragmento de una conversación reciente. Alex apretó un botón del intercomunicador y dijo a su secretaria:

—Vea si puede localizar a Miss Bracken.

Pasaron quince minutos antes que la voz de Margot dijera, alegre:

—Esto tiene que ser importante. Me has sacado del tribunal.

—Confía en mí, Bracken —y no perdió tiempo—. En esa historia de la tienda de la que hablaste el sábado... dijiste que habías empleado a un detective privado.

—Sí. Vernon Jax.

—Creo que Lewis le conocía, o sabía algo de él.

—Así es.

—Y Lewis añadió que era un hombre capaz y que trabajaba para el Servicio Secreto.

—También estaba enterada. Tal vez se deba a que Vernon tiene un título en ciencias económicas.

Alex añadió la información a unas notas que ya había tomado.

—¿Es discreto Jax? ¿Se puede confiar en él?

—Totalmente.

—¿Dónde puedo dar con él?

—Yo lo buscaré. Dime cuándo y dónde quieres verle.

—En mi despacho, Bracken. Hoy, sin falta.

Alex estudió al hombre descuidado, medio calvo, indescriptible, sentado frente a él en la zona de conferencias de su despacho. Era mediada la tarde.

Jax, calculó Alex, tendría cincuenta y tantos años. Parecía un almacenero de pueblo, no demasiado próspero. Sus zapatos estaban gastados y tenía una mancha de comida en la chaqueta. Alex ya estaba enterado de que Jax había sido detective del servicio Secreto antes de establecerse privadamente.

—Me dicen que tiene usted un título en ciencias económicas —dijo Alex.

El otro se encogió de hombros, con desdén.

—Escuela nocturna. Ya sabe usted cómo es eso. El tiempo de que se dispone... —su voz se arrastró, dejando incompleta la explicación.

—¿Y trabajos de contaduría? ¿Sabe usted algo de eso?

—Algo. Estudio ahora mismo para examinarme.

—Escuela nocturna, supongo —Alex empezaba a ponerse a la par.

—Ajá... —una pálida sonrisa fantasma.

—Mr. Jax... —empezó Alex.

—Casi todo el mundo me llama Vernon.

—Vernon, estoy pensando en encargarle una investigación. Requiere una discreción total y la rapidez es esencial. ¿Ha oído hablar de la Supranational Corporation?

—Claro.

—Quiero una investigación financiera de esa compañía. Pero tendrá que ser... me temo que no haya otra palabra... una tarea de entrometido.

Jax sonrió de nuevo.

—Mr. Vandervoort —esta vez su tono era más decidido—, ése es precisamente mi oficio.

Se pusieron de acuerdo en que sería necesario un mes de trabajo, aunque Alex recibiría un informe entretanto, si era necesario. El secreto respecto al papel investigador del banco sería guardado. El pago del detective iba a ser de 15.000 dólares, además de los gastos razonables, la mitad pagaderos inmediatamente, el resto cuando entregara el informe final. Alex efectuaría el pago por intermedio de los fondos de operaciones del FMA. Comprendió que, más adelante, debería justificar el gasto, pero ya se preocuparía de eso cuando llegara el momento.

Al fin de la tarde, cuando Jax se había ido, telefoneó Margot.

—¿Le has contratado?

—Sí.

—¿Te ha impresionado?

Alex decidió jugar el juego.

—De verdad, no.

Margot rió suavemente.

—Te impresionará. Ya vas a ver.

Pero Alex esperaba que no fuera así. Esperaba ardientemente que el instinto de Lewis D'Orsey estuviera equivocado, que Vernon Jax no descubriera nada, y que los rumores adversos contra la Supranational demostrasen ser nada más que rumores.

Aquella noche Alex hizo una de sus visitas periódicas a Celia en el Remedial Center. Ahora temía más que nunca las visitas; siempre se retiraba profundamente impresionado, pero seguía visitándola por un sentimiento de deber. ¿O era por que se sentía culpable? No podía estar seguro.

Como de costumbre fue acompañado por una enfermera hasta el cuarto privado que ocupaba Celia en la institución. Cuando la enfermera se fue, Alex se sentó a hablar en una charla tonta una especie de monólogo sobre cualquier cosa que se le ocurría, aunque Celia no daba señales de escuchar, y ni siquiera parecía percibir su presencia. En una ocasión había hablado una especie de trabalenguas, para ver si la expresión inmutable de ella cambiaba, pero no había sido así. Después se había sentido avergonzado y no había vuelto a repetirlo.

De todos modos, en aquellas visitas a Celia, había tomado la costumbre de charlar sin ton ni son, apenas atento a lo que decía, mientras la mitad de su mente vagaba por otra parte. Esta noche, entre otras cosas dijo:

—La gente tiene toda clase de problemas hoy en día, Celia; problemas en los que nadie hubiera pensado hace algunos años. Junto con cada cosa que la humanidad descubre o inventa, se presentan docenas de interrogantes y decisiones que nunca debimos tomar antes. Pongamos por ejemplo, los abrelatas eléctricos. Si se tiene uno... y yo lo tengo en mi apartamento... está el problema de dónde enchufarlo, cuándo usarlo, cómo limpiarlo, qué hacer con él cuando se avería. Son problemas que nadie tendría si no hubiera abrelatas eléctricos y, después de todo, ¿quién los necesita? Hablando de problemas, tengo varios en estos momentos... personales y en el banco. Hoy se ha presentado uno grande. En cierto modo tú estás aquí mejor.

Alex se interrumpió comprendiendo que, si no hablaba un trabalenguas, por lo menos estaba diciendo tonterías. Nadie estaba aquí mejor, en este trágico crepúsculo de semivida.

Sin embargo, a Celia no le quedaba otra cosa; en los últimos meses el hecho se había vuelto aún más patente. El año pasado todavía había rastros de su antigua belleza infantil y frágil. Ahora habían desaparecido. Su pelo rubio, alguna vez tan glorioso, estaba opaco y parecía escaso. Su piel tenía un tono grisáceo; había ronchas en algunos puntos en los que se había rascado.

Antes la posición enroscada, fetal, había sido ocasional, pero ahora la adoptaba la mayor parte del tiempo. Y aunque Celia era diez años menor que Alex, parecía una bruja con veinte años más.

Hacía casi cinco años que Celia había ingresado en el Remedial Center. En ese tiempo se había acostumbrado totalmente al sitio y probablemente seguiría así.

Al mirar a su mujer mientras seguía hablando, Alex sintió piedad y tristeza, pero ya no se sentía ligado a ella ni experimentaba cariño. Tal vez hubiera debido experimentar alguna de esas emociones, pero, si era sincero consigo mismo, comprendía que la cosa ya no era posible. Sin embargo, reconoció que estaba vinculado a Celia por lazos que él nunca iba a cortar, hasta que uno de los dos muriera.

Recordó su conversación con el doctor McCartney, director del Remedial Center, hacía casi once meses, al día siguiente al dramático anuncio de Ben Rosselli sobre su próxima muerte. Al contestar a la pregunta de Alex sobre el efecto que tendría para Celia el divorcio y el nuevo casamiento de Alex, el psiquiatra había dicho: *Podría llevarla a cruzar el límite y caer en un estado totalmente demencial.*

Y, más adelante, Margot había declarado: *No quiero cargar sobre mi conciencia, ni sobre la tuya, el precipitar lo que queda del juicio de Celia a un pozo sin fondo.*

Esta noche Alex se preguntó si la conciencia de Celia no estaba ya en un pozo sin fondo. Pero, aunque fuera verdad, eso no cambiaba su desagrado de poner en marcha la maquinaria brutal y definitiva del divorcio.

Tampoco se había puesto a vivir permanentemente en casa de Margot Bracken, ni ella vivía en la de él. Margot aceptaba cualquier acuerdo, aunque Alex seguía deseando el matrimonio, cosa que obviamente no podía lograr sin divorciarse de Celia. Pero últimamente había presentido la impaciencia de Margot por llegar a una decisión final.

Era raro que él, tan acostumbrado en el First Mercantile American a tomar grandes decisiones bruscamente, de un salto, tuviera tanta indecisión para luchar en la vida privada.

Alex comprendía que la esencia del problema era la ambivalencia acerca de su culpabilidad personal. ¿Hubiera sido posible, años atrás, con mayor esfuerzo, amor y comprensión, salvar a su joven, nerviosa e insegura mujer de lo que había llegado a ser? Si él hubiera sido un marido más solícito y un banquero menos solícito, sospechaba que habría podido ser así.

Por eso seguía viniendo aquí, por eso hacía lo poco que podía hacer.

Cuando llegó el momento de despedirse de Celia, se levantó y fue hacia ella, con intenciones de darle un beso en la frente, como hacía cuando ella se lo permitía. Pero esta noche ella retrocedió, su cuerpo se curvó todavía más, en sus ojos ansiosos apareció un súbito miedo. El suspiró y abandonó la tentativa.

—Buenas noches, Celia —dijo Alex.

No hubo respuesta y él salió, dejando a su mujer en el solitario mundo que habitaba, sea cual fuere.

A la mañana siguiente Alex hizo llamar a Nolan Wainwright. Dijo al jefe de Seguridad que los honorarios del detective Vernon Jax serían pagados por intermedio del departamento de Wainwright. Alex autorizaría el gasto. Alex no aclaró, y Wainwright no preguntó, cuál era la naturaleza específica de la investigación de Jax. Por el momento, pensó Alex, cuantas menos personas supieran cuál era la meta, tanto mejor sería.

Nolan Wainwright traía también un informe para Alex. Se refería a su arreglo para que Miles Eastin fuera agente encubierto del banco. La reacción de Alex fue inmediata.

—No. No quiero que ese hombre vuelva a figurar en nuestra nómina de empleados.

—No estará en la nómina —replicó Wainwright—. Le he explicado que, en lo que al banco se refiere, él no tiene situación. Cualquier dinero que reciba será al contado, y nada demostrará de dónde proviene.

—No es hilar muy fino, Nolan. De una u otra manera estará trabajando para nosotros, y yo no estoy de acuerdo.

—Si usted no está de acuerdo —protestó Wainwright— me ata las manos y no me deja cumplir con mi trabajo.

—Cumplir con su trabajo no significa contratar a un ladrón convicto.

—¿Nunca ha oído decir que se puede utilizar a uno para pescar·a otro?

—Entonces use a alguien que personalmente no haya defraudado al banco.

Discutieron una y otra vez, a veces con calor. Al final, de mala gana, Alex cedió. Después preguntó:

—¿Sabe Eastin hasta qué punto corre riesgos?

—Lo sabe.

—¿Le habló usted del hombre muerto? —Wainwright había enterado, hacía meses, a Alex, de lo ocurrido con Vic.

—Sí.

—Sigue sin gustarme la idea... para nada.

—Le gustará todavía menos si las pérdidas por tarjetas falsas siguen aumentando, como aumentan.

Alex suspiró:

—Bien. Es su departamento, está usted autorizado a dirigirlo como guste, y por eso he cedido. Pero le recuerdo una cosa: si tiene usted algún motivo para sospechar que Eastin está en inmediato peligro, retírelo en seguida.

—Eso pienso hacer.

Wainwright se alegró de haber ganado, aunque la discusión había sido más dura de lo que había esperado. De todos modos, por el momento, no le pareció conveniente mencionar nada más... por ejemplo, su esperanza de que Juanita Núñez aceptara actuar como intermediaria. Después de todo, pensó, el principio estaba establecido: ¿para qué molestar a Alex con detalles?

6

Juanita Núñez se debatía entre la sospecha y la curiosidad. Sospecha porque desconfiaba y no simpatizaba con el vicepresidente de Seguridad del banco, Nolan Wainwright. Curiosidad porque se preguntaba para qué deseaba él verla, aparentemente en secreto.

No tenía nada de qué preocuparse personalmente, había asegurado Wainwright por teléfono, el día anterior, cuando la llamó a la sucursal central. Simplemente quería, había dicho, que ambos tuvieran una charla confidencial.

—Se trata de saber si quiere usted ayudar a otra persona.

—¿A usted?

—No exactamente.

—¿A quién entonces?

—Prefiero decírselo personalmente.

Por el tono de voz. Juanita percibió que Wainwright quería ser amable. No obstante, rechazó aquella amabilidad, recordando la dureza sin sentimientos que había mostrado cuando ella había sido acusada de robo. Ni siquiera las disculpas que le había pedido después había logrado borrar el recuerdo. Dudaba que algo pudiera borrarlo jamás.

De todos modos, él era un funcionario importante del FMA y ella era una simple empleada.

—Bueno —había dicho Juanita— aquí estoy y la última vez que miré, el túnel seguía abierto —suponía que Wainwright iba a venir a verla desde la Torre de la Casa Central, o iba a decirle que ella se presentara allí. Pero tuvo una sorpresa.

—Es mejor que no nos veamos en el banco, Mrs. Núñez. Cuando le explique, entenderá el porqué. Puedo ir a buscarla esta noche a su casa, en mi coche. Daremos una vuelta y charlaremos.

—No puedo —estaba más desconfiada que nunca.

—¿Quiere usted decir que está ocupada esta noche?

—Sí.

—¿Y mañana?

Juanita quedó aturullada, procurando decidir.

—Tendría que ver...

—Está bien, llámeme mañana. Lo más temprano posible. Y, entretando, le ruego que no mencione a nadie esta conversación —y Wainwright cortó.

Ahora *era* mañana... el martes de la tercera semana de septiembre. A mitad de la mañana Juanita comprendió que, si no llamaba a Wainwright, él volvería a llamarla.

Seguía inquieta. A veces, pensaba, ella tenía olfato para las dificultades, y ahora las olía. Un poco antes Juanita había pensado pedir consejos a Mrs. D'Orsey, a quien podía ver, en el otro extremo del banco, en su escritorio de gerente, sobre la plataforma. Pero vaciló recordando las palabras de cautela de Wainwright de que no dijera nada a nadie. Y eso, como todo lo demás, había aguijoneado su curiosidad.

Hoy Juanita trabajaba con unas cuentas nuevas. A su lado había un teléfono. Lo miró fijamente, lo tomó y marcó el número interno de la oficina de Seguridad. Unos momentos después la voz profunda de Nolan Wainwright preguntaba:

—¿Podemos vernos esta noche?

La curiosidad ganó.

—Sí, pero no por mucho tiempo —explicó que podía dejar sola a Estela una media hora; no más.

—Es tiempo de sobra. ¿A qué hora y dónde nos encontramos?

Oscurecía ya cuando el Mustang de Nolan Wainwright se encaminó hacia la acera del edificio de apartamentos del Forum East donde vivía Juanita Núñez. Un momento después ella apareció por el zaguán de la entrada principal y cerró la puerta cuidadosamente tras de sí, Wainwright se inclinó sobre el volante para abrir la portezuela del coche y ella subió.

El la ayudó a acomodarse en el asiento, luego dijo:

—Gracias por haber venido.

—Media hora —recordó Juanita—. Eso es todo —no intentó mostrarse amable, y ya estaba nerviosa por haber dejado sola a Estela.

El jefe de Seguridad del banco asintió mientras retiraba el coche de junto a la acera y se metía entre el tráfico. Marcharon dos manzanas en silencio, después giraron hacia una avenida de tráfico doble, ruidosa, iluminada por tiendas de luces brillantes y restaurantes. Siempre conduciendo, Wainwright dijo:

—Me he enterado de que Miles Eastin ha ido a verla.

Ella respondió cortante:

—¿Cómo lo sabe?

—Me lo dijo él. También me dijo que usted le había perdonado.

—Si él se lo ha dicho, así será.

—Juanita... ¿puedo llamarla Juanita?

—Es mi nombre. Puede usarlo si gusta.

Wainwright suspiró.

—Juanita, ya le he pedido perdón por la manera en que se presentaron una vez las cosas entre nosotros. Si todavía me guarda rencor, no se lo reprocho.

Ella se ablandó, levemente.

—Bueno, es mejor que me diga para qué quería verme.

—Quiero saber si está usted dispuesta a ayudar a Eastin.

—¡Entonces él es la persona!

—Sí.

—¿Por qué voy a ayudarlo? ¿No basta con que lo haya perdonado?

—Si quiere usted conocer mi opinión... es más que suficiente. Pero fue él quien sugirió que quizás usted...

Ella interrumpió:

—¿Qué clase de ayuda?

—Antes que se lo diga tiene que prometerme que lo que voy a contar esta noche va a quedar entre usted y yo.

Ella se encogió de hombros.

—No tengo a nadie a quién contárselo. Pero se lo prometo de todos modos.

—Eastin va a hacer un trabajo de investigación. Es para el banco, aunque no oficialmente. Si triunfa tal vez logre rehabilitarse, que es lo que él desea... —Wainwright hizo una pausa mientras el coche dejaba atrás un lento camión-tractor. Continuó—: Es un trabajo arriesgado. Sería todavía más si Eastin se comunicara directamente conmigo. Lo que ambos necesitamos es alguien que lleve mensajes entre nosotros... un intermediario.

—¿Y usted ha decidido que yo soy esa persona?

—Nadie ha decidido nada. Depende de usted. Si es así, ayudará a Eastin a ayudarse a sí mismo.

—¿Es Miles la única persona a quien esto puede ayudar?

—No —reconoció Wainwright— también me ayudará a mí; y también al banco.

—De alguna manera eso es lo que creía.

Habían dejado las luces brillantes y cruzaron el río por un puente; en la creciente oscuridad el agua brillaba negra allá abajo. La superficie del camino era metálica y las ruedas del coche zumbaban. Al fin del puente se abría un camino interestatal. Wainwright avanzó por allí.

—La investigación de la que usted habla —dijo Juanita—. Dígame algo más... —su voz era baja, inexpresiva.

—Bien —y describió cómo Miles iba a trabajar encubierto, utilizando los contactos que había hecho en la cárcel y el tipo de pruebas que Miles iba a buscar. Era inútil, decidió Wainwright, ocultar nada, porque, lo que no dijera ahora a Juanita, probablemente ella lo iba a averiguar más adelante. Por lo tanto, añadió la información sobre el asesinato de Vic, aunque omitió los detalles más desagradables.

—No digo que vaya a pasarle lo mismo a Eastin —concluyó—. Haré todo lo posible para impedir que así sea. Pero le digo a usted el riesgo que él corre, y él también lo sabe. Si usted quiere ayudarlo, como le repito, para él sería más seguro.

—¿Y quién me va a *asegurar* a mí?

—Para usted virtualmente no hay riesgos. Sólo tendrá contacto con Eastin y conmigo. Nadie más lo sabrá y usted no estará comprometida. Nos encargaremos de esto.

—Si está tan seguro, ¿por qué nos hemos entrevistado de esta manera?

—Una simple precaución. Para estar seguros de que no nos han visto juntos y que no nos pueden oír.

Juanita esperó y preguntó luego:

—¿Y eso es todo? ¿No tiene nada más que decirme?

Wainwright dijo:

—Creo que eso es todo.

Estaban ahora en el camino y él mantuvo el coche a una velocidad media, apartándose a la derecha para dejar pasar a otros coches. Al lado opuesto del camino tres hileras de luces corrieron hacia ellos, pasaron en una confusión. Pronto él iba a doblar por la rampa de salida para regresar por el mismo camino. Entretanto Juanita seguía sentada a su lado en silencio, con los ojos fijos al frente.

El se preguntó qué estaría pensando ella y cuál iba a ser su respuesta. Esperaba que dijera que sí. Como en otras ocasiones, aquella muchacha pequeña, con aire de elfo, le pareció provocativa y sensualmente atractiva. La enemistad de ella formaba parte de su atracción; y también su olor... la presencia de un cuerpo femenino en el pequeño coche cerrado. Habían pasado pocas mujeres por la vida de Nolan Wainwright desde su divorcio y, en cualquier otro momento, hubiera probado suerte. Pero lo que deseaba de Juanita era demasiado importante para arriesgarse.

Estaba a punto de romper el silencio cuando Juanita lo enfrentó. Incluso en la semioscuridad él percibió que sus ojos ardían.

—¡Usted debe estar *loco, loco, loco!* —dijo su voz excitada—. ¿Cree usted que soy una idiota? *¿Una boba, una tonta?* ¡Dice que no habrá peligro para mí! ¡Claro que lo hay, y lo tendré que correr del todo! ¿Y por qué? ¡Para la gloria del Señor Seguridad Wainwright y de su banco!

—Espere...

Ella no prestó atención a la interrupción, y siguió furiosa, con una rabia que brotaba como lava:

—¿Me cree tan fácil de convencer? ¿Se cree que porque estoy sola o soy portorriqueña puede permitirse todo lo que quiera? ¡A usted no le importa a *quién* usa, ni como lo usa! *Lléveme a casa.* ¿Qué clase de *pendejada* es ésta?

—¡Basta! —dijo Wainwright; la reacción lo había sorprendido—. ¿Qué es una *pendejada?*

—¡Una imbecilidad! Es una *pendejada* que usted juegue la vida de un hombre por unas egoístas tarjetas de crédito. Y es una *pendejada* que Miles haya consentido en hacerlo...

—Vino a verme pidiendo ayuda. Yo no fui a buscarlo.

—¿Y llama a *eso* ayuda?

—Se le pagará por lo que haga. También lo necesita. Y fuen él quien sugirió que la buscáramos a usted.

—¿Entonces por qué no me pide él mismo la cosa? ¿Acaso no tiene lengua? ¿O está avergonzado y escondido debajo de sus faldas?

—Bueno, bueno —protestó Wainwright—. Comprendo. La llevaré a casa —una rampa de salida estaba cerca; él marchó hacia allí, cruzó un sendero y volvió a encaminarse hacia la ciudad.

Juanita siguió quieta, enfurecida.

En el primer momento había procurado considerar con calma lo que Wainwright le había sugerido. Pero, mientras él hablaba y ella escuchaba, se había sentido asaltada por dudas e interrogantes, después, al considerar las cosas, su enojo y su emoción crecieron, hasta que finalmente había estallado. Unido a su estallido había renovado odio y asco por el hombre que estaba a su lado. Todos los dolorosos sentimientos de su primera experiencia con él volvían ahora, aumentados. Y estaba enojada, no sólo por sí misma, sino por el uso que Wainwright y el banco se proponían hacer de Miles.

Al mismo tiempo Juanita sentía resentimiento contra Miles. ¿Por qué no la había entrevistado él directamente? ¿No era acaso bastante hombre? Ella se acordaba de que, menos de tres semanas antes, había admirado su coraje en acercarse a ella, mirarla humildemente y pedirle perdón. Pero ahora sus acciones, el método de convencerla a través de otra persona, se parecía más a su primera actitud, cuando la culpó de su propio delito. Rápidamente su pensamiento viró. ¿Se estaría mostrando injusta? Mirando para sus adentros, Juanita preguntó: ¿No sería parte de su frustración en este momento, una desilusión de que Miles no había vuelto después del encuentro en su departamento? ¿Y no habría —exacerbando esa desilusión aquí ahora— un resentimiento de que Miles, a quien ella quería a pesar de todo, estaba representado por Nolan Wainwright, a quien ella no quería?

Su enojo, nunca de largo aliento, disminuyó. Fue sustituído por la duda. Preguntó a Wainwright:

—¿Y qué va a hacer ahora?

—Cualquier cosa que decida, puede tener la certeza de que no se la diré— el tono era cortante, la tentativa de ser amable había desaparecido.

Con súbita alarma Juanita se preguntó si no se había mostrado innecesariamente combativa. *Podía* haber rechazado el pedido sin los insultos. ¿Era posible que Wainwright encontrara la manera de vengarse dentro del banco? ¿Acaso había comprometido su empleo?... El empleo del que dependía para mantener a Estela. La ansiedad de Juanita se acrecentó. Tuvo finalmente la sensación de estar atrapada.

Y comprendió, también, otra cosa: si pensaba con sinceridad, cosa que procuraba hacer, tenía que confesarse que lamentaba la decisión tomada, porque representaba no ver más a Miles.

El coche disminuía la marcha. Estaban cerca de la curva que iba a llevarlos nuevamente al puente sobre el río.

Sorprendiéndose a sí misma, Juanita dijo con una vocecita inexpresiva.

—Está bien. Lo haré.

—¿Hará qué...?

—Seré... lo que sea... una interm...

—Intermediaria —Wainwright le lanzó una mirada de reojo—. ¿Está segura?

—Sí, estoy segura.

Por segunda vez él suspiró.

—Usted es un caso raro.

—Soy una mujer.

—Sí —dijo él y algo de la amabilidad volvió— ya me he dado cuenta.

A una cuadra y media del Forum East, Wainwright detuvo el coche, sin parar el motor. Sacó dos sobres de un bolsillo interior —uno repleto, el otro no tanto— y tendió el primero a Juanita.

—Es dinero para Eastin. Guárdelo hasta que él se ponga en contacto con usted —el sobre, explicó luego, contenía cuatrocientos cincuenta dólares al contado... el sueldo mensual convenido, menos cincuenta dólares de adelanto que Wainwright había dado a Miles la semana pasada.

—Más adelante esta semana —añadió— Eastin me telefoneará y yo le anunciaré una palabra código en la que estamos de acuerdo. Su nombre no será mencionado. Pero él comprenderá que debe ponerse en contacto con usted, cosa que hará.

Juanita asintió, concentrándose, guardando la información.

—Después de esa llamada telefónica, Eastin y yo no volveremos a estar en contacto directo. Nuestros mensajes, en ambos sentidos, se harán a través de usted. Será mejor que no los escriba, sino que los aprenda de memoria. Recuerdo que su memoria es buena.

Wainwright sonrió al decir esto y, bruscamente, Juanita rió. ¡Era irónico que su notable memoria, que una vez había sido causa de dificultades con Nolan Wainwright y con el banco, le inspirara ahora a él confianza!

—A propósito —dijo él—. Deme su número de teléfono. No lo encontré en la guía.

—Es porque no tengo teléfono. Es demasiado caro.

—De todos modos, necesita uno. Tal vez Eastin necesite llamarla, o yo. Si hace instalar de inmediato un teléfono haré que el banco se lo reembolse.

—Procuraré. Pero me he enterado por otros que se tarda tiempo para conseguir un teléfono en el Forum East.

—Entonces deje que yo arregle la cosa. Mañana llamaré a la compañía telefónica. Le garantizo que lo tendrá pronto.

—Bien.

Ahora Nolan Wainwright abrió el segundo sobre, el mas liviano.

—Cuando entregue el dinero a Eastin, dele también esto.

«Esto» era una tarjeta de crédito clave, a nombre de H. E. Lyncolp. En la parte de atrás de la tarjeta había un espacio en blanco para la firma.

—Que Eastin firme la tarjeta con ese nombre, con su escritura normal. Dígale que el nombre es inventado, aunque, si mira las iniciales y la última letra, verá que se escribe la palabra H-E-L-P* Para eso está la tarjeta.

El jefe de Seguridad del banco explicó que la computadora había sido arreglada de tal manera que, si aquella tarjeta era presentada en cualquier parte, se aprobaría una compra de hasta doscientos dólares, pero simultáneamente una alarma automática resonaría dentro del banco. Esto notificaría a Wainwright que Eastin necesitaba ayuda, y dónde se encontraba.

—Podrá usar la tarjeta si está en algún lío bravo y necesita auxilio, o si sabe que está en peligro. Según lo que haya pasado hasta entonces decidiré lo que haya que hacer. Dígale que compre algo que valga más

*Help: en inglés, socorro. M y m.

de cincuenta dólares, para que la tienda telefoneé al banco pidiendo confirmación. Después de la llamada deberá demorarse todo lo posible, para darme tiempo a actuar.

A pedido de Wainwright, Juanita repitió las intrucciones casi palabra por palabra. El la miró con admiración:

—Es usted muy inteligente.

—¿De qué me vale, muerta?

—¿Qué significa eso?

Ella vaciló, luego tradujo:

—Deje de preocuparse —desde el otro extremo del coche tendió la mano y tocó levemente las manos que ella tenía cruzadas—. Le prometo que todo marchará bien.

En aquel momento su confianza era contagiosa. Pero más tarde, de vuelta en el apartamento, mientras Estela dormía, el instinto de Juanita acerca de futuras amenazas volvió, con persistencia.

7

El club *Double Seven* olía a cocina, orina estancada, alcohol y hedor humano. Después de un rato, sin embargo, para quien estaba dentro, los diversos efluvios se fundían en un solo mal olor, curiosamente aceptable, de manera que el aire fresco que ocasionalmente entraba parecía fuera de lugar.

El club era un edificio de cuatro pisos como una caja, de ladrillo oscuro, en una calle abandonada y muerta en el límite de la ciudad. La fachada tenía cicatrices de medio siglo, descuido y —más recientemente— se le habían añadido *graffiti*. En lo alto del edificio había un resto de asta de bandera, que nadie recordaba haber visto entero. La entrada principal consistía en una única puerta, sólida, sin marcas, que daba directamente a una acera notable por sus grietas, cubos de basura volcados e innumerables excrementos perrunos. Un vestíbulo iluminado con una tenue luz rosada estaba supuestamente custodiado por un matón borracho, que dejaba pasar a los miembros y con insolencia mantenía alejados a los desconocidos, pero, a veces, el matón no estaba y, por esto, Miles Eastin pudo entrar, sin dificultades.

Era poco después de mediodía, a mitad de la semana, y una disonancia de voces muy fuertes surgía desde algún punto, en el fondo. Miles caminó hacia el sonido, por un corredor principal, no demasiado limpio y adornado con retratos amarillentos de boxeadores. En el fondo una puerta semiabierta daba a un bar casi en tinieblas, de donde salían las voces. Miles entró.

En el primer momento apenas pudo ver en la luz amortiguada, y dio unos pasos vacilante, de manera que un camarero presuroso con una bandeja con vasos tropezó con él. El camarero dijo unas palabrotas, se las arregló para que los vasos no perdieran el equilibrio, y siguió su camino. Dos hombres sentados ante la barra en unos taburetes, volvieron la cabeza. Uno dijo:

—Este es un club privado, amigo. ¡Si no eres miembro... fuera!

Otro se quejó:

—¡Ese haragán de Pedro, que se ha ido! ¡Qué portero! Eh, ¿quién eres? ¿Qué buscas?

Miles dijo:

—Busco a Jules La Rocca.

—Busca en otra parte —ordenó el primer hombre—. Aquí no hay nadie que se llame así.

—¡Eh, Miles, nene! —Una figura cuadrada y barrigona se abrió paso en la oscuridad. La conocida cara de comadreja salió a la luz. Era La Rocca que, en la penitenciaría de Drummonburg había sido emisario de la Fila de la Maffia, y que después había hecho de enlace entre Miles y su protector, Karl. Karl seguía dentro, y probablemente iba a seguir. Jules La Rocca había sido puesto en libertad condicional poco después de Miles Eastin.

—Hola, Jules —saludó Miles.

—Ven, te presentaré a unos amigos —La Rocca agarró el brazo de Miles con sus dedos gordos—. Es mi amigo —dijo a los dos hombres que estaban en los taburetes y que habían vuelto la cabeza con indiferencia.

—Oye —dijo Miles— me voy. No tengo «pan». No puedo comprar —utilizaba con facilidad la jerga que había aprendido en la cárcel.

—No importa. Yo convido a un par de cervezas —mientras marchaban entre las mesas, La Rocca preguntó—: ¿Dónde has andado?

—Buscando trabajo. Estoy listo, Jules. Necesito ayuda. Antes de que saliera dijiste que podías ayudarme.

—Claro, claro, —se detuvieron junto a una mesa donde había otros dos hombres sentados. Uno era flaco, con una cara dolorosa, marcada por la viruela; el otro tenía largo pelo rubio, botas de cowboy y llevaba gafas oscuras. La Rocca trajo otra silla—. Es mi compañero, Miles.

El hombre de las gafas oscuras gruñó. El otro dijo:

—¿El tipo que entiende de «guita»?

—El mismo —La Rocca gritó hacia el otro lado de la habitación pidiendo cerveza, después invitó al hombre que había hablado primero—. Pregunta, cretino.

—¿Qué pregunto?

—Sobre dinero, cara de culo —dijo el de las gafas oscuras. Meditó un momento:

—¿Dónde se hizo el primer dólar?

—Eso es fácil —dijo Miles—. Mucha gente cree que el dólar fue inventado en Norteamérica. Bueno, no es así. Vino de Bohemia, Alemania, aunque primero lo llamaban *taler*, que otros europeos no podían pronunciar, y la palabra se corrompió hasta convertirse en «dólar» y así quedó.

Una de las primeras referencias al dólar está en *Macbeth...* «Diez mil dólares para nuestro uso general»,

—¿Mac... qué?

—Mac mierda —dijo La Rocca–. Es como un programa impreso. —Y dijo con orgullo a los otros dos—. ¿Entendéis? Este muchacho sabe de todo.

—No todo —dijo Miles—, me gustaría saber cómo ganar un poco de dinero en este momento.

Colocaron ante él dos cervezas. La Rocca buscó unas monedas que entregó al camarero.

—Antes de que ganes «guita» —dijo La Rocca a Miles— tienes que pagar a Ominsky —se inclinó confiado hacia adelante, ignorando a los otros dos—. El ruso sabe que saliste de la jaula. Ha estado preguntando por ti.

La mención del tiburón prestamista, a quien todavía debía por lo menos tres mil dólares, hizo sudar a Miles. También tenía otra deuda —en términos generales la misma cantidad— con el levantador de apuestas con quien había andado en tratos, pero la posibilidad de pagar a cualquiera de los dos parecía remota en este momento. Sin embargo, sabía que, al venir aquí, al hacerse visible, se reabrirían las viejas cuentas y que salvajes venganzas podían producirse si no pagaba.

Preguntó a La Rocca:

—¿Cómo voy a pagar lo que debo si no encuentro trabajo?

El barrigón meneó la cabeza.

—Al salir debiste ver en seguida al ruso.

—¿Dónde? —Miles sabía que Ominsky no tenía oficina y que operaba donde se presentaban los negocios.

La Rocca señaló la cerveza.

—Bebe, después iremos a verlo.

—Visto desde mi posición —dijo el hombre elegantemente vestido, mientras continuaba almorzando y sus manos con anillos de brillantes se movían hábilmente sobre el plato— teníamos un acuerdo de negocios, que ambos prometimos respetar. Yo he hecho mi parte. Usted no ha cumplido con la suya. Le pregunto ahora: ¿en qué situación estoy yo?

—Vea —suplicó Miles— usted sabe lo que ha pasado y le agradezco que haya detenido el reloj de la manera que lo hizo. Pero ahora no puedo pagar. Quiero, pero no puedo. Por favor, déme tiempo.

Igor Ominsky (el ruso), sacudió la cabeza, costosamente peinada; sus dedos cuidados rozaron su mejilla rosada, recién afeitada. Era vanidoso de su apariencia, y vivía y se vestía bien, porque podía permitírselo.

—El tiempo —dijo con suavidad— es dinero. Usted ya ha tenido demasiado de las dos cosas.

En el otro lado de la mesa, en el reservado del restaurante donde La Rocca le había llevado, Miles tuvo la sensación de ser un ratón ante una cobra. No había comida ante él en la mesa, ni siquiera un vaso de agua, que no le hubiera venido mal, porque tenía los labios resecos y el miedo le roía el estómago. Si hubiera podido ver en este momento a Nolan Wainwright y cancelar el acuerdo que lo exponía de esta manera, Miles lo hubiera hecho inmediatamente. Pero, tal como estaban las cosas, permaneció allí sudando, vigilando mientras Ominsky proseguía con su almuerzo de *Sole Bonne Femme*. Jules La Rocca se había alejado discretamente hacia el bar del restaurante.

El motivo del miedo de Miles era muy simple. Podía adivinar la amplitud de los negocios de Ominsky y conocía lo absoluto de su poder.

Una vez Miles había visto un programa de televisión en donde se preguntaba a Ralph Salerno, un experto norteamericano del crimen, la siguiente pregunta: «Si usted tuviera que vivir ilegalmente, ¿qué clase de criminal sería?» y el experto había contestado en el acto: «Un tiburón prestamista». Lo que Miles sabía, por sus contactos en la cárcel y por lo que había adivinado antes, confirmaba este punto de vista.

Un tiburón prestamista, como el ruso Ominsky, era un banquero que cosechaba un sorprendente beneficio con un riesgo mínimo, ocupándose de préstamos grandes y pequeños, sin ser molestado por las leyes. Los clientes iban a él; él rara vez los buscaba, o necesitaba buscarlos. No alquilaba una vivienda costosa, y hacía los negocios en un coche, en un bar... o durante el almuerzo, como ahora. Sus libros de cuentas eran muy simples, generalmente en clave, y las transacciones —generalmente al contado— no dejaban huellas. Las pérdidas por deudas no pagadas eran menores. No pagaba impuestos federales, estatales ni municipales. Su promedio de interés era normalmente del 100 por ciento y a veces más elevado.

En cualquier momento dado, adivinaba Miles, Ominsky podía tener por lo menos dos millones de dólares «en la calle». Algo provendría del propio dinero del tiburón, el resto era dinero que invertían en él los jefes del crimen organizado, para quienes obtenía un jugoso beneficio, cobrando una comisión. Era normal que una inversión inicial de 100.000 dólares en préstamos del tiburón, formara en cinco años una pirámide de un millón y medio... un 1.400 por ciento de ganancia. Ningún otro negocio en el mundo se le podía igualar.

Tampoco los clientes de un tiburón eran «gentuza». Con sorprendente frecuencia, grandes nombres y reputados hombres de negocios pedían prestado a los tiburones, cuando estaban exhaustas otras fuentes de crédito. A veces, en lugar de pago, un tiburón prestamista se convertía en socio —o propietario— del negocio de otro. Como los tiburones marinos, la mordedura de los prestamistas era amplia.

Los gastos principales de un tiburón prestamista eran para forzar a los clientes, y se las arreglaba para que fueran mínimos, sabía que los cuerpos hospitalizados y los miembros rotos producen muy poco, o ningún dinero; y sabía, también, que su mayor aliado era el miedo.

Con todo, el miedo necesitaba una base de realidad; por lo tanto, cuando uno de los pedigüeños estaba en falta, el castigo por matones alquilados era rápido y salvaje.

En cuanto a los riesgos que corre un tiburón prestamista, son muy leves comparados con los de otras formas del crimen. Pocos tiburones del préstamo han sido jamás procesados, y menos aún condenados. La falta de pruebas era el motivo principal. Los clientes de un tiburón se callaban la boca, en parte por miedo, en parte, por vergüenza de haber necesitado de sus servicios. Y los que eran castigados físicamente nunca hacían una denuncia, sabiendo que, si la hacían, volverían a ser castigados.

Por lo tanto Miles permaneció allí, temeroso, mientras Ominsky terminaba su *sole*.

Inesperadamente, el tiburón dijo:

—¿Puede usted llevar libros?

—¿Llevar libros? Claro, cuando trabajaba en el banco...

Le hicieron callar con un gesto; unos ojos fríos, duros, le estudiaron.

—Tal vez pueda usted servirme en algo. Necesito un tenedor de libros en el *Double Seven*.

—¿En el club? —Era una novedad para Miles que Ominsky fuera dueño o dirigiera el club. Añadió:

—He estado hoy allí antes de...

El otro le interrumpió de golpe.

—Cuando yo hablo quédate quieto y escucha; responde a las preguntas cuando te las haga. La Rocca dice que buscas trabajo. Si te doy trabajo, todo lo que ganes será para pagar el préstamo y el interés. En otras palabras, *me* perteneces. Quiero que esto quede en claro.

—Sí, Mr. Ominsky —el alivio invadió a Miles. Después de todo iban a darle tiempo. Y cómo y por queé, era importante.

—Comerás tus comidas en un cuarto —dijo el ruso Ominsky— y te prevengo: no metas los dedos en la masa. Si alguna vez descubro que lo has hecho, desearás volver a robar al banco, y no haberme robado a mí.

Miles se estremeció instintivamente, menos por la preocupación de robar —cosa que no pensaba hacer— sino al comprender lo que Ominsky era capaz de hacer si alguna vez descubría que se había introducido un Judas en su campo.

—Jules te acompañará y te mostrará dónde debes estar. También se te dirán otras cosas. Eso es todo —Ominsky despidió a Miles con un gesto y hizo una seña a La Rocca, que había estado observando desde el bar. Mientras Miles esperaba en la puerta del restaurante, los otros dos conferenciaron, el tiburón dio instrucciones y La Rocca asintió.

Jules La Rocca volvió junto a Miles.

—Tienes suerte, muchacho. Vamos.

Cuando se fueron, Ominsky empezó a comer el postre, mientras otra figura que había estado esperando se deslizaba en el asiento que tenía enfrente.

El cuarto en el *Double Seven* quedaba en el piso más alto del edificio, y era poco más que un cubículo miserablemente amueblado. A Miles no le importaba. Representaba un frágil comienzo, una posibilidad de rehacer su vida y recobrar algo de lo que había perdido, aunque sabía que la cosa iba a necesitar tiempo, que iba a correr graves riesgos y que necesitaba empuje. Por el momento procuraba no pensar demasiado en su doble papel, y se concentraba en hacerse útil y en ser aceptado, como le había indicado Nolan Wainwright.

Primero aprendió la geografía del club. La mayor parte de la planta baja —fuera del bar donde había entrado en el primer momento— estaba ocupado por un gimnasio y unas canchas de juego a la pelota. En el primer piso había cuartos para baños de vapor y salas para masajes. En el segundo había oficinas; y también otros cuartos, cuyo uso comprendió más adelante. El tercer piso, más reducido que los otros, contenía algunos cubículos como el de Miles, donde a veces dormían los miembros del club.

Miles se metió fácilmente en el trabajo de tenedor de libros. Era bueno para la tarea, descubriendo alguna rémora y mejorando anotaciones que habían sido hechas al descuido. Sugirió al agente del club hacer una ficha de control más eficiente, aunque tuvo cuidado de no parecer que quería beneficiarse con los cambios.

El gerente, un ex promotor de boxeo de nombre Nathanson, para quien el trabajo de oficina no era fácil, le quedó agradecido. Todavía apreció más cuando Miles propuso hacer otros quehaceres en el club, como reorganizar los archivos y los inventarios. Nathanson, en agradecimiento, permitió a Miles visitar las canchas de pelota en las horas libres, lo que le proporcionaba una oportunidad más para conocer nuevos miembros.

El club, compuesto totalmente de hombres, dentro de lo que Miles podía ver, se dividía en términos generales en dos grupos. Uno estaba representado por los que seriamente aprovechaban las facilidades deportivas del club, incluso los baños turcos y las salas de masajes. Aquellas personas iban y venían individualmente, pocos parecían conocerse entre sí, y Miles adivinó que eran jornaleros o empleados menores, que venían al *Double Seven* simplemente para mantenerse en forma. Sospechaba que el primer grupo representaba una tapadera muy buena para el segundo, que generalmente no utilizaba las facilidades atléticas, como no fuera alguna vez, los baños turcos.

Los del segundo grupo se reunían generalmente en el bar o en el cuarto de arriba, en el segundo piso. Su número aumentaba considerablemente por la noche, cuando los que iban a hacer ejercicios raras veces usaban el club. Era evidente para Miles que este segundo elemento era el que Nolan Wainwright había tenido en la mente cuando descubrió el *Double Seven* como un «punto de reunión».

Otra cosa que Miles descubrió rápidamente era que los cuartos de arriba se usaban para juegos ilegales de cartas, por altas sumas, y también para juegos de dados. Tras haber trabajado una semana, algunos de los frecuentadores nocturnos llegaron a conocerle, y se sentían tranquilos ante él, ya que Jules La Rocca les había asegurado que él era «muy bien, un tipo que sabe aguantar».

Poco después, y continuando con su política de hacerse útil, Miles empezó a ayudar cuando había que servir bebidas y sándwiches en el piso segundo. La primera vez que lo hizo, uno de la media docena de toscos individuos que estaban fuera de los cuartos de juego, y que evidentemente eran guardias, le sacó la bandeja y la llevó personalmente. Pero a la noche siguiente, y en las posteriores, se le permitió pasar a las salas donde se jugaba. Miles también se hizo útil bajando a comprar cigarrillos y trayéndoles para quien los necesitara, incluidos los guardias.

Comprendió que empezaba a hacerse simpático.

Uno de los motivos era su buena voluntad general. Otro, que algo de su antigua alegría y buena disposición estaban volviendo, pese a los problemas y peligros de estar donde estaba. Y, otro motivo era que Jules La Rocca que parecía estar bordeando todas las cosas, se había convertido en el padrino de Miles, aunque, a veces, hacía que Miles se sintiera como un artista de *varieté*.

Era el conocimiento que Miles tenía del dinero y de su historia lo que fascinaba —al parecer interminablemente— a La Rocca y sus compinches. Una saga favorita era la del dinero falsificado por algunos gobiernos, que Miles había descrito primeramente en la cárcel. En las primeras semanas en el club repitió la historia, aguijoneado por La Rocca, por lo menos una docena de veces. Siempre producía señales de asentimiento, junto con comentarios como «hipócritas asquerosos» y «malditos cuervos».

Para reforzar sus historias básicas, Miles fue un día a la casa de apartamentos donde había vivido antes de ir a prisión, y recobró sus libros referentes al tema. La mayoría de sus escasas pertenencias habían sido vendidas hacía tiempo para pagar el alquiler atrasado, pero el portero había guardado los libros y los devolvió a Miles. En una ocasión Miles había poseído una colección de monedas y billetes de banco, y la había vendido cuando sus deudas le forzaron. Esperaba, algún día, volver a ser coleccionista, aunque la perspectiva parecía lejana.

Al poder sumergirse al fin en sus libros, que guardaba en su cubículo del tercer piso, Miles habló a La Rocca y a otros acerca de las más extrañas formas de dinero. La moneda corriente más pesada que nunca había existido, les dijo, eran los discos de piedra agronita, usados en la isla Yap, en el Pacífico, hasta el estallido de la segunda guerra mundial. La mayoría de los discos, explicó, tenían un pie de ancho, pero una denominación tenía una anchura de doce pies y, cuando la llevaban para compras, había que transportarla en un palo.

—¿Y qué pasaba con el cambio? —preguntó alguien entre carcajadas, y Miles les aseguró que lo daban... en discos de piedra más pequeños.

Por el contrario, informó, la moneda más ligera que se conocía era un tipo raro de plumas usadas en las Nuevas Hébridas. También, durante siglos, la sal había circulado como dinero, especialmente en Etiopía, y los romanos la usaban para pagar a sus obreros, de ahí la palabra «salario», que provenía de «sal». Y en Borneo, incluso en el siglo XIX, dijo Miles a los otros, las calaveras humanas eran moneda legal.

Pero invariablemente antes que terminaran las charlas, la conversación volvía a las monedas falsas.

Después de una de estas charlas, un enorme guardia que recorría el club mientras los otros jugaban a las cartas, llevó aparte a Miles.

—Eh, muchacho, hablas muy bien de falsificaciones. Mira esto... —y le mostró un limpio y crujiente billete de 20 dólares.

Miles aceptó el billete y lo examinó. La experiencia no era nueva para él. Cuando trabajaba en el First Mercantile American solían traerle los billetes sospechosos a causa de sus conocimientos de especialista.

El grandullón mostró los dientes, sonriendo.

—Bueno, ¿eh?

—Si es falso —dijo Miles— es la mejor falsificación que he visto.

—¿Quieres comprar unos pocos? —de un bolsillo interior el guardaespalda sacó nueve billetes de a veinte dólares—. Dame cuarenta de los verdaderos, y estos doscientos son tuyos.

Era el precio habitual, según sabía Miles, para los falsificados de elevada calidad. Percibió también que los otros billetes eran tan buenos como el primero.

Vaciló antes de rehusar la oferta. No tenía intenciones de pasar dinero falso, pero comprendió que era algo que podía enviar a Wainwright.

—Un momento —dijo al tosco individuo y subió a su cuarto, donde había escondido un poco más de cuarenta dólares. Algunos provenían del adelanto de cincuenta dólares que le había dado Wainwright, los otros de propinas que había recibido en las salas de juego. Tomó el dinero, casi todo en billetes menores, y lo cambió abajo por los doscientos dólares falsos. Más tarde, esa noche, escondió en su cuarto el dinero falsificado.

Al día siguiente, con una mueca, Jules La Rocca le dijo:

—He oído que has hecho un negocio de cambios —Miles estaba ante un escritorio de tenedor de libros, en la oficina del segundo piso.

—Un poco —reconoció.

La Rocca acercó su barriga y bajó la voz.

—¿Tienes ganas de entrar en acción?

Miles dijo, con cautela:

—Depende de lo que sea.

—Hacer un viaje a Louisville, por ejemplo. Llevar algo del dinero que compraste anoche.

Miles sintió que se le contraía el estómago: la cosa no sólo podía volver a llevarle a la cárcel, sino que además sería por mucho más tiempo. Pero, si no se arriesgaba: ¿cómo seguir aprendiendo y ganando la confianza de los otros?

—No hay más que llevar un coche desde aquí hasta allá. Se te pagarán doscientos dólares.

—¿Y si me detienen? Estoy bajo libertad condicional y no tengo permiso para conducir.

—El permiso no es problema si tienes una foto... de frente, de la cabeza y los hombros.

—No tengo, pero puedo tenerla.

—Date prisa.

En el intervalo para el almuerzo, Miles se dirigió a una estación de autobuses y se sacó una foto en una máquina automática. La entregó a La Rocca esa misma tarde.

Dos días después, mientras Miles trabajaba, una mano silenciosa colocó un trocito de papel en el estante que tenía delante. Con sorpresa vio que era un permiso de chófer, con la foto que él había suministrado.

Cuando se volvió, La Rocca estaba detrás de él, mostrando los dientes.

—Mejor que uno legítimo, ¿eh?

Miles dijo, incrédulo:

—¿Quieres decir que es falso?

—¿Notas alguna diferencia?

—No, no puedo notar ninguna —examinó el permiso, que parecía idéntico a los oficiales— ¿Cómo lo conseguiste?

—No importa.

—Vamos —dijo Miles—, de verdad me gustaría saberlo. Sabes que me intereso en estas cosas.

La cara de La Rocca se ensombreció. Por primera vez sus ojos revelaron desconfianza.

—¿Por qué quieres saberlo?

—Simple interés. Es lo que te he dicho —Miles esperó que no se notara su súbito nerviosismo.

—Hay preguntas que no conviene hacer. Si un tipo las hace, la gente empieza a preocuparse. Y el tipo puede salir lastimado. Malamente.

Miles permaneció en silencio, mientras La Rocca le miraba. Luego, aparentemente, pasó el momento de desconfianza.

—Será mañana por la noche —informó Jules La Rocca—. Se te dirá lo que debes hacer y cuándo.

Al día siguiente, antes del crepúsculo, le dieron las instrucciones, siempre por intermedio del perenne mensajero, La Rocca, quien dio a Miles un juego de llaves de auto, un recibo de aparcamiento y un billete de avión. Miles debía recoger el coche —un Chevrolet Impala marrón— sacarlo del parking y conducirlo esa noche hasta Louisville. Al llegar debía ir al aeropuerto de Louisville y dejarlo allí, poniendo luego el billete de estacionamiento del aeropuerto y las llaves bajo el asiento delantero. Antes de irse debía limpiar con cuidado el coche para borrar las huellas digitales. Después tenía que tomar uno de los primeros aviones en vuelo de regreso.

Los peores momentos para Miles fueron temprano, cuando localizó el coche y lo sacó del parking. Se preguntó, tenso: ¿era posible que el Chevrolet estuviera vigilado por la policía? Quizás la persona que había aparcado el coche, fuera quien fuese, era sospechosa, y la habían seguido. En tal caso, este era el momento en que la ley iba a actuar. Miles sabía que el riesgo debía ser grande. De otro modo no hubieran usado como correo a una persona como él. Y aunque no lo sabía positivamente, presumía que el dinero falso —probablemente en gran cantidad— estaba en el portamaletas.

Pero no pasó nada, aunque sólo empezó a sentirse tranquilo cuando el parking quedó atrás y estaba ya cerca de los límites de la ciudad.

Una o dos veces en el camino, cuando encontró patrullas en coches policiales, el corazón empezó a latirle más fuerte, pero nadie le detuvo, y llegó a Louisville poco antes del alba en un viaje sin accidentes.

Sólo sucedió una cosa que no estaba en el plan. A unas treinta millas más o menos de Louisville, Miles salió del camino principal y, en la oscuridad, con ayuda de una linterna, abrió el portamaletas. Adentro había dos pesadas maletas, ambas cerradas con llave. Por un momento pensó en forzar una de las cerraduras, pero el sentido común le dijo que se comprometería al hacerlo. Cerró el portamaletas, copió el número del Impala y prosiguió.

Encontró sin dificultades el aeropuerto de Louisville y, tras cumplir con el resto de las instrucciones, tomó un avión para volver y se presentó en el club *Double Seven* poco antes de las 10. Nadie hizo preguntas acerca de su ausencia.

El resto del día Miles lo pasó fatigado por falta de sueño aunque se las arregló para seguir trabajando. Por la tarde llegó La Rocca, radiante y fumando un gordo cigarro.

—Has hecho un precioso trabajito, Miles. Nadie orinó nada. Todos contentos.

—Está bien —dijo Miles—. ¿Cuándo me pagan los doscientos dólares?

—Ya los has recibido. Se los ha quedado Ominsky. Es parte de lo que le debes.

Miles suspiró. Pensó que debía haber sospechado algo por el estilo, aunque era irónico haber arriesgado tanto, en beneficio del tiburón prestamista. Preguntó a La Rocca:

—¿Cómo lo sabía Ominsky?

—Sabe casi todo.

—Hace un momento dijiste que todos estaban contentos. ¿Quién es «todos»? Si hago un trabajo como el de ayer, quiero saber para quién estoy trabajando.

—Ya te lo he dicho, hay cosas que no es conveniente saber o preguntar.

—Ya lo sé— era evidente que no iba a sacar mucho más y forzó una sonrisa para La Rocca, aunque la alegría había dejado a Miles y había sido reemplazada por la depresión. El viaje nocturno le había agotado y, pese a los atroces riesgos que había corrido, comprendía ahora que se había enterado de muy poco.

Unas cuarenta y ocho horas más tarde, siempre preocupado y desalentado, comunicó sus temores a Juanita.

8

Miles Eastin y Juanita se habían encontrado en dos ocasiones durante el mes que él llevaba trabajando en el club *Double Seven*.

La primera vez, unos días después del paseo nocturno en automóvil de Juanita y Nolan Wainwright, y de haber dado ella el consentimiento para actuar como intermediaria... había sido un encuentro incómodo e indeciso para los dos. Aunque habían instalado rápidamente un teléfono en el apartamento de Juanita, como había prometido Wainwright, Miles no estaba enterado y se presentó sin anunciarse, por la noche, tras un viaje en autobús. Luego de una cautelosa inspección por la puerta del apartamento parcialmente abierta, Juanita quitó la cadena de seguridad y le dejó pasar.

—Hola —dijo Estela. La niñita morena, una Juanita en miniatura, miró desde un libro de colores y sus grandes ojos líquidos se clavaron en Miles—. Eres el hombre flaco que vino antes. Ahora estás más gordo.

—Ya lo sé —dijo Miles—. He estado comiendo unos platos mágicos, para gigantes.

Estela rió, pero Juanita frunció el ceño. El dijo, disculpándose:

—No había manera de prevenirle mi llegada. Mr. Wainwright dijo que usted me esperaba.

—¡Ese hipócrita!

—¿No simpatiza con él?

—Le detesto.

—No es exactamente mi idea de Santa Claus —dijo Miles—. Pero no le detesto. Creo que cumple con su deber.

—Entonces que *lo* haga. Que no utilice a los demás.

—Si usted siente las cosas con tanta vehemencia, ¿por qué...?

Juanita interrumpió:

—¿Cree que no me lo he preguntado a mí misma? *Maldito sea el día en que le conocí*. Prometer lo que prometí fue un momento de tontería, que lamento.

—No es necesario. Puede retirarse cuando quiera... —la voz de Miles era suave—. Se lo explicaré a Wainwright— y se dirigió hacia la puerta.

Juanita se precipitó:

—¿Y qué va a ser de usted? ¿A quién va a dar los mensajes? —sacudió la cabeza, exasperada—. ¿Es que estaba loco cuando consintió en esta tontería?

—No —dijo Miles—. Vi que había una posibilidad; en cierto modo la única, pero no hay por qué meterla a usted en esto. Cuando sugerí la cosa, no la había pensado bien. Le pido que me perdone.

—Mamá —dijo Estela— ¿por qué estás tan enojada?

Juanita se inclinó y estrechó a su hija.

—*No te preocupes, mi cielo*. Estoy enojada con la vida, pequeña. Me enoja lo que la gente se hace entre sí... —y dijo bruscamente, dirigiéndose a Miles—: Siéntese, siéntese.

—¿Está segura?

—¿Segura de qué? ¿De que usted debe sentarse? No, ni siquiera estoy segura de eso. *Pero hágalo.*

Obedeció.

—Me gusta tu temperamento, Juanita —dijo Miles, sonriendo y, por un momento, ella pensó que él era como había sido antes en el banco. El prosiguió—: Me gusta eso y otras cosas en ti. Si quieres saber la verdad, el motivo por el que sugerí este acuerdo es que me daba pretextos para verte.

—Bueno, ahora los tienes —Juanita se encogió de hombros—. Y supongo que volverás a verme. De manera que te pido que me pases tu informe de agente secreto; yo se los daré a esa araña de Wainwright, para que teja sus telas.

—Mi informe es que no hay informe. Al menos, por ahora —Miles habló del club *Double Seven,* de su aspecto y de su olor, y vio que ella fruncía la nariz, desagradada. Describió también su encuentro con Jules La Rocca, después la entrevista con el tiburón prestamista, el ruso Ominsky, y, finalmente, habló de su empleo como tenedor de libros en el club. Esto era, tras haber trabajado unos días en el *Double Seven,* todo lo que Miles podía contar.

—Pero estoy metido en el asunto —aseguró— y eso es lo que Wainwright quería.

—A veces es fácil meterse —dijo ella—. Y, como en las trampas para langostas, salir es más difícil.

Estela escuchaba gravemente. Ahora preguntó a Miles:

—¿Volverás de nuevo?

—No sé —lanzó una mirada interrogativa a Juanita, que les examinó a los dos y después suspiró.

—Sí, *amorcito* —dijo a Estela—. Volverá.

Juanita se dirigió al dormitorio y volvió con los dos sobres que le había dado Nolan Wainwright. Se los tendió a Miles:

—Son para ti.

El sobre más grande contenía dinero, el otro la tarjeta de crédito bajo el nombre inventado de H. E. Lyncolp. Y Juanita explicó el propósito de la tarjeta: una llamada de auxilio.

Miles se metió en el bolsillo la tarjeta de plástico, pero volvió a meter el dinero en el primer sobre y se lo tendió a Juanita.

—Es mejor que lo guardes tú. Si alguien me lo ve, podría desconfiar. Usalo para ti y Estela. Te lo debo.

Juanita vaciló. Con voz más suave que antes, dijo:

—Lo guardaré para ti.

Al día siguiente, en el First Mercantile American, Juanita llamó a Wainwright por un teléfono interno y le pasó su informe. Tuvo cuidado de no mencionar su nombre, ni el de Miles, ni el del club *Double Seven.* Wainwright escuchó, le dio las gracias, y eso fue todo.

El segundo encuentro entre Juanita y Miles ocurrió una semana y media después, un sábado por la tarde. Esta vez Miles había telefoneado de antemano y, cuando llegó, tanto Juanita como Estela parecieron alegrarse de verle. Ambas iban a salir de compras y él se les unió, y los tres se metieron en un mercado al aire libre donde Juanita compró salchichón polaco y repollo. Dijo:

—Es para nuestra cena. ¿Nos acompañas?

El aseguró que iba a hacerlo, añadiendo que no necesitaba volver al club hasta avanzada la noche, y que ni siquiera era necesario que lo hiciera hasta la mañana siguiente.

Mientras caminaban, Estela dijo súbitamente a Miles:

—Me gustas —y metió su manita en la de él y no le soltó.

Juanita, al notarlo, sonrió.

Durante la cena se estableció una fácil camaradería. Luego Estela fue a acostarse y besó a Miles para darle las buenas noches y, cuando él y Juanita quedaron solos, él recitó su informe para Nolan Wainwright. Estaban sentados, uno junto al otro, en el sofá cama. Volviéndose hacia Miles cuando él terminó, ella dijo:

—Si quieres puedes quedarte aquí esta noche.

—La última vez que dormí aquí... tú te fuiste allí... —hizo un gesto hacia el dormitorio.

—Hoy me quedaré aquí. Estela duerme profundamente. No nos molestará.

Tendió los brazos hacia Juanita, que se precipitó en ellos, ansiosa. Sus labios, entreabiertos, eran cálidos, húmedos y sensuales, como una promesa de cosas aún más dulces. Su lengua bailaba, y le deleitó. Mientras la estrechaba pudo oír su respiración que se aceleraba y sintió el cuerpo pequeño, esbelto, entre niña y mujer, estremecido de pasión contenida, que respondía ferozmente al suyo. A medida que se acercaban y las manos de él empezaban a explorar, Juanita suspiró profundamente, saboreando las oleadas de placer y anticipando el futuro éxtasis. Hacía tiempo que no tenía relaciones con un hombre. Era evidente que estaba excitada, que demandaba, esperaba. Con impaciencia abrieron el sofá cama.

Lo que siguió fue un desastre. Miles había deseado a Juanita en su mente y —según creía— con su cuerpo. Pero, cuando llegó el momento en el que un hombre debe probarse, su cuerpo se negó a funcionar como debía. Desesperado, se esforzó, se concentró, cerró los ojos y deseó, pero nada cambió. Lo que debía haber sido la ardiente y rígida espada de un hombre joven, era algo fláccido, inefectivo. Juanita procuró tranquilizarlo y ayudarlo.

—No te preocupes, Miles querido, ten paciencia. Deja que te ayude y todo pasará.

Intentaron, una y otra vez. Finalmente, se dieron cuenta de que era inútil. Miles se echó en la cama, avergonzado y a punto de llorar. Sabía, miserablemente, que, detrás de su impotencia, estaba la certeza de su homosexualidad en la cárcel. Había creído y esperado que la cosa no le inhibiera con una mujer, pero así había sido. Miles llegó desesperadamente a una conclusión: ahora sabía con certeza lo que tanto había temido. Ya no era un hombre.

Finalmente, agotados, desdichados, frustrados, durmieron.

Durante la noche Miles se despertó, dio vueltas inquieto unos momentos, después se levantó. Juanita le oyó y encendió la luz junto al sofá cama. Preguntó:

—¿Qué pasa?

—Estaba pensando —dijo él— y no puedo dormir.

—¿Pensando en qué?

Fue entonces cuando le contó... sentado muy tieso, con la (cabeza vuelta, para no encontrar los ojos de Juanita, le habló de su experiencia en la cárcel, empezando con el momento en que el grupo lo había violado, después habló de su «amistad» con Karl, como medio para protegerse; contó cómo había compartido la celda del negrazo; le explicó cómo había continuado las prácticas homosexuales y cómo habían empezado a gustarle. Habló de sus sentimientos ambivalentes hacia Karl, cuya amabilidad y bondad Miles todavía recordaba... ¿con cariño?... ¿con amor?... Incluso ahora no lo sabía.

En aquel momento Juanita lo interrumpió:

—¡Basta! Ya he oído bastante. ¡Me asquea!

El preguntó:

—¿Qué crees que siento?

—No quiero saber. No sé ni me importa —todo el horror y el asco que sentía estaban en su voz.

En cuanto hubo luz Miles se levantó, se vistió y se fue.

Dos semanas más tarde. Otra vez era sábado, el mejor momento, según había descubierto Miles, para desaparecer del club sin ser notado. Todavía estaba agotado por la tensión nerviosa del viaje de la noche anterior a Louisville y desesperado por la falta de progresos.

Se había preguntado, también, si debía volver a ver a Juanita. Se preguntaba si ella querría verle. Pero finalmente decidió que, por lo menos, era necesaria otra visita y, cuando se presentó, ella estuvo cortante, y fue derecho al punto, como si lo que había pasado la última vez hubiera quedado atrás.

Escuchó el informe, y Miles habló también de sus dudas.

—No descubro nada importante. Claro, trato con Jules La Rocca y con el tipo que me vendió los billetes falsos de veinte dólares, pero ambos son peces pequeños. Cuando hice preguntas a La Rocca... como por ejemplo, de dónde venía el permiso falsificado para conducir... se cerró y desconfió. No tengo más idea ahora que cuando empecé, de la gente importante que puede estar metida en el asunto, y no sé lo que pasa detrás del *Double Seven*.

—No lo puedes decubrir todo en un mes —dijo Juanita.

—Tal vez no haya nada que descubrir... por lo menos lo que Wainwright quiere.

—Tal vez no. Pero, en todo caso, no es culpa tuya. Además, es posible que hayas descubierto más de lo que crees. Está el dinero falsificado que me diste, el número del coche que condujiste...

—Que probablemente era robado.

—Que Sherlock Holmes Wainwright lo averigüe... —una idea cruzó la mente de Juanita—. ¿Y tu billete de avión? ¿El que te dieron para que volvieras?

—Lo he usado.

—Siempre hay una copia que se guarda.

—Tal vez... —Miles buscó en el bolsillo de la chaqueta; era el traje que había usado en el viaje a Louisville. El sobre del billete estaba allí, y la copia doblada dentro.

Juanita tomó ambas cosas.

—Quizás alguien entienda. Y recobraré los cuarenta dólares que pagaste por el dinero falso.

—Te ocupas mucho de mí.

—¿*Por qué no*? Alguien debe hacerlo.

Estela, que había estado visitando a una amiga en otro apartamento, entró.

—Hola —dijo— ¿vas a quedarte otra vez?

—Hoy no —dijo él—. Tengo que irme pronto.

Juanita preguntó bruscamente:

—¿Es necesario?

—No... pero pensé que...

—Entonces cenarás aquí. A Estela le gustará.

—Oh, qué bien —dijo Estela. Preguntó a Miles—: ¿Quieres leerme un cuento?

Cuando él dijo que iba a hacerlo, ella trajo un libro y se sentó feliz en su rodilla.

Después de cenar, antes de que Estela diera las buenas noches y fuera a acostarse, le leyó de nuevo.

—Eres una persona muy buena, Miles —dijo Juanita, saliendo del cuarto y cerrando la puerta tras ella. Mientras acostaba a Estela, él se levantó para irse, pero ella le hizo una seña:

—Quédate. Quiero decirte algo.

Como la vez anterior se sentaron juntos en el sofá de la sala. Juanita habló lentamente, eligiendo las palabras.

—La última vez, cuando te fuiste, lamenté las cosas duras que había pensado y dicho mientras estabas aquí. No hay que juzgar demasiado, pero eso es lo que hice. Sé que has sufrido en la cárcel. No he estado ahí, pero puedo adivinar cómo es, y nadie puede saber... a menos de estar allí... cómo son las cosas. En cuanto al hombre de quien hablaste, Karl, si fue bueno cuando los otros eran crueles... eso es lo único que importa.

Juanita se detuvo, meditó, y siguió:

—Para una mujer es difícil entender que dos hombres pueden amarse de la manera que has dicho, y hacer entre sí el amor. Pero hay mujeres que se quieren también de esa manera, al igual que los hombres y, tal vez, si se piensa, amar así es mejor que no amar a nadie, es mejor que el odio. Te ruego, pues, que olvides las palabras hirientes que te dije; sigue pensando en tu Karl, y reconoce que le has amado... —levantó los ojos y miró de frente a Miles—: Le querías, ¿verdad?

—Sí —dijo él en voz muy baja—. Le quería.

Juanita asintió.

—Es mejor que lo hayas dicho. Tal vez ahora ames a otros hombres. No lo sé. No entiendo estas cosas... pero sé que el amor es bueno, dondequiera que se encuentre.

—Gracias, Juanita —Miles vio que ella lloraba y sintió que su propia cara estaba llena de lágrimas.

Guardaron silencio largo tiempo, escuchando el zumbido del tráfico del sábado y las voces en la calle. Después empezaron a hablar, como amigos, más cerca que nunca. Hablaron, olvidando el tiempo, y donde estaban, hablaron hasta avanzada la noche, acerca de sí mismos, de sus experiencias, de las lecciones aprendidas, de los sueños que habían tenido alguna vez, de sus actuales esperanzas, de las metas que debían alcanzar. Hablaron hasta que el amodorramiento apagó sus voces. Después, siempre uno junto al otro, tomados de la mano, se abandonaron al sueño.

Miles se despertó primero. Su cuerpo estaba incómodo y acalambrado... pero había otra cosa que lo llenó de excitación.

Con suavidad despertó a Juanita y la condujo desde el sofá hasta la alfombra, donde colocó almohadones como almohadas. Tierna y amorosamente la desvistió, después se desvistió él; la besó, la abrazó y subió sobre ella confiado, avanzó con vigor hacia adelante, gloriosamente, adentro, mientras Juanita le abrazaba, le apretaba y gritaba con fuerza de dicha.

—¡Te quiero, Miles! ¡*Cariño mío,* te quiero!

Y él supo que, por intermedio de ella, había vuelto a recobrar su virilidad.

9

—Quiero hacerle dos preguntas —dijo Alex Vandervoort. Su tono era menos cortante que de costumbre; su mente estaba preocupada y un poco deslumbrada por lo que acaba de oír.

—Primero: ¿cómo, en nombre de Dios, ha conseguido toda esta información? Segundo: ¿hasta qué punto es verídica?

—Si no le molesta —dijo Vernon Jax— prefiero contestar en orden inverso.

Estaban en el despacho de Alex en la Casa Central del FMA al terminar la tarde. Afuera todo estaba tranquilo. La mayoría del personal del piso treinta y seis se había ido a su casa.

El detective privado que, hacía un mes, Alex había contratado para que realizara un estudio independiente sobre la Supranational Corporation —un «trabajito de entrometido» como ambos habían dicho— permanecía tranquilamente sentado, leyendo un periódico de la tarde, mientras Alex estudiaba el informe de setenta páginas que incluía un apéndice de documentos fotocopiados, que Jax había traído personalmente.

Hoy, si fuera posible, Vernon Jax parecía de aspecto más insignificante que la última vez. El traje azul brillante que llevaba podría haber sido donado al Ejército de Salvación... y rechazado... Los calcetines colgaban sobre los tobillos, y los zapatos estaban más descuidados que antes. El poco pelo que le quedaba sobre la cabeza calva se enderezaba en desorden, como mechas engomadas y sucias. De todos modos era evidente que, lo que faltaba a Jax en elegancia, era compensado por su habilidad como espía.

—En cuanto a la confianza que merecen estas informaciones —dijo—, si me pregunta usted si los hechos que he anotado, en su forma actual, pueden usarse como prueba ante un tribunal, le diré que no. Pero me alegro de decir que la información es auténtica, y no he incluido nada que por lo menos no haya sido controlado en dos buenas fuentes, en algunos casos en tres. Otra cosa: mi reputación por llegar a la verdad es mi mayor mérito en mi trabajo. Tengo buena fama. Y pienso conservarla.

«Bueno, ¿cómo lo consigo? La gente para la que trabajo en general me hace esa pregunta, y supongo que tiene usted derecho a una explicación, aunque retendré algunas cosas que caen bajo lo que denomino «secretos del oficio» y «fuentes protectoras».

»He trabajado durante veinte años para el Departamento del Tesoro de los Estados Unidos, casi ininterrumpidamente, como investigador, y he mantenido frescos los contactos, no sólo allí sino en otras partes. No muchos lo saben, Mr. Vandervoort, pero una de las maneras en las que trabajan los detectives es vendiendo informes confidenciales y, en mi trabajo, nunca se sabe cuándo uno puede necesitar de alguien o cuándo van a necesitarnos. Uno ayuda a alguien esta semana y, tarde o temprano, tropezaremos con él. También de esta manera se crean deudas y créditos, y hay pagos... en informes y detalles... por ambas partes. De manera que, cuando usted me contrató, yo no sólo le vendí mi sabiduría financiera... que pienso que es bastante buena, sino una red de contactos. Algunos de estos le sorprenderían.

—Ya he recibido hoy todas las sorpresas necesarias —dijo Alex. Tocó el informe que tenía ante sí.

—De todos modos —dijo Jax— es así como he conseguido buena parte de lo que hay ahí. Lo demás ha sido habilidad, paciencia y saber debajo de qué rocas hay que mirar.

—Comprendo.

—Hay otra cosa que quiero aclarar, Mr. Vandervoort, y creo que lo considerará usted orgullo personal. He visto que usted me ha examinado las dos veces que nos hemos visto, y que no ha apreciado bastante lo que veía. Bueno, yo prefiero que la gente me vea de esa manera, porque un hombre insignificante e inofensivo es poco probable que sea notado o tomado en serio por las personas que él está investigando. También da resultado a la inversa, porque la gente con la que hablo no cree que yo sea importante, y bajan la guardia. Si yo tuviera un aspecto como el suyo, desconfiarían. Ese es el motivo, pero también le diré una cosa: el día que me invite usted a la boda de su hija, me presentaré tan bien trajeado como el mejor.

—Si alguna vez tengo una hija —dijo Alex— lo recordaré.

Cuando Jax partió, volvió a estudiar de nuevo el sorprendente informe. Era, pensaba, un fraude con las más graves implicaciones para el First Mercantile American. El poderoso edificio de la Supranational Corporation —la SuNatCo— estaba tambaleándose y a punto de caer.

Lewis D'Orsey, recordó Alex, había hablado de rumores sobre «grandes pérdidas que no se han informado... audaces prácticas de contabilidad entre las subsidiarias... el Gran George Quartermain que andaba detrás de una especie de subsidio gubernamental del tipo del de la Lockheed»... Vernon Jax había confirmado todo esto y había descubierto mucho, mucho más.

Era demasiado tarde para hacer nada ese mismo día, decidió Alex. Tenía toda la noche por delante para meditar cómo debía usar la información.

10

La cara normalmente colorada de Jerome Patterton adquirió un rojo todavía más profundo. Protestó:

—¡Caramba! ¡Lo que usted pide es ridículo!

—No pido —la voz de Alex Vandervoort estaba tensa por la rabia que se había ido acumulando desde la noche anterior—. Le digo: *hágalo*.

—Pedir... decir... ¿cuál es la diferencia? Usted quiere que yo realice una acción arbitraria sin motivo sustancial.

—Más adelante le daré un montón de motivos. Poderosos. Ahora no hay tiempo.

Estaban en las oficinas de la presidencia, donde Alex había estado esperando a Patterton esa mañana.

—El mercado de la bolsa de Nueva York se ha abierto hace cincuenta minutos —previno Alex—. Hemos perdido ese tiempo y estamos perdiendo más. Porque usted es el único que puede dar la orden al departamento de depósitos para que venda todas las acciones que tenemos de la Supranational.

—¡No lo haré! —Patterton elevó la voz—. Además, ¿qué demonios significa todo esto? ¿Quién se cree usted que es? Se ha presentado aquí como una tromba, ha empezado a dar órdenes...

Alex miró sobre el hombro. La puerta del despacho estaba abierta. Fue a cerrarla y volvió a su sitio.

—Le diré quién soy yo, Jerome. Soy el tipo que le previno a usted, y previno también a la Dirección, contra un compromiso amplio con la SuNatCo. Luché para que el departamento de grandes depósitos no comprara las acciones... y nadie, incluido usted... quiso escucharme. Ahora la Supranational se viene abajo... —Alex se inclinó sobre el escritorio y golpeó con fuerza con el puño. Su cara y sus ojos, que ardían, estaban cerca de los de Patterton—. ¿Entiende? ¡La Supranational puede arrastrarnos en su ruina!

Patterton quedó conmovido. Se dejó caer pesadamente en el asiento detrás del escritorio.

—Pero, ¿*está* realmente en dificultades la SuNatCo? ¿Está usted *seguro*?

—Si no lo estuviera, ¿cree usted que habría venido aquí y me comportaría de esta manera? ¿No comprende que le estoy dando la oportunidad de salvar algo de lo que, de todos modos, será catastrófico? —Alex señaló su reloj de pulsera—. Ha pasado una hora desde la apertura del mercado. ¡Jerome, tome el teléfono y dé la orden!

Los músculos que rodeaban la cara del presidente del banco se retorcieron, nerviosos. No era un hombre fuerte ni decidido, y reaccionaba ante las situaciones, no las creaba. Una fuerte influencia, como la de Alex en este momento, con frecuencia le hacía vacilar.

—Por Dios y por usted, Alex, espero que sepa usted lo que está haciendo... —Patterton agarró uno de los dos teléfonos que tenía sobre el escritorio, vaciló, después dijo:

—Comuníqueme con Mitchell en Depósitos... No, esperaré... ¿Mitch? Habla Jerome. Escuche con atención. Quiero que dé una orden de venta inmediata de todas las acciones que tenemos de la Supranational. Sí, *venda*. Todas las acciones —Patterton escuchó, después dijo, con impaciencia—: Sí, ya sé el efecto que producirá en el mercado, y ya sé que el precio ha bajado. He visto la cotización de ayer. Arriesgaremos la pérdida. Pero venda... Sí, ya sé que es irregular... —sus ojos buscaron el apoyo de Alex. La mano que sostenía el teléfono tembló mientras decía—. No hay tiempo para hacer reuniones. Hágalo. No pierda... —Patterton hizo una mueca, mientras escuchaba—. Sí, acepto la responsabilidad.

Cuando cortó la comunicación, Patterton se sirvió un vaso de agua y lo bebió. Dijo a Alex:

—Ya ha oído lo que he dicho. El mercado ya ha bajado. Nuestra venta lo deprimirá más. Vamos a recibir una buena.

—Está usted equivocado —corrigió Alex—. Nuestros depositarios... la gente *que confía* en nosotros... serán los que recibirán el castigo. Y sería peor si hubiéramos esperado. Todavía no hemos salido del bosque. Dentro de una semana esas ventas pueden ser anuladas.

—¿Anuladas? ¿Por qué?

—El Servicio Secreto podrá decir que teníamos conocimientos internos que debíamos haber informado, y que hubieran detenido el tráfico de esas acciones.

—¿Qué clase de conocimientos?

—Que la Supranational está al borde de la bancarrota.

—¡Jesús! —Patterton se levantó del escritorio y dio unos pasos. Murmuró para sí:

—¡La SuNatCo! ¡Dios me valga, la SuNatCo! —volviéndose hacia Alex preguntó—: ¿Y nuestro préstamo de *cincuenta millones*?

—He averiguado. Casi toda la extensión del crédito ha sido retirado.

—¿Y el balance compensatorio?

—Ha bajado a menos de un millón.

Hubo un silencio en el cual Patterton respiró profundamente.

—Dijo usted que tenía motivos poderosos. Evidentemente usted sabe algo. Es mejor que me lo diga.

—Será más sencillo que lea esto —y Alex dejó el informe de Jax sobre el escritorio del presidente.

—Lo leeré después —dijo Patterton—. Pero ahora *dígame* qué es esto y de qué se trata.

Alex explicó los rumores sobre la Supranational que le había comunicado Lewis D'Orsey, y la decisión de Alex de usar a un detective privado: Vernon jax.

—Lo que Jax ha informado en total completa el cuadro —declaró Alex—. Anoche y esta mañana he estado telefoneando, confirmando algunas de las afirmaciones por separado. Todas han sido comprobadas. La verdad es que buena parte de lo informado hubiera podido ser

309

descubierto por cualquiera que hubiera investigado con paciencia... pero nadie lo hizo o, hasta ahora, reunió las piezas del rompecabezas. Además de esto, Jax ha obtenido información confidencial, incluso documentos, y presumo que...

Patterton interrumpió irritado:

—Está bien, está bien. No importa. Dígame cuál es el contenido.

—Se lo diré en dos palabras: la Supranational no tiene dinero. En los últimos tres años la corporación ha tenido enormes pérdidas y ha sobrevivido por el prestigio y el crédito. Ha habido tremendos préstamos para pagar deudas; nuevos préstamos para pagar las *nuevas* deudas; después nuevamente han pedido prestado, más y más. Lo que les hace falta es verdadero dinero al contado.

Patterton protestó:

—Pero la SuNatCo ha informado excelentes ganancias, año tras año, y nunca ha perdido un dividendo.

—Ahora parece que los últimos dividendos han sido pagados con préstamos. Lo demás son cuentas falsas. Todos sabemos que pueden hacerse. Muchas de las compañías más grandes y reputadas usan los mismos métodos.

El presidente del banco pesó la afirmación, después dijo, sombrío:

—Había una época en la cual la presencia de un contador en una declaración financiera representaba integridad. Pero ya no es así.

—Aquí —Alex tocó el informe que estaba ante ellos en el escritorio— hay ejemplos de lo que estamos hablando. Uno de los peores es el de la Horizon Land Development. Es una subsidiaria de la SuNatCo.

—Ya lo sé, ya lo sé.

—Entonces también debe saber que la Horizon tiene grandes propiedades de tierras en Texas, Arizona, Canadá. La mayoría de los contratos de tierra son remotos, tal vez han sido hechos hace más de una generación. Lo que la Horizon ha estado haciendo es vender a especuladores, aceptando pequeños pagos con acuerdos limitados, y proyectando el pago de toda la cantidad, hacia un futuro lejano. En dos acuerdos, los pagos totales que representan ochenta millones de dólares, se completarán dentro de cuarenta años... bien avanzado el siglo veintiuno. Es probable que esos pagos nunca se realicen. Sin embargo, en las páginas de balance de la Horizon y la Supranational, esos ochenta millones se presentan como ganancias corrientes. Estos son nada más que dos acuerdos. Hay más, aunque más pequeños, donde se usan los mismos cuentos chinos. Y lo que pasa en una subsidiaria de la SuNatCo se ha repetido en otras.

Alex hizo una pausa, después añadió:

—Todo esto, naturalmente, ha servido para que las cosas parezcan mayores en el papel y para levantar... de manera poco realista... el precio en el mercado de las acciones de la Supranational.

—Alguien ha hecho así una fortuna —dijo con acritud Patterton—, desgraciadamente no somos nosotros. ¿Hay alguna idea de la extensión de los préstamos de la SuNatCo?

—Sí. Parece que Jax se las arregló para echar un vistazo a algunos informes de impuestos que muestran deducciones de intereses. Su cálculo de las deudas a corto plazo, incluyendo las subsidiarias, es de mil millones de dólares. De esto parece que hay quinientos millones en préstamos bancarios. El resto son papeles comerciales a 90 días, que han sido renovados continuamente.

Los papeles comerciales, como ambos hombres sabían, representaban intereses y estaban apoyados en la reputación del que había pedido prestado. El «renovar continuamente» representaba más pagarés para pagar los primeros, además de los intereses.

—Pero están cerca del límite de lo que pueden pedir prestado —dijo Alex—. O, por lo menos, es lo que Jax cree. Uno de los síntomas que he comprobado personalmente es que los compradores de papeles comerciales empiezan a inquietarse.

Patterton murmuró:

—Es la forma en que se vino abajo la Penn Central. Todos creían que la compañía ferroviaria era sólida... las mejores acciones para comprar y tener, junto con la IBM y la General Motors. Y bruscamente, en un día, la Penn Central entró en el barco que se hunde, fue borrada, liquidada.

—A otros grandes nombres les ha pasado lo mismo —recordó Alex.

La misma idea estaba en la mente de ambos: ¿después de la Supranational... iba a añadirse a la lista el nombre del banco First Mercantile American?

La cara rubicunda de Patterton se había puesto pálida. Apeló a Alex:

—¿En qué estamos? —Ya no pretendía dirigir. El presidente del banco se apoyaba con todo su peso en su compañero más joven.

—Todo depende de cuánto tiempo pueda mantenerse a flote la Supranational. Si pueden mantenerse varios meses, es posible que pase ignorada la venta que hemos hecho hoy de sus acciones, y la brecha abierta contra la ley del Federal Reserve respecto al préstamo podrá pasar sin ser investigada. Si la caída es rápida, estaremos en graves dificultades... con el Servicio Secreto encima por no haber revelado lo que sabíamos, con el Procurador del Tesoro persiguiéndonos por abuso de confianza y, en cuanto al préstamo, tendremos encima al Federal Reserve. Además, me parece inútil recordárselo, estaremos frente a una pérdida de cincuenta millones de dólares, y ya sabe usted lo que esto representa para la declaración de ganancias de este año, de manera que habrá accionistas furiosos que pedirán la cabeza de alguien. Además, puede haber acciones legales contra los directores.

—¡Jesús! —repitió Patterton—. ¡Jesucristo! —Sacó un pañuelo y se secó la cara y la cabeza, en forma de huevo.

Alex siguió, imperturbable.

—Hay otra cosa que debemos considerar... la publicidad. Si la Supranational se hunde habrá investigaciones. Pero aun antes, la prensa estará detrás de la historia y habrá investigaciones por su cuenta. Algunos periodistas financieros son muy buenos para esto. Cuando empiecen las averiguaciones, es poco posible que nuestro banco deje de llamar la atención, y la cantidad de nuestras pérdidas será conocida y publicada. Es el tipo de noticias que inquieta a los depositantes. Pueden provocar retiros en masa.

—¿Quiere usted decir que retiren todo el dinero del banco? No puedo creerlo.

—Pues créalo. Ha pasado en otras partes... recuerde el Franklin, de Nueva York. A un depositante lo único que le importa es dónde está seguro su dinero. Si uno cree que no lo está... lo retira cuanto antes.

Patterton bebió más agua, luego se dejó caer en el sillón. Parecía aún más pálido.

—Sugiero —dijo Alex— que convoque usted inmediatamente al Comité de Política Monetaria y que nos concentremos, en los días siguientes, en alcanzar el máximo de liquidez. De esta manera estaremos preparados si hay un súbito retiro de dinero.

Patterton asintió.

—Está bien.

—Fuera de eso no queda mucho por hacer, como no sea rezar —por primera vez desde su llegada Alex sonrió—. Tal vez convendría que Roscoe se ocupara de eso.

—¡Roscoe! —dijo Patterton, y bruscamente recordó—. El estudió las cifras de la Supranational, recomendó el préstamo, aseguró que todo era magnífico.

—Roscoe no estaba solo —señaló Alex—. Usted y la Dirección le apoyaron. Y varios otros estudiaron las cifras y llegaron a la misma conclusión.

—Pero no usted.

—Yo estaba inquieto, tal vez desconfiaba algo. Pero no tenía idea de que la SuNatCo estuviera metida en un lío semejante.

Patterton tomó el teléfono que había usado antes.

—Dígale a Mr. Heyward que venga —una pausa y después Patterton exclamó—. No me importa aunque esté con Dios. Quiero que venga ahora —colgó con fuerza el aparato y se secó otra vez la cara.

La puerta del despacho se abrió suavemente y entró Heyward. Dijo:

—Buenos días, Jerome —e hizo a Alex una fría inclinación de cabeza.

Patterton gruñó:

—Cierre la puerta.

Aparentemente sorprendido, Heyward lo hizo.

—Me han dicho que era urgente. Si no es así, quisiera saber...

—Dígale lo de la Supranational, Alex —dijo Patterton.

La cara de Heyward se heló.

Tranquilamente, indicando los hechos, Alex repitió lo esencial del informe de Jax. Su rabia de la noche anterior y de la mañana... rabia ante la miope tontería y avidez que habían llevado al banco al borde del desastre, le había dejado ahora. Sólo sentía pena de que pudiera perderse tanto, de que tanto esfuerzo fuera malgastado. Recordó, con nostalgia, los proyectos dignos que habían sido reducidos para que el dinero pudiera canalizarse en el préstamo a la Supranational. Por lo menos, pensó, Ben Rosselli, al morir, se había salvado de vivir este momento.

Roscoe Heyward le sorprendió. Había esperado antagonismo, un estallido. No lo hubo. En lugar de esto Heyward escuchó tranquilamente, intercalando a veces alguna pregunta, y no hizo comentarios. Alex sospechó que lo que él decía ampliaba algunas informaciones que Heyward había recibido, o adivinado.

Cuando Alex terminó hubo un silencio.

Patterton, que había recobrado un poco de aplomo, dijo:

—Esta tarde haremos una reunión con el Comité de Política Monetaria para discutir la liquidez. Entre tanto, Roscoe, póngase en contacto con la Supranational para ver si es posible salvar algo de nuestro préstamo.

—Es un préstamo de demanda —dijo Heyward—, podemos reclamarlo en cualquier momento.

—Entonces hágalo ahora. Hágalo hoy verbalmente y mañana por escrito. No hay muchas esperanzas de que la SuNatCo tenga cincuenta millones de dólares al contado; ni siquiera una compañía sólida mantiene quieta esa cantidad de dinero. Pero tal vez haya algo; aunque no tengo muchas esperanzas. De todos modos, tenemos que actuar.

—Llamaré en seguida a George Quartermain —dijo Heyward—. ¿Puedo llevar el informe?

Patterton lanzó una mirada a Alex.

—No tengo inconveniente —dijo Alex—, pero sugiero que no hagamos copias. Y cuanta menos gente esté enterada de esto, tanto mejor.

Heyward asintió con la cabeza. Parecía inquieto, ansioso por irse.

11

Alex Vandervoort no se había equivocado al suponer que Roscoe Heyward poseía alguna información al respecto. Habían llegado a Heyward rumores de que la Supranational estaba con problemas, y se había enterado, en los días pasados, de que algunos de los papeles comerciales de la SuNatCo encontraban resistencia de parte de los inversores. Heyward también había asistido a una reunión de la Dirección de la Supranational —la primera a la que asistía— y había sentido que la información proporcionada a los directores distaba de ser completa y franca. Pero, como «muchacho nuevo» no había preguntado, con intenciones de averiguar después. Tras la reunión había observado una baja en el precio de las acciones de la Supranational, y había decidido, ayer mismo, aconsejar al departamento de depósitos que «aligeraran» las acciones, como precaución. Desgraciadamente —cuando Patterton lo convocó por la mañana— todavía no había hecho efectiva su intención. Pero nada de lo que Heyward había oído o adivinado sugería que la situación fuera tan mala y urgente como decía el informe presentado por Vandervoort.

Sin embargo, al oír la esencia del informe, Heyward no protestó Siniestro e inquietante como era, el instinto le decía que —como afirmaba Vandervoort— todo el rompecabezas se armaba.

Este era el motivo por el cual Heyward había permanecido casi todo el tiempo en silencio ante los otros dos, sabiendo que, en esta situación, ya poco podía decirse. Pero su mente estaba activa, con relámpagos de alarma iluminando las ideas que pesaba, las eventualidades, las posibles rutas de escape personal. Había varias cosas que debían hacerse con rapidez, aunque primero quería completar sus conocimientos personales estudiando el informe de Jax. De regreso en su despacho Heyward se apresuró a liquidar un asunto pendiente con un visitante, y después se acomodó para leer.

Comprendió pronto que Alex Vandervoort había sido muy preciso al hacer el sumario de los puntos culminantes del informe y de las pruebas documentadas. Lo que Vandervoort no había mencionado eran sólo algunos detalles de la estancia del Gran George Quartermain en Washington en espera de un préstamo garantizado por el gobierno para que la Supranational siguiera siendo solvente. Se habían hecho peticiones de préstamo a algunos miembros del Congreso, en el Departamento de Comercio y en la Casa Blanca. En un punto, se decía, Quartermain había llevado al vicepresidente Byron Stonebridge como invitado a un viaje a las Bahamas, con intenciones de conseguir el apoyo del vicepresidente para obtener el préstamo. Más adelante Stonebridge había discutido la posibilidad a nivel de gabinete, pero el consenso estaba en contra.

Heyward pensó con amargura: ahora sabía al fin lo que el Gran George y el vicepresidente habían estado discutiendo la noche en la que paseaban, sumidos en la conversación, por el jardín de la casa de las

Bahamas. Y mientras la maquinaría política de Washington había tomado una de sus decisiones más sabias al rechazar el préstamo para la Supranational, el First Mercantile American —por presión de Roscoe— había concedido rápidamente uno. El Gran George había demostrado ser un maestro en el arte de vender. Heyward creía oírle decir, incluso ahora: *Si cincuenta millones es más de lo que ustedes pueden disponer, olvidemos todo el asunto. Se los pediré al Chase.* Era una treta antigua, un cuento del tío, y Heyward —el banquero audaz y experimentado—, había caído en la trampa.

Por lo menos había una cosa favorable. En la referencia al viaje del vicepresidente a las Bahamas, los detalles eran circunstanciales y era evidente que se sabía muy poco del viaje en cuestión. Tampoco, con gran alivio de Heyward, el informe mencionaba las Inversiones «Q».

Heyward se preguntó si Jerome Patterton recordaba el préstamo adicional, por un total de dos millones de dólares, comprometido por el FMA a las Inversiones «Q», el grupo de especuladores privados encabezados por el Gran George. Probablemente no. Tampoco Alex Vandervoort tenía conocimiento de la cosa, aunque era evidente que iba a descubrirla pronto. Pero lo más importante era que nunca sería descubierto el «bonus», la aceptación dada por Heyward para las acciones de las Inversiones «Q».

Ojalá lo hubiera devuelto a G. G. Quartermain, como había pensado hacer primero. Bueno, ahora era demasiado tarde para eso, pero, lo que podía hacerse, era retirar los certificados de acciones del cajón de su caja fuerte, y romperlos. Eso era lo más seguro. Por suerte eran certificados nominales, no registrados a su nombre.

Por el momento, comprendió de pronto Heyward, había olvidado la rivalidad entre él y Alex Vandervoort, y se concentraba únicamente en sobrevivir. No se hacía ilusiones sobre lo que representaba la quiebra de la Supranational para su situación en el banco y ante la Dirección. Iba a convertirse en un paria, el centro de los ataques, el chivo emisario de todos. Tal vez incluso ahora, si actuaba con rapidez y si tenía suerte, podría recobrar algo. Si el préstamo de dinero era devuelto, él se convertiría en un héroe.

Lo primero y esencial era ponerse en contacto con la Supranational. Dio orden a su secretaria, Mrs. Callaghan, para que telefoneara a G. G. Quartermain.

Unos minutos más tarde la secretaria informó:

—Mr. Quartermain no está en el país. En su despacho no saben con precisión dónde puede encontrarse. No han querido dar información.

Era un comienzo poco promisorio, y Heyward exclamó:

—Entonces comuníqueme con Inchbeck.

Había tenido varias conversaciones con Stanley Inchbeck, contador de la Supranational, desde su primer encuentro en las Bahamas.

La voz de Inchbeck, con su acento nasal neoyorquino, llegó cortante por la línea.

—Roscoe, ¿en qué puedo servirte?

—Estoy procurando localizar a George. Parece que vuestros empleados no...

—George está en Costa Rica.

—Quisiera hablar con él. ¿Hay algún teléfono al que pueda llamarle?

—No. Ha dejado instrucciones de que no quiere recibir llamadas.

—Es urgente.

—Entonces habla conmigo.

—Bien. Retiramos nuestro préstamo. Te lo comunico ahora y una nota formal, por escrito, será despachada por el correo esta noche.

Hubo un silencio, después Inchbeck dijo:

—No puedes hablar en serio.

—Hablo enteramente en serio.

—Pero... *¿por qué?*

—Supongo que lo sabes. También supongo que prefieres que no dé los motivos por teléfono.

Inchbeck guardó silencio —lo que, en sí, era significativo.

Después protestó:

—Tu banco es ridículo y poco razonable. La semana pasada el Gran George me dijo que estaba dispuesto a permitir que aumentárais el préstamo en un cincuenta por ciento.

La audacia de aquello dejó atónito a Heyward, hasta que comprendió que la audacia había dado resultados —a la Supranational— antes. Pero no serviría de nada ahora

—Si el préstamo es pagado rápidamente —dijo Heyward— cualquier información de la que dispongamos seguirá siendo confidencial. Te lo garantizo.

Lo que significaba, pensó, averiguar si el Gran George, Inchbeck y cualquier otro que supiera la verdad acerca de la SuNatCo, estaban dispuestos a comprar tiempo. Si era así, el FMA podría lograr ventaja sobre otros acreedores.

—¡Cincuenta millones de dólares! —dijo Inchbeck—. No tenemos esa cantidad a mano.

—Nuestro banco aceptará una serie de pagos, siempre que se sucedan rápidamente —la verdadera cuestión era lógicamente: ¿dónde iba a encontrar la SuNatCo cincuenta millones en su actual condición de caja famélica? Heyward descubrió que estaba sudando... en una mezcla de nerviosismo, suspenso y esperanza.

—Hablaré con el Gran George —dijo Inchbeck—. Pero esto no va a gustarle nada.

—Cuando hables con él dile que también quiero discutir nuestro préstamo a las Inversiones «Q».

Heyward no estaba seguro, pero al colgar, creyó que oía gruñir a Inchbeck.

En el silencio de su despacho, Roscoe Heyward se echó hacia atrás en el sillón giratorio acolchado, y dejó que la tensión le abandonara. Lo sucedido en la última hora había sido un choque abrumador. Ahora, a medida que llegaba la reacción, se sentía abandonado y solo. Deseaba poder escapar a todo por algún tiempo. Si le hubiera dado a elegir, habría preferido la compañía de Avril. Pero no había tenido noticias de ella desde el último encuentro, hacía un mes. Ella siempre le había llamado. El nunca lo había hecho.

En un impulso abrió una libreta de direcciones que siempre llevaba consigo y buscó un número que recordaba haber escrito. Era el de Avril en Nueva York. Usando una línea directa, marcó el número.

Oyó sonar y enseguida llega la suave y grata voz de Avril.

—Hola —su corazón dio un salto al oírla.

—Hola, Roscoe —dijo ella cuando él se identificó.

—Hace mucho que no nos vemos, querida. Me estaba preguntando cuándo iba a tener noticias tuyas.

El percibió una vacilación.

—Pero Roscoe, querido tú ya no figuras en la lista.

—¿Qué lista?

Nuevamente una duda.

—Tal vez no debí decirlo...

—Explícate, por favor. Esto quedará entre nosotros dos.

—Bueno, es una lista muy confidencial que lleva la Supranational, acerca de la gente que puede ser entretenida a su costa.

El tuvo la súbita sensación de que le apretaban una soga al cuello.

—¿Quién hace la lista?

—No sé. Sé que nos la dan a nosotras, las chicas. No sé quién la hace.

El se detuvo, pensando nerviosamente, y razonó: lo hecho hecho estaba. En realidad debía estar contento de no figurar ya en la lista, aunque se preguntó —con algo de envidia— quién figuraría ahora. En todo caso esperaba que las copias fueran cuidadosamente destruidas. En voz alta preguntó:

—¿Eso significa que ya no puedes venir aquí a verme?

—No exactamente. Pero, sí lo hago, tendrás que pagar tú, Roscoe.

—¿Cuánto costará eso? —preguntó, maravillándose de ser él quién estaba hablando.

—Está mi pasaje aéreo desde Nueva York —dijo Avril, muy directamente—. Después el precio del hotel. Y, para mí... doscientos dólares.

Heyward recordó haber pensado alguna vez cuánto habría costado él a la Supranational. Ahora lo sabía. Apartando el teléfono luchó mentalmente: el sentido común contra el deseo; la conciencia contra la certeza de lo que representaba estar solo con Avril. El dinero era también más de lo que podía permitirse. Pero la deseaba. Mucho en verdad.

Acercó otra vez el teléfono.

—¿Cuándo puedes venir?

—El martes de la próxima semana.

—¿Antes no?

—Mucho me temo que no, cariñito.

Sabía que estaba haciendo el tonto; que, entre ese día y el martes, él tendría que formar cola detrás de otros hombres cuyas prioridades, fuera cual fuese, eran mayores que las suyas. Pero no pudo evitarlo y dijo:

—Está bien. El martes.

Arreglaron que ella iría a alojarse en el Columbia Hilton y le telefonearía desde allí.

Heyward empezó a saborear la próxima dulzura que le esperaba.

Recordó otra cosa que debía hacer: destruir los certificados de sus Inversiones «Q».

Desde el piso treinta y seis usó el ascensor que bajaba directo a la planta baja, después marchó por el túnel hasta la sucursal vecina. Tardó sólo unos minutos en llegar a su caja fuerte personal y retirar los cuatro certificados, cada uno por quinientas acciones. Los llevó personalmente arriba, donde pensaba destruirlos en una máquina de cortar papeles.

Pero, ya en su despacho, pensó de nuevo. La última vez que había controlado la cosa, las acciones valían veinte mil dólares. ¿Acaso estaba obrando apresuradamente? Después de todo, si llegaba el caso, podía destruir los certificados en seguida.

Cambió de idea y los guardó en un cajón del escritorio, junto con otros papeles privados.

12

La gran ocasión llegó cuando Miles Eastin menos la esperaba.

Sólo dos días antes anduvo frustrado y deprimido, convencido que su servidumbre en el club *Double Seven* no iba a producir otro resultado que el de sumergirlo más en la criminalidad, con la renovada sombra de la cárcel pendiente y aterradora. Miles había comunicado su depresión a Juanita y, aunque quedó momentáneamente aliviado al hacer el amor, el estado de ánimo básico proseguía.

El sábado había visto a Juanita. Ese lunes por la noche, en el *Double Seven,* Nate Nathanson, el gerente del club, mandó buscar a Miles que había estado ayudando como de costumbre, llevando bebidas y sándwiches a los jugadores de cartas y dados, en el segundo piso.

Cuando Miles entró en la oficina del gerente, vio que otros dos hombres acompañaban a Nathanson. Uno era el prestamista tiburón, el ruso Ominsky. El otro era un individuo tosco, de facciones gruesas, que Miles había visto varias veces en el club, y a quién había oído nombrar como Tony, «Oso» Marino. Lo de «Oso» parecía muy apropiado. Marino tenía un cuerpo pesado y poderoso, movimientos ágiles que sugerían un salvajismo apenas oculto bajo la piel. Que el «Oso» Tony tenía autoridad, era evidente, y era tratado con deferencia por los otros. Siempre llegaba al club en una *limousine* Cadillac, acompañado por un chófer y un compañero, evidentemente un guardaespalda.

Nathanson pareció nervioso al hablar.

—Miles, he dicho a Mr. Marino y Mr. Ominsky cuán útil eres aquí. Quieren que nos hagas un servicio a...

Ominsky dijo cortante al gerente:

—Espere fuera.

—Sí, señor —y Nathanson salió rápidamente.

—Abajo hay un tipo en un coche —dijo Ominsky a Miles—. Que le ayuden los hombres de Mr. Marino. Tráelo, pero que no le vean. Llévalo a un cuarto cerca del tuyo y asegúrate de que se quede allí. No le dejes más de lo necesario y, cuando tengas que salir, ciérralo con llave. Te hago responsable de que no salga de aquí.

Miles preguntó, inquieto:

—¿Se supone que debo retenerlo a la fuerza?

—No necesitarás fuerza.

—El viejo conoce el juego. No armará líos —dijo Tony el «Oso». Para un individuo de su tamaño, su voz sonaba sorprendentemente a falsete—. Recuerda que es importante para nosotros, así que debes tratarle bien. Pero no le des bebida. Te la pedirá. No le des nada. ¿Has entendido?

—Eso creo —dijo Miles—. ¿Quiere usted decir que ahora el hombre está inconsciente?

—Está borracho como una cuba —contestó Ominsky—. Ha estado de juerga una semana. Tu tarea es cuidarlo y que se le pase la borrachera. Mientras esté aquí... tres o cuatro días... tu trabajo puede esperar —añadió—: Si lo haces bien te apuntarás un tanto.

—Haré todo lo que pueda —contestó Miles—. ¿Cómo se llama el tipo? Tengo que llamarle de alguna manera.

Los otros dos se miraron y después Ominsky contestó:

—Danny. Es todo lo que necesitas saber.

Unos minutos después, ante el *Double Seven,* el chófer guardaespalda del «Oso» Tony, escupía asqueado sobre la acera y se quejaba:

—¡Por Cristo! ¡Este viejo apesta como cloaca!

El, el segundo guardaespalda y Miles Eastin miraban la figura inerte en el asiento trasero del sedán Dodge, aparcado en la esquina. La puerta trasera del coche estaba abierta.

—Voy a ver si lo limpio —dijo Miles. Su propia cara se contrajo ante el poderoso olor a vómito—. Pero primero hay que llevarle adentro.

El segundo guardaespalda urgió:

—¡Carajo, terminemos cuanto antes!

Ambos se inclinaron y levantaron el cuerpo. En la calle escasamente iluminada lo único que podía distinguirse del bulto era un revoltijo de pelo gris, unas mejillas pastosas y hundidas, con matas de barba, unos ojos cerrados y una boca abierta y floja, que mostraba unas encías totalmente casi todas desdentadas. Las ropas del hombre estaban casi todas desgarradas y manchadas.

—¿Te parece que está muerto? —preguntó el segundo guardaespalda cuando extraían el cuerpo del auto.

Precisamente en ese momento, quizás provocada por el ajetreo, una oleada de vómito emergió de la boca abierta y cayó sobre Miles en una cascada.

El chófer guardaespalda, que no había sido tocado, se rió.

—No está muerto. Todavía no —después, cuando a Miles le dio una arcada—: Prefiero que te haya tocado a ti y no a mí, hijito.

Llevaron al reticente viejo dentro del club y allí, usando una escalera posterior, hasta el cuarto piso.

Miles había traído la llave de un cuarto y abrió una puerta. Era un cubículo como el suyo, cuyo único mobiliario era una cama estrecha, una cómoda, dos sillas, una palangana y algunos estantes. Unos paneles alrededor del cubículo se interrumpían a un pie del techo, dejando abierta la parte superior. Miles miró dentro, después dijo a los otros:

—Esperad —y, mientras esperaban, él corrió escaleras abajo y trajo una sábana de goma del gimnasio. Al volver la tendió sobre la cama. Echaron allí al viejo.

—Es tuyo, Miles —dijo el chófer guardaespalda—. Vámonos antes de que vomite.

Sofocando su asco. Miles desvistió al viejo, después, cuando todavía seguía tendido sobre la goma, siempre en estado comatoso, lo lavó y lo limpió con una esponja. Terminado esto, levantando y tirando, Miles retiró la sábana de goma y dejó en el cama el cuerpo, ahora limpio y menos maloliente. Durante el proceso el viejo gemía, y una vez se le hinchó el estómago, pero sólo largó un poco de baba, que Miles limpió.

Después de taparle Miles con una sábana y una manta, el viejo pareció desansar mejor.

Antes, al quitarle las ropas, Miles las había dejado caer al suelo. Las juntó ahora y empezó a meterlas en dos bolsas de plástico, para mandarlas a la lavandería al día siguiente. Al hacer esto vació todos los bolsillos. En uno encontró una dentadura postiza. En otros, diversos objetos: un peine, unos lentes de cristales gruesos, una pluma de oro y un lápiz, varias llaves en un llavero y, en un bolsillo interior, tres tarjetas de crédito y una billetera repleta de dinero.

Miles tomó la dentadura, la enjuagó y la colocó junto a la cama con un vaso de agua. También dejó allí los lentes. Después examinó las tarjetas de crédito y el dinero.

Las tarjetas estaban a nombre de Fred W. Riodan, R. K. Bennett y Alfred Shaw. Cada tarjeta tenía una firma, pero, pese a las diferencias de nombre, la caligrafía era idéntica en cada caso. Miles volvió nuevamente las tarjetas, examinando las fechas de validez, lo que demostraba que las tres estaban en vigencia. Dentro de lo que podía darse cuenta, eran auténticas.

Prestó atención al montón de dinero. En una libreta, bajo una abertura en material plástico había un permiso de conducir. El plástico era amarillo y resultaba difícil ver; esto hizo que Miles retirara el permiso y, debajo encontró otro, y luego un tercero. Los nombres de los permisos correspondían a los de las tarjetas, pero la cabeza y los hombros en las fotografías de los tres permisos eran idénticos. Miró más atentamente. Pese a leves diferencias cuando se tomaron las fotografías, indudablemente representaban al viejo que estaba en la cama.

Miles retiró el dinero de la billetera y lo contó. Iba a pedir a Nate Nathanson que pusiera las tarjetas de crédito y el dinero en la caja fuerte del club, pero primero quería saber cuánto dinero había. La suma era inesperadamente grande: quinientos doce dólares, la mitad en nuevos billetes de veinte dólares. Los billetes de veinte le llamaron la atención. Examinó con cuidado varios, probando la textura del papel con la yema de los dedos. Después miró al viejo, que parecía profundamente dormido. En silencio, Miles salió del cuarto y atravesó el corredor del tercer piso hasta su cuarto. Volvió unos momentos después con una lente de bolsillo, con la que volvió a examinar los billetes de veinte dólares. Su intuición había sido certera. *Eran* falsos, aunque de la misma alta calidad de los que él había comprado, hacía una semana, en el *Double Seven*.

Razonó: el dinero, o por lo menos la mitad, era falso. Y, obviamente, también lo eran los tres permisos para conducir, que quizás provenían de la misma fuente que el permiso falso que le había dado la semana pasada Jules La Rocca. Por lo tanto: ¿no era también probable que las tarjetas fueran falsas? Quizás, después de todo, estaba cerca de la fuente de las falsas tarjetas de crédito, esas que Nolan Wainwright quería descubrir a toda costa. La excitación de Miles aumentó, junto con un nerviosismo que le hizo latir el corazón.

Necesitaba datos de la nueva información. En una servilleta de papel copió detalles de las tarjetas de crédito y los permisos de conducir, volviéndose ocasionalmente para cerciorarse de que la figura en la cama no se movía.

Poco después Miles apagó la luz, cerró la puerta por el lado de afuera y llevó abajo la billetera y las tarjetas de crédito.

Durmió profundamente esa noche, con la puerta entreabierta, consciente de su responsabilidad sobre el habitante del cubículo del otro lado del corredor. Miles pasó también algún tiempo pensando sobre el papel que desempeñaba, y la identidad del viejo, a quien llamaban Danny. ¿Cuál era la relación de Danny con Ominsky y Tony «Oso» Marino? ¿Por qué lo habían traído aquí? El «Oso» Tony había declarado: *Es importante para nosotros.* ¿Por qué?

Miles se despertó con la luz del día y miró su reloj: las 6,45. Se levantó, se lavó rápidamente, se afeitó y se vistió. No llegaban ruidos del otro lado del corredor. Avanzó metió con cuidado la llave en la cerradura y miró. Danny había cambiado de posición durante la noche, pero seguía durmiendo y roncaba con suavidad. Miles recogió las bolsas plásticas con la ropa, volvió a cerrar la puerta, y bajó.

Volvió veinte minutos después con una bandeja con el desayuno, un café muy fuerte, tostadas y huevos revueltos.

—¡Danny! —Miles sacudió al viejo por el hombro—. ¡Danny, levántate!

No hubo respuesta. Miles probó de nuevo. Finalmente los ojos se abrieron cansados, lo examinaron, volvieron a cerrarse con rapidez.

—Fuera —murmuró el viejo—. Váyase. Todavía no estoy listo para el infierno.

—No soy el diablo —dijo Miles—. Soy un amigo. Tony «Oso» Marino y el ruso Ominsky me han encargado que me ocupe de usted.

Unos ojos acuosos volvieron a abrirse.

—Los maricones me han encontrado, ¿eh? Calcularon dónde iba a estar, supongo. Generalmente es así —la cara del viejo se contrajo de dolor—. ¡Jesús, cómo me duele la cabeza!

—Le he traído café. Tal vez le haga bien —Miles pasó un brazo alrededor de los hombros de Danny y le ayudó a enderezarse, luego le acercó el café. El viejo sorbió e hizo muecas.

De pronto pareció alerta.

—Oye, hijo, que me haga bien no importa. Toma algún dinero y... —miró alrededor.

—Su dinero está bien —dijo Miles—. En la caja fuerte del club. Lo llevé anoche.

—¿Este es el *Double Seven*?

—Sí.

—Una vez me trajeron aquí. Bueno, ahora sabes que puedo pagar hijo, vete al bar y...

Miles dijo con firmeza:

—No habrá bebida. Para ninguno de los dos.

—Haré que me los traigas... —los ojos brillaron astutos—. Digamos cuarenta dólares por una botellita. ¿Te gusta?

—Perdón, Danny. Tengo órdenes —Miles meditó lo que iba a deci▮

después dio un salto y se zambulló—. Además, si uso esos billetes de veinte dólares que usted tiene, pueden detenerme.

Fue como disparar un tiro. Danny se incorporó de golpe, con la cara llena de alarma y desconfianza.

—¿Quién ha dicho que... —se detuvo con un gemido y una mueca, y se llevó la mano a la cabeza dolorida.

—Alguien tenía que contar el dinero. Yo lo conté.

El viejo dijo, débilmente:

—Esos billetes de a veinte son buenos.

—Claro que sí —asintió Miles—. Están entre los mejores que he visto. Casi tan buenos como hechos en la oficina de impresión de los Estados Unidos.

Danny levantó los ojos. El interés luchaba contra la desconfianza.

—¿Cómo es posible que sepas tanto?

—Antes de ir a la cárcel trabajé en un banco.

Un silencio. Después el viejo preguntó:

—¿Por qué te metieron en la cárcel?

—Estafa. Estoy en libertad condicional.

Danny pareció visiblemente aliviado.

—No me pareces tan mal. De lo contrario no estarías trabajando para el «Oso» Tony y el ruso.

—Así está mejor —dijo Miles—. Estoy bien. Y lo principal es que usted también lo esté. Vamos al baño turco.

—No es baño turco lo que necesito. Es un traguito. Nada más que uno, hijito —suplicó Danny—. Juro no pedir más. No puedes negarle una cosa así a un viejo.

—Ya sudamos nosotros parte de lo que bebiste. Ahora puedes chuparte los dedos.

El viejo gruñó:

—¡No tienes piedad, no la tienes!

En cierto modo era como cuidar a un chico. Venciendo las protestas, Miles envolvió a Danny en una bata y le guió escaleras abajo, después le escoltó desnudo por sucesivos cuartos con vapor caliente, lo envolvió en una toalla y finalmente lo condujo hacia una mesa de masajes, donde el mismo Miles dio golpes y pellizcos bastante eficientes. A esa hora, el ginmasio y los baños turcos estaban desiertos y pocos miembros del personal del club habían llegado. No había nadie a la vista cuando Miles acompañó al viejo arriba.

Miles colocó sábanas limpias en la cama y Danny, ahora apaciguado y obediente, se echó en ella. Casi inmediatamente quedó dormido, aunque al revés de la noche anterior, parecía tranquilo, casi angélico. Curiosamente, sin conocerle, Miles simpatizaba con el viejo. Con cuidado, mientras dormía, Miles le puso una toalla bajo la cabeza y le afeitó.

Avanzada la mañana, mientras leía en su cuarto al otro lado del corredor, Miles se quedó dormido.

—¡Eh, Miles! ¡Nene, mueve el culo! —la voz hiriente era la de Jules La Rocca.

Sorprendido, Miles despertó de golpe y vio la conocida barriga de la figura que estaba de pie ante la puerta. La mano de Miles se tendió, en busca de la llave del cubículo del otro lado del corredor. Tranquilizado comprobó que estaba donde la había dejado.

—Algunos trapos para el viejo —dijo La Rocca. Llevaba un portafolio de fibra—. Ominsky dijo que te lo entregara.

La Rocca, el eterno mensajero.

—Bien —Miles se desperezó y fue hasta un lavabo donde se echó agua en la cara. Luego, seguido por La Rocca, abrió la puerta del otro lado del corredor. Cuando los dos entraron, Danny se tendió cómodamente en la cama. Seguía consumido y pálido, pero parecía mejor que nunca desde su llegada. Se había puesto los dientes y llevaba los lentes.

—¡Maldito inútil! —dijo La Rocca—. Siempre tienes que crear molestias a todo el mundo.

Danny se sentó más tieso, y miró con disgusto a su acusador.

—Disto mucho de ser inútil. Como tú y otros sabéis. En cuanto a la salsita… todos tenemos nuestras debilidades… —hizo un gesto hacia el portafolio—. Si me has traído la ropa, cumple con lo que te han mandado y cuélgala.

Imperturbable, La Rocca hizo una mueca.

—Parece que devuelves el golpe, viejo pedo. Me parece que Miles se ha portado.

—Jules —dijo Miles— ¿quieres quedarte aquí mientras bajo a buscar una lámpara de sol? Creo que le hará bien a Danny.

—Claro.

—Quiero hablar antes contigo —Miles hizo una seña con la cabeza y La Rocca lo siguió fuera.

En voz baja, Miles preguntó:

—Jules, ¿qué significa todo esto? ¿Quién es este hombre?

—Un viejo borracho. De vez en cuando se escapa y se va de jarana. Entonces hay que encontrarlo y quitarle el alcohol de encima.

—¿Por qué? ¿De dónde se escapa?

La Rocca se detuvo, con ojos desconfiados, como una vez la semana pasada.

—Estás haciendo otra vez preguntas, pequeño. ¿Qué te dijeron Tony el «Oso» y Ominsky?

—Nada, fuera de que el viejo se llama Danny.

—Si ellos quieren decirte más, que te lo digan. Yo no.

Cuando La Rocca se fue, Miles colocó una lámpara de sol en el cubículo y sentó bajo ella a Danny, durante media hora. El resto del día el viejo reposó, tranquilamente despierto, o dormitó. A principios de la noche Miles trajo desde abajo la comida, y Danny se lo comió casi todo… la primera comida completa desde hacía veinticuatro horas.

A la mañana siguiente —un miércoles— Miles repitió el tratamiento de baños turcos y lámpara de sol y, más tarde, los dos jugaron al ajedrez. El viejo tenía una mente rápida y astuta y la partida fue equilibrada. Ahora Danny parecía amistoso y confiado, y era evidente que disfrutaba de la compañía de Miles y de sus atenciones.

En la segunda tarde, el viejo quiso hablar.

—Ayer —dijo— ese mala hierba de La Rocca dijo que sabías mucho de dinero.

—Es lo que dice a todo el mundo —Miles explicó su *hobby* y el interés que había despertado en la cárcel.

Danny hizo más preguntas, y anunció:

—Si no te molesta, me gustaría que me dieras ahora mi dinero.

—Se lo traeré. Pero tengo que encerrarle de nuevo.

—Si estás preocupado por el trago, no pienses más en ello. Por esta vez he terminado. Una situación como la que he pasado me ha curado. Pasarán meses antes de que vuelva a beber.

—Me alegro de saberlo —pero Miles cerró la puerta de todos modos.

Cuando tuvo su dinero, Danny lo desparramó sobre la cama y lo dividió en dos montones. En uno estaban los nuevos billetes de a veinte, y los billetes de diversos valores, que quedaban, en su mayoría ajados, en el otro. Del segundo grupo Danny eligió tres billetes de a diez dólares y se los tendió a Miles.

—Esto es por haber pensado en algunas cositas, hijo, como ocuparte de mis dientes, el afeitado, la lámpara de sol. Te agradezco lo que has hecho.

—Oiga, no tiene por qué darme nada.

—Tómalo de todos modos. Y es buen dinero. Ahora dime algo.

—Si puedo, lo haré.

—¿Cómo te diste cuenta de que esos billetes de a veinte eran de fabricación casera?

—En el primer momento no me di cuenta. Pero, si se usa una lente algunas de las líneas del retrato de Andrew Jackson parecen borrosas.

Danny asintió sabiamente.

—Es la diferencia entre un grabador de acero, como usa el gobierno y una placa fotográfica en offset. Aunque puede estar muy cerca.

—En este caso ha sido así —dijo Miles—. Otras partes de los billetes son perfectas.

Hubo una débil sonrisa en la cara del viejo.

—¿Qué te parece el papel?

—Me engañó. Generalmente se descubre con los dedos un billete falso. Pero no éstos.

Danny dijo con suavidad:

—Bonos de cupón de veinticuatro libras. Cien por cien fibra de algodón. La gente cree que no se puede conseguir el papel apropiado. No es verdad. Se puede, si uno busca bien.

—Si tanto le interesa —dijo Miles— tengo en mi cuarto algunos libros sobre dinero. Estoy pensando en uno, publicado por el Servicio Secreto de los Estados Unidos.

—¿Te refieres a *Conozca su dinero*? —Como Miles pareció sorprendido, el viejo tuvo una risita—. Es el libro de cabecera de los falsificadores. Dice lo que hay que buscar para descubrir un billete falso. Tiene listas de todos los errores que cometen los falsificadores. ¡Incluso muestran retratos!

—Sí —dijo Miles—, ya lo sé.

Danny siguió charlando.

—¡Y el Gobierno lo hace circular! Escribes a Washington... y te lo envían. Había un falsificador de alto vuelo, Mike Landress, que escribió un libro. En él decía que *Conozca su dinero* es un libro del que ningún falsificador puede prescindir.

—Landress fue atrapado —señaló Miles.

—Porque trabajaba con idiotas. No tenían organización.

—Pareces saber mucho de esto.

—Un poco —Danny se detuvo, tomó uno de los billetes buenos, uno de los falsificados, y los comparó. Lo que vio le agradó; hizo una mueca mostrando los dientes—. ¿Sabías, hijo, que el dinero norteamericano es el más fácil del mundo de copiar e imprimir? El hecho es que fue diseñado para que los grabadores del siglo pasado no pudieran reproducirlo con los instrumentos que tenían. Pero, desde entonces, han surgido máquinas y fotos en offset de alta resolución, de manera que ahora, con un buen equipo, paciencia y un poco de gasto, un hombre hábil puede hacer un trabajo que sólo los expertos pueden descubrir.

—He oído algo de eso —dijo Miles—. ¿Hay muchos intereses en juego?

—Deja que te diga —Danny parecía divertirse, evidentemente lanzado a su tema favorito—. Nadie sabe en verdad cuánto dinero falso se imprime cada año y pasa sin ser descubierto, pero es un *montón*. El gobierno dice que se trata de unos treinta millones de dólares, de los cuales una décima parte está en circulación. Pero esas son cifras del gobierno, y lo único de que se puede tener seguridad con *cualquier* gobierno es que las cifras que dan son altas o bajas, dependiendo de lo que el gobierno quiera probar. En este caso dan cifras bajas. Mi pálpito es que debe haber unos setenta millones anuales, tal vez cerca de mil millones.

—Creo que es posible —dijo Miles. Recordaba cuánto dinero falso había descubierto en el banco, y cuánto más pasó sin llamar la atención.

—¿Sabes cuál es el dinero *más difícil* de reproducir?

—No, no lo sé.

—Los cheques de viajero del American Express. ¿Sabes por qué? Miles meneó la cabeza.

—Porque están impresos en azul-cianido, que es casi imposible de reproducir en una placa impresora en offset. Nadie que sepa algo perderá tiempo intentándolo, de manera que un cheque Amex es más seguro que el dinero norteamericano.

—Corren rumores —dijo Miles— de que pronto habrá nuevo dinero norteamericano, con colores para las diferentes denominaciones... como en Canadá.

—No es un rumor —dijo Danny—. Es un hecho. Hay ya un montón de dinero en colores impreso y almacenado en el Tesoro. Será más difícil de copiar que todo lo que se ha hecho... —sonrió con picardía—. Pero los viejos circularán un tiempo. Quizás tanto como el que me queda de vida.

Miles guardaba silencio, digiriendo todo lo que había oído. Al fin dijo:

—Me ha hecho preguntas, Danny, y las he contestado. Ahora tengo una para usted.

—No quiere decir que vaya a contestarla, hijo. Pero puedes intentarlo.

—¿Quién y qué es usted?

El viejo meditó, acariciándose el mentón con el pulgar, mientras examinaba a Miles. Algunos de sus pensamientos se retrataron en su cara: la tentación de ser sincero luchaba contra la cautela; el orgullo se mezclaba a la discreción. Bruscamente Danny se decidió:

—Tengo 73 años —dijo— y soy un artesano maestro. He sido impresor toda mi vida. Sigo siendo todavía el mejor. Además de ser un oficio, imprimir es un arte —señaló los billetes de veinte dólares todavía desparramdos sobre la cama—. Son mi obra. Yo hice la placa fotográfica. Yo los imprimí.

Miles preguntó:

—¿Y los permisos de conducir y las tarjetas de crédito?

—Comparado con imprimir dinero —dijo Danny— hacer esas cosas es tan fácil como orinar en un barril. Pero sí... yo lo he hecho también.

13

En una fiebre de impaciencia, Miles esperaba ahora la ocasión de comunicar lo que sabía a Nolan Wainwright, vía Juanita. Pero desgraciadamente, resultaba imposible salir del *Double Seven*, y el riesgo de transmitir unos datos tan vitales por medio del teléfono del club, era demasiado grande.

El jueves por la mañana —el día siguiente a las sinceras revelaciones de Danny— el viejo dio señales de estar del todo curado de su orgía alcohólica. Era evidente que se divertía en compañía de Miles y las partidas de ajedrez continuaban. Lo mismo pasaba con sus conversaciones, aunque Danny estaba más en guardia de lo que había estado el día anterior.

No era claro que Danny pudiera apresurar su marcha, en caso de desearlo. Aunque hubiera podido hacerlo, no parecía dispuesto y parecía en cambio contento —al menos por el momento— con su encierro en el cubículo del tercer piso.

En las últimas charlas, el miércoles y el jueves, Miles había procurado conseguir más datos sobre la actividad de falsificador de Danny, e incluso sugirió la pregunta crucial de algún local en donde trabajara. Pero Danny escamoteó hábilmente nuevas discusiones sobre el tema, y el instinto dijo a Miles que el viejo lamentaba un poco su primera sinceridad. Recordando el consejo de Wainwright: *No se apresure, tenga paciencia,* Miles decidió no forzar la suerte.

Pese a su exaltación, otro pensamiento le deprimía. Todo lo que había descubierto representaba la detención y el arresto de Danny. Miles seguía simpatizando con el viejo y lamentaba lo que seguramente iba a seguir. Sin embargo —se recordó a sí mismo—, era también el camino de su única posibilidad de rehabilitación.

Ominsky, el prestamista tiburón y Tony «Oso» Marino, estaban ambos mezclados con Danny, aunque todavía no estaba claro de qué manera. A Miles no le importaba del ruso Ominsky o de Tony el «Oso», aunque el miedo le helaba al suponer que podían enterarse —como finalmente iba a suceder— del papel de traidor que él desempeñaba.

El jueves, tarde ya, Jules La Rocca volvió a aparecer.

—Traigo un mensaje de Tony. Mañana mandará un cochecito para buscarte.

Danny asintió, y fue Miles quien preguntó:

—¿Un cochecito para ir a dónde?

Tanto La Rocca como Danny le miraron agudamente, sin contestar, Miles lamentó haber preguntado.

Aquella noche, decidido a correr un riesgo aceptable, Miles telefoneó a Juanita. Esperó a encerrar a Danny en su cubículo, antes de la medianoche; después bajó para usar un teléfono público de la planta baja del club. Puso una moneda y marcó el número de Juanita. A la primera llamada la voz de ella contestó con suavidad:

—Hola...

El teléfono era de los de pared, estaba cerca del bar, sin casilla, y Miles murmuró para no ser oído.

—Ya sabes quién habla. No uses nombres.

—Sí —dijo Juanita.

—Di a nuestro mutuo amigo que he descubierto algo importante. Muy importante. Se refiere a lo que él quería saber. No puedo decir más, pero iré a verte mañana por la noche.

—Bien.

Miles cortó. Simultáneamente una grabadora en el sótano del club, que se había puesto automáticamente en marcha al levantarse el receptor del teléfono, se apagó, también automáticamente.

14

Algunos versículos del *Génesis,* como la propaganda subliminal, relampagueaban a intervalos en la mente de Roscoe Heyward: *De todo árbol del jardín comerás, pero del árbol de la ciencia del bien y del mal no probarás; porque en el momento que comas ciertamente morirás.*

En los últimos días Heyward había estado obsesionado con el interrogante: ¿acaso su relación sexual ilícita con Avril, iniciada en aquella noche memorable a la luz de la luna en las Bahamas se había convertido en su propio árbol del mal, del cual iba a cosechar el más amargo de los frutos? ¿Y todo lo adverso que sucedía ahora —la súbita y alarmante debilidad de la Supranational, que podía desbaratar sus ambiciones con respecto al banco— era algo que Dios hacía para castigarle personalmente.

Por el contrario: si cortaba todos los lazos con Avril decisiva e inmediatamente, si la arrojaba de sus pensamientos: ¿Iba Dios a perdonarle? ¿Acaso El, con todo su saber, devolvería fuerza a la Supranational y reavivaría la fortuna de Su siervo, Roscoe? Recordaba a Nehemías: *... Eres un Dios dispuesto a perdonar, gracioso y misericordioso, lento para la ira, y de gran bondad...* Heyward creía que esto era posible.

Lo malo es que no había manera de estar seguro.

También, como fuerte argumento en contra de separarse de Avril, estaba el hecho de que ella llegaría a la cuidad el martes, como habían convenido la semana anterior. En medio del tumulto habitual de problemas, Heyward ansiaba que Avril viniera.

Todo el lunes y la mañana del martes en su despacho, vaciló, sabiendo que podía telefonear a Nueva York y detenerla. Pero el martes, a mitad de la mañana, al enterarse del horario de vuelos desde Nueva York, comprendió que era demasiado tarde y se sintió aliviado al no tener que tomar ninguna decisión.

Avril llamó al caer la tarde, por el teléfono no registrado en guía que comunicaba directamente con el escritorio de Roscoe.

—Eh, Roscoe... estoy en el hotel. *Suite 432.* El champagne está en el hielo... pero yo estoy caliente esperándote.

El deseó haber sugerido un cuarto en lugar de una *suite,* ya que ahora le correspondía pagar a él. Por el mismo motivo el champaña le pareció un gasto innecesario, y se preguntó si sería poco amable sugerir que lo devolviera. Pensó que así debía ser.

—Iré a verte en seguida, querida —dijo.

Logró hacer una pequeña economía utilizando un coche y un chófer del banco, que le llevaron al Columbia Hilton. Heyward dijo al chófer:

—No me espere.

Cuando entró en la *Suite 432* los brazos de Avril le rodearon inmediatamente, y sus ávidos labios llenos comieron ávidamente los suyos. La estrechó con fuerza, su cuerpo reaccionó en seguida, con la excitación que había llegado a conocer y ansiar. A través de la tela de los pantalones pudo sentir los largos muslos esbeltos y las piernas de Avril, moviéndose contra él, provocando, apartándose, prometiendo, hasta que toda su persona pareció concentrada en unas pocas pulgadas de su físico. Luego, tras unos momentos, Avril se soltó, le acarició la mejilla y se apartó.

—Roscoe, ¿por qué no hacemos el acuerdo comercial en seguida? Después podremos descansar y no preocuparnos más.

El súbito sentido práctico de ella le sacudió. Se preguntó: ¿era ésta la manera en que sucedían las cosas... primero el dinero, después la realización? De todos modos tenía sentido. Si las cosas quedaban para más tarde, el cliente —con el apetito saciado y la premura desaparecida— podía sentir tentaciones de no pagar.

—Está bien —dijo. Había metido doscientos dólares en un sobre y lo tendió a Avril. Ella sacó el dinero y empezó a contarlo; él preguntó:

—¿No me tienes confianza?

—Deja que yo *te haga* otra pregunta —dijo Avril—. Si yo llevo dinero a tu banco y lo entrego... ¿acaso no hay alguien que lo contará?

—Lógicamente.

—Bueno, Roscoe, la gente tiene tanto derecho como los bancos a defenderse —terminó de contar y dijo, con decisión—: Estos doscientos son para mí. Además está mi pasaje aéreo y los taxis, que suman ciento veinte dólares; el costo de la *suite* es de ochenta y cinco dólares; y el champagne y la propina son veinticinco. Digamos unos doscientos cincuenta más, aproximadamente. Eso lo cubrirá todo.

Sacudido por el total de la suma, él protestó:

—Es mucho dinero.

—Y yo soy una mujer que vale mucho. Es menos de lo que gasta la Supranational cuando es ella quien paga, y entonces no pareció importarle tanto. Además, cuando se quiere lo mejor, cuesta caro.

Su voz tenía un tono directo, sin ningún mimo, y él comprendió que estaba frente a otra Avril, más audaz y dura que la criatura entregada y ávida de agradar de un momento antes. De mala gana, Heyward sacó doscientos cincuenta dólares de su billetera y se los tendió.

Avril colocó toda la suma en un bolsillo interior de su bolso.

—Bueno, ¡terminados los negocios! Ahora ocupémonos del amor.

Se volvió hacia él y lo besó con ardor, y al mismo tiempo sus largos dedos hábiles acariciaron levemente su pelo. El apetito que él sentía por ella, brevemente apagado, empezó a renacer.

—Roscoe, querido —murmuró Avril—, cuando llegaste parecías cansado y preocupado.

—Ultimamente he tenido algunos problemas en el banco.

—Entonces habrá que tranquilizarte. Primero un poquito de champagne, después me tomarás a mí... —hábilmente abrió la botella, que estaba en un balde de hielo, y llenó dos vasos. Juntos bebieron, y esta vez Heyward no se preocupó de recordar que era abstemio. Pronto Avril empezó a desnudarlo, y a desnudarse ella.

Cuando estaban en la cama, ella murmuraba constantemente mimos, frases de aliento:

—Oh, Roscoe... eres tan grande y tan fuerte... ¡Qué hombre!... Despacio, querido... despacio... Nos has llevado al paraíso... Ay, si esto pudiera durar para siempre...

Su habilidad no sólo le despertaba físicamente, sino que lo hacía sentirse hombre como nunca se había sentido. Nunca, en todos sus descosidos acoplamientos con Beatrice, había él imaginado aquella plenitud de sensaciones, una progresión gloriosa hacia una realización tan completa en todos los sentidos.

—Casi lista, Roscoe... cuando digas... Sí, querido... *por favor, sí*...

Quizás parte de la respuesta de Avril fuera una comedia. Sospechaba que así era, pero ya no le importaba. Lo que contaba era la profunda, rica, dichosa sensualidad que había descubierto en él, por intermedio de ella.

El *crescendo* pasó. Iba a quedar, pensó Roscoe Heyward, como otro recuerdo exquisito. Ahora estaban echados, dulcemente lánguidos, mientras que, fuera del hotel, el crepúsculo se convertía en oscuridad y parpadeaban las luces de la ciudad. Avril se movió primero. Pasó del dormitorio de la *suite* a la sala y volvió con dos vasos llenos de champagne, que bebieron, sentados en la cama y charlando.

Después de un rato, Avril dijo:

—Roscoe, quiero pedirte un consejo.

—¿Con respecto a qué? —¿Qué clase de confidencia femenina estaba él a punto de compartir?

—¿Crees que debo vender mis acciones de la Supranational?

Sorprendido, él preguntó:

—¿Tienes muchas?

—Quinientas acciones. Ya sé, para ti, eso no es mucho. Pero lo son para mí... es una tercera parte de mis ahorros.

El calculó con rapidez que los «ahorros» de Avril eran aproximadamente siete veces más que los suyos propios.

—¿Qué has oído de la SuNatCo? ¿Por qué lo preguntas?

—En primer lugar han reducido mucho los entretenimientos, me han dicho que les hace falta dinero, y hay cuentas que no han pagado. A algunas de las otras chicas les aconsejaron que vendieran sus acciones, pero yo no he vendido las mías, porque se están negociando mucho más bajo que cuando las compré.

—¿Has consultado con Quartermain?

—Ninguna de nosotras le ha visto últimamente. Rayo de Luna... ¿te acuerdas de Rayo de Luna?

—Sí —Heyward recordaba que el Gran George había ofrecido mandar a su cuarto la exquisita muchacha japonesa. Se preguntó cómo habría sido su encuentro.

—Rayo de Luna dice que George se ha ido a Costa Rica y que probablemente se quedará allí. Y dice que él vendió muchas de las acciones de la SuNatCo que poseía antes de irse.

Oh, ¿por qué no había usado semanas atrás a Avril como fuente de información?

332

—Si estuviera en tu caso —dijo él— vendería mañana mismo esas acciones. Incluso con pérdida.

Ella suspiró.

—Es bastante difícil ganar dinero. Y más difícil todavía conservarlo.

—Querida, acabas de enunciar una verdad financiera fundamental.

Hubo un silencio, después Avril dijo:

—Te voy a recordar como a un hombre muy simpático, Roscoe.

—Gracias. Yo también pensaré en ti de manera especial.

Ella le abrazó.

—¿Otra vez?

El cerró los ojos, entregado al placer, mientras ella le acariciaba. Como siempre, ella era una experta. El pensó: ambos aceptaban tácitamente que aquella era la última vez que iban a verse. Había una razón práctica: él no podía pagar a Avril. Además, estaba la sensación de acontecimientos que se agitaban, de cambios inminentes, de cierta crisis que llegaba a la cúspide. ¿Quién sabía qué iba a pasar?

Antes de hacer el amor, él recordó su preocupación de antes acerca de la ira de Dios. Bueno, quizá Dios... el padre de Cristo, que conocía la debilidad humana, que caminaba y hablaba con pecadores y que había muerto entre ladrones... comprendería. Comprendería y olvidaría la verdad... que en la vida de Roscoe Heyward los escasos y dulces momentos de felicidad más intensa, habían sido en compañía de una prostituta.

Al salir del hotel, Heyward compró un periódico vespertino. Un encabezamiento a dos columnas, a la mitad de la primera página, le llamó la atención:

INQUIETUD EN LA SUPRANATIONAL
¿HASTA QUE PUNTO ES SOLVENTE EL
GIGANTE MUNDIAL?

15

Nadie supo nunca qué acontecimiento específico, si es que hubo alguno, había provocado el derrumbamiento final de la Supranational. Tal vez fuera un incidente. O bien podía ser el peso acumulado de muchos, que habían provocado movimientos graduales en el equilibrio, como una presión creciente en un andamiaje, hasta que, súbitamente, cae el techo.

Como sucede en todo desastre financiero en el que está involucrada una compañía pública, los signos aislados de debilidad eran evidentes desde hacía semanas y meses. Pero sólo los observadores más intuitivos, como Lewis D'Orsey, los habían percibido en conjunto y habían comunicado sus temores a algunos pocos favorecidos.

La gente de dentro, lógicamente, incluido el Gran George Quartermain, quien, como se supo más adelante, había vendido la mayoría de sus acciones valiéndose de un intermediario al precio más elevado de la SuNatCo —sabía más que nadie y se había escabullido pronto. Otros, prevenidos por confidentes, o amigos que devolvían un favor por otro, habían obtenido una información similar y, en silencio, habían hecho lo mismo.

Luego seguían en la lista aquellos como Alex Vandervoort —actuando para el First Mercantile American— que habían obtenido información exclusiva, y rápidamente se habían librado de todas las acciones de la SuNatCo que poseían, esperando que, en la confusión siguiente, sus motivos no fueran investigados. Otras instituciones —bancos, casas de inversiones, fondos mutuales— al ver que se deslizaba el precio de las acciones y sabiendo como trabajaba el sistema interno, percibieron pronto la situación y siguieron la corriente.

Había leyes federales en contra de negociar internamente las acciones... en el papel. En la práctica las leyes se infringían diariamente y en gran parte no podían ejecutarse. Ocasionalmente, en algún caso flagrante, o en algún blanqueo, podía hacerse alguna acusación y conseguir alguna penalidad mezquina. Pero esto también era raro.

Los inversores individuales —el grande, esperanzado, confiado, ingenuo, castigado, expoliado público— fueron, como siempre, los últimos en enterarse de que algo andaba mal.

La primera información sobre las dificultades de la SuNatCo, apareció en una noticia de la AP, publicada por los periódicos vespertinos —la historia que Roscoe Heyward había leído al salir del Columbia Hilton. A la mañana siguiente la prensa había obtenido nuevos detalles y artículos ampliados aparecieron en los diarios de la mañana, incluso en «The Wall Street Journal». De todos modos, los detalles eran escasos y mucha gente no podía creer que algo de un tamaño tan tranquilizador como la Supranational Corporation pudiera estar en serias dificultades.

La confianza fue asediada, muy pronto.

A las 10 horas, aquella mañana, en la Bolsa de Nueva York, las acciones de la Supranational no se abrieron al tráfico con el resto del mercado. El motivo dado fue «un desequilibrio de orden». Lo que significaba que el especialista para negociar las acciones de la SuNatCo estaba tan empantanado con las órdenes de «venta», que era imposible mantener el orden de las acciones en el mercado.

La negociación de la SuNatCo se reabrió a las 11, cuando una gran orden de «compra» de 52.000 acciones cruzó el registro. Pero para entonces el mercado, que había estado a 48 $^1/_2$ un mes antes, había bajado a 19. Cuando sonó la campana de cierre de la tarde, estaba a 10.

La Bolsa de Nueva York probablemente hubiera detenido el tráfico al día siguiente, pero, por la noche, la decisión le fue quitada de entre las manos. Los departamentos de Seguridad y la Comisión de Intercambio anunciaron que estaban investigando los negocios de la Supranational y que, hasta que terminara la investigación, quedaba detenido todo comercio con las acciones de la SuNatCo.

Siguieron quince días ansiosos para los acreedores y los restantes accionistas de la SuNatCo, cuyas inversiones y préstamos combinados llegaban a cinco mil millones de dólares. Entre los que esperaban —estremecidos, nerviosos y comiéndose las uñas— estaban los funcionarios y directores del banco First Mercantile American.

La Supranational no se sostuvo, como esperaban Alex Vandervoort y Jerome Patterton, «en el aire durante varios meses». Por lo tanto existía la posibilidad de que las transacciones tardías de acciones de la SuNatCo —incluida la gran cantidad del departamento de depósitos del FMA— pudieran ser revocadas. Esto podía suceder de dos maneras: por orden de los servicios de Seguridad, tras alguna queja, o porque los compradores de las acciones iniciaran una acción judicial, alegando que el FMA conocía la verdadera condición de la Supranational, y no la había revelado cuando se vendieron las acciones. Si esto sucedía, la cosa iba a representar todavía una pérdida mayor para los depositarios de la que ya afrontaban, y el banco podía ser juzgado por abuso de confianza. Había otra posibilidad que debía afrontarse... y que era aún más probable. El préstamo de cincuenta millones de dólares del First Mercantile American a la SuNatCo iba a convertirse en una «tachadura», una pérdida total. Si así era, por primera vez en su historia, el banco sufriría una pérdida sustancial aquel año. Y esto elevaba la probabilidad de que el próximo dividendo de acciones del FMA debiera ser omitido. Esto también sucedería por primera vez.

Un estado de depresión y duda invadía a los altos mandos del banco.

Vandervoort había previsto que, cuando estallara la historia de la Supranational, la prensa iba a empezar a investigar y a dar a conocer que el First Mercantile American estaba envuelto en el asunto. En esto tampoco se había equivocado.

Nuevos periodistas, que en años recientes se habían sentido animados por el ejemplo de los héroes de Watergate del «Washington Post», Bernstein y Woodward, atacaron con dureza. Y sus esfuerzos tuvieron éxito. En pocos días la gente de prensa había creado fuentes de información dentro y fuera de la Supranational, y empezaron a surgir exposiciones de las actividades laterales de Quartermain, al igual que el sombrío conglomerado de las «cuentas chinas». Apareció la cifra horrendamente alta de las deudas de la SuNatCo. Y también algunas otras revelaciones financieras, como el préstamo de cincuenta millones del FMA

Cuando el servicio informativo general hizo la primera referencia a los vínculos del FMA con la Supranational, el jefe de relaciones públicas del banco, Dick French, solicitó y obtuvo la convocatoria de una conferencia de alto nivel. Estaban presentes Jerome Patterton, Alex Vandervoort, Roscoe Heyward, y la pesada silueta del mismo French, con el habitual cigarro encendido en el extremo de la boca.

Formaban un grupo serio —Patterton furioso y sombrío, como estaba desde hacía días; Heyward aparentemente fatigado, distraído, y demostrando tensión nerviosa; Alex con creciente ira interna por verse envuelto en el desastre que había predicho, y que hubiera podido no ocurrir.

—Dentro de una hora, quizás menos —empezó el vicepresidente de relaciones públicas— van a perseguirme para que dé detalles sobre nuestras relaciones con la SuNatCo. Quiero saber cuál es nuestra actitud oficial y qué respuestas debo dar.

—¿Estamos obligados a dar alguna información?

—No —dijo French—. Pero tampoco se obliga a nadie a hacerse el harakiri.

—¿Por qué no reconocer que la Supranational nos debe dinero —sugirió Roscoe Heyward— y dejar ahí la cosa?

—Porque no estamos tratando con idiotas, por eso. Algunos de los que harán preguntas serán periodistas expertos en finanzas, que conocen las leyes bancarias. Y la segunda pregunta será: ¿cómo es posible que el banco haya comprometido tanto dinero de los depositantes a un solo deudor?

Heyward interrumpió:

—No es un solo deudor. El préstamo fue dividido entre cinco subsidiarias de la Supranational.

—Cuando lo repita —afirmó French— procuraré hacer creer que lo creo... —se sacó el cigarro de la boca, lo dejó a un lado, y acercó un pequeño anotador—. Bueno, quiero detalles. Todo saldrá a la luz de todos modos, pero quedaremos mucho peor si no afrontamos la cuestión; se volverá dolorosa, como sacarse una muela.

—Antes de seguir —dijo Heyward— quiero recordar que no somos el único banco al que la Supranational debe dinero. Están el First National City, el Bank of America y el Chase Manhattan.

—Pero todos ellos encabezan consorcios —señaló Alex—, de manera que cualquier pérdida es compartida por otros bancos. Dentro de lo que sabemos, nuestro banco es el más expuesto individualmente —no tenía sentido recordar que él había prevenido a todos los interesados, incluida a la Dirección, que tal concentración de riesgo era peligroso para el FMA, y probablemente ilegal. Pero sus pensamientos seguían todavía siendo amargos.

336

Lanzaron una declaración reconociendo el profundo acuerdo financiero del First Mercantile American con la Supranational, y reconocieron también tener alguna ansiedad. La declaración expresaba la esperanza de que el moribundo conglomerado pudiera recobrarse, quizás bajo una nueva dirección, para la que presionaría el FMA, y con pérdidas minimizadas. Era una esperanza fantasma, y todos lo sabían.

Se concedió a Dick French cierto margen para ampliar la declaración si era necesario, y quedaron de acuerdo en que él sería el único portavoz del banco.

French previno:

—Los periodistas procurarán entrevistar personalmente a cada uno de ustedes. Si quieren que nuestra historia tenga consistencia mándenme a mí todos los periodistas, y prevengan al personal para que haga lo mismo.

Aquel mismo día, Alex Vandervoort revisó los planes de emergencia que había establecido dentro del banco, para ponerlos en acción bajo determinadas circunstancias.

—Hay algo de cuervos hambrientos —afirmó Edwina D'Orsey— en la atención que se presta a un banco que está en dificultades.

Había estado examinando los periódicos extendidos en la zona de conferencias del despacho de Alex Vandervoort en la Torre de la Casa Central del FMA. Era un jueves, un día después de la declaración de prensa de Dick French.

El «Times Register» local había puesto un gran titular en un solo artículo:

BANCO LOCAL AFRONTA ENORMES PERDIDAS. TRAS LA BANCARROTA DE LA SUNATCO.

Con más cautela, el «New York Times» informaba a sus lectores:

*El FMA en marcha pese a
agudos problemas de préstamo*

La historia había sido propalada igualmente por la red de noticias televisivas, la noche antes y esa mañana.

En todos los informes había una apresurada aseveración de la Federal Reserve de que el First Mercantile American era solvente y que los depositantes no tenían motivo para alarmarse. De todos modos el FMA estaba ahora en la «lista problemática» de la Federal Reserve, y esa mañana un grupo de examinadores de la Reserve había llegado silenciosamente... claramente era la primera de varias incursiones similares por agencias reguladoras.

Tom Straughan, el economista del banco, contestó la observación de Edwina:

—No hay nada de cuervos hambrientos en lo que llama la atención cuando uno está en dificultades. Creo que, más que nada, es miedo.

337

Miedo entre los que tienen cuentas en el banco y temen que la institución no pueda hacer más negocios y perder su dinero. También está el miedo más amplio de que, si un banco fracasa, otros podrían contagiarse de la misma enfermedad y todo el sistema caería hecho trizas.

—Lo que *yo* temo —dijo Edwina— es el efecto de esta publicidad.

—Yo también estoy inquieto —asintió Alex Vandervoort—. Por eso seguimos examinando de cerca el efecto que puede producirse.

Alex había convocado a mediodía una reunión de estrategia. Entre los convocados estaban los jefes de departamento responsables de la administración de las sucursales, ya que todos comprendían que, cualquier falta de confianza en el FMA iba a sentirse primero en las sucursales. Poco antes Tom Straughan había comunicado que los retiros bancarios en las sucursales, ayer por la tarde y esta mañana, eran más elevados que de costumbre, y los depósitos menores, aunque todavía era demasiado temprano para considerarlo como una tendencia definitiva. De manera tranquilizadora no había señales de pánico entre los clientes del banco, aunque los gerentes de las sucursales del FMA tenían instrucciones de informar inmediatamente si las percibían. Un banco sobrevive con su reputación y la confianza de los otros... plantas frágiles que la adversidad y una mala publicidad pueden marchitar.

El propósito de la reunión de hoy era asegurar que las acciones que debían tomarse en caso de una crisis seria fueran entendidas, y que las comunicaciones funcionaran. Aparentemente así era.

—Eso es todo por ahora —dijo Alex al grupo—. Volveremos a reunirnos mañana a la misma hora.

Nunca lo hicieron.

A las 10,30 de la mañana siguiente, viernes, el gerente de la sucursal de Tylersville del First Mercantile American, a unas veinte millas en el interior, telefoneó a la Casa Central y su llamada fue pasada inmediatamente a Alex Vandervoort.

Cuando el gerente se identificó, Alex preguntó cortante:

—¿Qué problema hay?

—Una «estampida», Mr. Vandervoort. El lugar está repleto de público... más de cien personas de la clientela habitual, en fila, con libros de pases y libretas de cheques, y están llegando más. Lo están retirando todo, limpiando las cuentas, piden hasta el último dólar —la voz del gerente era la de un hombre alarmado que quiere parecer tranquilo.

Alex se quedó helado. Una «estampida» así en un banco es una pesadilla que aterra a todo banquero; también era —en los últimos días— lo que Alex y los otros en la dirección habían temido más. La «estampida» indicaba pánico entre el público, psicología de masas, una pérdida total de fe. Todavía peor, una vez que la noticia de la «estampida» en una sucursal se difundiera, podía propagarse a otras en el sistema del FMA, como el fuego de un rayo, imposible de ser apagado y que se convierte en una catástrofe. Ninguna institución bancaria —ni siquiera la más grande y más sana— tiene jamás bastante dinero líquido para pagar inmediatamente a todos los depositantes, si todos exigen dinero a
338

contado. Por lo tanto, si el miedo persistía, las reservas de caja iban a agotarse y el FMA se vería obligado a cerrar sus puertas, quizás para siempre.

Le había pasado antes a otros bancos. Dada una combinación de mala dirección, tiempos adversos y mala suerte, podía pasar en cualquier parte.

Lo esencial, según sabía Alex, era asegurar a aquellos que querían sacar su dinero de que iban a recibirlo. Lo segundo era localizar el estallido.

Sus instrucciones al gerente de Tylersville fueron precisas.

—Fergus, usted y todo su personal deben actuar como si no pasara nada raro. Paguen *sin preguntar,* sea lo que sea lo que la gente pida y tenga en sus cuentas. Y no ande por ahí con aire preocupado. Muéstrese alegre.

—No será fácil, Mr. Vandervoort. Lo intentaré.

—Haga *más* que intentarlo. En este momento todo el banco descansa sobre sus hombros.

—Bien.

—Le mandaremos ayuda en cuanto podamos. ¿Cuál es su situación de caja?

—Tenemos en el tesoro unos ciento cincuenta mil dólares —dijo el gerente—. Al paso que vamos, podemos durar una hora, no mucho más.

—Le mandaré dinero —aseguró Alex—. Entretanto saque el dinero del tesoro y colóquelo sobre las mesas y los escritorios, para que todos lo vean. Después camine entre los clientes. Hable con ellos. Asegúreles que el banco está en excelente forma, pese a lo que han leído, y dígales que todos recibirán su dinero.

Alex cortó. Por otro teléfono llamó inmediatamente a Straughan.

—Tom —dijo Alex—, la bomba ha estallado en Tylersville. La sucursal de allí necesita ayuda y dinero... rápido. Ponga en acción el Plan de Emergencia Número Uno.

16

La municipalidad de Tylersville, como muchos seres humanos, estaba ocupada en «descubrirse a sí misma». Era un neosuburbio, una mezcla de ruidoso mercado y granjas, parcialmente rodeada por una ciudad que oprimía, pero le quedaba bastante de sus orígenes como para resistir, por un tiempo, la conformidad urbana.

La población era una mezcla híbrida de viejo y nuevo —familias conservadoras, profundamente arraigadas, de granjeros y comerciantes locales, y nuevos residentes, muchos asqueados con la decadencia de valores morales de la ciudad que habían dejado, y que buscaban absorber— para ellos y para sus crecientes familias— algo de la paz de las costumbres rústicas antes de que desaparecieran. El resultado era una increíble alianza de ruralistas reales y de otros que deseaban serlo, desconfiados de los grandes negocios y del estilo de las maniobras ciudadanas, incluidas las de los bancos.

Unicos también, en el caso de «estampida» en el banco de Tylersville, eran los chismes de un cartero. El martes, mientras entregaba cartas y paquetes, también había esparcido el rumor:

—¿Han oído que el First Mercantile American está en quiebra? Dicen que quien tenga allí dinero y mañana no lo haya sacado, lo perderá todo.

Sólo unos pocos de los que habían oído al cartero le creyeron. Pero la historia corrió, después recibió el refuerzo de las noticias, incluidas las de la televisión nocturna. Por la noche, entre los granjeros, los comerciantes y los nuevos inmigrantes, había crecido tanto la ansiedad que, el viernes por la mañana, el consenso fue: ¿para qué arriesgarse? Saquemos ahora el dinero.

Una ciudad pequeña tiene su propio telégrafo selvático. Las noticias de la decisión de la gente circularon rápidamente y, mediada la mañana, había más y más gente que se dirigía a la sucursal del FMA para poner a salvo sus ahorros.

Así, con hilos delgados, se tejen las grandes tapicerías.

En la Torre de la Casa Central, algunos, que apenas habían oído hablar de Tylersville, lo oían nombrar ahora. Iban a oír más a medida que la cadena de acontecimientos en el Plan de Emergencia de Vandervoort se desenvolviera con rapidez.

Siguiendo instrucciones de Tom Straughan la computadora del banco fue consultada primero. Un programador tecleó la pregunta en un tablero: «¿Cuántos son los ahorros totales y la demanda de depósitos en la sucursal de Tylersville? Instantáneamente la computadora, como estaba en contacto continuo y directo, dio cifras del cierre de los negocios el día anterior.

CUENTAS DE AHORRO	$ 26.170.627,54
DEPOSITOS EN CUENTA CORRIENTE	$ 15.042.767,18
TOTAL	$ 41.213.394,72

La computadora recibió entonces instrucciones: deduzca de ese total las cuentas sin movimiento y los depósitos municipales. (Era una segura suposición que ninguna de estas dos cosas podían ser turbadas, ni siquiera en una «estampida».)

La computadora respondió:

SIN MOVIMIENTO Y MUNICIPALES	$ 21.430.964,61
BALANCE	$ 19.782.430,11

Más o menos unos veinte millones de dólares que los depositantes en Tylersville podían pedir y que quizás pedirían.

Un subordinado de Straughan ya había alertado al Tesoro de la Casa Central, una fortaleza subterránea debajo de la Torre del FMA. Ahora se avisó al supervisor del Tesoro:

—Viente millones de dólares para la sucursal de Tylersville... ¡corriendo!

La cantidad era más de la que podía necesitarse, pero un objetivo —decidido durante el planeamiento avanzado del grupo de Alex Vandervoort— era hacer una demostración de fuerza, como quien agita una bandera. O, como Alex había expresado:

—Para apagar un incendio hay que tener más agua de la que se necesita.

En las cuarenta y ocho horas pasadas —anticipando exactamente lo que ahora estaba ocurriendo— el suplemento normal de dinero en el Tesoro de la Casa Central había sido aumentado con retiros especiales del *Federal Reserve*. El *Fed* había sido informado y había aprobado los planes de emergencia del FMA.

Una fortuna de Midas en billetes y monedas, ya contada y colocada en bolsas con etiquetas, fue cargada en camiones blindados, mientras un montón de guardias armados vigilaban la rampa de acceso. En total iban a ser seis camiones blindados, algunos convocados por radio para que dejaran otras tareas, y cada uno iba a viajar por separado con escolta policial —precaución debida a la cantidad desusada de dinero al contado. De todos modos, sólo tres camiones llevarían dinero. Los otros estaban vacíos —eran monigotes—, una salvaguardia extra contra los asaltos.

Veinte minutos después de la llamada del gerente de la sucursal, el primer camión blindado estaba listo para salir de la Casa Central y, poco después, se abría camino entre el tráfico rumbo a Tylersville.

Ya antes de esto, personal bancario estaba en camino, en coches privados y *limousines*.

Edwina D'Orsey encabezaba la marcha. Estaba encargada de la operación de ayuda ahora en acción.

341

Edwina dejó su escritorio de la sucursal principal casi inmediatamente, se detuvo sólo para informar al subgerente principal y para recoger a tres miembros del personal que iban a acompañarla —un funcionario de préstamos, Cliff Castleman, y dos cajeros. Uno de los cajeros era Juanita Núñez.

Al mismo tiempo pequeños contingentes de personal de otras dos sucursales de la ciudad recibían instrucciones de ir directamente a Tylersville, donde de pondrían en contacto con Edwina. Parte de la estrategia general era no hacer despliegue de personal, para el caso de que empezara una «estampida» en alguna otra parte. Para tal caso, estaban listos otros planes de emergencia, aunque había un límite para aplicarlos a la vez. No podían ser más de dos o tres.

El cuarteto encabezado por Edwina avanzó con paso rápido por el túnel que comunicaba la sucursal principal con la Casa Central del FMA. En el vestíbulo del gran edificio tomaron un ascensor hacia el garaje del banco, donde un coche había sido designado y esperaba. Cliff Castleman tomó el volante.

En el momento que subían, Nolan Wainwright pasó apresurado, dirigiéndose hacia donde estaba aparcado su Mustang. El jefe de Seguridad había sido informado de la operación de Tylersville y, como estaban involucrados veinte millones de dólares, decidió vigilar personalmente el sistema de protección. Detrás de él venía un furgón con media docena de guardias armados. La policía local y estatal de Tylersville había sido alertada.

Tanto Alex Vandervoort como Tom Straughan siguieron donde estaban, en la Torre del FMA. La oficina de Straughan, cerca del Centro Monetario de Comercio, se había convertido en el puesto de comando. En el piso treinta y seis, la preocupación de Alex era mantenerse en contacto con el resto del sistema de sucursales, y saber inmediatamente si surgían nuevas dificultades.

Alex había mantenido informado a Patterton y ahora el presidente del banco esperaba tenso junto a Alex, cada uno atragantado con las preguntas que no hacían: ¿podrían contener la «estampida» en Tylersville? ¿Podría el, First Mercantile American cerrar los negocios del día sin un pánico en alguna otra parte?

Fergus W. Gatwick, el gerente de la sucursal de Tylersville había esperado que los pocos años que le faltaban para jubilarse pasaran sin prisa y sin acontecimientos. Estaba en la sesentena, era un hombrecito como una manzana, de mejillas rosadas, ojos azules, pelo gris, un afable rotariano. En su juventud había conocido la ambición, pero se había agotado hacía tiempo, y había decidido, sabiamente, que su papel en la vida debía ser secundario; era un seguidor que nunca iba a abrir una senda. La gerencia de una pequeña sucursal bancaria se adecuaba idealmente a su capacidad y sus limitaciones.

Había sido feliz en Tylersville, donde sólo una crisis le había molestado hasta ahora. Algunos años atrás una mujer con un resentimiento imaginario contra el banco había alquilado una caja fuerte. Colocó en la caja un objeto envuelto en periódicos, luego partió para Europa sin dejar dirección. Durante días, un olor pútrido se infiltró en el banco. En el primer momento se sospechó de las cañerías, que fueron examinadas inútilmente, mientras el hedor aumentaba. Los clientes se quejaban y el personal sentía náuseas. Finalmente se llegó a sospechar de las cajas de depósitos, donde el atroz olor parecía más fuerte. Entonces surgió la pregunta crucial: ¿qué caja?

Fue Fergus W. Gatwick quien, cumpliendo con su deber, olfateó todas las cajas, deteniéndose al fin ante una donde el mal olor era abrumador. Tras esto se necesitaron cuatro días de procedimientos legales antes de obtener un permiso del tribunal que permitiera al banco abrir la caja. En su interior, se encontraron los restos de lo que alguna vez fuera un enorme, fresco róbalo. A veces, en el recuerdo, Gatwick todavía podía oler aquellos atroces momentos.

Comprendía que la exigencia de ahora era mucho más grave que un pescado en una caja. Miró su reloj. Una hora y diez minutos desde que había telefoneado a la Casa Central. Aunque cuatro cajeros habían estado pagando continuamente, el número de gente que llenaba el banco era aún mayor, y seguían llegando más personas, sin que hubiera llegado ayuda.

—¡Mr. Gatwick! —una cajera le hizo señas.

—Sí... —dejó la zona cercada de la dirección donde normalmente trabajaba y se acercó a ella. Al otro lado del mostrador, frente a ellos, a la cabeza de una fila, estaba un criador de aves, cliente regular del banco a quien Gatwick conocía bien. El gerente dijo con alegría:

—Buenos días, Steve.

En agradecimiento recibió un frío saludo de cabeza, mientras, en silencio, la cajera le mostraba cheques contra dos cuentas. El hombre del criadero de aves las había presentado. Totalizaban 23.000 dólares.

—Son buenos —dijo Gatwick y, tomando los cheques, puso sus iniciales en ambos. En voz baja, aunque se pudo oír desde el otro lado del mostrador, la cajera dijo:

—No tenemos dinero para pagar eso.

Lo debía haberlo sabido, lógicamente. El vaciado de la caja, desde que se había abierto el banco, había sido continuo, con varios retiros grandes. Pero la frase fue desdichada. Se oyeron rumores enojados entre los que formaban cola, y el comentario de la cajera fue repetido y corrió.

—¿Has oído? ¡Dicen que no tienen más dinero!

—¡Por Cristo! —el hombre del criadero de aves se inclinó enfurecido hacia adelante, con el puño cerrado—. ¡Págueme estos cheques, Gatwick, si no quiere que haga trizas este banco!

—No es necesario eso, Steve. Tampoco quiero gritos ni amenazas —Fergus W. Gatwick levantó la voz, procurando ser oído sobre la escena, súbitamente fea—. Señoras y señores, experimentamos una breve escasez de caja debido a las demandas excepcionales, pero les aseguro que mucho más dinero está en camino y llegará aquí pronto.

Las últimas palabras fueron ahogadas por furiosos gritos de protesta.

—¿Cómo puede quedarse sin dinero un banco?... ¡Tráigalo ahora!...

343

Esto es una mierda... ¿dónde está el dinero?... ¡Nos quedaremos aquí hasta que el banco pague lo que debe!

Gatwick levantó los brazos.

—Otra vez les aseguro...

—No me interesan sus seguridades tramposas— la que hablaba era una mujer vestida con elegancia a quien Gatwick reconoció como una nueva residente. La mujer insistió—: Quiero mi dinero, ahora.

—Muy bien —hizo eco un hombre que estaba detrás—. Esto vale para todos.

Otros avanzaron, las voces se elevaron, las caras revelaban enojo y alarma. Alguien tiró un paquete de cigarrillos que golpeó a Gatwick en la cara. Súbitamente él comprendió que el grupo ordinario de ciudadanos, a muchos de los cuales conocía bien, se había convertido en una chusma hostil. Era el dinero, naturalmente; el dinero que hacía extrañas cosas a los seres humanos, volviéndolos ávidos, llenos de pánico, a veces subhumanos. También había temor genuino —la posibilidad, tal como la veían algunos, de perder todo lo que tenían, junto con su seguridad. La violencia, que unos momentos antes hubiera parecido increíble amenazaba ahora. Por primera vez en muchos años, Gatwick sintió miedo físico.

—¡Por favor —suplicó—, escuchen, por favor! —Su voz se ahogó en el creciente tumulto.

Repentina, inesperadamente, cesó el clamor. Parecía que había cierta actividad en la calle y, los que estaban dentro, se esforzaron por ver. Después, en un gesto de bravura, las puertas exteriores del banco se abrieron de golpe y una procesión avanzó.

La encabezaba Edwina D'Orsey. La seguían Cliff Castleman y dos jóvenes cajeras, una de ellas la pequeña figura de Juanita Núñez. Detrás había una falange de guardias de seguridad, llevando sobre los hombros pesados sacos de lona, escoltados por sus respectivos guardias, con los revólveres desenfundados. Media docena más de personal, procedente de otras sucursales, formaba fila detrás de los guardias. Siguiendo a todos ellos —como Nuestro Señor de la Protección, atento y preocupado— venía Nolan Wainwright.

Edwina habló claramente sobre la multitud, en el casi silencioso banco.

—Buenos días, Mr. Gatwick. Lamento que hayamos tardado tanto, pero había mucho tráfico. Me han dicho que necesita usted veinte millones. Una tercera parte acaba de llegar. El resto está en camino.

Mientras Edwina hablaba, Cliff Castleman, Juanita, los guardias y otros atravesaban la zona cercada de la gerencia y pasaban detrás de los mostradores. Uno de los del personal recién llegado era un contador que inmediatamente se hizo cargo del dinero que llegaba. Pronto, una cantidad de suministros de crujientes billetes nuevos fueron contados y distribuidos entre los cajeros.

La multitud del banco rodeó a Edwina. Alguien preguntó:

—¿Es verdad? ¿Tienen ustedes bastante dinero como para pagarnos a todos?

344

—Claro que es verdad —Edwina miró las cabezas alrededor y habló para todos—. Soy Edwina D'Orsey, vicepresidente del First Mercantile American. Pese a los rumores que puedan haber oído, nuestro banco es sólido, solvente, y no tiene problemas que no podamos solucionar. Tenemos amplias reservas de caja como para pagar a cualquier depositante... en Tylersville o en cualquier parte.

La mujer bien vestida que había hablado antes, dijo:

—Tal vez sea verdad. O tal vez lo dice usted con la esperanza de que la creamos. De todos modos, hoy retiro mi dinero.

—Es cosa suya —dijo Edwina.

Fergus W. Gatwick, que observaba, se sintió aliviado al no ser ya el centro de la atención. También sintió que el estado de ánimo de hacía unos momentos se había distendido, incluso había algunas sonrisas entre los que esperaban, a medida que mayores cantidades de dinero seguían apareciendo. Pero, aunque el estado de ánimo fuera menos cerrado, el propósito seguía en pie. Cuando se reanudó el proceso de pago, con rapidez, se hizo evidente que la «estampida» del banco no se había detenido.

Mientras continuaba la cosa, nuevamente, como legionarios de César, los guardias del banco y las escoltas, que habían vuelto a los camiones blindados, regresaron, con nuevos sacos de lona cargados de dinero.

Nadie que haya estado ese día en Tylersville olvidará jamás la inmensa cantidad de dinero desplegada a la vista del público. Ni siquiera los que trabajaban en el FMA habían visto jamás tanta cantidad reunida en un solo día. Siguiendo las instrucciones de Edwina y bajo el plan de Alex Vandervoort, la mayoría de los veinte millones de dólares traídos para luchar contra la «estampida» del banco, quedaron al descubierto, donde todos podían verlos. En la zona detrás del mostrador de los cajeros, todos los escritorios estaban libres; desde otras partes del banco se trajeron más escritorios y mesas. En todos ellos, grandes cantidades de billetes y monedas fueron amontonados, mientras el personal extra que había llegado, de alguna manera, llevaba la cuenta de los totales.

Tal como lo expresó más tarde Nolan Wainwright, toda la operación había sido «el sueño de un asaltante de banco, la pesadilla de un encargado de la Seguridad». Por suerte, si los ladrones se enteraron de lo que estaba pasando, se enteraron demasiado tarde.

Edwina, tranquilamente competente y usando cortesía hacia Fergus W. Gatwick, lo supervisaba todo.

Fue ella quien dio instrucciones a Cliff Castleman para que empezara a buscar negocios de préstamos.

Poco antes de mediodía, con el banco todavía repleto y una línea que se prolongaba afuera, Castleman sacó una silla y se puso de pie sobre ella.

—Señoras y señores —anunció—: permítanme presentarme. Soy funcionario de préstamos en la ciudad, lo que no significa mucho, aparte de que tengo autoridad para aprobar préstamos por sumas mayores de

345

las que generalmente se negocian en este banco. De manera que, si alguno de ustedes ha pensado pedir un préstamo, y quieren una respuesta rápida, este es el momento. Soy comprensivo y sé escuchar y procuro ayudar a la gente que tiene problemas. Mr. Gatwick que está ocupado en este momento haciendo otras cosas, me ha permitido que use su escritorio, y allí estaré. Espero que vengan ustedes a hablar conmigo.

Un hombre con la pierna enyesada, exclamó:

—Iré en seguida, en cuanto me den mi dinero. Me parece que, si este banco quiebra, pediré un préstamo. Después no tendré que pagarlo.

—Nada va a quebrar aquí —dijo Cliff Castleman. Y preguntó—. ¿Qué le pasó en la pierna?

—Me caí en la oscuridad.

—Al oírle me doy cuenta de que sigue en la oscuridad. Este banco está más en forma que cualquiera de nosotros. Y le aseguro que, si pide dinero prestado, tendrá que pagarlo o se romperá la otra pierna.

Se oyeron algunas risas cuando Castleman bajó de la silla y, poco después, algunas personas se dirigieron al escritorio del gerente, para discutir préstamos. Pero los retiros de dinero continuaban. El pánico había cedido un poco, pero nada al parecer —ni una muestra de fuerza, seguridades o psicología aplicada— podía contener la «estampida» bancaria en Tylersville.

A principios de la tarde, para los abatidos funcionarios del FMA, sólo quedaba un interrogante: ¿cuánto tiempo tardaría en propagarse la epidemia?

Alex Vandervoort, que había hablado por teléfono varias veces con Edwina, salió personalmente para Tylersville a mitad de la tarde. Estaba todavía más alarmado que por la mañana, cuando había esperado que la «estampida» terminara rápidamente. La continuación significaba que, durante el fin de semana, el pánico iba a propagarse entre los depositantes, y seguramente otras sucursales del FMA serían invadidas el lunes.

En el día de hoy, aunque los retiros en otras sucursales habían sido fuertes, no había ocurrido nada parecido a la situación de Tylersville. Pero era evidente que la misma suerte no podía prolongarse.

Alex se hizo llevar a Tylersville en una *limousine* con un chófer, y Margot Bracken le acompañó. Margot había terminado esa mañana un asunto en los tribunales más rápidamente de lo que esperaba y fue a buscar a Alex al banco para almorzar. Después, a petición de él, ella se quedó, y compartió algunas de las tensiones que invadían en ese momento el piso treinta y seis de la Torre.

En el coche Alex se echó hacia atrás, saboreando el intervalo de descanso que sabía iba a ser breve.

—Ha sido un año duro para ti —dijo Margot.

—¿Se me nota?

Ella se inclinó y le pasó con suavidad un dedo por la frente.

—Tienes aquí más arrugas. Tienes más canas en las sienes.

El hizo una mueca.

346

—También estoy más viejo.

—No tanto.

—Es el precio que se paga por vivir bajo presiones. Tú también lo pagas, Bracken.

—Sí, es verdad —asintió Margot—. Lo que importa, naturalmente, es qué presiones son importantes y si valen la parte de nosotros que les damos.

—Salvar un banco bien vale un poco de tensión personal —dijo Alex agudamente—. Si no salvamos el nuestro se hará daño a una cantidad de gente que no lo merece.

—Y a algunos que lo merecen...

—En una situación de apuro se trata de salvar a todo el mundo. La recompensa queda para después.

Habían recorrido diez de las veinte millas hasta Tylersville.

—Alex: ¿están realmente tan mal las cosas?

—Si no podemos parar la «estampida» de dinero el lunes —dijo él— tendremos que cerrar. Es posible que se forme un consorcio de otros bancos para echarnos fuera... por cierto precio... tras lo cual recogerán lo que quede y, con el tiempo, creo, todos los depositantes recibirán su dinero. Pero el FMA como entidad, habrá terminado.

—Lo más increíble de todo esto es que pueda ocurrir tan súbitamente. Eso señala —dijo Alex— lo que mucha gente, que debería entenderlo, no entiende. Los bancos y el sistema monetario, que incluye grandes deudas y grandes préstamos, son una maquinaria delicada. Si se juega torpemente con ella, si se deja que algún componente quede seriamente desequilibrado, debido a la avidez, a la política o a la simple estupidez, se pone en peligro todo lo demás. Y, una vez que el sistema está en peligro... o lo esté un solo banco... y corre la voz, como generalmente sucede, la disminución de la confianza pública hace el resto. Es lo que estamos viendo ahora.

—Por lo que dices —contestó Margot— y por cosas que he oído, la avidez es la causa de lo que le está pasando a tu banco.

Alex dijo con amargura:

—Eso y un elevado porcentaje de idiotas de la Dirección —habló con más franqueza que de costumbre y aquello le alivió.

Hubo entre ambos un silencio hasta que Alex exclamó:

—¡Dios, cómo le echo de menos!

—¿A quién?

—A Ben Rosselli.

Margot le agarró la mano.

—Esta operación de rescate que estás haciendo es exactamente lo que hubiera hecho Ben, ¿verdad?

—Tal vez —suspiró—. Pero no da resultado. Por eso desearía que Ben estuviera aquí.

El chófer corrió la ventanilla divisoria entre él y los pasajeros. Habló por encima del hombro.

—Llegamos a Tylersville, señor.

—Buena suerte, Alex —dijo Margot.

Desde varias manzanas de distancia pudieron ver una fila de gente ante el banco. Otros nuevos se añadían a la cola. En el momento en que la *limousine* se detenía frente al banco un camión con paneles chirrió al detenerse del otro lado de la calle y varios hombres y una muchacha saltaron de él. Al lado del camión, en grandes letras, estaban las siglas de un canal de TV.

—¡Cristo —dijo Alex— no faltaba más que esto!

Dentro del banco, mientras Margot miraba con curiosidad alrededor, Alex habló brevemente con Edwina y Fergus W. Gatwick, y se enteró por los dos de que había poco, o nada, que pudiera hacerse ya. Alex había imaginado que el viaje era inútil, pero había sentido la necesidad de venir. Decidió que no haría daño, que incluso podía ser útil, hablar con algunos de los que esperaban. Empezó a recorrer las distintas filas de gente, presentándose tranquilamente.

Había por lo menos unas doscientas personas, una variada parte de los habitantes de Tylersville —viejos, jóvenes, maduros, algunos ricos, otros, evidentemente más pobres, mujeres con bebés, hombres en ropa de trabajo, algunos cuidadosamente vestidos como para alguna fiesta. La mayoría se mostró amistosa, unos pocos no, y uno o dos decididamente enemigos. Casi todo el mundo mostraba cierto grado de nerviosismo. Había alivio en la cara de los que recibían su dinero y se iban. Una mujer mayor habló con Alex en el momento de salir. No tenía idea de que él era funcionario del banco.

—¡Por suerte ha terminado! Es el día más ansioso que he pasado en mi vida. Estos son todos mis ahorros... todo lo que tengo... —mostró más o menos una docena de billetes de cincuenta dólares. Otros se iban, con sumas mucho mayores, o menores.

La imprensión que Alex obtuvo de todos los que hablaron con él fue la misma: tal vez el First Mercantile American era un banco sólido; quizás no lo fuera. Pero nadie quería arriesgarse y dejar su dinero en una institución que podía quebrar. La publicidad que vinculaba el FMA con la Supranational había hecho su obra. Todos sabían que probablemente el First Mercantile American iba a perder una gran cantidad de dinero, porque el banco lo había reconocido. Los detalles no interesaban. Tampoco la gente a quien Alex mencionó la garantía del *Federal Deposit Insurance* confiaba demasiado en este sistema. La cantidad del seguro federal era limitada, señalaron algunos, y se sabía que los fondos del *Federal Deposit* eran insuficientes en cualquier caso mayor.

Y había también otra cosa, comprendió Alex, quizás todavía más profunda: la gente ya no creía lo que le decían; se habían acostumbrado demasiado a que les mintieran y les engañaran. En el pasado reciente habían sido engañados por el presidente, funcionarios del gobierno, los políticos, los hombres de negocios, la industria. Los empleados habían mentido, y también los sindicatos. La publicidad había mentido. Se había mentido en las transacciones financieras, incluido el *status* de las acciones y de los bonos, los informes de la bolsa y las declaraciones corporadas de los auditores. Se había mentido a veces por omisión o caminos torcidos —en las comunicaciones de término medio. La lista era interminable. El engaño había seguido al engaño hasta que la mentira —o por lo menos la distorsión y el fracaso de revelar una verdad entera— se había convertido en un sistema de vida.

Entonces: ¿por qué iba nadie a creerle a Alex, cuando aseguraba que el FMA no era un barco que se hunde y que el dinero —si lo dejaban en el banco— estaría seguro? A medida que pasaban las horas y se desvanecía la tarde, era evidente que ninguno le había creído.

Al fin de la tarde Alex se había resignado. Que pasara lo que tenía que pasar; imaginó que, para los individuos y las instituciones, llegaba un punto en el que había que aceptar lo inevitable. Fue más o menos en ese momento —cerca de las 5,30 con la oscuridad de un crepúsculo de octubre que los iba envolviendo— cuando Nolan Wainwright se presentó para informar sobre una nueva ansiedad entre la gente que esperaba.

—Están preocupados —dijo Wainwright— porque la hora de cierre es a las 6, suponen que, en la media hora que queda, no podremos atender a todo el mundo.

Alex vaciló. Hubiera sido muy simple cerrar la sucursal de Tylersville a la hora acostumbrada; también era legal y nadie hubiera podido decir nada. Saboreó un impulso surgido de la rabia y la frustración; una rencorosa urgencia de decir, en efecto, a los que todavía esperaban: *Ustedes se han negado a confiar en mí, esperen pues hasta el lunes y váyanse a la mierda.* Pero vaciló, dudando entre su propia naturaleza y una frase de Margot sobre Ben Rosselli. Lo que Alex estaba haciendo ahora, había dicho ella, era «exactamente lo que hubiera hecho él». ¿Cuál hubiera sido la decisión de Rosselli respecto al cierre? Alex la sabía.

—Haré un anuncio —dijo a Wainwright. Primero buscó a Edwina y le dio instrucciones.

Acercándose a la puerta del banco, Alex habló desde donde podía ser oído por los que estaban dentro y por los que seguían esperando en la calle. Estaba consciente de las cámaras de TV que le enfocaban. El primer equipo de televisión estaba ahora acompañado por otro, de otro canal y hacía una hora, Alex había hecho una declaración para ambos. Los equipos de TV no se movieron, y uno del grupo confesó que estaban recogiendo material extra para el noticiario de fin de semana, ya que la «estampida de dinero de un banco no se da todos los días».

—Señoras y señores —la voz de Alex fue fuerte y clara, llegaba fácilmente a todas partes—. Me han informado de que algunos de ustedes están preocupados por la hora de cierre. No deben estarlo. En nombre de la dirección de este banco les doy mi palabra de que seguiremos abiertos en Tylersville hasta que hayamos atendido al último de ustedes... —hubo un rumor de satisfacción y algunos aplausos espontáneos.

—Sin embargo hay una cosa que quiero prevenirles a todos —una vez más las voces se aquietaron y la atención volvió a fijarse en Alex. Prosiguió: —Quiero darles el consejo de que, en el fin de semana, no guarden grandes sumas de dinero en sus personas ni en sus casas. No es aconsejable por muchos motivos. Por lo tanto les sugiero que elijan otro banco y depositen allí lo que hayan retirado de éste. Para ayudarles mi colega, Mrs. D'Orsey, está en estos momentos telefoneando a otros bancos de la zona para pedirles que cierren más tarde de lo acostumbrado para conveniencia de ustedes.

Nuevamente hubo un rumor apreciativo.

Nolan Wainwright se acercó a Alex, murmuró algo brevemente y Alex anunció:

—Acaban de informarme que dos bancos han accedido ya a nuestra petición. Estamos hablando con otros.

Entre la gente que esperaba en la calle surgió una voz de hombre:

—¿Puede usted recomendar un buen banco?

—Sí —dijo Alex—, yo eligiría al First Mercantile American. Es el banco que mejor conozco, del que estoy más seguro, y su historia es larga y honrosa. Desearía que todos ustedes sintieran lo mismo... —por primera vez hubo un toque de emoción en su voz. Algunas personas rieron a medias o sonrieron, pero la mayoría de las caras que le observaban permanecieron serias.

—Yo también sentía antes así —dijo una voz detrás de Alex. El se volvió. El que había hablado era un hombre viejo, probablemente más cerca de los ochenta que de los setenta, acartonado, de pelo blanco, agobiado y apoyado en un bastón. Pero los ojos del viejo eran claros y agudos, su voz era firme. A su lado estaba una mujer de más o menos su misma edad. Ambos estaban decentemente vestidos, aunque las ropas eran anticuadas y bastante gastadas. La mujer llevaba una bolsa de la compra, donde, según podía verse, había bastantes paquetes de dinero. Acababan de retirarse del mostrador del banco.

—Mi mujer y yo tenemos desde hace treinta años cuenta en el FMA —dijo el viejo—. Es triste sacarlo todo ahora.

—Entonces, ¿por qué lo hace?

—No pueden pasarse por alto todos esos rumores. Demasiado humo para que no haya fuego en alguna parte.

—Algo de verdad hay, lo hemos reconocido —dijo Alex—. Debido a un préstamo que hicimos a la Supranational Corporation, es posible que nuestro banco sufra una pérdida. Pero el banco puede soportarla, y la soportará.

El viejo meneó la cabeza.

—Si yo fuera más joven y pudiera trabajar, quizás me arriesgaría a hacer lo que usted dice. Pero no lo soy. Lo que ahí llevamos —señaló la bolsa de la compra— es todo lo que nos queda hasta morir. Y no es tanto. Los dólares no valen ni la mitad de cuando trabajábamos y los ganábamos.

—Naturalmente —dijo Alex— la inflacción castiga sobre todo a la buena gente, como ustedes. Pero, desgraciadamente, cambiar de banco no les ayudará en eso.

—Deje que le haga una pregunta, joven. Si usted fuera yo y este dinero fuera suyo: ¿no haría usted lo mismo que yo estoy haciendo?

Alex sintió que otros le rodeaban y escuchaban. Vio a Margot a uno o dos pasos. Detrás de ella estaban encendidas las luces de la televisión. Alguien se acercaba, con su micrófono.

—Sí —reconoció—, supongo que lo haría.

El viejo pareció sorprendido.

—Usted es honrado, de todos modos. Hace un momento he oído el consejo que nos ha dado de ir a otro banco, y lo he apreciado. Creo que iremos a uno a depositar el dinero.

—Espere —dijo Alex— ¿tiene usted coche?

—No. Vivimos a un paso de aquí. Caminaremos.

—No con ese dinero. Pueden robarles. Haré que le lleven en auto hasta otro banco —Alex hizo una seña a Nolan Wainwright y explicó el problema—. Este es nuestro jefe de Seguridad —dijo a los viejos.

—Sin sudores —dijo Wainwright—. Yo mismo les llevaré, con mucho gusto.

El viejo no se movió. Miraba una y otra cara.

—¿Usted hará esto por nosotros? Cuando acabamos de retirar el dinero de su banco? ¿Cuando casi le hemos dicho que ya no confiamos en ustedes?

—Digamos que forma parte de nuestras obligaciones. Además, —dijo Alex— si ustedes han estado con nosotros durante treinta años, es mejor separarse como amigos.

El viejo seguía quieto, indeciso.

—Tal vez no sea necesario. Deje que le haga otra pregunta, de hombre a hombre —los ojos claros, agudos, honestos, miraron fijamente a Alex.

—Adelante.

—Usted ya me ha dicho una vez la verdad, joven. Ahora dígamela de nuevo, y recuerde lo que le he dicho acerca de mi vejez y de lo que representan mis ahorros. ¿Está a salvo nuestro dinero en su banco? ¿Absolutamente *seguro*?

Por unos segundos, que pudieron contarse, Alex pesó la pregunta y todas sus implicaciones. Sabía que no sólo la pareja de viejos le observaba atentamente, sino también otros. Las omnipresentes cámaras de TV seguían filmando. Lanzó una mirada a Margot: ella estaba también tensa, con una expresión curiosa en la cara. El pensó en la gente que le rodeaba y en otros en otras partes, afectados por aquel momento; pensó en los que confiaban en él, Jerome Patterton, Tom Straughan, el Directorio, Edwina; más aun: pensó en lo que podía pasar si el FMA fracasaba, en el amplio y dañino efecto, no sólo en Tylersville, sino mucho más lejos. Pese a todo surgía la duda. La rechazó, después contestó, brevemente, con confianza:

—Le doy mi palabra: este banco es absolutamente seguro.

—Ah, caramba, Freda —dijo el viejo a su mujer—, me parece que hemos estado ladrando a un árbol por nada. Volvamos a depositar aquí este maldito dinero.

En todos los estudios *post mortem* y las discusiones de las semanas siguientes, hubo un hecho indiscutible: la «estampida» del banco de

Tylersville terminó efectivamente cuando el viejo y su mujer volvieron a la sucursal del FMA y depositaron de nuevo el dinero que llevaban en la bolsa de la compra. La gente que estaba esperando para retirar su dinero, y que había presenciado el intercambio de palabras entre el viejo y el ejecutivo del banco, evitó mirarse a los ojos, o cuando lo hicieron, hubo tímidas sonrisas y se dieron la espalda. La voz corrió rápidamente entre los que quedaban dentro y fuera; casi inmediatamente las filas de los que esperaban empezaron a dispersarse, tan rápida y misteriosamente como se habían formado. Como alguien dijo más tarde: era el instinto del rebaño a la inversa. Cuando se atendió a la escasa gente que quedaba en el banco, la sucursal cerró con sólo diez minutos de retraso de la hora habitual un viernes por la noche. Algunos pocos empleados del FMA en Tylersville y en la Casa Central, habían estado preocupados por lo que iba a pasar el lunes. ¿Iba a volver la gente? ¿Continuaría la «estampida»? De hecho, nada de eso ocurrió.

Y el lunes tampoco se produjo «estampida» en ninguna parte. El motivo —según estuvieron de acuerdo la mayoría de los analistas— había sido una explícita, honrada y commovedora escena en la que aparecía una pareja de viejos y un franco y apuesto vicepresidente del banco, en el noticiario de fin de semana de la TV. La película y el registro de sonido, cuando estuvieron preparados, obtuvieron tanto éxito, que los canales trasmitieron la escena varias veces. Era un ejemplo del íntimo y efectivo *cinema verité*, técnica que puede realizar tan bien la TV, pero que raras veces emplea. Muchos espectadores se commovieron hasta las lágrimas.

Durante el fin de semana Alex Vandervoort vio el filme pero se reservó los comentarios. Uno de los motivos era que él solo sabía cuáles habían sido sus pensamientos en el momento decisivo y vital en el que le habían hecho la pregunta: *¿Está absolutamente seguro nuestro dinero?* Otro motivo era que Alex sabía los precipicios y problemas que aún debía afrontar el FMA.

Margot también hizo pocos comentarios sobre el incidente del viernes por la noche; y tampoco lo mencionó el domingo, cuando se quedó en el apartamento de Alex. Tenía que hacer una pregunta importante, pero, sabiamente, decidió que este no era el momento oportuno.

Entre los ejecutivos del First Mercantile American que presenciaron la televisión estaba Roscoe Heyward, aunque no terminó de ver la escena. Heyward había encendido el televisor al llegar a casa el domingo por la noche, tras una asamblea vespertina en la iglesia, pero lo apagó con furia y envidia cuando las cosas estaban por la mitad. Heyward tenía ya bastantes problemas propios para que le recordaran además el éxito de Vandervoort. Y, dejando a un lado la «estampida» del banco, era probable que salieran a la superficie en la semana entrante varios asuntos que ponían a Heyward sumamente nervioso.

Otra cosa surgió de aquel viernes en Tylersville. Concernía a Juanita Núñez.

Juanita había visto esa tarde la llegada de Margot Bracken. Había estado pensando recientemente si convenía buscar a Margot para pedirle consejo. Ahora se decidió. Pero, por motivos propios, Juanita prefería no ser vista por Nolan Wainwright.

La oportunidad que Juanita había estado esperando ocurrió poco después de terminar la invasión al banco, cuando Wainwright estaba ocupado supervisando los arreglos de seguridad del banco para ese fin de semana; la presión bajo la cual había trabajado todo el día el personal estaba algo aliviada. Juanita dejó el mostrador donde había estado ayudando a un cajero de la sucursal y se dirigió a la zona cercada de la gerencia. Margot estaba allí sola, esperando que Vandervoort pudiera partir.

—Miss Bracken —dijo Juanita, hablando muy suavemente— una vez usted me dijo que, cuando tuviera un problema, fuera a hablar con usted.

—Claro Juanita ¿Qué le pasa ahora?

La carita se contrajo, preocupada.

—Sí, creo que debo hablar con usted.

—¿Qué clase de problema tiene?

—Si no le molesta, me gustaría que habláramos en otra parte —Juanita había visto a Wainwright cerca del Tesoro, en el otro lado del banco, que parecía a punto de terminar una conversación.

—Entonces venga a mi despacho —dijo Margot— ¿Cuándo quiere venir?

Se pusieron de acuerdo para el lunes por la noche.

17

El rollo de cinta grabadora, sacada del club *Double Seven* había estado en el estante encima del banco de pruebas durante seis días.

Wizard* Wong había mirado varias veces la cinta, no decidido del todo a borrar lo que había en ella, pero inquieto acerca de la posibilidad de pasar la información. Hoy en día grabar *cualquier* conversación telefónica era arriesgado. Y todavía más arriesgado era enterar a otra persona de lo que estaba grabado.

Con todo, Marino, como Wizard sabía muy bien, se había alegrado muchísimo de oír parte de lo grabado y pagaría bien por el privilegio. Fuera lo que fuera Tony «Oso» Marino, era generoso para pagar los buenos servicios, y por ello Wizard trabajaba para él periódicamente.

Sabía que Marino era un fullero profesional. Pero él, Wong, no lo era.

Wizard (su verdadero nombre era Wayne, aunque nadie le llamaba así) era un joven e inteligente chino-norteamericano, de segunda generación. También era experto en audio-electrónica, y se especializaba en detectar la vigilancia electrónica. Esto le dio reputación.

Para una larga lista de clientes, Wong proporcionaba la garantía de que en las oficinas y las casas no hubiera un micrófono oculto, de que los teléfonos no estuvieran controlados, de que la intimidad no fuera violada por una electrónica subrepticia. Con sorprendente frecuencia descubría aparatos para escuchar y, cuando esto sucedía, sus clientes quedaban impresionados y agradecidos. Pese a las seguridades oficiales de lo contrario —incluso recientemente algunas afirmaciones presidenciales— los micrófonos y los alambres grabadores en los Estados Unidos continuaban floreciendo y estaban muy extendidos.

Los jefes de las compañías industriales contrataban los servicios de Wong. Lo mismo hacían los banqueros, los editores de periódicos, los candidatos presidenciales, algunos abogados de nombre, una o dos embajadas extranjeras, un grupo de senadores de Estados Unidos, tres gobernadores estatales y un juez del Tribunal Supremo. Después estaban los otros ejecutivos... el *Don* de una «maffia» familiar, sus *consigliori* y otros engranajes en un nivel levemente menor, entre los que figuraba Tony Marino.

Ante sus clientes criminales Wizard Wong había dejado en claro una cosa: no quería participar en sus actividades ilícitas, se ganaba muy bien la vida dentro de la ley. Pero tampoco veía motivo para negar sus servicios, ya que el poner micrófonos ocultos era siempre ilegal, e incluso los criminales tenían derecho a protegerse por medio de la ley. Esta regla básica era aceptada y funcionaba bien.

De todos modos sus clientes en el crimen organizado indicaban a

---

* *Wizard:* brujo, hechicero.

Wizard, de vez en cuando, que cualquier información valiosa que consiguieran como resultado de su trabajo, sería apreciada y recompensada. Y, ocasionalmente, había trasmitido levísimos datos a cambio de dinero, cediendo a la más antigua y simple de todas las tentaciones: la codicia.

Ahora también se sentía tentado.

Hacía más de una semana, Wizard Wong había hecho un examen de rutina en los dominios y teléfonos de Marino. Entre estos figuraba el club *Double Seven,* donde Marino tenía intereses financieros. Mientras registraba —y tras comprobar que todo estaba limpio— Wizard se divirtió poniendo un grabador en uno de los teléfonos del club, cosa que solía hacer, diciéndose que se lo debía a sí mismo y a sus clientes para mantener al día su experiencia técnica. Con este propósito había elegido un teléfono público en la planta baja del club. Durante cuarenta y ocho horas, Wizard había dejado una grabadora aplicada al circuito del teléfono, y la grabadora estaba oculta en el sótano del *Double Seven.* Era de tipo automático y se encendía cada vez que se usaba el teléfono.

Aunque era una acción ilegal, Wizard pensó que no importaba, ya que nadie, fuera de él, iba a escuchar lo grabado. Sin embargo, cuando lo escuchó, hubo una conversación, en especial, que le intrigó.

Ahora, el sábado por la tarde, y solo en su laboratorio de sonido, sacó la cinta del estante sobre el banco de pruebas, la puso en la máquina y escuchó nuevamente aquella conversación.

Se ponía una moneda, se marcaba un número. El sonido del disco estaba grabado. Una llamada. Sólo una llamada.

Una voz de mujer (suave, con un leve acento): Hola.

Una voz de hombre (en un murmullo): Ya sabes quién habla. No uses nombres.

La voz de mujer: Sí.

La voz de hombre (siempre en un murmullo): Di a nuestro mutuo amigo que he descubierto algo importante. Muy importante. Se refiere a lo que él quería saber. No puedo decir más, pero iré a verte mañana por la noche.

La voz de mujer: Bien.

Un clic. El que llamaba, en el Double Seven, *acababa de cortar.*

Wizard Wong no sabía con certeza por qué suponía que Tony «Oso» Marino podía estar interesado. Simplemente era un presentimiento, y sus presentimientos solían darle buenos resultados. Decidido, colsultó una libreta de direcciones, fue al teléfono y marcó un número.

Tony el «Oso», según le dijeron, no podía verle hasta el lunes, al caer la tarde. Wizard concertó una cita para entonces y —tras comprometerse— se dedicó a extraer más información de la grabación. Volvió a enroscar la cinta y, con cuidado, la oyó varias veces.

—¡Ayudante de Judas! —las pesadas y sombrías facciones de Tony «Oso» Marino se contorsionaron en una mueca salvaje. Su incongruente

355

voz de falsete era más alta que de costumbre—. ¡Tenía usted esa grabación de mierda y se ha quedado toda la semana calentándose el culo en lugar de venir aquí!

Wizard Wong dijo, a la defensiva:

—Soy un técnico, Mr. Marino. En general las cosas que oigo nada tienen que ver con mi trabajo. Pero, después de pensarlo, se me ocurrió que este caso era distinto —en cierto sentido estaba aliviado. Por lo menos no había habido una reacción de enojo por haber puesto un grabador en un teléfono del *Double Seven*.

—¡La próxima vez —amenazó Marino— piense con rapidez!

Hoy era lunes. Estaban en la terminal de camiones donde Marino tenía sus oficinas y, sobre el escritorio ante ellos, había una grabadora portátil que Wong había apagado. Antes de venir aquí había vuelto a grabar la parte significativa de la conversación, y la había pasado a una *cassette,* borrando después el resto.

Tony «Oso» Marino, en mangas de camisa en la sofocante y caliente oficina, parecía físicamente formidable, como de costumbre. Tenía los hombros de un luchador; sus muñecas y sus bíceps eran gruesos. Desbordaba la silla en la que estaba sentado, aunque no era gordo, pero sí de sólidos músculos. Wizard Wong procuró no sentirse intimidado, ni por el tamaño de Marino ni por su reputación de rudeza. Pero, ya fuera por lo caliente del cuarto o por otros motivos, Wong empezó a sudar.

Protestó.

—No he perdido tiempo, Mr. Marino. He descubierto otras cosas que supongo le interesará saber.

—¿Por ejemplo...?

—Puedo decirle a qué número se hizo la llamada. ¿Sabe? Usando un reloj marcador para contar la longitud de cada número que se marca, tal como está grabado, y comparando...

—Basta de palabrerías. Deme el número.

—Aquí está —una hoja de papel se deslizó sobre el escritorio.

—¿Usted lo rastreó? ¿De quién es ese número?

—Tengo que recordarle que rastrear un número de esa manera no es fácil. Especialmente porque éste no figura en guía. Por suerte tengo algunos contactos en la compañía telefónica...

Tony el «Oso» estalló. Golpeó con la palma el escritorio, y el impacto fue como un disparo de revólver.

—¡Conmigo no se juega, hijo de puta! ¡Si tiene información, démela!

—Lo que quiero decirle —persistió Wizard sudando todavía más— es que la cosa es costosa. Tengo que pagar a mi contacto de la compañía telefónica.

—¡Pagará mucho menos de lo que va a sacarme! ¡Adelante!

Wizard se relajó un poco, sabiendo que había puesto el punto en claro y que Tony el «Oso» iba a pagar el precio que pidiera, ya que ambos sabían que la cosa podía presentarse otra vez.

—El teléfono pertenece a Mrs. J. Núñez. Vive en el Forum East. Aquí está anotado el edificio y el número del apartamento —Wong tendió otra hoja de papel. Marino la tomó, miró la dirección y la dejó.

—Hay otra cosa que puede interesarle. Los informes dicen que el teléfono fue instalado hace un mes, a toda prisa. Normalmente hay que esperar mucho para conseguir un teléfono en el Forum East, y éste no estaba en la lista de solicitudes; de pronto, bruscamente, pasó antes que todos los demás.

La creciente mueca de Marino se debía, en parte, a la impaciencia y, en parte, a la furia por lo que oía. Wizard Wong siguió, rápido:

—Sucede que se usó cierta presión. Mi contacto me dice que hay un informe en los archivos de la compañía de teléfonos que muestra que la presión provino de un tipo llamado Nolan Wainwright, jefe de Seguridad de un banco... el First Mercantile American. Dijo que el teléfono se necesitaba urgentemente para asuntos del banco. La cuenta también la paga el banco.

Por primera vez desde la llegada del técnico de sonido, Tony el «Oso» se quedó atónito. Por un momento la sorpresa asomó en su cara, después desapareció y fue reemplazada por una expresión vacía. Bajo aquella expresión su mente trabajaba, relacionando lo que acababan de decirle con hechos que ya conocía. El nombre Wainwright era la conexión. Marino estaba enterado de la tentativa, seis meses atrás, de plantar entre su gente un espía, una basura de nombre Vic, quien, después de reventarle los testículos, dijo el nombre «Wainwright». Marino conocía por su reputación al detective del banco. En la primera serie de acontecimientos Tony el «Oso» había estado bastante metido.

¿Había ahora otro espía? En tal caso, Tony el «Oso» sabía bastante bien qué era lo que ese espía buscaba, y había también otros negocios en el *Double Seven* que no deseaba ver expuestos a la luz. Tony el «Oso» no perdió tiempo meditando. No se podía reconocer la voz del que había llamado porque la voz era sólo un murmullo. Pero la otra voz, la de la mujer, había sido rastreada de modo que, cualquier cosa que se necesitara saber, podrían obtenerla por ella. No le pasó por la cabeza la idea de que la mujer no colaborara; si era tonta, había maneras de hacerla hablar.

Marino pagó rápidamente a Wong y se puso a pensar. Por un rato con su cautela habitual, no se apresuró a tomar una decisión, y dejó que sus pensamientos vagaran durante varias horas. Pero había perdido tiempo, nada menos que una semana.

Esa noche, tarde ya convocó a dos matones forzudos. Les dio una dirección en el Forum East y una orden:

—Traigan a la Núñez.

18

—Si se demuestra que todo lo que me has dicho es verdad —aseguró Alex a Margot— personalmente daré a Nolan Wainwright la mayor patada que ha recibido en el trasero.

Margot exclamó:

—¡Claro que es verdad! ¿Para qué iba a inventarlo Mrs. Núñez? En todo caso ¿por qué va a hacerlo?

—Sí —reconoció él—, supongo que tienes razón.

—Y te diré algo más, Alex. Pido más que la cabeza o el culo de tu hombre, Wainwright, en un plato... Mucho más.

Estaban en el apartamento de Alex, donde Margot había llegado hacía media hora, tras su tardía conversación con Juanita Núñez. Lo que Juanita le había revelado la sorprendía y la enojaba. Juanita había descrito nerviosamente el acuerdo realizado hacía un mes, por el cual se había convertido en enlace entre Wainwright y Miles Eastin. Pero, recientemente, le había confesado Juanita, había empezado a darse cuenta del peligro que corría y sus miedos habían aumentado, no sólo por ella, sino por Estela. Margot había examinado varias veces la información de Juanita, la había interrogado sobre detalles, y, finalmente, había ido directamente a hablar con Alex.

—Sabía que Eastin iba a actuar bajo cubierta —la cara de Alex estaba turbada, como tantas veces recientemente; recorrió la sala con un vaso de whisky que no había probado—. Nolan me confió lo que estaba planeando. Al principio me opuse y dije que no, después cedí porque los argumentos eran convincentes. Pero te juro que en ningún momento mencionó un acuerdo con la muchacha Núñez.

—Te creo —dijo Margot—. Probablemente no te lo dijo porque sabía que ibas a prohibírselo.

—¿Está enterada Edwina?

—Aparentemente no.

Alex pensó, irritado: entonces Nolan también en esto estaba en falta. ¿Cómo podía haber sido tan miope, tan estúpido? Parte de la dificultad, como Alex sabía, era que los jefes departamentales, como Wainwright, se dejaban llevar por sus objetivos limitados, y olvidaban el panorama general.

Dejó de pasear.

—Hace un momento has dicho que querías «mucho más». ¿Qué significa eso?

—Lo primero que quiero es una seguridad inmediata para mi cliente y su hijita y, por seguridad entiendo ponerla en algún sitio donde no puedan tocarla. Después hablaremos de la compensación.

—¿Tu *cliente*?

—He dicho a Juanita, esta noche, que necesita ayuda legal. Me ha pedido que la represente.

Alex hizo una mueca y sorbió su whisky.

—De manera que tú y yo somos ahora adversarios, Bracken.

—En ese sentido, creo que sí —la voz de Margot se suavizó—. Pero sabes que no aprovecharé la ventaja de nuestras conversaciones privadas.

—Sí, ya lo sé. Por eso te digo, privadamente, que *haremos* algo, inmediatamente, mañana mismo, por Mrs. Núñez. Si eso representa mandarla fuera de la ciudad por un tiempo, para tener la seguridad de que está a salvo, lo aprobaré. En cuanto a la compensación, no quiero comprometernos en esto, pero, después de oír toda la historia y si está de acuerdo con la tuya y la de ella, lo consideraremos.

Lo que Alex no dijo era su intención de mandar llamar a Nolan Wainwright por la mañana y darle órdenes de dar por terminada la operación de espionaje. Aquello incluiría salvaguardar a la muchacha, como había prometido a Margot; también había que pagar a Eastin. Alex deseaba ardientemente haberse mantenido firme en su primera idea y prohibir todo el plan; su instinto había estado en contra y había hecho mal en ceder a las persuasiones de Wainwright. Los riesgos, en todo sentido, eran demasiado grandes. Por suerte no era demasiado tarde para reparar el error, ya que nada malo había ocurrido a Eastin o a Juanita Núñez.

Margot le miró.

—Una de las cosas que me gustan en ti es que eres un hombre recto. ¿De manera que te das cuenta de que el banco tiene una deuda con Juanita Núñez?

—¡Por Cristo! —dijo Alex y vació su whisky— ¡Debemos tanto a tantos que no importa uno más!

19

Una pieza más. Nada más que una para completar el atormentador rompecabezas. Un solo golpe de suerte y llegaría la respuesta al interrogante: ¿dónde estaba situada la base de las falsificaciones?

Cuando Nolan Wainwright concibió la segunda misión encubierta, no había esperado resultados espectaculares. Consideraba a Miles Eastin un tiro al aire, de quien se podría obtener a la larga alguna información menor, e incluso eso iba a demorar meses. Pero, en lugar de esto, Eastin se había movido rápidamente pasando de una a otra revelación. Wainwright se preguntaba si el mismo Eastin sabía hasta qué punto había tenido un éxito notable.

El martes a mitad de la mañana, solo en su despacho simplemente amueblado de la Torre de la Casa Central del FMA, Wainwright examinó una vez más los progresos realizados:

El primer informe de Eastin había sido para decir «Estoy dentro» en el Club Double Seven. En vista de posteriores desarrollos aquello, en sí, había sido importante. Siguió la confirmación de que el Double Seven *era una guarida de criminales, incluido el prestamista Ominsky y Tony «Oso» Marino.*

Al ganar acceso a los cuartos de juegos ilegales, Eastin había avanzado en la infiltración.

Poco después Eastin había «comprado» diez billetes falsos de veinte dólares. Estos, al ser examinados pro Wainwright y otros, demostraron ser de la misma elevada calidad que los que circulaban en la zona en los últimos meses, y provenían sin duda de la misma fuente. Eastin había dado el hombre del individuo que se los había suministrado y el individuo estaba ahora bajo vigilancia.

Luego venía un informe en tres apartados: el permiso falso de conducir; el número del Chevrolet Impala que Eastin había llevado hasta Louisville, aparentemente con un cargamento de dinero falso en el portaequipajes; y el billete aéreo falsificado dado a Eastin para el viaje de regreso. De las tres cosas el billete aéreo había sido el más útil. Había sido comprado, junto con otros, con una tarjeta clave de crédito, también falsificada. Finalmente el jefe de Seguridad del banco tenía la sensación de llegar a su objetivo máximo: cercar la conspiración que había estafado grandes cantidades con el sistema de tarjetas de crédito. Y aún seguía el falso permiso de conducir revelaba la existencia de una organización variada y eficiente, al que se añadía ahora alguien: el ex presidiario Jules La Rocca. Las investigaciones revelaron que el Impala había sido robado. Algunos días después del viaje de Eastin lo habían encontrado abandonado en Louisville.

Finalmente y más importante: la identificación del falsificador Danny, junto con un montón de informaciones, incluído el hecho de que la fuente de las tarjetas de crédito falsificadas se conocía ahora con exactitud.

A medida que se acrecentaba el conocimiento de Wainwright por intermedio de Miles Eastin, también crecía una obligación: compartir lo que sabía. Por lo tanto, hacía una semana, había invitado a unos agentes del FBI y del Servicio Secreto para una conferencia en el banco. El Servicio Secreto debía ser invitado porque se trataba de dinero falsificado, y a ellos les correspondía la responsabilidad constitucional de proteger el sistema monetario de los Estados Unidos. Los agentes especiales del FBI que vinieron eran la misma pareja —Innes y Dalrymple— que habían investigado la pérdida de caja del FMA y detenido hacía un año a Miles Eastin. Los agentes del Servicio Secreto —Jordan y Quimby— no eran conocidos de Wainwright.

Innes y Dalrymple le hicieron elogios y apreciaron la información que les daba Wainwright, los hombres del Servicio Secreto fueron menos efusivos. Su resentimiento provenía de que suponían que Wainwright debía haber informado antes, en cuanto recibió los primeros billetes falsos que le mandó Eastin; —y suponían que Eastin, por intermedio de Wainwright, debía haberles prevenido de antemano su viaje a Louisville.

El agente Jordan, del Servicio Secreto, un hombrecito triste y achaparrado, de mirada dura, cuyo estómago resonaba constantemente, se quejó:

—Si nos hubieran prevenido hubiéramos podido interceptarlo. Tal como están las cosas ese hombre, Eastin, puede ser culpable de felonía, con usted como asesor.

Wainwright señaló, con paciencia:

—Ya he explicado que Eastin no tenía manera de notificar nada a nadie, incluido yo. Ha aceptado un riesgo y lo sabe; personalmente creo que ha hecho lo que debía. En cuanto a felonía, no sabemos si había dinero falsificado en ese coche.

—Lo había con seguridad —gruñó Jordan—. Ha estado circulando en Louisville desde entonces. Lo único que no sabíamos era cómo había llegado.

—Bueno, ahora lo saben —interrumpió Innes, el agente del FBI—. Y gracias a Nolan estamos mucho más adelantados.

Wainwright añadió:

—En caso de interceptarlo, seguramente hubieran encontrado una cantidad de dinero falso. Pero no mucho más, y hubiera terminado la utilidad de Eastin.

En cierto modo Wainwright simpatizaba con el punto de vista del Servicio Secreto. Los agentes trabajaban de más, estaban agobiados, con poco personal, pero la cantidad de dinero falsificado en circulación había aumentado en los últimos años en cantidad abrumadora. Luchaban contra una hidra de muchas cabezas. Apenas localizaban una fuente de suministros, cuando surgía una nueva: otras les eludían permanentemente. Por motivos públicos se mantenía la ilusión de que los falsificadores siempre eran descubiertos, que esa especie de crimen no daba resultado. En realidad, como sabía muy bien Wainwright, daba excelentes resultados.

Pese a la fricción inicial, se realizó un gran avance al poder recurrir a los archivos de la ley. Individuos que Eastin había nombrado fueron identificados y se prepararon carpetas para el momento en que pudieran hacerse una serie de detenciones. El falsificador Danny fue identificado como Daniel Kerrigan, de 73 años.

—Hace mucho tiempo —informó Innes— Kerrigan fue detenido tres veces; tiene dos condenas por falsificación, pero hace quince años que no sabíamos nada de él. Se ha portado bien, ha tenido suerte o ha sido muy hábil.

Wainwright recordó y repitió una frase de Danny, que Eastin le había revelado: que había estado trabajando con una organización eficiente.

—Puede ser —dijo Innes.

Después de la primera conferencia Wainwright y los cuatro agentes mantuvieron contactos frecuentes, y aquel prometió informar de inmediato sobre cualquier nueva comunicación de Eastin. Todos estuvieron de acuerdo en que la pieza clave de la información era localizar el cuartel general de los falsificadores. Hasta el momento nadie tenía idea de donde podía estar. Pero las esperanzas de obtener más datos eran elevadas, y en el momento que eso sucediera el FBI y el Servicio Secreto estaban dispuestos a actuar.

Bruscamente, mientras Nolan Wainwright meditaba, sonó el teléfono. Una secretaria dijo que Mr. Vandervoort quería verle inmediatamente.

Wainwright no podía creer aquello. Frente al escritorio de Alex Vandervoort protestó:

—Usted no habla en serio.

—Hablo en serio —dijo Alex—. Aunque me costó trabajo creer que usted había utilizado a esa chica Juanita Núñez de la manera que lo ha hecho. De todas las locuras...

—Locura o no, ha dado resultado.

Alex ignoró el comentario.

—Usted ha puesto en peligro a la muchacha, sin consultar a nadie. Como resultado tenemos que ocuparnos de protegerla y hasta es posible que tengamos un pleito encima.

—He trabajado bajo la idea —discutió Wainwright—, de que cuanta menos gente supiera lo que esa muchacha estaba haciendo, más segura iba a estar.

—No, eso es lo que usted cree ahora, Nolan. Lo que realmente pensó es que, si yo o Edwina D'Orsey llegábamos a enterarnos, se lo habríamos impedido. Yo sabía lo de Eastin. ¿Acaso iba a ser menos discreto respecto a la muchacha?

Wainwright se pasó el puño cerrado por el mentón.

—Bueno, reconozco que hay algo de verdad en lo que usted dice.

—¡Vaya si la hay!

—Pero de todos modos ese no es motivo, Alex, para abandonar toda la operación. Por primera vez desde que investigamos los fraudes con tarjetas de crédito estamos próximos a un gran triunfo. De acuerdo, me he equivocado al usar a la Núñez. Lo reconozco. Pero no me equivoqué con Eastin, y tenemos resultados que lo demuestran.

Alex sacudió la cabeza, con decisión.

—Nolan, una vez dejé que usted me convenciera. Pero no me convencerá esta vez. Nosotros aquí nos ocupamos de asuntos bancarios, no de descubrir criminales. Buscamos ayuda de las agencias legales y cooperamos con ellas cuando podemos. Pero *no* podemos pagarnos programas organizados para descubrir crímenes. Por eso le digo: termine el acuerdo con Eastin, hoy mismo si es posible.

—Pero vea, Alex...

—Ya he visto y no me gusta lo que veo. No quiero que el FMA sea responsable de arriesgar vidas humanas... ni siquiera la de Eastin. Eso es definitivo, de manera que no perdamos más tiempo discutiendo.

Como Wainwright parecía agriamente abatido, Alex prosiguió:

—Además, quiero que se convoque esta tarde a una conferencia entre usted, Edwina D'Orsey y yo, para discutir lo que debe hacerse con Mrs. Núñez. Ya puede empezar a buscar ideas. Lo que tal vez sea necesario...

Una secretaria apareció en la puerta del despacho. Alex dijo, irritado:

—¡Se trate de lo que se trate... más tarde!

La muchacha sacudió la cabeza.

—Mr. Vandervoort, Miss Bracken está al teléfono. Dice que es sumamente urgente y que le interrumpiera sin tener en cuenta lo que usted estuviera haciendo.

Alex suspiró. Tomó el teléfono.

—¿Qué pasa, Braken?

—Alex —dijo la voz de Margot— se trata de Juanita Núñez.

—¿Qué le pasa?

—Ha desaparecido.

—Un momento —Alex movió un contacto, y transfirió la llamada a una conexión, para que Wainwright pudiera oír—. Adelante.

—Estoy muy preocupada. Cuando me separé anoche de Juanita, sabiendo que iba a verte más tarde, acordé con ella telefonearla hoy al trabajo. Estaba muy preocupada. Yo esperaba darle algunas seguridades.

—¿Y entonces...?

—Alex, Juanita no ha ido hoy al trabajo —la voz de Margot parecía tensa.

—Bueno, tal vez...

—Escucha por favor. Estoy ahora en el Forum East. He venido aquí cuando me han dicho que Juanita no estaba en el banco y no poder conseguir que el teléfono de Juanita me contestara. He hablado con otra gente en el edificio donde vive. Dos personas vieron a Juanita dejar el apartamento como de costumbre esta mañana, con su hijita, Estela. Juanita la deja siempre en una guardería cuando va al banco. He averiguado el nombre de la guardería y he telefoneado. Estela no está allí. Ni ella ni su madre han aparecido allí esta mañana.

Hubo un silencio. La voz de Margot preguntó:

—Alex, ¿me escuchas?

—Sí, aquí estoy.

—Después he vuelto a llamar al banco y esta vez he hablado con Edwina. Ella lo ha comprobado personalmente. No sólo no ha aparecido Juanita, sino que tampoco ha telefoneado para justificar su falta, lo que es muy raro en ella. Por eso estoy inquieta. Estoy segura de que ha pasado algo atroz, terrible.

—¿Tienes alguna idea de lo que puede haber pasado?

—Sí —dijo Margot— la misma que tú tienes.

—Espera —dijo él—, Nolan está aquí.

Wainwright se había inclinado hacia adelante, escuchando. Ahora se enderezó y dijo con tranquilidad:

—Han secuestrado a Juanita Núñez. No cabe duda.

—¿Quién?

—Alguien de la gente del *Double Seven*. Probablemente también están detrás de Eastin.

—¿Es posible que la hayan llevado a ese club?

—No. Jamás harían eso. Debe estar en otra parte.

—¿Tiene idea de dónde?

—No.

—¿Y quien la haya secuestrado ha secuestrado también a la niña?

—Eso me temo —había angustia en los ojos de Wainwright—. Lo lamento, Alex.

—¡Usted nos ha metido en esto —dijo Alex furioso— ahora, por el amor de Dios, tiene que sacar a Juanita y a la chica del pantano!

Wainwright se concentró, pensó al hablar:

—Lo primero es saber si hay posibilidad de prevenir a Eastin. Si podemos llegar a él y salvarle, es posible que sepa algo que nos lleve a encontrar a la muchacha —tenía abierta una pequeña libreta negra y buscaba ya un número de teléfono.

20

Sucedió de manera tan rápida e inesperada que las puertas del coche
e habían cerrado y la gran *limousine* estuvo en movimiento antes que
Juanita hubiera podido gritar. En aquel momento supo por instinto que
a era demasiado tarde, pero chilló de todos modos:

—¡Socorro, socorro! —hasta que un puñetazo le golpeó salvajemente
a cara y una mano enguantada apretó su boca. Incluso entonces, al oír
os gritos de terror de Estela, Juanita siguió luchando pero el puño la
olpeó con fuerza por segunda vez: la visión se confundió y los sonidos
e perdieron en la distancia.

El día —una mañana clara y fresca de principios de noviembre—
abía empezado normalmente. Juanita y Estela se habían levantado para
esayunar y mirar las noticias del día en el pequeño televisor portátil
lanco y negro. Después se apresuraron a salir, como de costumbre a las
,30, lo que dejaba a Juanita apenas tiempo para llevar a Estela a la
uardería antes de tomar el ómnibus que la llevaba al banco. A Juanita
iempre le gustaban las mañanas y estar con Estela era una manera
ichosa de iniciar cualquier día.

Al salir del edificio Estela se había adelantado corriendo y gritando:

—Mamá, no toco ninguna raya —y Juanita había sonreído, porque
squivar las rayas y las junturas de la acera era un juego que hacían con
recuencia. Fue entonces cuando percibió vagamente la *limousine* de
entanas oscuras estacionada al frente, con la puerta trasera abierta
obre la acera. Había prestado más atención cuando Estela se acercó al
oche y alguien le habló desde adentro. Estela se acercó. Cuando lo hizo
somó una mano y tiró de la pequeña hacia adentro. De inmediato,
uanita corrió hasta la puerta del coche. Entonces, desde atrás, una
gura que ella no había visto se adelantó y la empujó con fuerza,
aciéndola tambalear y caer en el coche, tras arañarse dolorosamente las
odillas. Antes de poder recobrarse la metieron dentro y la obligaron a
gacharse contra el suelo, junto con Estela. La puerta se cerró de golpe
ras ella, también se cerró una puerta delantera y el coche se puso en
narcha.

Ahora, con la cabeza más clara y toda la conciencia, oyó una voz
ue decía:

—Carajo, ¿para qué has traído a esa maldita chica?

—Había que hacerlo. La chica iba a gritar y a armar un lío llamando
a atención a la policía. De esta manera vamos más rápido, sin trabajo.

Juanita se movió. Calientes cuchillos de dolor, allí donde la habían
erido, penetraron hasta su cabeza. Gimió.

—Oye, puta —dijo una tercera voz— si no te quedas quieta te vamos
lastimar más. Y no te hagas ilusiones de que nadie vaya a ver nada.
Los cristales de este coche no dejan ver desde fuera!

Juanita permaneció inmóvil, pero luchó contra el pánico, se esforzó
n pensar. Había tres hombres en el auto, dos en el asiento trasero,

encima de ella, otro delante. La frase acerca de los cristales explicaba la sensación que había tenido de un gran coche con ventanillas oscuras. De manera que lo que habían dicho era exacto: era inútil procurar llamar la atención. ¿A dónde las llevaban a ella y a Estela? ¿Y por qué? Juanita no dudaba que la respuesta al segundo interrogante tenía algo que ver con el acuerdo hecho con Miles. Lo que temía se había convertido en realidad. Comprendió que estaba en grave peligro. Pero, *Virgen Santa ¿por qué Estela?* Las dos estaban como un sandwich en el suelo del auto, y el cuerpo de Estela se agitaba en desesperados sollozos. Juanita se movió, procurando abrazarla y consolarla.

—¡Vamos, *amorcito,* sé valiente, bonita!

—¡Silencio! —ordenó uno de los hombres.

Otra voz —ella creyó que era la del chófer— dijo:

—Es mejor amordazarlas y vendarles los ojos.

Juanita sintió movimientos, oyó desgarrar algo como una tela. Suplicó enloquecida:

—¡Por favor, no! Yo... —el resto de las palabras se perdieron mientras le ponían una amplia cinta adhesiva de golpe sobre su boca. Unos momentos después un trapo oscuro le cubrió los ojos, y sintió que le apretaban también con fuerza. Finalmente le agarraron las manos y se las ataron detrás. Las cuerdas cortaron sus muñecas. En el suelo del coche había polvo, y ese polvo llenó los agujeros de la nariz de Juanita sin poder ver ni moverse, ahogada bajo la mordaza, sopló enloquecida para limpiarse la nariz y respirar. Por los movimientos a su lado comprendió que estaban haciendo los mismo a Estela. La desesperación la envolvió. Lágrimas de rabia, de frustración, le llenaron los ojos. *¡Maldito Wainwright! ¡Maldito Miles! ¿Dónde estás ahora?... ¿Cómo había podido nunca consentir en... hacer posible?... Oh, ¿por qué, por qué?... ¡Virgen Santa, ayúdame, por favor! ¡Y, si no puedes salvarme, salva al menos a Estela!*

A medida que pasaba el tiempo el dolor y la desesperanza aumentaban, y los pensamientos de Juanita empezaron a vagar. Se daba cuenta de que el coche se movía lentamente, deteniéndose y volvía a arrancar entre el tráfico, después hubo un largo trayecto a toda velocidad seguido por otro en que marcharon con más lentitud, vueltas y revueltas. El viaje, a donde fuera, parecía eterno. Al cabo de una hora quizá —o acaso mucho más o mucho menos— Juanita sintió que apretaban totalmente los frenos. Por un momento el motor del auto se oyó con más fuerza, como en un espacio cerrado. Después el motor se detuvo. Oyó un zumbido eléctrico, un ruido como si una puerta pesada se cerrara mecánicamente, un golpe seco cuando cesó el rumor. Al mismo tiempo se abrieron de golpe las puertas de la *limousine,* los goznes crujieron, la pusieron brutalmente de pie, y hubiera caído si unas manos no la hubiesen sujetado. Una de las voces que ya había escuchado ordenó

—¡Camina... carajo!

Siempre con los ojos vendados, moviéndose torpemente, sus terrores seguían centrados en Estela. Fue consciente de unos pasos —los suyos y otros— que resonaban en el cemento. Súbitamente el suelo le faltó bajo os pies y tropezó; fue en parte sostenida, en parte arrastrada por unas escaleras. Cuando terminaron de bajar, volvieron a andar. Bruscamente la empujaron hacia atrás hasta hacerle perder el equilibrio; sus piernas retrocedieron pero la caída fue impedida por una dura silla de madera. La misma voz de antes dijo a alguien:

—Quítale la venda y la mordaza.

Sintió movimientos de manos, y nuevo dolor cuando arrancaron con violencia la cinta adhesiva de su boca. La venda de los ojos se aflojó y Juanita parpadeó cuando la oscuridad dejó paso a una brillante luz que la hería directamente en los ojos.

Dijo, sin aliento:

—*¿Por Dios*, dónde está...? —y un puño la golpeó.

—Basta de canciones —dijo una de las voces del coche—. Cuando te digamos que lo hagas, hablarás... y mucho.

Había ciertas cosas que le gustaban a Tony «Oso» Marino. Una era el erotismo sexual —para su criterio el erotismo significaba cosas que se hacía hacer con las mujeres y que luego le hacían sentirse superior y a ellas degradadas. Otra cosa eran las peleas de gallos... cuanto más sangrientas, mejor. Disfrutaba con los relatos gráficos y detallados de castigos y ejecuciones que ordenaba, aunque tenía cuidado de mantenerse apartado para evitar cualquier evidencia. Otro gusto, aunque menor, era un espejo transparente que dejaba ver de un solo lado.

A Tony «Oso» Marino le gustaban esos espejos (o un panel como espejo) que le permitían observar sin ser visto, y los había hecho instalar en múltiples lugares —en sus autos, en sus oficinas, en clubs como el *Double Seven* y en su cerrado y custodiado hogar. En la casa, un cuarto de baño que usaban las mujeres visitantes tenía toda una pared con un espejo transparente. Desde el cuarto de baño era un hermoso espejo, pero, del otro, había un cuartito cerrado donde Tony el «Oso» se sentaba a disfrutar de un cigarro y de las intimidades personales que le eran reveladas por el espejo.

Debido a su obsesión se había instalado uno de estos espejos en el local de las falsificaciones y, aunque por precaución normal rara vez iba allí había demostrado ser útil a veces como en este caso.

El espejo estaba incrustado en una media pared, con un efecto de pantalla. A través podía ver a la mujer, Juanita Núñez, de cara a él y atada a una silla. Tenía la cara amoratada, sangraba y estaba desarreglada. Junto a ella estaba la niña, atada a otra silla, y la carita tenía color de tiza. Unos minutos antes, cuando le dijeron que habían traído a la criatura, Marino había estallado furioso, no porque le importara de los niños —no le importaban— sino porque presentía dificultades. Una persona mayor puede ser eliminada, si es necesario, virtualmente sin riesgo, pero matar a un niño era otro asunto. La cosa podía provocar esquemores entre su propia gente, y emoción y peligro luego, si llegaba a correr el rumor. Tony el «Oso» ya había decidido sobre el asunto; se relacionaba con la precaución de vendar los ojos cuando se venía aquí. También estaba contento por no estar a la vista.

Encendió un cigarro y miró.

Angelo, uno de los guardaespaldas de Tony el «Oso» que había estado encargado de la operación del secuestro, se inclinó sobre la mujer. Angelo era un ex boxeador que nunca se había destacado, aunque tenía el físico de un rinoceronte. Tenía labios gruesos y protuberantes, era un matón y le gustaba lo que estaba haciendo:

—Vamos, gancho de dos vueltas, empieza a cantar.

Juanita, que procuraba ver a Estela, volvió la cara hacia él.

—¿De qué voy a hablar?

—¿Cómo se llama el tipo que te telefoneó desde el *Double Seven*?

Un chispazo de entendimiento cruzó la cara de Juanita. Tony el «Oso» lo vio y supo que era sólo cuestión de tiempo, y no mucho, el tener la información.

—¡Hijo de puta... *animal!* —Juanita escupió a Angelo—. *¡Canalla!* ¡No sé nada del *Double Seven*!

Angelo la golpeó con fuerza de manera que la sangre manó de la nariz y del extremo de la boca. La cabeza de Juanita cayó. El la agarró del pelo y le mantuvo la cara hacia arriba mientras repetía:

—¿Quién es el tipo que te habló desde el *Double Seven*?

Ella contestó pesadamente entre los labios hinchados:

—*Maricón,* no te diré nada hasta que no sueltes a mi hijita.

La muchacha tenía ánimo, reconoció Tony el «Oso». Si hubiera sido distinta, se habría divertido martirizándola en otra forma. Pero era demasiado flaca para su gusto... las caderas no valían nada, un culito insignificante, unas tetitas como cacahuetes.

Angelo dobló el brazo y le dio un puñetazo en el estómago. Juanita perdió el aliento y se dobló hacia adelante, dentro de lo que se lo permitieron las ligaduras. A su lado Estela, que podía ver y oír, sollozaba histéricamente. El ruido enojó a Tony el «Oso». Aquello se demoraba demasiado. Había una manera más rápida de terminar. Hizo una seña a un segundo guardaespaldas, Lou, y murmuró algo. A Lou pareció no gustarle lo que le decían, pero asintió. Tony el «Oso» tiró el cigarro que había estado fumando.

Cuando Lou salió del compartimiento y habló en voz baja con Angelo, Tony «Oso» Marino miró a su alrededor. Estaban en un sótano con todas las puertas cerradas, lo que eliminaba la posibilidad de que escaparan ruidos, aunque tampoco hubiera importado en este caso. La casa, una construcción de hacía cincuenta años, como eran frecuentes en esta zona se levantaba en el centro de un terreno propio, en un barrio residencial de gente de clase alta, y estaba protegida como una fortaleza. Un sindicato que encabezaba Tony «Oso» Marino había comprado la casa hacía ocho meses y habían trasladado allí las operaciones de falsificación. Pronto, como precaución, iban a vender la casa y mudarse a otra parte; lo cierto es que ya habían elegido nuevo lugar. Tendría la misma apariencia inocua e inocente de esta casa. Eso, pensaba a veces con satisfacción Tony el «Oso», había sido el secreto de su larga y provechosa carrera: mudanzas frecuentes a barrios tranquilos y respetables, con el tráfico que iba y venía del centro reducido al mínimo. La ultra precaución tenía dos ventajas: sólo un puñado de personas sabía exactamente dónde estaba el local; además, como todo era tan sigiloso, los vecinos no tenían sospechas. Incluso habían tomado complicadas precauciones para trasladarse de uno a otro lugar. Una de ellas: cubiertas de madera diseñadas para cubrir los muebles de una casa, que se ajustaban a cada pieza de las maquinarias de falsificación de manera que un paseante casual, lo único que veía era una mudanza doméstica. Y un camión de mudanzas, de una de las compañías legales de camiones que servían a la organización, había sido contratado para realizar la tarea. Incluso había arreglos para un caso de emergencia, camiones extra veloces si era necesario.

El falso mobiliario había sido una de las ideas de Danny Kerrigan. El viejo tenía algunas buenas ideas, y había demostrado ser un falsificador de primera clase desde que Tony Marino le había contratado para la organización hacía doce años. Con anterioridad, Tony el «Oso» había oído hablar de la fama y habilidad de Kerrigan, y sabía que se había vuelto alcohólico y que estaba al borde de la vagancia. Por orden de Tony el «Oso» el viejo fue rescatado, desalcoholizado, y después le pusieron a trabajar... con resultados espectaculares.

Parecía que no había nada, empezaba a creer Tony el «Oso», que Danny no pudiera imprimir con éxito —dinero, sellos, certificados de acciones, cheques, permisos de conducir, tarjetas de seguridad social, bastaba con pedirlo. Había sido idea de Danny fabricar miles de tarjetas falsas de crédito. Por medio de sobornos y una visita bien planeada, habían podido obtener hojas de plástico en blanco, del mismo tipo del que servía para las tarjetas, y la cantidad podía durar años. Las ganancias, hasta ahora, habían sido inmensas.

El único inconveniente del viejo era que, de vez en cuando, le daba por entregarse a la juerga y no podía trabajar en una semana. Cuando esto pasaba, había peligro de que hablara, y, por eso, le mantenían encerrado. Pero era hábil y, a veces, se las arreglaba para escapar, como la última vez. Pero los lapsos eran ahora escasos, en parte porque Danny estaba guardando el dinero que ganaba en un banco suizo, y soñaba con ir allí dentro de uno o dos años para recoger su botín y retirarse. Pero Tony el «Oso» sabía que el deseo del viejo nunca iba a realizarse. Pensaba utilizarle mientras pudiera funcionar. Y, además, Danny sabía demasiado para que jamás le permitieran irse.

Aunque Danny Kerrigan era importante, era la organización la que le había protegido y había sabido sacar el máximo a lo que el viejo producía. Sin un eficiente sistema de distribución Danny hubiera sido como tantos otros: hubiera trabajado a ratos o se hubiera perdido. Por lo tanto, era la amenaza a la organización lo que preocupaba a Tony el «Oso». ¿Se había infiltrado un espía, un quinta columna? Si era así: ¿de dónde venía el individuo? ¿Y cuánto sabía el tipo... o la tipa?

Su atención volvió a fijarse en lo que pasaba al otro lado del espejo. Angelo tenía el cigarro encendido. Sus gruesos labios estaban torcidos en una mueca. Con la punta del pie empujó las dos sillas, de manera que la Núñez y su hija quedaron frente a frente. Angelo aspiró el cigarro

369

hasta que la punta brilló. Casualmente se acercó a la silla donde la niña estaba sentada y atada.

Estela le miró, temblando visiblemente, los ojos enloquecidos de terror. Sin prisa, Angelo le tomó la manita derecha, la levantó, inspeccionó la palma, le dio la vuelta. Con más lentitud sacó de la boca el cigarro encendido y lo plantó, como en un cenicero, en el dorso de la mano. Estela chilló... un desgarrador grito de agonía. Frente a ella Juanita, enloquecida, llorando, gritando incoherencias, luchó desesperadamente entre sus ligaduras.

El cigarro no se había apagado. Angelo lo aspiró hasta que se formó una brasa fresca, después, con la misma lentitud que antes, levantó la otra mano de Estela.

Juanita chilló:

—¡*No, déjela quieta*! ¡Hablaré!

Angelo esperó, con el cigarro amenazante, mientras Juanita decía, entrecortada:

—El hombre que ustedes buscan... es... Miles Eastin.

—¿Para quién trabaja?

Con la voz que era un murmullo desesperado, ella contestó:

—Para el First Mercantile American.

Angelo dejó caer el cigarro y lo deshizo con el tacón. Miró interrogante hacia donde sabía que debía estar Tony «Oso» Marino, después pasó del otro lado del espejo.

La cara de Tony el «Oso» estaba tensa. Dijo con suavidad.

—Traedlo. Traed a ese marica. En seguida.

21

—Miles —dijo Nate Nathanson con desusada rabia— sea quien sea el amigo que te está telefoneando, dile que este lugar no es para el personal, es para los socios.

—¿Qué amigo? —Miles Eastin había estado ausente del *Double Seven* parte de la mañana, ocupado en hacer encargos para el club; miró dudando al gerente.

—¿Cómo demonios voy a saberlo? Un tipo llamó cuatro veces, preguntando por ti. No quiso dejar nombre, ni mensaje —Nathanson añadió con impaciencia—. ¿Dónde está la libreta de depósitos?

Miles se la tendió. Entre los encargos había habido uno a un banco, para depositar cheques.

—Un embarque de mercancías envasadas acaba de llegar —dijo Nathanson—. Los cajones están en el almacén; compruébalos con las facturas —entregó a Miles algunos papeles y una llave.

—Bien, Nate. Disculpe las llamadas.

Pero el gerente ya se había vuelto y se dirigía a su oficina del segundo piso. Miles le tenía alguna simpatía. Sabía que Tony «Oso» Marino y el ruso Ominsky, que poseían en conjunto el *Double Seven,* mortificaban bastante a Nathanson con quejas sobre el manejo del club.

Al dirigirse al almacén, que estaba en la planta baja, en la parte de atrás del edificio, Miles se preguntó qué podían significar esas llamadas. ¿Quién podía telefonearle? Y con insistencia. Dentro de lo que recordaba, sólo tres personas relacionadas con su vida anterior sabían que él estaba aquí... el funcionario que le había otorgado la libertad condicional; Juanita; Nolan Wainwright. ¿El funcionario? Muy poco probable. La última vez que Miles había efectuado la debida visita mensual y dado su informe, el funcionario se había mostrado apresurado e indiferente; lo único que parecía importarle era que Miles no causara dificultades. El funcionario había tomado nota del lugar donde trabajaba Miles y eso era todo. ¿Juanita, entonces? No. Ella sabía que no debía hacerlo; además, Nathanson había dicho que era un hombre. Sólo quedaba Nolan Wainwright.

Pero Wainwright no llamaría a menos... ¿O podía acaso llamar? Podía arriesgarse si había algo realmente urgente... *como un aviso...*

—¿Un aviso de qué? ¿De que Miles estaba en peligro? ¿De que había sido descubierto como espía o podía serlo? Bruscamente un terror frío se apoderó de él. El corazón le latió con fuerza. Miles comprendió: últimamente había imaginado que se movía en la impunidad, había creído estar seguro. Pero en verdad no había aquí seguridad, nunca la había habido. Sólo peligro... más grande ahora que al principio, porque él ya sabía demasiado.

Al acercarse al cobertizo, como la idea persistía, le temblaron las manos. Tuvo que tranquilizarse para poner la llave en la cerradura. Se preguntó: ¿se estaría asustando por nada, reaccionando cobardemente ante sombras? Quizás. Pero una intuición le previno... no. *¿Qué debía hacer pues?* La persona que había telefoneado probablemente volvería a hacerlo. Pero, ¿era conveniente esperar? Miles decidió: riesgo o no, iba a llamar directamente a Wainwright.

Había abierto la puerta del cobertizo. Ahora empezó a cerrarla, para ir a un teléfono público cercano... el mismo por el que había telefoneado a Juanita hacía una semana. En aquel momento oyó actividad en el vestíbulo del club, en el otro extremo del corredor de la planta baja, que llegaba hasta el fondo. Varios hombres llegaban de la calle. Parecían tener prisa. Sin saber por qué Miles cambió de dirección y se metió en el cobertizo, fuera de la vista de ellos. Oyó voces mezcladas, después uno preguntó en voz alta:

—¿Dónde está ese pillastre de Eastin?

Reconoció la voz. Era Angelo, uno de los guardaespaldas de Marino.

—En la oficina, creo —era Jules La Rocca. Miles le oyó decir—: ¿Pero qué pasa con...?

—Tony el «Oso» quiere...

Las voces se apagaron y los hombres se precipitaron escaleras arriba. Pero Miles había oído bastante, y comprendía que lo que más había temido era realidad. Dentro de un minuto, quizás menos, Nate Nathanson iba a decir a Angelo y a los otros dónde estaba él. Volverían a buscarle.

Sintió que todo el cuerpo le temblaba, pero se esforzó en pensar. Salir por el vestíbulo del frente era imposible. Aun en el caso de que no encontrara a los hombres que bajaban, probablemente habrían dejado a alguno de guardia. ¿Por la salida de atrás, entonces? Rara vez se usaba y se abría junto a un edificio abandonado. Más allá había un descampado, y luego un paso de tren elevado. En el extremo de la línea ferroviaria había un laberinto de callejuelas miserables. Podía intentar escabullirse por esas calles, aunque la posibilidad de eludir la persecución era escasa. Podía haber varios perseguidores; algunos tendrían un auto, o autos; Miles no lo tenía. Su mente le mandó el mensaje: *Tu única posibilidad. No pierdas tiempo. Vete ahora.* Cerró de golpe la puerta del almacén y tomó la llave; tal vez los otros perdieran unos preciosos minutos echando la puerta abajo, al creer que él estaba dentro.

Después corrió.

Por la puertita trasera, luchando primero con un cerrojo... Afuera, se detuvo para cerrar la puerta; no tenía sentido mostrar por dónde había escapado... Siguió por el descampado hasta el edificio abandonado... el edificio había sido una fábrica alguna vez; el terreno estaba lleno de desperdicios, cajones viejos, latas, el mohoso esqueleto de un camión detrás de un abollado montacarga. Era como correr una carrera de obstáculos. Las ratas escapaban... a través del descampado, tropezando entre ladrillos, basura, un perro muerto... Una de las veces Miles perdió pie y sintió que se le torcía el tobillo; experimentó un dolor penetrante, pero continuó... hasta el momento no había oído que nadie lo siguiera... al llegar al arco del puente del ferrocarril, con la relativa seguridad de las calles al frente, oyó detrás ruido de pasos que corrían y un grito:

—¡Ahí está ese hijo de puta!

Miles se apresuró. Estaba ahora en el terreno más firme de las calles y las aceras. Torció por la primera vuelta, directamente hacia la izquierda; después a la derecha; casi inmediatamente otra vez hacia la izquierda. Detrás de él todavía podía oír el resonar de los pies... Las calles eran desconocidas para él, pero su sentido de la dirección le dijo que estaba camino del centro. Si podía llegar desaparecería entre la muchedumbre del mediodía, tendría tiempo para pensar, telefonear a Wainwright, quizás pedir socorro. Entre tanto corría de prisa y bien, sin perder el aliento. El tobillo le dolía un poco; no demasiado. La salud de Miles, las horas pasadas en la cancha de pelota del *Double Seven* estaban dando su recompensa... El ruido de carreras detrás de él disminuyó, pero esta ausencia no le engañó. Aunque un auto no podía atravesar por el camino que él había seguido —por el terreno bloqueado y el descampado— había otros caminos alrededor. Una vuelta de varias manzanas para cruzar la línea ferroviaria crearía una demora. Pero no mucha. Probablemente, incluso ahora, alguien en un auto procuraba adivinar dónde estaba, para adelantársele. De nuevo dobló a la derecha y a la izquierda, esperando, como había esperado desde el principio, que pasara algún medio de transporte. Un autobús. Un taxi sería todavía mejor. Pero no venía nada... *Cuando uno necesita desesperadamente un taxi, ¿por qué nunca se presenta?... ¿O un policía?* Hubiera deseado que las calles que recorría estuvieran más frecuentadas. Al correr llamaba la atención, pero todavía no se atrevía a disminuir la marcha. Algunas personas le miraron con curiosidad, pero la gente de la ciudad está acostumbrada a no meterse en lo que no le importa.

La naturaleza de la zona cambiaba mientras corría. Ahora ya no era como un ghetto, aparecían signos de mayor prosperidad. Pasó frente a algunas tiendas grandes. Al frente había edificios todavía mayores, la línea de la ciudad empezaba a destacarse contra el cielo. Pero, antes de llegar allí, tenía que cruzar dos grandes avenidas de intersección. Ya podía ver la primera —amplia, llena de tráfico, dividida por un bulevar central. Después vio algo más, en el extremo del bulevar había un Cadillac negro, con ventanas oscuras, que cruzaba lentamente. *El coche de Marino.* Cuando el coche cruzaba la calle en la que estaba Miles, pareció vacilar, después se apresuró, se perdió rápidamente de vista. No había tenido tiempo para esconderse. ¿Le habrían visto? ¿Había salido el coche a recorrer los descampados o había tenido él suerte y les había perdido? Nuevamente el miedo se apoderó de él. Aunque estaba sudando, Miles se estremeció, pero siguió adelante. No le quedaba otra cosa que hacer. Avanzaba cerca de los edificios, disminuyendo la marcha todo lo que osaba hacerlo. Un minuto y medio más tarde, con el cruce a sólo unos cincuenta metros, un Cadillac —el mismo coche— dio la vuelta en la esquina.

Comprendió que la suerte le había abandonado. Quien fuera que estuviera dentro del coche —muy probablemente Angelo— no podía dejar de verle, probablemente ya le había visto. ¿Había algo que ganar resistiendo? ¿No era más sencillo rendirse, dejar que le apresaran, permitir que lo que iba a pasar, pasara? *No*. Porque conocía bastante a Tony «Oso» Marino y a su gente, les había visto en la cárcel y después, sabía lo que pasaba a las personas que incurrían en su venganza. El coche negro se detenía. *Le habían* visto. *Desesperación*.

Una de las tiendas que Miles había notado unos momentos antes estaba inmediatamente al lado. Burscamente interrumpió las zancadas, giró a la izquierda, empujó una puerta de cristal y entró. Dentro vio que era una tienda de artículos deportivos. Un empleado flaco y pálido, más o menos de la edad de Miles, se adelantó:

—Buenos días, señor. ¿Desea ver algo?

—Eh... sí... —dijo lo primero que le pasó por la cabeza—. Quiero ver una de esas esferas para jugar a los bolos.

—Muy bien. ¿De qué precio y peso?

—Las mejores. De unas dieciséis libras.

—¿Qué color?

—No importa.

Miles observaba los pocos metros de la acera ante la puerta. Algunos transeúntes pasaban. Nadie se había detenido a mirar hacia adentro.

—Acompáñeme, le mostraré lo que tenemos.

Siguió al empleado entre rejillas con esquíes, cajas de vidrio, un despliegue de revólveres de mano. Después, mirando hacia atrás, Miles vio la silueta de una única figura que se había detenido fuera y espiaba desde el escaparate, una segunda figura se unió a la primera. Permanecieron juntos, sin dejar el frente de la tienda. Miles se preguntó: ¿podría escapar por detrás? En el momento mismo en que se le ocurrió la idea, la desechó. Los hombres que le perseguían no iban a cometer dos veces el mismo error. Cualquier salida trasera ya debía de estar localizada y custodiada.

—Esta es excelente. Vale cuarenta y dos dólares.

—Me la llevo.

—Necesitamos la medida de su mano para...

—No importa.

Podía intentar telefonear a Wainwright desde aquí. Pero Miles comprendió que, si se acercaba a un teléfono, los hombres de afuera entrarían inmediatamente.

El empleado pareció intrigado:

—¿No quiere usted que...?

—He dicho que no importa.

—Como usted quiera, señor. ¿No desea una bolsa para llevarla? ¿Y unos zapatos para jugar a los bolos?

—Sí —dijo Miles— sí, muy bien —aquello demoraría el momento de salir a la calle. Sin casi darse cuenta de lo que estaba haciendo, examinó las bolsas que le mostraban, eligió una al azar, se sentó y se probó unos zapatos. Mientras se los calzaba se le ocurrió la idea. *La tarjeta de crédito que Wainwright le había enviado por intermedio de Juanita... la tarjeta a nombre de H.E. Lyncolp... HELP*.

Señaló la bola, la bolsa y los zapatos que había elegido.

—¿Cuánto es?

374

El empleado miró una factura.

—Ochenta y seis dólares y noventa centavos, más el impuesto.

—Vea —dijo Miles— quiero anotarlo en mi tarjeta de crédito. Sacó la billetera y tendió la tarjeta con el nombre de *Lyncolp,* procurando que no le temblara la mano.

—Está bien, pero...

—Ya sé que necesita autorización. Adelante. Telefonée.

El empleado llevó la tarjeta y la factura a una zona de oficinas de cristal. Permaneció allí unos minutos y regresó.

Miles preguntó, ansioso:

—¿Ha logrado comunicarse?

—Claro. Todo está en orden, Mr. Lyncolp.

Miles se preguntó que estaría pasando ahora en el Centro de Tarjetas Clave en la Torre de la Casa Central del FMA. ¿Iban a ayudarle? ¿Podía ayudarle *algo?*... En seguida recordó la segunda instrucción dada por Juanita: «Después de usar la tarjeta demórate lo más posible. Hay que dar a Wainwright tiempo para que actúe».

—Firme aquí, por favor, Mr. Lyncolp —rellenó una hoja de tarjetas de crédito por la suma que había gastado. Miles se inclinó sobre el mostrador y echó una firma.

Al enderezarse sintió que una mano le tocaba levemente en el hombro. Una voz dijo con suavidad:

—Miles...

Cuando se volvió, Jules La Rocca dijo:

—No armes lío. No te servirá de nada y te lastimarás más.

Detrás de La Rocca, con caras impávidas, estaban Angelo y Lou y un cuarto hombre —también de tipo bestial— que Miles no conocía. El cuarto se le acercó, le agarró, le sujetó los brazos.

—Muévete, mierda —la orden provenía de Angelo, y la dio en voz baja.

Miles pensó gritar, pero: ¿quién iba a ayudarle? El delicuescente empleado, que miraba con la boca abierta, no podía hacer nada. La cacería había terminado. La presión en los brazos se acentuó. Sintió que le empujaban inexorablemente hacia la puerta de la entrada.

El atónito empleado corrió tras ellos.

—¡Mr. Lyncolp! ¡Olvida usted su pelota!

Fue LaRocca quien contestó:

—¡Guárdatela, chillón! ¡Este tipo no necesita las pelotas que tiene!

El Cadillac estaba estacionado a unos metros de distancia. Empujaron brutalmente a Miles dentro y se alejaron.

Los negocios en el centro de tarjetas de crédito alcanzaban su punto culminante. Una cantidad normal de cincuenta operadores estaban ocupados en el centro, en una semipenumbra, como una auditoría, cada uno sentado ante un tablero con una especie de tubo de rayos catódicos, una especie de TV, encima.

Para la joven operadora que recibió la llamada, la solicitud de crédito de H. E. LYNCOLP era simplemente uno más entre los miles que trataba como rutina en un día de trabajo. Todas las tarjetas eran completamente impersonales. Ni ella ni los muchos que trabajaban como ella sabían en general de dónde provenían las llamadas, de qué ciudad o de qué estado. El crédito buscado podía ser para pagar la cuenta de almacén de un ama de casa en Nueva York; para proporcionar ropas a un granjero de Kansas; para permitir a una rica heredera de Chicago cargarse de joyas innecesarias, para adelantar los costos de graduación de un estudiante de Princeton, o para ayudar a un alcohólico de Cleveland a comprar una botella de alcohol que finalmente iba a matarle. Pero el operador nunca recibía detalles. Si eran necesarios más adelante podían rastrearse, aunque rara vez sucedía; porque a nadie le importaba. El dinero contaba, el dinero que cambiaba de manos, la habilidad para pagar el crédito concedido; eso era todo.

La llamada se inició con una luz relampagueante en la consola de la operadora. Ella tocó un timbre y habló por su micrófono.

—¿Cuál es el número de su comprador?

El que llamaba —el empleado de la tienda de artículos deportivos que había atendido a Miles— lo dio. Al hacerlo, la operadora tecleó el número. Simultáneamente apareció en su pantalla.

Ella preguntó:

—¿Número de la tarjeta y fecha del vencimiento?

Otra respuesta. De nuevo, detalles en la pantalla.

—¿Cantidad de la compra?

—Noventa dólares, cuarenta y tres centavos.

Escrito. En la pantalla. La operadora apretó una llave, alertando a la computadora, varios pisos abajo.

En una milésima de segundo la computadora dirigió la información, buscó en sus archivos y lanzó una respuesta:

APROBADO.
No. 74.16984.
URGENTE... EMERGENCIA... NO LO HAGA REPITO NO LO HAGA
AVISE AL COMERCIANTE... AVISE AL SUPERVISOR...
EJECUTE INMEDIATAMENTE LA INSTRUCCION DE EMERGENCIA 17...

—La compra está aprobada —dijo la operadora al que llamaba—. Número de autorización...

Hablaba con más lentitud que de costumbre. Incluso antes de que empezara, había lanzado una señal a una casilla de supervisores. En la casilla otra mujer joven, una de los seis supervisores que cumplían tareas, leía ya su propio duplicado del mensaje de la pantalla. Buscó un índice de tarjetas en busca de la instrucción de emergencia número 17.

La operadora originaria tropezó deliberadamente en el número de autorización y empezó de nuevo. Las señales de emergencia no brillaban con frecuencia, pero, cuando sucedía, había procedimientos corrientes que los operadores conocían. Demorar las cosas era uno. En el pasado se habían atrapado asesinos, se había salvado a la víctima de un secuestro, se habían recobrado obras de arte robadas, un hijo había llegado al lecho de su madre moribunda —todo porque una computadora había sido alertada ante la posibilidad de que una tarjeta especial de crédito podía ser usada y —cuando y si se hacía— era esencial una acción rápida. En tales momentos, mientras otros realizaban las acciones requeridas, algunos segundos de demora de un operador podían ayudar de manera significativa.

La supervisora estaba ya poniendo en marcha la instrucción 17 que le informaba que N. Wainwright, vicepresidente de Seguridad, debía ser avisado inmediatamente por teléfono de que la tarjeta especial a nombre de H. E. LYNCOLP había sido presentada y dónde. Apretando llaves en su tablero la supervisora logró de la computadora la información adicional:

PETE'S ARTICULOS DEPORTIVOS

Y una dirección. Mientras tanto, ella había marcado el número de la oficina de Wainwright, que contestó personalmente. Su interés fue inmediato. Respondió crispadamente a la información de la supervisora, y ella percibió su nerviosismo mientras él anotaba los detalles.

Unos segundos después, para la supervisora de las tarjetas, la operadora y la computadora, la breve emergencia había pasado.

Pero no para Nolan Wainwright.

Tras el explosivo encuentro de hacía hora y media con Alex Vandervoort, cuando se enteró de la desaparición de Juanita Núñez y de su hijita, Wainwright se había mantenido tensa y constantemente ante el teléfono, a veces en dos teléfonos a la vez. Había intentado cuatro veces comunicarse con Miles Eastin en el club *Double Seven,* para avisarle que estaba en peligro. Había consultado con el FBI y el Servicio Secreto. Como resultado el FBI investigaba ahora activamente el aparente secuestro de Juanita Núñez, y había alertado a la policía estatal y de la ciudad con descripciones de las dos personas desaparecidas. Se había acordado que una supervisora del FBI vigilaría las idas y venidas en el *Double Seven* en cuanto pudiera disponerse de hombres, probablemente aquella tarde.

Eso era todo lo que iba a hacerse respecto al *Double Seven* por el momento. Como expresó el agente especial del FBI, Innes: «Si vamos allí con preguntas, demostraremos que conocemos la vinculación y, para investigar, no tenemos motivos para solicitar una orden de registro. Además, según nuestro hombre, Eastin, en general es un lugar de reunión donde no pasa nada ilegal... como no sea un poco de juego...».

Innes estuvo de acuerdo con Wainwright en que no habían llevado al *Double Seven* a Juanita Núñez y a su hija.

El Servicio Secreto, con menos facilidades que el FBI, actuaba por lo bajo, poniéndose en contacto con espías, averiguando cualquier detalle minúsculo y cualquier rumor que pudiera servir para ser usado por las agencias combinadas de la ley. Por el momento, desusadamente, la rivalidad entre ambas fuerzas y las envidias habían sido dejadas de lado.

Cuando Wainwright recibió la tarjeta de H. E. LYNCOLP, telefoneó inmediatamente al FBI. Los agentes especiales Innes y Dalrymple habían salido, le dijeron, pero podían ser localizados por radio. Wainwright dictó un mensaje urgente y esperó. La respuesta llegó: los agentes estaban en las afueras, no lejos de la dirección dada, y se dirigían hacia allá. ¿Quería Wainwright acompañarles?

Actuar fue un alivio. Salió a toda prisa y atravesó el edificio en dirección a su coche.

Frente a la tienda Pete's Artículos Deportivos, Innes interrogaba a los paseantes cuando llegó Wainwright. Dalrymple estaba todavía dentro, completando una declaración del empleado. Innes se apartó y se unió al jefe de Seguridad del banco.

—Un punto muerto —dijo sombrío—, todo había terminado cuando llegamos —y relató lo poco que había podido averiguar.

Wainwright preguntó:

—¿Alguna descripción?

El hombre del FBI meneó la cabeza.

—El empleado de la tienda que atendió a Eastin estaba tan asustado que no sabe si entraron tres o cuatro hombres. Dice que todo pasó tan rápido que no puede describir o identificar a nadie. Y nadie, ni dentro ni fuera de la tienda, recuerda haber visto un auto.

La cara de Wainwright estaba tensa, la angustia y el problema de conciencia eran claros.

—¿Y qué hacemos ahora?

—Usted ha sido policía —dijo Innes—. Ya sabe cómo son las cosas en la vida real. Esperaremos, deseando que suceda algo.

22

Oyó ruido de lucha y voces. Y supo que traían a Miles.

Para Juanita el reloj había corrido. No sabía cuánto tiempo había pasado desde que, sin aliento, había dicho el nombre de Miles Eastin, traicionándole, para terminar con el horror de la tortura de Estela. Poco después habían vuelto a amordazarla y las sogas que la sujetaban a la silla fueron ajustadas y comprobadas. Los hombres se fueron.

Por un rato comprendió que se había adormilado —o, más precisamente, su cuerpo le había librado de estar consciente, ya que cualquier descanso real era imposible, atada como estaba. Alertada por el nuevo ruido, sus miembros contraídos protestaron en agonía, y tuvo ganas de gritar, aunque la mordaza se lo impedía. Juanita se forzó para no sentir pánico, ni luchar contra las ligaduras, sabiendo que era inútil y que sólo serviría para empeorar su situación.

Todavía podía ver a Estela. Las sillas habían quedado frente a frente. Los ojos de la niña estaban cerrados por el sueño, y su cabecita había caído; los ruidos que habían despertado a Juanita no la turbaban. Estela también estaba amordazada. Juanita esperaba que el puro agotamiento librara a su hijita de la realidad el mayor tiempo posible.

La mano derecha de Estela mostraba la fea quemadura roja del cigarro. Poco después de irse los hombres, uno de ellos —Juanita oyó que le llamaban Lou— había venido un momento. Traía un tubo con algún ungüento. Apretando el tubo cubrió la quemadura de Estela, y lanzó una rápida mirada a Juanita como para decirle que era todo lo que podía hacer. Después se fue.

Estela había saltado cuando le aplicaron el remedio, y gimió un poco por debajo de la mordaza; poco después, misericordiosamente, había llegado el sueño.

Los ruidos que Juanita había oído provenían de atrás. Probablemente de un cuarto contiguo, y adivinó que había una puerta abierta. Brevemente oyó la voz de Miles protestando, después un golpe apagado, un gruñido, silencio.

Pasó tal vez un minuto. La voz de Miles de nuevo, esta vez más nítida.

—No... oh, Dios, no... por favor... yo... —oyó un ruido como de golpes de martillo, metal sobre metal. Las palabras de Miles cesaron, se convirtieron en un aullido agudo, penetrante, enloquecido. El aullido, peor que lo que nunca había oído en su vida, se prolongó.

Si Miles hubiera podido matarse en el auto lo habría hecho de buena gana. Había sabido desde el comienzo de su acuerdo con Wainwright —y eso constituía la raíz de sus temores desde entonces— que la muerte rápida sería fácil comparada con lo que le espera a un espía descubierto. De todos modos, lo que había temido no era nada al lado del castigo increíblemente atroz, desgarrador, que enfrentaba ahora.

Le ataron apretadamente las piernas y los muslos a una silla, cruelmente juntos. Sus brazos habían sido tendidos sobre una tosca mesa de madera. *Sus manos y sus muñecas eran clavadas en la mesa, clavadas con clavos de carpintero... golpeaban fuerte... ya tenía un clavo en la muñeca izquierda, dos más en la parte ancha de la mano, entre la muñeca y los dedos, y penetraban hacia abajo... los últimos golpes del martillo habían deshecho huesos... Tenía un clavo en la mano derecha, otro colocado para desgarrar, para penetrar entre la carne y los músculos... ningún dolor había sido, podría ser nunca... Oh, Señor, ayúdame... por favor...* Miles se retorció, chilló, suplicó, chilló de nuevo. Pero las manos que le sujetaban el cuerpo se apretaron. Los golpes de martillo, interrumpidos por un momento, continuaron.

—Todavía no grita bastante —dijo Marino a Angelo, que sostenía el martillo—. Cuando terminen con eso, procuren clavarle los dedos a este hijo de puta.

Tony el «Oso», que aspiraba un cigarro, mientras observaba y escuchaba, no se había preocupado esta vez de ocultarse. No había posibilidad de que Eastin pudiera identificarlo, porque Eastin pronto iba a estar muerto. Pero, primero, había que recordarle —y recordar a otros a quienes pudieran llegar las noticias de lo ocurrido— que para un espía la muerte nunca era fácil.

—Eso está mejor —admitió Tony el «Oso». Los gritos de agonía de Miles crecían en volumen, mientras un nuevo clavo penetraba en el dedo del medio de la mano izquierda, entre los nudillos, y lo martilleaban para que penetrara. Pudo oír como se quebraba el hueso del dedo. Cuando Angelo iba a repetir el proceso con el dedo del medio de la mano derecha, Tony el «Oso» ordenó:

—Un momento.

Y ordenó a Eastin:

—¡Basta de gritos! ¡Empieza a cantar!

Los gritos de Miles se convirtieron en desgarradores sollozos, su cuerpo se contrajo. Las manos que lo sujetaban se habían apartado. Ya no eran necesarias.

—Bueno —dijo Tony el «Oso» a Angelo— no ha hecho caso, sigue.

—¡No, no! Hablaré, hablaré... —de alguna manera Miles tragó sus sollozos. El ruido más fuerte era ahora el de su pesada y desgarrada respiración.

Tony el «Oso» hizo una seña a Angelo. Los otros se agruparon alrededor de la mesa. Eran Lou, Punch Clancy, el guardaespalda extra que había sido uno de los cuatro en penetrar en la tienda deportiva una hora antes; La Rocca, ceñudo, preocupado por la culpa que podía caberle por haber protegido a Miles; y el viejo falsificador, Danny Kerrigan, inquieto y nervioso. Aunque aquel lugar era el dominio de Danny —estaban en el principal reducto de impresión y grabado— él prefería estar lejos en momentos como este, pero Tony el «Oso» le había hecho llamar.

Tony dijo a Eastin con una mueca:

—¿Así que durante todo el tiempo has estado espiando por cuenta de un banco de mierda?

Miles dijo sin aliento:

—Sí.

—¿El First Mercantile?

—Sí.

—¿A quién informabas?

—Wainwright.

—¿Qué has descubierto? ¿Qué les has dicho?

—He hablado... del club... los juegos... las personas que iban.

—¿Incluido yo?

—Sí.

—¡Hijo de puta! —Tony el «Oso» se adelantó y dio un puñetazo en la cara de Miles.

El cuerpo de Miles se contrajo con la fuerza del golpe, pero, al hacerlo, se le desgarraron las manos y luchó desesperado para volver a la dolorosa posición inclinada en que estaba antes. Siguió un silencio interrumpido por penosos sollozos y gemidos. Tony el «Oso» aspiró varias veces el cigarro, luego siguió preguntando:

—¿Qué otra cosa descubriste, mierda asquerosa?

—Nada... nada —todo el cuerpo de Miles temblaba, incontrolado.

—Mientes —Tony el «Oso» se volvió hacia Danny Kerrigan—. Trae se jugo que usas para los grabados.

Durante el interrogatorio, hasta aquel momento, el viejo falsificador había mirado a Miles con odio. Ahora asintió.

—Muy bien, Mr. Marino.

Danny se acercó a un estante y sacó un frasco con tapa de plástico. El frasco tenía una etiqueta: ACIDO NITRICO. SOLO PARA GRABAR. Retirando la tapa, Danny vertió el contenido del frasco en una jarra de cerveza. Con cuidado de no derramar, lo llevó a la mesa donde Tony el «Oso» tenía delante a Miles. Lo dejó allí, y puso al lado un pincel de grabador.

Tony el «Oso» agarró el pincel y lo empapó en ácido nítrico. Como al descuido se inclinó y pasó el pincel por la mejilla de Eastin. Por un segundo o dos, mientras el ácido penetraba bajo la piel, no hubo reacción. Después Miles gritó y una nueva y diferente agonía se apoderó de él, cuando la quemadura se extendía y se profundizaba. Los otros miraban, fascinados, y la carne bajo el ácido se ablandó y pasó del rojo al verde.

Tony el «Oso» volvió a mojar el pincel.

—Te pregunto una vez más, culo sucio. Si no me contestas, esto va para la otra mejilla. ¿Qué otra cosa descubriste y dijiste?

Los ojos de Miles estaban enloquecidos, como los de un animal corralado. Tartamudeó:

—El dinero... falsificado.

—¿Qué sabes de eso?

—Compré algún dinero... lo mandé al banco... después conduje el coche... llevé más dinero a Louisville.

—¿Y?

—Tarjetas de crédito... permisos de conducir...

—¿Sabes quién los hizo? ¿Quién imprimió el dinero falso?

Miles movió la cabeza lo mejor que pudo.

—Danny.

—¿Quién te lo dijo?

—El... me lo dijo.

—¿Y se lo soplaste todo al policía del banco? ¿Está enterado de todo?

—Sí.

Tony el «Oso» se volvió enfurecido hacia Kerrigan.

—¡Borracho estúpido! ¡No vales más que él!

El viejo empezó a mascullar:

—Mr. Marino, yo no estaba borracho. Pensé que él...

—¡Silencio! —Pareció que Tony el «Oso» iba a pegar al viejo, después cambió de idea. Volvió a Miles:

—¿Qué más sabes?

—Nada más.

—¿Saben dónde se imprimen las cosas? ¿Dónde está este lugar?

—No.

Tony el «Oso» volvió a acercar el pincel al ácido. Miles seguía todos los movimientos. La gran experiencia le dijo cuál era la respuesta esperada:

—¡Sí, sí... saben!

—¿Y se lo dijiste al tipo de Seguridad del banco?

Desesperado, Miles mintió:

—Sí, sí...

—¿Cómo lo descubriste? —el pincel estaba pendiente sobre el ácido.

Miles supo que debía encontrar una respuesta. *Cualquier* respuesta que satisfaciera. Volvió la cabeza a Danny:

—*El* me lo dijo.

—¡Mentiroso! ¡Mentiroso de mierda! —La cara del viejo se movía, tenía la boca abierta, la cerraba de pronto y el mentón le temblaba por la emoción. Apeló a Tony el «Oso».

—¡Está mintiendo, Mr. Marino! ¡Juro que miente! ¡No es verdad! —Pero lo que veía en los ojos de Marino aumentó su desesperación. Danny se precipitó sobre Miles—. ¡Di la verdad, hijo de puta! ¡Dila! —Enloquecido, sabiendo el castigo que le esperaba, el viejo miró alrededor en busca de un arma. Vio la jarra con ácido nítrico. La agarró y volcó el contenido en la cara de Miles.

Empezó un nuevo aullido, que se detuvo de golpe. Mientras el olor al ácido y el asqueante hedor de la carne quemada se expandían... Miles cayó hacia adelante, inconsciente, sobre la mesa donde seguían clavadas sus manos, mutiladas y sangrientas.

Aunque no entendía del todo lo que le estaba pasando a Miles Juanita sufría por sus gritos y súplicas y finalmente por la extinción de su voz. Se preguntó, de manera desapasionada, porque sus sentimientos estaban ahora adormecidos al punto que ninguna emoción podía afectarla, si habría muerto. Se preguntó también cuanto tiempo pasaría antes que ella y Estela compartieran el destino de Miles. Ahora parecía inevitable que las dos iban a morir.

Juanita agradeció una cosa: Estela no se había movido pese a lo penetrante de los gritos. Si el sueño no la abandonaba, tal vez la niña se viera libre de cualquier horror que les esperara antes del fin. Como no hacía desde años atrás, Juanita rogó a la Virgen María para que diera una muerte fácil a Estela.

Luego escuchó una nueva actividad en el cuarto contiguo. Era como si movieran muebles, abrieran cajones y los cerraran de golpe, colocaran trascos pesadamente. Oyó el estruendo del metal sobre el cemento y palabrotas.

Después, ante su sorpresa, el hombre que reconocía como Lou, apareció ante ella y empezó a desatarla. Supuso que iban a llevarla a otra parte, cambiando una tortura por otra. Cuando terminó, la dejó donde estaba y empezó a dasatar a Estela.

—¡De pie! —ordenó a los dos. Estela, semidormida, se quejó, en sueños. Empezó a llorar bajito, y el llanto quedaba sofocado por la mordaza. Juanita hubiera querido acercarse, pero todavía no se podía mover; apoyó su peso contra la silla, dejando que la sangre recorriera sus miembros acalambrados.

—Oye —dijo Lou a Juanita—, tienes suerte gracias a tu hija. El patrón os va a dejar ir. Os vendarán los ojos, os llevarán en un coche a un lugar muy lejos de aquí y os soltarán. No sabes dónde has estado, de manera que no podrías traer aquí a nadie. Pero si hablas, si se lo cuentas a *alguien*, descubriremos dónde estás y mataremos a la niña. ¿Entendido?

Juanita asintió sin creer apenas lo que oía.

—¡Entonces en marcha! —Lou señaló la puerta. Evidentemente no tenía intenciones de vendarle todavía los ojos. Pese a la inercia de hacía unos momentos, ella sintió que su normal agudeza mental volvía.

A la mitad de unas escaleras de cemento se apoyó contra la pared, con náuseas. En el otro cuarto, cuando pasaron, había visto a Miles —o lo que quedaba de él— con el cuerpo echado sobre una mesa, sus manos una pulpa sangrienta, su cara, su pelo, y su cráneo quemados hasta hacerse irreconocibles. Lou había empujado a Juanita y a Estela para que pasaran pronto, pero no tanto como para que Juanita no viera la siniestra realidad. También se dio cuenta de que Miles no estaba muerto, aunque seguramente agonizaba. Se había movido levemente y había gemido.

—¡Camina! —rugió Lou. Siguieron subiendo las escaleras.

El horror de lo que le había ocurrido a Miles llenaba la mente de Juanita. *¿Qué podía hacer para ayudarle?* Evidentemente nada en este momento. Pero, si ella y Estela eran liberadas, ¿había alguna manera de conseguir ayuda? Lo dudaba. No tenía idea de dónde estaban; y no parecía que hubiera oportunidad de averiguarlo. De todos modos, debía hacer *algo*. Algo para compensar —por lo menos en parte— su terrible sensación de culpa. Había traicionado a Miles. Fuera cual fuese el motivo había dicho su nombre, y le habían atrapado y traído aquí, con las consecuencias que había visto.

La semilla de una idea, no del todo pensada, surgió en ella. Se concentró, desarrollándola, borrando otras cosas de su mente, incluso a Estela. Juanita razonó: era posible que no diera resultado, pero había una leve posibilidad. El éxito dependía de la agudeza de sus sentidos y de su memoria. También era importante que no le vendaran los ojos hasta llegar al auto.

En lo alto de la escalera giraron a la derecha y entraron en un garaje. Con paredes de cemento, parecía un garaje común para dos coches, perteneciente a una casa privada o a oficinas y, al recordar los sonidos que había escuchado a la llegada, Juanita adivinó que habían venido también por este camino. En el garaje había un auto... no el coche grande en el que habían llegado esa mañana, sino un Ford verde oscuro. Procuró ver el número del coche, pero no estaba al alcance de su vista.

En una rápida mirada alrededor, algo intrigó a Juanita. Contra una de las paredes del garaje había una cómoda de madera oscura y pulida, pero nunca había visto antes una cómoda semejante. Parecía cortada verticalmente por la mitad, las dos mitades estaban separadas y pudo ver que el interior era hueco. Dentro de la cómoda había algo que parecía un armario de comedor, cortado de la misma manera especial: en ese momento dos hombres retiraban la mitad del armario; uno de ellos estaba oculto por una puerta, el otro le daba la espalda.

Lou abrió la puerta trasera del Ford.

—Entra —dijo. En las manos llevaba dos trapos negros... las vendas para los ojos.

Juanita entró primero. Al hacerlo tropezó deliberadamente, cayó hacia adelante, y se sostuvo agarrándose al respaldo del asiento delantero. Aquello le dio la oportunidad que buscaba: mirar hacia el asiento del conductor y ver el cuentakilómetros con el kilometraje. Sólo tuvo un segundo para ver los números: 25714.8. Cerró los ojos y los confió —con esperanza— a su memoria.

Estela siguió a Juanita. Lou subió finalmente, les vendó los ojos y se sentó en el asiento trasero. Empujó el hombro de Juanita:

—Las dos al suelo. No arméis alboroto, no os vamos a hacer daño. Acurrucada en el suelo con Estela a su lado, Juanita dobló las piernas y se las arregló para mirar hacia delante. Oyó que otra persona subía al coche, el motor se puso en marcha, las puertas del garaje resonaron al abrirse. Estaban en movimiento.

Desde el momento en que se movió el auto, Juanita se concentró como nunca lo había hecho en su vida. Su intención era recordar el tiempo y la dirección... si podía. Empezó a contar los segundos como le había enseñado una vez un fotógrafo amigo. Mil UNO; mil DOS; mil TRES; mil CUATRO... Sintió que el coche daba la vuelta y giraba. entonces contó ocho segundos hasta que se movió en línea recta. Luego casi se detuvo. ¿Había sido un camino de entrada? Probablemente. ¿Un sendero largo? El coche había avanzado despacio, probablemente había salido a una calle... *Un giro a la izquierda. Ahora avanzaba más rápido.* Volvió a contar. *Diez segundos. Disminuía. Giraba a la derecha... mil UNO; mil DOS, mil TRES... Un giro a la izquierda... más velocidad...*

más velocidad... un largo trecho... mil CUARENTA Y NUEVE; mil CINCUENTA... No disminuía la marcha... *Sí, ahora disminuía. Una espera de cuatro segundos, después en línea recta. Podía haber sido una luz de tráfico... Mil OCHO...*

Dios mío, por Miles, ayúdame a recordar.

... mil NUEVE; mil DIEZ. Giro a la derecha...

Borró otros pensamientos. Reaccionaba ante cada movimiento del auto. Contaba el tiempo... esperando, rogando para que la misma gran memoria que la había ayudado a contar el dinero en el banco... que la había salvado una vez de la duplicidad de Miles... le salvara ahora a *él.*

... mil VEINTE; mil dólares con veinte... No. Madre de Dios, no dejes vagar mi pensamiento...

Un largo camino en línea recta, sobre asfalto, a gran velocidad... Su cuerpo se bamboleó... *El camino giraba hacia la izquierda; una larga curva, suavemente... que se detenía, se detenía...* Habían sido sesenta y ocho segundos... *Giro a la derecha. Empezar de nuevo. Mil UNO; mil DOS.*

Y así siguió y siguió.

A medida que pasaba el tiempo la posibilidad de recordar, de reconstruir, parecía cada vez menos probable.

23

—Habla el sargento Gladstone de la Oficina Central de Comunicaciones de la Policía de la Ciudad —anunció la voz nasal e impersonal en el teléfono—. Dijeron que notificara en seguida si Juanita Núñez o su hija, Estela, eran localizadas.

El agente especial Innes se sentó, tenso y erguido. Instintivamente acercó el teléfono:

—¿Qué noticias tiene, sargento?

—La radio de un coche acaba de informar. Una mujer y una niña que responden a la descripción y nombres han sido encontradas en la unión de Cheviot Township y Shawnee Lake Road. Están bajo custodia protectora. Los oficiales las llevan ahora al Puesto Doce.

Innes cubrió el teléfono con la mano. Dijo con suavidad a Nolan Wainwright, sentado frente al escritorio en el cuartel general del FBI:

—La policía local. Han encontrado a Juanita Núñez y a su hija.

Wainwright apretó con fuerza el borde del escritorio.

—Pregunte en qué condiciones están.

—Sargento —dijo Innes— ¿están bien?

—Le he dicho todo lo que sé, jefe. Si quiere más noticias llame al Puesto Doce.

Innes anotó el número del Puesto Doce y llamó. Se comunicó con el teniente Fazackerly.

—Sí, estamos enterados —reconoció cortante Fazackerly—. No corte. Siga el informe telefónico que acaba de llegar.

El hombre del FBI esperó.

—Según nuestros hombres la mujer ha sido algo castigada —dijo Fazackerly—. Tiene la cara amoratada y cortes. La chica tiene una fea quemadura en la mano. Los oficiales les han prestado los primeros auxilios. No informan de más daños.

Innes trasmitió las noticias a Wainwright, que se cubrió la cara con la mano, como si rezara.

El teniente volvió a hablar:

—Pero pasa algo raro.

—¿Qué es?

—Los oficiales del coche dicen que la mujer Núñez no quiere hablar. Lo único que quiere es un lápiz y un papel. Se los han dado. Está escribiendo como loca. Dijo algo sobre cosas que tenía en la memoria y que debía anotar.

El agente especial Innes suspiró:

—¡Cristo! —recordaba la pérdida de dinero en la caja del banco, la historia detrás, la increíble agudeza de memoria de Juanita Núñez.

—Oiga —dijo—. Escuche lo que le digo, se lo explicaré después; vamos para allá. Pero comuníquese por radio con el coche, en seguida. Dígale a sus oficiales que no dirijan la palabra a la Núñez, que no la molesten, que le den todo lo que pida. Y cuando llegue al lugar, que hagan lo mismo. Háganle caso. Dejen que siga escribiendo si quiere. Trátenla como a algo especial.

Se detuvo y añadió:

—Cosa que por otra parte, es.

Breve marcha atrás. Desde el garaje.
Adelante. 8 segundos. Casi se detiene (¿Camino de entrada?)
Vuelta a la izquierda. 10 segundo. Velocidad media.
Vuelta a la derecha. 3 segundos.
Vuelta a la izquierda. 55 segundos. Marcha suave, rápida.
Parada. 4 segundos. (¿Luz de tráfico?)
En línea recta. 10 segundos. Velocidad media.
Vuelta a la derecha. Camino no asfaltado (breve distancia) después asfalto. 18 segundos.
Disminuye la marcha. Se detiene. Parte de inmediato. Curva a la derecha. Se detiene y parte. 25 segundos.
Vuelta a la izquierda. Línea recta, marcha suave. 47 segundos.
Lento. Vuelta a la derecha...

El resumen de Juanita al terminar era de siete páginas escritas a mano.

Trabajaron intensamente durante una hora en un cuarto trasero, en el puesto de policía, usando mapas en gran escala, pero el resultado no fue decisivo.

Las notas garabateadas de Juanita les habían sorprendido a todos... a Innes y a Dalrymple, a Jordan y a Quimby del Servicio Secreto que se habían unido a los otros tras una llamada urgente, y a Nolan Wainwright. Las notas eran increíblemente completas y, según decía Juanita, totalmente exactas. Explicó que nunca creía poder recordar lo que se guardaba en la mente, hasta que llegaba el momento. Pero, una vez hecho el esfuerzo, sabía con certeza si el recuerdo era correcto. Estaba segura de que era así en este caso.

Además de las notas tenían otra pista para guiarse: el kilometraje.

Las mordazas y las vendas de los ojos habían sido quitadas a Juanita y a Estela unos momentos antes de ser empujadas fuera del coche en un camino suburbano. Con deliberada torpeza y suerte, Juanita se las arregló para echar otra mirada al cuentakilómetros. 25738,5. Habían viajado 23,7 millas.

Pero, ¿era una dirección recta o el coche había retrocedido a veces, haciendo que el viaje pareciera más largo de lo que era, simplemente para confundirla? Incluso con el informe de Juanita era imposible tener la certeza. Hicieron todo lo posible, trabajando penosamente para establecer el recorrido, calculando si el coche había tomado tal dirección o tal otra, si había doblado aquí o allá, si había viajado hasta tal distancia en tal camino. Pero todos sabían que la cosa era muy inexacta, ya que la velocidad sólo podía ser adivinada, y los sentidos de Juanita, cuando estaba con los ojos vendados, podían haberla engañado, de manera que un error podía acumularse sobre otro error, y volver inútil la tarea actual, convertirla en una pérdida de tiempo. Pero *había* una posibilidad de que pudieran rastrear el camino de vuelta hacia donde ella había estado presa, o muy cerca del lugar. Y, de manera significativa, una consistencia general existía entre las varias posibilidades que se presentaban hasta ahora.

Fue el agente Jordan, del Servicio Secreto, quien hizo una afirmación para todos. En un mapa de la zona trazó una serie de líneas que representaban las posibles direcciones por las que había atravesado el auto que llevaba a Juanita y a Estela. Después, en el principio de las líneas. trazó un círculo.

—Aquí —señaló con el dedo—. Aquí, en algún punto.

En el silencio siguiente Wainwright oyó el ruido del estómago de Jordan, como siempre que le había visto. Wainwright se preguntó cómo era posible que Jordan aceptara tareas en las que tenía que permanecer escondido y en silencio. ¿O acaso su ruidoso estómago le excluía de esa clase de trabajos?

—Esta zona —señaló Damrymple— es de lo menos cinco millas cuadradas.

—Entonces investiguémosla —contestó Jordan—. En grupos, en autos. Nuestra organización y la de ustedes, y pediremos también ayuda a la policía municipal.

El teniente Fazackerly, que se les había unido, preguntó:

—¿Y qué es lo que debemos buscar, señores?

—Si quiere que le diga la verdad —dijo Jordan—, maldito si lo sé.

Juanita viajaba en un coche del FBI con Innes y Wainwright. Wainwright conducía, dejando a Innes en libertad para manejar dos radios, una unidad portátil, de las cinco suministradas por el FBI, que podía comunicarse directamente con los otros autos, y un transmisor regular enlazado directamente con el Cuartel General del FBI.

Antes, bajo la dirección del comisario de policía de la ciudad, habían localizado el área y cinco coches la cruzaban ahora. Dos eran del FBI, uno del Servicio Secreto, y dos de la policía municipal. El personal se había dividido. Jordan y Damrymple viajaban cada uno con un detective de la policía, y daban detalles a los recién llegados a medida que avanzaban. Si era necesario, otras patrullas de la policía municipal vendrían en su ayuda.

Todos estaban seguros de una cosa: el sitio donde había estado secuestrada Juanita era el centro donde se hacía moneda falsa. La descripción general hecha por ella y algunos detalles que había percibido volvían la cosa casi cierta. Por lo tanto las instrucciones a todas las unidades especiales eran las mismas: buscar e informar de cualquier actividad desusada que pudiera relacionarse con un centro criminal especializado en falsificaciones. Todos estuvieron de acuerdo en que las instrucciones eran vagas, pero nadie había podido suministrar algo más específico. Como decía Innes:

—¿Qué otra cosa nos queda?

Juanita estaba sentada en el asiento trasero del coche del FBI.

Habían pasado casi dos horas desde que ella y Estela habían sido dejadas bruscamente, dándoles órdenes de que volvieran la cara, y el Ford verde oscuro había desaparecido con un chirrido de goma quemada. Desde entonces Juanita había rehusado todo tratamiento —como no fueran los primeros auxilios inmediatos— para la cara malamente amoratada y cortada, y para las heridas y desgarraduras de las piernas. Sabía que tenía un aspecto horrible, con las ropas manchadas y rotas, pero sabía también que, si quería llegar a tiempo para salvar a Miles, todo lo demás debía esperar, incluso la atención que debía prestar a Estela, que había sido llevada a un hospital para curarle la herida y ponerla en observación. Mientras Juanita hacía lo que debía, Margot Bracken —que había llegado al destacamento policial poco después de Wainwright y el FBI— atendía a Estela.

Era la media tarde.

Al poner sobre el papel las secuencias de su viaje, al liberar la mente como purgándola de un centro sobrecargado, había quedado exhausta. De todos modos había contestado a lo que parecían preguntas interminables de los hombres del FBI y del Servicio Secreto, que insistían en averiguar los menores detalles de su experiencia con la esperanza de que algún fragmento olvidado les acercara más a lo que todos deseaban: a un lugar determinado. Hasta ese momento no se había producido nada.

Pero no era en los detalles en lo que pensaba ahora Juanita, sentada detrás de Wainwright y de Innes, sino en Miles tal como le había visto. La imagen permanecía grabada —con sentimientos de culpabilidad y angustia— agudamente en su mente. Dudaba que pudiera desaparecer nunca. La pregunta la perseguía: si se descubría el centro de falsificación, ¿sería ya demasiado tarde para salvar a Miles? ¿O, quizás, ya era demasiado tarde?

La zona que había trazado el agente Jordan —situada en el borde oriental de la ciudad— era un barrio populoso y mezclado. En parte era comercial, con algunas fábricas, galpones y una gran avenida dedicada a la industria ligera. Esta —considerada la zona más probable— era el segmento al que prestaban mayor atención las fuerzas patrulleras. Había varias zonas comerciales. El resto era residencial, y presentaba toda la gama de viviendas desde las de tipo bungalow hasta casas amplias, de tipo mansión.

Para la docena de buscadores que daban vueltas y se comunicaban frecuentemente por las radios portátiles, la actividad en todas partes parecía común y de rutina. Incluso algunos pocos acontecimientos fuera de lo ordinario tenían un tono común. En uno de los distritos comerciales un hombre que había comprado un equipo de seguridad para pintor había tropezado con el instrumento y se había roto una pierna. Un poco más lejos, un coche con el acelerador trabado se había metido en el vestíbulo vacío de un teatro.

—A lo mejor creía que era una película para meterse dentro —dijo Innes, pero nadie rió. En la avenida industrial el departamento de bomberos había acudido ante el fuego en una pequeña fábrica y rápidamente lo había apagado. La fábrica estaba rodeada de charcos; uno de los inspectores de policía fue a mirar, para cerciorarse. En una mansión residencial se iniciaba un té de caridad. En otra, un camión tractor cargaba muebles domésticos. Entre los bungalows un grupo de obreros reparaba una cañería. Dos vecinos habían discutido y se habían liado a puñetazos en la acera. El agente Jordan, del Servicio Secreto, bajó y los separó.

Y eso era todo.

Por una hora. Al terminar no habían adelantado, estaban como al principio.

—Tengo una sensación rara —dijo Wainwright—. La sensación que acostumbraba tener cuando trabajaba para la policía y algo se me pasaba por alto.

Innes lo miró de reojo.

—Comprendo lo que usted dice. Usted cree que tiene algo ante las narices, pero que no lo ve.

—Juanita —dijo Wainwright por encima del hombro—, ¿hay *algo*, algún detalle pequeño que no nos haya dicho?

Ella dijo con firmeza:

—Lo he dicho todo.

—Entonces vamos a repetirlo otra vez.

Después de un rato, Wainwright dijo:

—En el momento en que Eastin dejó de gritar y cuando usted todavía estaba atada, dijo que había oído mucho ruido en el lugar.

Ella corrigió.

—*No ruido, una conmoción*. Ruido y actividad. Oí gente que se movía, cosas que levantaban, cajones que se abrían y se cerraban, ese tipo de cosa.

—Tal vez buscaban algo —sugirió Innes—. Pero... ¿qué?

—Cuando usted salía —preguntó Wainwright—, ¿tuvo alguna idea de lo que representaba esa actividad?

—*Por última vez, no lo sé* —Juanita meneó la cabeza—. Les he dicho que me sentía demasiado aterrada al ver a Miles para percibir otra cosa... —vaciló—. Bueno, estaban aquellos hombres en el garaje moviendo esos muebles raros.

—Sí —dijo Innes—, ya nos lo ha dicho. Es raro, pero todavía no hemos encontrado la explicación de eso.

—¡Un momento! Tal vez la haya...

Innes y Juanita miraron a Wainwright. El fruncía el ceño. Parecía concentrado, meditaba.

—Esa actividad que Juanita oyó... supongamos que no buscaban algo, sino que estaban empaquetando, que se disponían a mudarse...

—Pudiera ser —reconoció Innes—. Pero lo que movían debían ser maquinarias. Máquinas grabadoras, repuestos. No muebles.

—A menos —dijo Wainwright— que los muebles fueran una cubierta. Muebles *huecos*.

Se miraron entre sí. La respuesta llegó a ambos al mismo tiempo.

—¡Dios me valga —gritó Innes— ese camión de mudanzas...!

Wainwright ya había empezado a dar la vuelta al coche, girando el volante en una vuelta rápida, apretada.

Innes se apoderó de la radio portátil. Transmitió tenso:

—Grupo dirigente a todas las unidades especiales. Converger hacia la gran casa gris que está en el fondo, al Este, en Earlham Avenue. Busquen un camión de mudanzas. Detengan y arresten a los ocupantes. Policía Municipal, llame a todos los coches en las cercanías. Código 10-13.

Código 10-13 significaba: máximo de velocidad, a todo lo que daba, con luces y sirenas. Innes puso en marcha su propia sirena. Wainwright apretó con fuerza el acelerador.

—Dios —dijo Innes, que estaba a punto de llorar—, hemos pasado dos veces al lado. Y la última vez casi habían terminado de cargar.

—Cuando salgas de aquí —ordenó Marino al conductor del camión tractor— dirígete hacia la West Coast. Marcha sin prisa, haz todo lo que harías con un cargamento normal, y descansa todas las noches. Pero no pierdas el contacto, ya sabes a dónde tienes que llamar. Y, si no recibes nuevas órdenes en camino, las recibirás en Los Angeles.

—Bien, Mr. Marino —dijo el chófer. Era un tipo de confianza que conocía la tarea, y también que iba a recibir un premio regio por el riesgo personal que corría. Había hecho el mismo trabajo otras veces, en una ocasión en que Tony el «Oso» había mantenido el centro de falsificaciones en carretera, librando de daños a las máquinas, marchando por el campo y manteniéndose a flote hasta que todo tumulto desapareció.

—Bueno, entonces —dijo el chófer—, ya que todo está cargado, es mejor que me vaya. Hasta pronto, Mr. Marino.

Tony el «Oso» asintió, sintiéndose aliviado. Había estado inquieto durante el empaquetamiento y la operación de carga, sentimiento que le había clavado allí, supervisando y manteniendo la presión, aunque sabía que no era inteligente quedarse. Generalmente se mantenía a salvadora distancia del frente de trabajo de cualquiera de sus operaciones, y se aseguraba de que no quedaran pruebas que lo relacionaran con el asunto si algo se embrollaba. Pagaba a otros para que corrieran esos riesgos y recibieran los golpes si era menester. La cosa era que, la falsificación, que se había iniciado como una insignificancia, se había convertido con el tiempo en tal fábrica de dinero —en el sentido real— que, de ser alguna vez el menor de sus intereses, figuraba ahora casi en lo alto de la lista. La buena organización había hecho la cosa; eso y el tomar *ultra* precauciones —calificación que agradaba a Tony el «Oso»— como la de mudarse ahora.

Estrictamente hablando no creía que esta mudanza fuera necesaria —por lo menos tan pronto—; estaba seguro de que Eastin había mentido cuando dijo que Danny Kerrigan le había dicho dónde estaba situada la casa, y había pasado la información. El «Oso» Tony creía en esto a Kerrigan, aunque el viejo borracho *había* hablado demasiado, y pronto iba a tener algunas sorpresas desagradables, que le curarían de tener la

lengua tan suelta. Si Eastin hubiera sabido lo que había dicho saber, y
hubiera pasado la información, los policías y los empleados de Seguridad
del banco habrían venido como un enjambre, hacía tiempo. Tony el
«Oso» no se había sorprendido ante la mentira. Sabía que la gente bajo la
tortura pasaba por diferentes puertas de desesperación mental, saltando
de la mentira a la verdad y volviendo después a mentir si creían que los
torturadores querían oír algo. Siempre era un juego interesante el adivinar. Tony el «Oso» se divertía con esta clase de juegos.

Pese a todo, mudarse, usando los acuerdos de emergencia establecidos con la compañía de camiones, era lo que convenía hacer. Como
siempre... *ultra* inteligente. En la duda, mudarse. Y ahora que el cargamento había terminado, era tiempo de librarse de lo que quedaba del
espía Eastin. Basura. Un detalle del que se encargaría Angelo. Entre
tanto, decidió el «Oso» Tony, ya era hora de que él saliera de aquí
disparado. Con excepcional buen humor tuvo una risita. *Ultra* inteligente.

Fue entonces cuando oyó el débil y creciente sonido de las sirenas,
que convergían y, unos minutos después, comprendió que lo que había
hecho no era en modo alguno inteligente.

—Es mejor que te des prisa, Harry —dijo el joven ayudante de la
ambulancia al chófer—. ¡Este no tiene tiempo que perder!

—Por lo que he visto del tipo —dijo el chófer, que mantenía los ojos
hacia delante, usando luces y tocando la sirena para avanzar en medio
del tráfico de esta hora—, por lo que he visto, haríamos un favor al
pobre hombre si nos detuviéramos a tomar una cerveza.

—Rápido, Harry —el ayudante, que tenía título de enfermero, miró
hacia Juanita. Ella estaba sentada en el asiento, se volvía, para ver a
Miles, con la cara tensa, moviendo los labios.

—Perdón, señorita. Nos olvidamos que usted estaba aquí. En este
trabajo uno se vuelve un poco duro.

Ella tardó un momento en comprender lo que le habían dicho. Luego
preguntó:

—¿Cómo está?

—Muy mal. Es inútil engañarla —el joven enfermero había inyectado
morfina subcutáneamente, y había tomado la presión. Ahora echaba
agua en la cara de Miles. Miles estaba semiconsciente y, pese a la
morfina, se quejaba dolorido. El ayudante no paraba de hablar—. Tiene
un *shock*. Eso puede matarlo, si no le matan las quemaduras. Esta agua
es para quitarle el ácido, aunque ya es tarde. En cuanto a los ojos, no
quisiera... Eh, ¿qué ha pasado aquí?

Juanita meneó la cabeza, porque no quería perder tiempo y hacer el
esfuerzo de hablar. Tendió la mano para tocar a Miles, a través de la
manta que lo cubría. Tenía los ojos llenos de lágrimas. Suplicó, sin saber
si la escuchaba:

—Perdón... perdón...

—¿Es su marido? —preguntó el enfermero. Empezó a colocar palillos, asegurados por vendas de algodón, en las manos de Miles.

392

—No.

—¿Su amigo?

—Sí —las lágrimas corrieron más aprisa. ¿Era todavía *su* amigo? *¿Necesitaba* haberle traicionado? Aquí, en seguida, quería que la perdonara, como ella le había perdonado una vez... parecía aquello tan lejano, aunque no era así. Y también sabía que todo era inútil.

—Tenga esto —dijo el enfermero. Colocó una máscara sobre la cara de Miles y tendió a Juanita una botella portátil de oxígeno. Ella sintió un silbido cuando salió el oxígeno y se aferró a la botella como si, con el contacto, pudiera comunicarse, como había querido comunicarse desde que encontraron a Miles inconsciente, sangrando, quemado, todavía clavado a la mesa en aquella casa.

Juanita y Nolan Wainwright habían seguido a los agentes federales y a la policía local a la gran mansión gris, y Wainwright la había detenido hasta que estuvo seguro que no iba a haber un tiroteo. No lo hubo; ni siquiera resistencia aparente, ya que la gente que estaba dentro había decidido que estaban rodeados y que los sobrepasaban en número.

Fue Wainwright, con la cara más contraída de lo que ella había visto nunca, quien, con cuidado, lo más suavemente posible, aflojó los clavos y soltó las mutiladas manos de Miles. Dalrymple, de color ceniza, diciendo palabrotas en voz baja, había sostenido a Eastin mientras uno por uno, iban saliendo los clavos... Juanita había sido vagamente consciente de la presencia de otros hombres que habían estado en la casa, alineados y esposados, pero ya no le importaba. Cuando llegó la ambulancia se mantuvo junto a la camilla que habían traído para Miles. La siguió y se metió en la ambulancia. Nadie intentó detenerla.

Ahora rezaba. Las palabras surgían solas, palabras olvidadas hacía tiempo:

—*Acordaos oh piadosísima Virgen María, de que nunca ha habido nadie que haya solicitado tu protección, implorado tu ayuda o buscado tu intercesión y Tú no hayas escuchado sus ruegos. Inspirada en esta confianza acudo a ti...*

Algo que había dicho el enfermero, pero que ella apenas había oído, se agitaba en el fondo de su mente. *Los ojos de Miles.* ¿Se habían quemado con el resto de la cara? Su voz tembló:

—¿Quedará ciego?

—Eso lo dirán los especialistas. En cuanto lleguemos a la Asistencia le darán el mejor tratamiento. Yo no puedo hacer aquí mucho más.

Juanita pensó: tampoco ella podía hacer mucho. Fuera de seguir junto a Miles, como iba a hacerlo, con amor y devoción, mientras él la quisiera y la necesitara. Eso, y rezar... *Oh, Virgen de las Vírgenes, acudo a Ti, ante Ti me postro, pecadora y arrepentida. Oh, Madre del Verbo encarnado, no desdeñes mi súplica, óyeme y contéstame. Amén.*

Apareció un edificio de columnas.

—Casi hemos llegado —dijo el enfermero. Tomó el pulso de Miles—. Todavía vive...

24

En los quince días que siguieron a la investigacióm oficial iniciada por el Servicio Secreto en el laberinto de finanzas de la Supranational, Roscoe Heyward había rezado para que se produjera un milagro que evitara una catástrofe total. Personalmente había asistido a reuniones con otros acreedores de la SuNatCo, con el objeto de mantener en marcha al gigante multinacional, operante y viable si era posible. Se había demostrado que era imposible. Cuanto más hurgaban los investigadores, más evidente se hacía la catástrofe financiera. También parecía probable que se lanzaran acusaciones criminales de fraude contra algunos funcionarios de la Supranational, incluido G. G. Quartermain, suponiendo que alguna vez el Gran George volviera de su escondite de Costa Rica... perspectiva poco probable por el momento.

Por lo tanto, a principios de noviembre, se presentó un expediente de quiebra contra la Supranational Corporation basándose en el Artículo 77 de la Ley de Quiebras. Aunque había sido esperado y temido, las repercusiones inmediatas afectaron al mundo entero. Grandes acreedores, al igual que compañías asociadas y muchos individuos iban a irse a pique junto con la SuNatCo. Si el First Mercantile American iba a ser uno de ellos, o si el banco podría sobrevivir sus enormes pérdidas, era considerado todavía un interrogante.

Pero ya no era un interrogante —como comprendía perfectamente Heyward— el futuro de su carrera. En el FMA, como autor de la mayor calamidad en los cien años de historia del banco, estaba virtualmente terminado. Lo que quedaba por saber era si él personalmente, estaba sujeto a alguna sanción ante las leyes del Federal Reserve, de la Contaduría de la Nación y del Servicio Secreto. Evidentemente algunos lo creían. El día anterior, un funcionario del Servicio Secreto a quien Heyward conocía bien, le había aconsejado:

—Roscoe, como amigo, te sugiero que busques un abogado.

En su despacho, poco antes de la apertura del día de trabajo, las manos de Heyward temblaban al leer en el «Wall Street Journal» el artículo, en la primera página, del expediente de quiebra para la Supranational. Fue interrumpido por su secretaria principal, Mrs. Callaghan.

—Mr. Heyward, Mr. Austin desea verle.

Sin esperar permiso, Harold Austin se precipitó en el despacho. En contraste con su papel habitual de *playboy* un poco maduro, hoy parecía simplemente un viejo demasiado acicalado. Tenía la cara tensa, seria y pálida, había bolsas bajo los ojos, con ojeras traídas por la edad y la falta de sueño.

No perdió tiempo en preliminares:

—¿*Has tenido* noticias de Quartermain?

Heyward señaló el diario.

—Sólo lo que he leído... —en las últimas semanas había intentado varias veces telefonear al Gran George a Costa Rica, sin lograrlo. El presidente de la SuNatCo seguía incomunicado. Los rumores que circulaban le describían como viviendo en medio de un esplendor feudal, con un pequeño ejército de asesinos para protegerle, y afirmaban que no tenía intenciones de volver jamás a los Estados Unidos. Estaba claro que Costa Rica no iba a responder a la solicitud de extradición de los Estados Unidos, como ya lo habían probado otros estafadores y fugitivos.

—Me voy por el desagüe —dijo el Honorable Harold. Su voz estaba a punto de quebrarse—. He puesto buena parte del dinero de la familia en la SuNatCo y yo mismo estoy en un lío porque he buscado dinero para comprar Inversiones «Q».

—¿Qué *pasa* con las Inversiones «Q»?

Heyward había tratado más temprano de averiguar el estado del grupo privado de Quartermain, que debía dos millones de dólares adicionales al FMA, además de los cincuenta millones de la Supranational.

—¿Es posible que no estés enterado?

Heyward estalló:

—¡Si lo supiera no te preguntaría!

—Me enteré anoche por Inchbeck. Ese hijo de puta de Quartermain ha vendido todos los valores de las Inversiones «Q»... casi todas las acciones de las subsidiarias de la SuNatCo... cuando los precios estaban en la cumbre. Debió de llenar una piscina con dinero al contado.

Incluidos los dos millones del FMA, pensó Heyward. Preguntó:

—¿Qué ha pasado?

—El canalla lo ha transferido todo a compañías propias en el extranjero, después retiró de allí el dinero, de manera que todo lo que queda de las Inversiones «Q» son... papeles sin valor... —ante el asco de Heyward, Austin empezó a tartamudear—. El verdadero dinero... mi dinero... debe estar en Costa Rica, las Bahamas, Suiza... Roscoe, tienes que sacarme de ésta... de lo contrario estoy liquidado... fundido...

Heyward dijo, claramente:

—No puedo ayudarte, Harold —estaba ya bastante preocupado por su propia participación en las Inversiones «Q» para tener que ocuparse también de Austin.

—Pero si has oído algo nuevo... si hay alguna esperanza...

—Sí la hay, te lo comunicaré.

Lo más rápidamente posible Heyward hizo salir a Austin del despacho. Apenas Harold había partido cuando Mrs. Callaghan dijo por el intercomunicador:

—Hay un periodista del «Newsday». Se llama Endicott. Viene por lo de la Supranational y dice que es importante que hable con usted personalmente.

—Dígale que no tengo nada que decir, y avise al Departamento de Relaciones Públicas —Heyward recordaba el aviso de Dick French: *Los periodistas intentarán verle personalmente... que todos se entrevisten conmigo.* Por lo menos era un peso con el que no debía cargar.

Unos momentos después oyó de nuevo la voz de Mrs. Callaghan.

—Perdón, Mr. Heyward.

—¿Qué pasa?

—Mr. Endicott está todavía en el teléfono. Me ha dicho que le diga: «¿Quiere usted que discuta acerca de Avril Deveraux con el Departamento de Relaciones Públicas o prefiere usted hablar personalmente de ella?»

Heyward se apoderó de un teléfono:

—¿Qué significa todo esto?

—Buenos días, señor —dijo una voz tranquila—. Le pido disculpas por molestarle. Soy Bruce Endicott, del «Newsday».

—Usted ha dicho a mi secretaria...

—Le he dicho, señor, que hay algunas cosas que usted sin duda prefiere discutir personalmente y no dejarlas en manos de Dick French.

¿Había un sutil énfasis en la palabra «dejarlas»? Heyward no estaba seguro. Dijo:

—Estoy muy ocupado. Puedo concederle unos minutos. Eso es todo.

—Gracias, Mr. Heyward. Seré breve. Nuestro periódico ha realizado ciertas investigaciones sobre la Supranational Corporation. Como usted sabe, hay mucho interés entre el público y mañana pensamos publicar un gran artículo sobre el asunto. Entre otras cosas, estamos enterados del gran préstamo de su banco a la SuNatCo. He hablado de eso con Dick French.

—Entonces ya tiene usted toda la información.

—No del todo. Nos hemos enterado, por otras fuentes, de que usted personalmente negoció el préstamo a la Supranational, y existe el problema de saber cuándo se planteó por primera vez el asunto. Con esto quiero decir: ¿cuándo pidió dinero por primera vez la SuNatCo? ¿Lo recuerda?

—Lo lamento, pero no lo recuerdo. He negociado muchos préstamos grandes.

—Pero no muchos por cincuenta millones de dólares.

—Ya he contestado a su pregunta.

—Me pregunto si puedo serle útil, señor... ¿acaso fue durante un viaje a las Bahamas, en marzo? ¿Un viaje en el que usted estuvo con Mr. Quartermain, el vicepresidente Stonebridge y otras personas?

Heyward vaciló.

—Sí, es posible.

—¿Podría afirmar definitivamente que fue allí? —El tono del periodista era deferente, pero era evidente que no iba a dejarse rechazar por respuestas evasivas.

—Sí, ahora lo recuerdo. Así es.

—Gracias. En ese viaje, según tengo entendido, usted viajó en el avión privado de Mr. Quartermain... un 707...

—Sí.

—Con cierto número de escoltas femeninas...

—Yo no las llamaría escoltas. Vagamente recuerdo que había algunas camareras.

—¿Era una de ellas Avril Deveraux? ¿La conoció usted allí y la vic luego en los días siguientes, en las Bahamas?

396

—Es posible. El nombre me parece conocido.

—Mr. Heyward, disculpe que ponga las cosas de esta manera, pero... le fue a usted ofrecida Miss Deveraux... sexualmente... a cambio de que patrocinara el préstamo para la Supranational?

—¡Claro que no! —Heyward sudaba ahora, y la mano que sostenía el teléfono temblaba. Se preguntó cuánto sabía en realidad este inquisidor de modales suaves.

Lógicamente podía terminar la conversación inmediatamente; tal vez fuera lo mejor, pero, si lo hacía, iba a seguir presa de dudas, sin conocer exactamente lo que había detrás.

—Pero, como resultado de ese viaje a las Bahamas, ¿estableció usted una amistad con Miss Deveraux?

—Supongo que así puede decirse. Es una persona muy simpática, agradable.

—Entonces usted *la* recuerda...

Había caído en la trampa. Admitió:

—Sí.

—Gracias, señor. A propósito, ¿ha vuelto a ver después a Miss Deveraux?

La pregunta fue hecha al azar. Pero *aquel Endicott sabía*. Procurando que no se notara el temblor de su voz, Heyward persistió:

—He contestado todas las preguntas que tengo intención de contestar. Como ya le he dicho, estoy muy ocupado.

—Como usted guste, señor. Pero le prevengo que hemos hablado con Miss Deveraux, que se ha mostrado extremadamente cooperativa.

¿Extremadamente cooperativa? Era natural en Avril, pensó Heyward. Especialmente si el periódico le pagaba, y supuso que así era. Pero no sentía rencor contra ella; Avril era lo que era, y nada podría cambiar jamás la dulzura que le había dado.

El periodista prosiguió:

—Ella ha suministrado detalles de sus encuentros con usted y tenemos algunas de las cuentas del Columbia Hilton... cuentas suyas, pagadas por la Supranational. ¿Quiere usted reconsiderar su afirmación, Mr. Heyward, de que nada de eso tiene algo que ver con el préstamo del First Mercantile American a la Supranational?

Heyward guardó silencio. ¿Qué podía decir? ¡Malditos todos los periodistas y diarios, y aquella obsesión por meterse en la intimidad de la gente, su eterno hurgar, hurgar! Sin duda alguien dentro de la SuNatCo había sido convencido para que hablara, había birlado o copiado papeles. Recordó algo que Avril había dicho sobre «la lista» —un informe confidencial de los que se divertían a costa de la Supranational. Por un tiempo su nombre había figurado en esa lista. Probablemente también tenían esa información. La ironía, lógicamente, era que Avril no había influido en modo alguno en su decisión sobre el préstamo a la SuNatCo. Estaba decidido a recomendarlo mucho antes de iniciar relaciones con ella. Pero, ¿quién iba a creerlo?

—Hay otro detalle, señor — Endicott obviamente admitió que no había respuesta a la última pregunta—. ¿Permite usted que le interrogue

acerca de una compañía privada de inversiones, llamada las Inversione
«Q»? Para ahorrar tiempo le diré que hemos conseguido copias d
algunos de los ficheros donde aparece usted como poseedor de dos m
acciones. ¿Correcto?

—No tengo nada que decir.

—Mr. Heyward, ¿le fueron regaladas a usted esas acciones com
pago por haber arreglado el préstamo a la Supranational, y préstamo
posteriores, que totalizan dos millones de dólares a las Inversiones «Q»

Sin hablar, lentamente, Roscoe Heyward cortó la comunicación.

El diario de mañana. Era lo que había dicho el periodista. Iban
publicarlo todo, ya que evidentemente tenían las pruebas y lo que u
diario iniciaba, sería repetido por los demás. No se hacía ilusiones, n
tenía dudas sobre lo que iba a seguir. Un periódico, un artículo, u
periodista significaban caer en desgracia... total y absolutamente. N
sólo en el banco, sino entre los amigos, la familia. En su iglesia, en toda
partes. Su prestigio, su influencia, su orgullo iban a quedar disueltos; po
primera vez comprendió que eran una frágil máscara. Todavía peor er
la certeza de un juicio en lo criminal por aceptar sobornos, la posibilida
de otras acusaciones, quizás la cárcel.

Alguna vez se había preguntado qué habían sentido los alguna ve
orgullosos secuaces del grupo de Nixon, arrancados de sus cargos par
ser juzgados criminalmente, para que les tomaran las huellas dactilares
les despojaran de toda dignidad, y para ser juzgados por jurados que,
hacía mucho, ellos habían tratado con desprecio. Ahora lo sabía. (
pronto iba a saberlo.

Le vino a la memoria una cita del Génesis vino a él: *Mi castigo e
mayor de lo que puedo soportar.*

Un teléfono sonó sobre su escritorio. Lo ignoró. Ya no quedab
nada por hacer. Nada, nunca.

Casi sin darse cuenta se levantó y salió del despacho, pasó ante Mrs
Callaghan, que le miró de manera extraña e hizo una pregunta que él n
oyó y que tampoco hubiera contestado en caso de oír. Atravesó e
corredor del piso treinta y seis, pasó frente a la sala de conferencias, qu
había sido, hacía tan corto tiempo, palestra de sus ambiciones. Varios l
hablaron. Pero él no les prestó atención. No lejos de la sala de conferen
cias había una pequeña puerta, que se usaba pocas veces. La abrió
Había unas escaleras hacia arriba y las subió, recorrió varios rellanos
vueltas, subiendo continuamente, sin apresurarse y sin detenerse.

Una vez, cuando la Torre de la Casa Central del FMA había sid
nueva, Ben Rosselli había traído a sus ejecutivos por este camino
Heyward estaba entre ellos, y habían salido por otra puertecita, qu
podía ver ahora. Heyward la abrió y salió a un estrecho balcón, casi e
la cúspide del edificio, por encima de la ciudad.

Un crudo viento de noviembre le golpeó, con tumultosa fuerza. S
puso de frente y encontró que el viento le apaciguaba de alguna maner
como si le envolviera. En aquella otra ocasión, recordaba, Ben Rossell
había tendido las manos hacia la ciudad, diciendo: «Señores: esta fu
alguna vez la tierra prometida de mi abuelo. Lo que ustedes ven ahora

398

s nuestro. Recuerden, como él recordaba, que, para beneficiarse en el verdadero sentido, debemos dar, al igual que tomar». La cosa parecía muy lejos, tanto en el precepto como en el tiempo. Ahora Heyward miró hacia abajo. Pudo ver los edificios más pequeños, el río siempre presente, con sus vueltas, el tráfico, la gente moviéndose como hormigas en la Plaza Rosselli, allá abajo. El ruido de todo llegaba hasta él, confundido y enmudecido entre el viento.

Puso una pierna sobre la barandilla que separaba el balcón de un estrecho borde sin protección. Después pasó la otra pierna. Hasta ese momento no había tenido miedo pero ahora todo su cuerpo temblaba, y sus manos se agarraron con fuerza a la barandilla que tenía a la espalda.

Desde algún punto detrás de él oyó voces agitadas, pasos que subían corriendo las escaleras. Alguien gritó:

—¡Roscoe!

Su último pensamiento fue un versículo de *Samuel I: Ve, y que el señor sea contigo*. Pero el último de los últimos fue para Avril. *Oh, tú, hermosa entre las mujeres... levántate amor mío, hermosa mía y ven...*

Luego, cuando las figuras se precipitaron por la puerta que tenía detrás, cerró los ojos y saltó al vacío.

25

Hay un montón de días en nuestra vida, pensó Alex Vandervoort que mientras uno recuerde y respire, quedarán aguda y dolorosamente grabados en la memoria. Uno era el día —hacía poco más de un año— en que Ben Rosselli había anunciado su próxima muerte. Otro era hoy.

Era de noche. En casa, en su apartamento, Alex —todavía impresionado por lo que había pasado, inquieto y desalentado, esperaba a Margot. Ella llegaría pronto. Se preparó un segundo whisky con soda y echó un leño al fuego, que se estaba apagando.

Esa mañana, él había sido el primero en abrir la puerta que llevaba al alto balcón de la torre, se había precipitado escaleras arriba al oír que la gente estaba preocupada por el estado mental de Heyward, deduciendo —tras interrogar rápidamente a algunas personas— dónde podía haber ido Roscoe. Alex había gritado llamándole en el momento que se precipitaba por la puerta hacia el balcón, pero ya era demasiado tarde.

Al ver a Roscoe, que pareció suspendido un instante en el aire desapareció luego de la vista con un terrible grito, que se apagó rápido Alex había quedado horrorizado, temblando y por un momento, no pudo hablar. Fue Tom Straughan, que estaba detrás de él en la escalera, quien se había encargado de las cosas, ordenando que salieran todos del balcón, orden que Alex cumplió.

Después, en un acto inútil, se había cerrado con llave la puerta que daba al balcón.

Abajo, al volver al piso treinta y seis, Alex se había recobrado había ido a informar a Jerome Patterton. Después el resto del día fue una mezcla de acontecimientos, decisiones, detalles, que se sucedían se mezclaban unos con otros que todo se convirtió en el epitafio de Heyward, que todavía no se había terminado, y mañana seguirían las mismas cosas. Pero, por hoy, la mujer y el hijo de Roscoe habían sido informados y consolados; se había respondido a la investigación policial... por lo menos en parte; se habían previsto los funerales... como el cuerpo era irreconocible el ataúd debía cerrarse en cuanto el juez de turno diera el permiso; se hizo un comunicado de prensa redactado por Dick French, que fue aprobado por Alex; y todavía quedaban más cuestiones que tratar o posponer.

Las respuestas a otros interrogantes se hicieron claras para Alex al final de la tarde, poco después de avisarle Dick French que debía atender a la llamada telefónica de un periodista del «Newsday», llamado Endicott. Cuando Alex le habló, el periodista pareció inquieto. Explicó que, unos minutos antes, se había enterado por la AP del aparente suicidio de Roscoe Heyward. Endicott describió luego la llamada que había hecho a Heyward esa mañana y lo que había sugerido.

—Si yo hubiera imaginado... —terminó torpemente.

Alex no intentó hacer que se sintiera más cómodo. La moral de su profesión era algo que el hombre tenía que descubrir por sí mismo. En cambio, Alex preguntó:

—¿Su periódico todavía piensa publicar el artículo?

—Sí, señor. Estamos preparando otro titular. Fuera de eso, se publicará mañana, como habíamos pensado.

—Entonces, ¿para qué me ha llamado?

—Supongo que... deseaba decir... a alguien... que lo lamento mucho.

—Sí —dijo Alex—, yo también.

Esa noche Alex pensó de nuevo en la conversación, compadeciendo a Roscoe por la agonía mental que debía haber sufrido en los momentos finales.

En otro plano no cabía duda de que la historia del «Newsday», cuando apareciera mañana, iba a hacer gran daño al banco. Sería daño sobre daño. Pese al éxito de Alex al detener la «estampida» en Tylersville, y la ausencia de otras en otras partes, se había producido una disminución de la confianza pública en el First Mercantile American y una erosión de depósitos. Casi cuarenta millones de dólares retirados se habían escabullido en los últimos diez días, y los fondos que entraban estaban bastante por debajo del nivel usual. Al mismo tiempo el precio de las acciones del FMA había cedido mucho en la bolsa de Nueva York.

El FMA, naturalmente, no estaba solo en esto. Desde que habían corrido las primeras noticias de la insolvencia de la Supranational, un miasma de melancolía se había apoderado de los inversores y de la comunidad comercial, incluidos los banqueros; y los precios de las acciones habían marchado generalmente barranco abajo; se habían creado nuevas dudas internacionales en cuanto al valor del dólar; y ahora la cosa aparecía para algunos como el último aviso antes de la tormenta mayor de una crisis mundial.

Era, pensó Alex, como si el desmoronamiento de un gigante hubiera hecho comprender que otros gigantes, que se suponía invulnerables, iban también a desmoronarse; que ni los individuos, ni las corporaciones, ni los gobiernos, a ningún nivel, podían escapar para siempre a la ley más simple de la contabilidad: que se debe pagar lo que se debe.

Lewis D'Orsey, que había predicado desde hacía años esa doctrina, había escrito algo muy parecido en su último «Newsletter». Alex había recibido el número esa mañana por correo, le había echado una mirada y se lo había metido en el bolsillo para leerlo esa noche con más atención. Ahora lo sacó.

«No crean ustedes en el mito falsamente repetido (escribía Lewis) de que hay algo complejo y elusivo que desafía cualquier análisis fácil, en las finanzas corporadas, nacionales e internacionales.

Todo es economía doméstica... ordinaria economía doméstica, en gran escala.

Los supuestos vericuetos, las ofuscaciones y las sinuosidades son un bosquecillo imaginario. No existen en realidad; han

401

sido creados por políticos compradores de votos (lo que significa *todos* los políticos), por manipuladores y por «economistas» que tienen enfermedades de Keynes. Juntos usan a un curandero mixtificador para ocultar lo que están haciendo y han hecho.

Lo que más temen estos desaprensivos es un simple escrutinio de sus actividades a la luz clara y simple del sentido común.

Porque lo que ellos —en su mayoría los políticos— han creado por un lado es un Himalaya de deudas que ni ellos, ni nosotros ni nuestros tataranietos podremos pagar nunca. Y, por otro lado, han impreso, como si fuera papel higiénico, una cantidad de billetes, desvalorizando nuestra buena moneda —especialmente los honrados dólares respaldados por oro que alguna vez hemos tenido los norteamericanos.

Repetimos: es una simple tarea doméstica... y es la manera más deshonesta, flagrantemente incompetente de llevar las finanzas de una casa en la historia humana.

Esto, y sólo esto, es el motivo básico de la inflación».

Había más. Lewis prefería decir muchas palabras, antes que quedarse corto.

Y también, como siempre, Lewis ofrecía una solución a los males financieros.

«Como un vaso de agua para un deshidratado y moribundo caminante, la solución está pronta y al alcance, como siempre lo ha estado y siempre lo estará.

Oro como base, una vez más, para los sistemas monetarios mundiales.

Oro, el más antiguo, el *solo* bastión de la integridad monetaria. Oro, la *única* fuente, *incorruptible,* de la disciplina fiscal.

Oro que los políticos nos pueden imprimir, o hacer, o falsificar, o desvalorizar de algún modo.

Oro que, debido a su suministro severamente limitado, establece su propio valor, *real,* eterno.

Oro que, debido a su valor consistente y cuando es base de dinero, protege los honestos ahorros de toda la gente, impidiendo que sean saqueados por los bribones, los charlatanes, los incompetentes y los soñadores en los cargos públicos.

El oro que, desde hace siglos ha demostrado que:

Sin él como base monetaria, la inflación es inevitable, seguida por la anarquía;

Con él la inflación puede ser disminuida y curada, puede retenerse la estabilidad.

El oro que Dios, en su sabiduría, tal vez haya creado con el propósito de disminuir los excesos de los hombres.

El oro que alguna vez los norteamericanos dijeron con orgullo que su dólar «vale tanto como...

El oro que algún día, pronto, Norteamérica deberá honorablemente volver a usar como su *standard* de intercambio. La alternativa —que cada día se hace más clara— es la desintegración fiscal y nacional. Por suerte, aun ahora, pese al escepticismo y a los fanáticos del antioro, hay señales de puntos de vista que han madurado en el gobierno, señales de que volvemos a la cordura...»

Alex dejó a un lado el «D'Orsey Newsletter». Como muchos banqueros y demás, a veces se había burlado de los ruidosos defensores del oro —Lewis D'Orsey, Harry Schultz, James Dines, el congresista Crane, Exter, Browne, Pick, y un puñado más. Con todo, recientemente, se había preguntado si el punto de vista simplista de aquellos hombres no tendría razón. Al mismo tiempo que en el oro, ellos creían en el *laissez faire,* la función libre y no estorbada del mercado, donde se dejaba que fracasaran las compañías poco eficientes y que triunfaran las eficientes. El reverso de la moneda eran los teóricos Keynesianos, que odiaban el oro y tenían fe en las manipulaciones de la economía, incluidos los subsidios y los controles a lo que llamaban «una buena afinación». ¿Acaso, se preguntó Alex, los keynesianos eran los herejes, y D'Orsey, Schultz y los otros los verdaderos profetas? Tal vez. Los profetas en otras áreas habían estado solos y se habían burlado de ellos, pero algunos habían vivido para ver cumplidas sus profecías. Un punto de vista que Alex compartía totalmente con Lewis y los otros, era que se avecinaban tiempos más sombríos. Lo cierto es que para el FMA ya habían llegado.

Oyó girar una llave. Se abrió la puerta del apartamento y entró Margot. Se quitó un abrigo con cinturón, de pelo de camello, y lo tiró sobre un sillón.

—Dios mío, Alex, no puedo quitarme a Roscoe de la cabeza. ¿Cómo ha podido hacer eso? *¿Por qué?*

Fue directamente al bar y se preparó un trago.

—Parece que había algunos motivos —dijo él lentamente—. Están empezando a salir a la luz. Si no te molesta, Bracken, prefiero no hablar todavía de esto.

—Entiendo —se acercó a él. El la abrazó y se besaron.

Después de un trago él dijo:

—Háblame de Eastin, de Juanita, de la niña...

Desde ayer Margot había hecho importantes arreglos respecto a los tres.

Se sentó frente a él y bebió unos sorbos.

—Es mucho cuando todo viene junto...

—Con frecuencia las cosas pasan de esa manera —se preguntó qué otra cosa, si es que pasaba algo, ocurriría antes de que terminara este día.

—Primero Miles —empezó Margot—. Está fuera de peligro y la mejor noticia es que, por un milagro no quedará ciego. Los médicos creen que debió de cerrar los ojos un segundo antes de que le cayera el ácido, de manera que los párpados le han salvado. Están terriblemente quemados, lógicamente, como el resto de la cara, y tendrá que someterse durante mucho tiempo a la cirugía plástica.

—¿Y las manos?

Margot sacó una libreta de su bolso y la abrió.

—El hospital se ha puesto en contacto con un cirujano en West Coast... el doctor Jack Tupper, en Oakland. Tiene fama de ser uno de los mejores especialistas para el arreglo quirúrgico de manos. Le han consultado por teléfono. Esrá de acuerdo en venir aquí en avión y operar a mediados de la próxima semana. Supongo que el banco pagará.

—Sí —dijo Alex—, pagará.

—He tenido una conversación —prosiguió Margot— con el agente Innes del FBI. Dice que, a cambio de que Miles Eastin se presente como testigo ante el tribunal, le ofrecen protección y una nueva identidad en otra parte del país... —dejó la libreta—. ¿Has hablado hoy con Nolan?

Alex meneó la cabeza.

—No he tenido ocasión.

—El te hablará. Quiere que uses tu influencia para lograr un empleo para Miles. Nolan dice que, si es necesario, dará puñetazos en tu escritorio para convencerte.

—No será necesario —dijo Alex—. Nuestra compañía de valores tiene tiendas de finanzas en Texas y California. Encontraremos algo para Eastin en uno de los dos puntos.

—Tal vez convenga que contraten también a Juanita. Ella dice que donde él vaya, irá ella. Y también Estela.

Alex suspiró. Se sentía contento de que, por lo menos, hubiera un final feliz. Preguntó:

—¿Qué ha dicho algo Tim McCartney sobre la chica?

Había sido idea de Alex mandar a Estela Núñez al Remedial Center del doctor McCartney. ¿Qué herida mental, si la había, se preguntó Alex, había caído sobre aquella criatura, como resultado del secuestro y de la tortura?

Pero el pensamiento del Remedial Center le recordaba, penosamente, a Celia.

—Te diré algo —dijo Margot—. Si tú y yo fuéramos tan cuerdos y equilibrados como la pequeña Estela, seríamos mejores personas. El doctor McCartney dice que los dos hablaron totalmente de la cosa. Como resultado, a Estela no le quedará la experiencia enterrada en el inconsciente; la recordará claramente... como una mala pesadilla, y nada más.

Alex sintió que los ojos se le llenaban de lágrimas.

—Me alegro —dijo con suavidad—. De verdad.

—Ha sido un día muy ocupado —Margot se desperezó y se quitó pataleando los zapatos—. Otra de las cosas que he hecho es hablar con el departamento legal del banco sobre una compensación para Juanita. Creo que podremos arreglar algo sin tener que llevarte ante el tribunal.

—Gracias, Bracken —tomó su vaso y el de ella para volver a llenarlos. Mientras lo hacía, sonó el teléfono. Margot se levantó y atendió.

—Es Leonard Kingswood. Quiere hablarte.

Alex atravesó la sala y tomó el teléfono.

—Escucho, Len.

—Ya sé que descansas después de un día duro —dijo el presidente de la Northam Steel—, yo estoy también impresionado con lo de Roscoe. Pero, lo que debo decirte, no puede esperar.

Alex hizo una mueca.

—Adelante.

—Ha habido una asamblea de directores. Desde esta tarde nos han convocado a dos conferencias, con otras llamadas entretando. Se ha decidido para mañana a mediodía una reunión total del consejo de Dirección del FMA.

—¿Y...?

—Primero, en la orden del día, está la aceptación de la renuncia de Jerome Patterton como presidente. Algunos la han solicitado. Jerome está de acuerdo. La verdad es que creo que se siente aliviado.

Sí, pensó Alex, Patterton iba a sentir alivio. Era evidente que no tenía estómago para la súbita avalancha de problemas, junto con las decisiones críticas que debían tomarse.

—Después de eso —dijo Kingswood con su acostumbrada manera brusca y directa— tú serás elegido presidente, Alex. Te harás cargo inmediatamente.

Mientras hablaba, Alex había sujetado el teléfono con la cabeza y el hombro, para encender su pipa. Aspiró mientras se concentraba.

—Al punto en que hemos llegado, Len, no estoy seguro de querer el cargo.

—Teníamos idea de que ibas a decir eso, y por eso me eligieron para que te llamara. Puedes decir que te estoy rogando, Alex; en mi nombre y en el de los demás de la Dirección. —Kingswood hizo una pausa y Alex sintió que lo estaba pasando mal. El suplicar no era fácil para un hombre del tamaño de Leonard L. Kingswood, pero se lanzó a ello de todos modos.

—Todos sabemos que tú nos previniste sobre la Supranational, y nosotros creímos saber más. Nos equivocamos. Ignoramos tu consejo y lo que previste ha pasado. Por esto te pedimos, Alex... un poco tarde, lo reconozco... que nos ayudes a salir del lío en que estamos. Debo decir que algunos de los directores están preocupados con su responsabilidad personal. Todos recordamos que también nos previniste sobre eso.

—Déjame pensar un momento, Len.

—Todo el tiempo que quieras.

Alex creyó que debía sentir alguna satisfacción personal, un sentimiento de superioridad, quizás, al ser vindicado, al poder decir *Ya os lo decía;* una sensación de poder al tener en la mano —como sabía que las tenía— las cartas del triunfo.

Pero no sintió nada de esas cosas. Sólo una gran tristeza por la futilidad y la adversidad, y comprendió que lo mejor que podía pasar, durante mucho tiempo, si tenía éxito, era que el banco recobrara el estado en que lo había dejado Ben Rosselli.

¿Valía la pena? ¿Qué significaba todo eso? ¿Acaso el extraordinario esfuerzo, el profundo sacrificio personal y el involucrarse en la cosa, la tensión y la presión se justificaban? ¿Y todo para qué? Para salvar un

405

banco, una tienda de dinero, una máquina de dinero, del fracaso. ¿Acaso el trabajo de Margot entre los pobres y desheredados no era mucho más importante que el trabajo de él, no era una contribución mucho mayor a la época actual? Pero todo no era tan simple, porque los bancos eran necesarios, a su manera tan esenciales e inmediatos como la comida. La civilización se vendría abajo sin un sistema monetario. Los bancos, aunque fueran imperfectos, hacían trabajar el sistema monetario.

Pero éstas eran consideraciones abstractas; había una consideración práctica. Aun en el caso de que Alex aceptara la dirección del First Mercantile American en este estado, no había seguridad del éxito. Era probable que presidiera, ignominiosamente, el cierre del FMA o el hecho de que fuera asimilado a otro banco. En tal caso sería recordado por eso, y su reputación como banquero también quedaría liquidada. Por otra parte, si alguien podía salvar el FMA, Alex sabía que *él* era esa persona. Al mismo tiempo que habilidad poseía el conocimiento interno que alguien venido de fuera hubiera necesitado tiempo para adquirir. Y algo más importante: pese a todos los problemas, aun ahora, creía poder hacerlo.

—Si acepto, Len —dijo— quiero tener mano libre para hacer cambios, incluidos en el consejo de Dirección.

—Tendrás mano libre —contestó Kingswood—. Te lo garantizo personalmente.

Alex aspiró la pipa, después la dejó.

—Déjame pensarlo. Te daré mi decisión mañana por la mañana.

Colgó la comunicación y volvió a coger el vaso que estaba en el bar. Margot ya había tomado el suyo.

Le miró curiosa.

—¿Por qué no has aceptado? Ambos sabemos que vas a hacerlo.

—¿Te has dado cuenta de qué se trataba?

—Naturalmente.

—¿Por qué estás tan segura de que voy a aceptar?

—Porque no eres capaz de rechazar la provocación. Porque toda tu vida consiste en ser banquero. Todo lo demás viene en segundo lugar.

—No estoy seguro —dijo él lentamente— de que deseo que eso sea verdad... —y sin embargo *había* sido verdad, pensó, cuando él y Celia estaban juntos. ¿Todavía lo era? Probablemente la respuesta fuera afirmativa, como decía Margot. Probablemente, también, nadie puede cambiar nunca su naturaleza básica.

—Hay algo que tengo ganas de preguntarte —dijo Margot—. Y este me parece el mejor momento para hacerlo.

El asintió.

—Adelante.

—Aquella tarde en Tylersville, el día de la «estampida» del banco, cuando la vieja pareja con los ahorros de toda su vida en la canasta te preguntó: *¿Está nuestro dinero absolutamente seguro en su banco?*, tú dijiste que sí. ¿Estabas realmente seguro?

—Me lo he preguntado a mí mismo —dijo Alex—. Inmediatamente y después. Si soy sincero, supongo que no lo estaba.

—Pero salvabas el banco, ¿verdad? Eso era lo primero. Antes que esos viejos y que todos los otros; antes que la honradez, porque «los negocios, como siempre» eran lo más importante... —de pronto hubo emoción en la voz de Margot—. Y por eso seguirás procurando salvar el banco, Alex... antes que nada. Eso es lo que pasó contigo y con Celia. Y... —añadió lentamente— es lo que pasaría... si tuvieras que elegir, entre tú y yo.

Alex guardó silencio. ¿Qué puede uno decir, que puede decir nadie, ante la verdad desnuda?

—Así que, en el fondo —dijo Margot— no eres tan distinto a Roscoe. O a Lewis —agarró con desagrado el «D'Orsey Newsletter»—. La estabilidad de los negocios, el dinero sólido, el oro, los altos precios de las acciones. Todo eso, primero. La gente... especialmente la gente pequeña, sin importancia... muy detrás. Es el gran abismo entre nosotros, Alex. Y siempre estará ahí...

Vio que ella lloraba.

Sonó un timbre en el pasadizo, más allá de la sala.

Alex exclamó:

—¡Malditas interrupciones!

Se dirigió a un teléfono interno que comunicaba con la portería.

—Sí, ¿qué pasa?

—Mr. Vandervoort, aquí hay una señora que pregunta por usted, Mrs. Callaghan.

—No conozco a nadie... —se interrumpió—. ¿La secretaria de Heyward? Pregúntele si es del banco.

Una pausa.

—Sí, señor. Es del banco.

—Bien. Hágala subir.

Alex se lo dijo a Margot. Ambos esperaron curiosamente. Cuando oyó el ascensor en el rellano, se dirigió a la puerta del apartamento y la abrió.

—Pase, Mrs. Callaghan.

Dora Callaghan era una mujer atractiva, bien cuidada, cerca de la sesentena. Alex sabía que trabajaba en el FMA desde hacía muchos años, y qué, por lo menos diez, los había pasado junto a Roscoe Heyward. Normalmente tenía dignidad y confianza en sí misma, pero esta noche parecía cansada y nerviosa.

Llevaba un abrigo de gamuza con adornos de piel y traía un portafolio de cuero. Alex lo reconoció como perteneciente al banco.

—Mr. Vandervoort, perdone que le moleste...

—Estoy seguro de que tiene usted algún motivo importante para haber venido... —presentó a Margot. Después preguntó:

—¿Bebe algo?

—No me desagradaría.

Un Martini. Margot lo preparó. Alex le recogió el abrigo de gamuza. Todos se sentaron frente al fuego.

—Puede usted hablar libremente ante Miss Bracken —dijo Alex.

—Gracias —Dora Callaghan tomó un trago del Martini, luego dejó el

407

vaso—. Mr. Vandervoort, esta tarde he examinado el escritorio de Mr. Heyward. Pensé que había que retirar algunas cosas, quizás papeles que debían enviarse a otra persona —su voz se puso espesa y se detuvo—. Perdón —murmuró.

Alex le dijo, con suavidad:

—No se preocupe. Hable lentamente.

A medida que recobraba la compostura, ella siguió:

—Había algunos cajones cerrados con llave. Las llaves las teníamos Mr. Heyward y yo, aunque yo no he usado las mías con frecuencia. Hoy lo he hecho.

Nuevamente un silencio mientras esperaban.

—En uno de los cajones.... Mr. Vandervoort, me enteré que los investigadores van a venir mañana por la mañana... Pensé... que era mejor que usted viera lo que encontré, ya que usted sin duda sabe, mejor que yo, lo que conviene hacer.

Mrs. Callaghan abrió el portafolio de cuero y sacó dos grandes sobres. Al tenderlos a Alex, él observó que los sobres habían sido abiertos previamente. Con curiosidad sacó el contenido.

El primer sobre contenía cuatro certificados de valores, de 500 acciones cada uno de las Inversiones «Q», y estaban firmadas por G. G. Quartermain. Aunque eran certificados nominales, no cabía duda de que pertenecían a Heyward, pensó Alex. Recordó las afirmaciones del periodista del «Newsday» esa tarde. Esto era una confirmación. Se necesitarían mayores pruebas, lógicamente, si el asunto era llevado adelante, pero parecía evidente que Heyward, uno de los administradores, un funcionario de alto grado en el banco había aceptado un sórdido soborno. En caso de estar vivo, el descubrimiento hubiera implicado un juicio en lo criminal.

La primera depresión de Alex se agudizó. Nunca había simpatizado con Heyward. Eran enemigos, casi desde el momento en que Alex había ingresado en el FMA. Sin embargo nunca, en ningún instante, hasta hoy, había dudado de la integridad personal de Roscoe. Quedaba demostrado, pensó, que por más que uno crea conocer bien a un ser humano, realmente nunca es así.

Deseando que nada de esto hubiera sucedido, Alex sacó el contenido del otro sobre. Eran fotografías ampliadas de un grupo de gente junto a una piscina... cuatro mujeres y dos hombres desnudos, y Roscoe Heyward, vestido. En una adivinación instantánea Alex supo que las fotos eran un recuerdo del cacareado viaje de Heyward a las Bahamas, con George Quartermain. Alex contó doce fotografías al tenderlas sobre una mesita de café, mientras Margot y Mrs. Callaghan miraban. Vio, de reojo, la cara de Dora Callaghan. Tenía las mejillas rojas; estaba ruborizada. ¿Ruborizada? El creía que ya nadie se ruborizaba.

Mientras examinaba las fotos tuvo tentaciones de reír. Todos los fotografiados parecían ridículos —no había otra palabra para expresarlo. Roscoe, en una de las instantáneas, miraba fascinado a las mujeres desnudas; en otra era besado por una de ellas, mientras sus dedos acariciaban los pechos. Harold Austin mostraba un cuerpo blando, un pene caído y una sonrisa tonta. Otro hombre, dando el trasero a la cámara, enfrentaba a las mujeres. En cuanto a las mujeres... bueno, pensó Alex, algunos las deben considerar atractivas. Personalmente prefería a Margot, con la ropa puesta, todos los días.

Sin embargo no rió por deferencia hacia Dora Callaghan, que había terminado su Martini y se había puesto de pie.

—Mr. Vandervoort, es mejor que me vaya.

—Ha hecho bien en traerme esto —le dijo él—. Se lo agradezco y me ocuparé de la cosa personalmente.

—Yo la acompañaré —dijo Margot. Ayudó a Mrs. Callaghan a ponerse el abrigo y la acompañó hasta el ascensor.

Alex estaba junto a una ventana, mirando las luces de la ciudad, cuando volvió Margot.

—Una mujer simpática —decidió ella— y leal.

—Sí —dijo él, y pensó: fueran cuales fueran los cambios que se hicieran mañana y los días siguientes, se iba a encargar de que Mr. Callaghan fuera tratada con consideración. También había otra gente en quien debía pensar. Alex iba a promover inmediatamente a Tom Straughan al puesto previo del mismo Alex, como vicepresidente ejecutivo. Orville Young podía muy bien ponerse los zapatos de Heyward. Edwina D'Orsey pasaría al cargo de vicepresidente y estaría encargada del departamento de depósitos; era un cargo que Alex había pensado desde hacía tiempo para Edwina, y pronto esperaba hacerla ascender más. Entretanto debía ser nombrada, inmediatamente, miembro de la Dirección.

De pronto se dio cuenta: daba por sentado que iba a aceptar la presidencia del banco. Bueno, Margot se lo acababa de decir. Evidentemente ella tenía razón.

Se apartó de la ventana y de la oscuridad exterior. Margot estaba de pie junto a la mesita para el café, mirando las fotos. Bruscamente se rió, y entonces él hizo lo que tenía ganas de hacer y rió junto con ella.

—¡Por Dios! —dijo Margot— ¡Es grotescamente triste!

Cuando dejaron de reír él se inclinó, recogió las fotos y las metió en el sobre. Tuvo tentación de tirar el sobre al fuego, pero comprendió que no debía hacerlo. Era destruir una prueba que podía ser necesaria. Pero iba a hacer todo lo posible para impedir que las fotos fueran vistas por otros ojos... en memoria de Roscoe.

—Grostecamente triste —repitió Margot—. ¿Es eso todo?

—Sí —asintió él y, en aquel momento, comprendió que la necesitaba, que siempre iba a necesitarla.

Le tomó las manos, recordando lo que habían estado hablando cuando llegó Mrs. Callaghan.

—No importan los abismos entre nosotros —dijo Alex, con premura—, también contamos con una buena cantidad de puentes. Tu y yo nos hacemos bien mutuamente. Vivamos juntos permanentemente, Bracken, a partir de ahora.

Ella objetó.

—Probablemente no dará resultado o no durará. Las posibilidades están en contra.

—Entonces procuraremos demostrar que se equivocan.

—Naturalmente hay *una* cosa a nuestro favor —los ojos de Margot chispearon con travesura—. La mayoría de las parejas que se comprometen «a amarse y respetarse hasta que la muerte los separe» terminan ante los tribunales de divorcio antes de un año. Tal vez si empezamos sin creer o esperar mucho, nos irá mejor que a los demás.

En el momento de estrecharla entre sus brazos, le dijo:

—A veces los banqueros y los abogados hablan de más.

Indice

Harold Robbins

El pirata

(Segunda edición)

Harold Robbins, autor de tantos grandes bestsellers, ha escrito esta nueva novela, *El pirata,* que quizás sea su más lograda obra en el género de ficción sobre temas actuales. Un joven árabe, Baydr, es destinado por el príncipe para cumplir una misión muy sutil y delicada: crecer y educarse en los Estados Unidos, hasta conocer a fondo todo lo que pueda interesar del mundo occidental al mundo árabe, la trama y la organización de la banca, el comercio y la industria internacionales.

Desde su origen secreto, que *Robbins* describe magistralmente en las vibrantes páginas iniciales, la vida de Baydr se desarrolla en medio de pasiones y energías incontroladas, en los ambientes más agitados de los Estados Unidos, el Oriente Medio y las voluptuosas playas de la Costa Azul. La lucha final entre los guerrilleros fedayines y el comando israelí de rescate en las montañas de Jordania, alcanza un alto simbolismo.

No en vano se estima que *Robbins* es el novelista más leído del mundo. Las ediciones de sus libros han superado la cifra de cien millones de ejemplares; se calcula que vende veinticinco mil por día.

Colección ULTRAMAR BOLSILLO

Sidney Sheldon

Más allá de la medianoche
(segunda edición)

Más allá de la medianoche es la hora en la que el péndulo oscila del amor a la venganza, de la pasión al terror. En esta novela demoledora de *Sidney Sheldon* encontrará el lector dos heroínas, ambas hermosas pero diferentes: Noelle, hija de los suburbios de Marsella, convertida en luminaria del cine internacional, encantadora y sexualmente fascinante, y Catherine, oriunda de Chicago, que adora a los hombres al mismo tiempo que les teme, la típica inocente norteamericana.

Es también la historia de Larry Douglas, apuesto y dinámico héroe de la guerra de quien están enamoradas las dos heroínas, y de Constantín Demiris, magnate griego que posee el poder de los dioses y que, a semejanza de ellos, no puede olvidar ni perdonar.

Todo ocurre en las ciudades más importantes del mundo: Washington, Hollywood, París ocupado por los nazis y Atenas, después de la Segunda Guerra Mundial. Romance, suspense y venganza hasta que el reloj anuncia que se ha llegado «más allá de la medianoche».

Colección ULTRAMAR BOLSILLO
De próxima aparición

Helen MacInnes

La red del cazador

Irina cruza la alambrada que cierra la frontera de Austria. Abandona Checoslovaquia y se aleja del oficial de la policía política de quien acaba de divorciarse. Pretende reunirse con su padre que ha hallado refugio en algún lugar de Occidente. Pero mientras sus amigos la ayudan, la sospecha asesta sus golpes. Acaso Irina misma sea un cebo preparado para dar con el rastro de su padre o acaso un simple peón en un juego de grandes intereses. De todas las novelas de *Helen MacInnes*, ésta es la más emotiva y cautivante.

«*La red del cazador*» estuvo más de treinta semanas en las listas de best-sellers de Nueva York.

Colección ULTRAMAR BOLSILLO
De próxima aparición

Thomas Harris

Domingo negro

Una novela tan actual y sobrecogedora
como los titulares de todos los días en los
periódicos.

Los personajes principales son Michael
Lander, ex piloto de la marina norteamericana, que participó en la guerra del Vietnam;
Dalhia Iyat, bella y peligrosa guerrillera, famosa por su fanatismo, y un dirigible utilizado por la televisión para filmar partidos
desde el aire.

Con estos ingredientes se prepara un ingenioso y diabólico atentado. El Servicio Secreto israelí descubre que algo se está tra-
mando, pero no sabe cuál será el blanco
elegido, ni quiénes serán sus autores.

La aventura está urdida tan admirable-
mente, con tal sentido del ritmo y el suspense, que obliga al lector a seguir su desarrollo hasta la última página.

Dieciocho semanas en las listas de best-
sellers de los Estados Unidos.

Colección ULTRAMAR BOLSILLO
De próxima aparición

Lawrence Sanders

El primer pecado mortal

Este libro trata de unos seres humanos víctimas del azar y las circunstancias, absorbidos por la vorágine de la ambición, el orgullo, el sexo y el amor, pasiones que no pueden entender y menos aún dominar.

Edward Delaney es un hombre recto y cabal, un policía entregado en cuerpo y alma a su profesión, hasta el punto de vivir junto al edificio de la Comisaría para cumplir mejor sus arriesgadas obligaciones.

Daniel Blank es un joven empresario triunfante, orgulloso de sus éxitos, que disfruta los privilegios de su posición económica: lujoso apartamento, un automóvil super-sport y un hobby, el alpinismo, para el que no ahorra gastos.

Fundamentalmente, la novela plantea una eterna antinomia: la ley frente al delito; pero es también una reveladora semblanza del hombre de hoy. No es una novela policiaca corriente, sin otro interés que averiguar «quién lo hizo». Es un relato que, a su final, deja en el ánimo una inquietante revelación sobre la naturaleza humana.